『十三五』国家重点出版物出版规划项目

# 中国中药资源大典

6


黄璐琦 / 总主编

曲晓波　姜大成　于俊林 / 主　编



北京科学技术出版社

**图书在版编目（CIP）数据**

中国中药资源大典．吉林卷．6 / 曲晓波，姜大成，于俊林主编．— 北京：北京科学技术出版社，2022.1
ISBN 978-7-5714-1924-0

Ⅰ．①中…　Ⅱ．①曲…　②姜…　③于…　Ⅲ．①中药资源－资源调查－吉林　Ⅳ．①R281.4

中国版本图书馆 CIP 数据核字（2021）第 218165 号

---

**策划编辑：** 李兆弟　侍　伟
**责任编辑：** 侍　伟　王治华　李兆弟　陈媞颖
**责任校对：** 贾　荣
**图文制作：** 樊润琴
**责任印制：** 李　茗
**出 版 人：** 曾庆宇
**出版发行：** 北京科学技术出版社
**社　　址：** 北京西直门南大街16号
**邮政编码：** 100035
**电　　话：** 0086-10-66135495（总编室）　0086-10-66113227（发行部）
**网　　址：** www.bkydw.cn
**印　　刷：** 北京捷迅佳彩印刷有限公司
**开　　本：** 889 mm × 1194 mm　1/16
**字　　数：** 987千字
**印　　张：** 44.5
**版　　次：** 2022年1月第1版
**印　　次：** 2022年1月第1次印刷
**审 图 号：** GS（2021）8727号
ISBN 978-7-5714-1924-0

---

**定　　价：490.00元**

《中国中药资源大典·吉林卷 6》

# 编写人员

---


**主　　编**　曲晓波　姜大成　于俊林

**副 主 编**　孙云龙　张立秋　马　全　秦汝兰　容路生　孟芳芳

**编　　委**　（按姓氏笔画排序）

于　澎　于俊林　马　全　王　哲　王兆武　王英哲　白　洋　毕　博
曲晓波　朱键勋　刘　三　齐伟辰　闫　莉　安海成　许天阳　孙云龙
李　波　李　剑　李　婧　李天生　杨佳音　肖井雷　肖春萍　吴　媛
吴望蕊　张　涛　张　强　张天柱　张立秋　张彦飞　张景龙　林　喆
国　坤　庞　博　孟芳芳　赵　磊　胡彦武　侯晓琳　姜大成　姜雨昕
秦汝兰　贾纪元　翁丽丽　高　雅　容路生　雷钧涛　路　静　蔡广知

《中国中药资源大典·吉林卷 6》

# 编辑委员会

# 目录

Contents

附篇

## 吉林省动物药资源

# 被子植物

泽泻科 Alismataceae 泽泻属 *Alisma*

# 草泽泻 *Alisma gramineum* Lej.

| 药 材 名 | 草泽泻（药用部位：块茎）。

| 形态特征 | 多年生沼生草本。块茎较小，或不明显。基生叶多数，叶柄粗壮，基部膨大成鞘状，叶片披针形，先端渐尖，基部楔形，基出脉 3 ~ 5。花葶由基生叶中抽出，明显高于基生叶；花轮生成伞形花序，具 2 ~ 5 轮分枝，每轮分枝 3 ~ 9 或更多，再集合成大型的圆锥花序；花两性；外轮花被片广卵形，脉隆起，5 ~ 7，内轮花被片白色，大于外轮，近圆形，边缘整齐；花药椭圆形，黄色，花丝向上骤然狭窄；心皮轮生，排列整齐，花柱短，柱头小，为花柱的 1/3 ~ 1/2，向背部反卷；花托平突。瘦果两侧压扁，倒卵形或近三角形，背部具脊，或较平，有时具 1 ~ 2 浅沟，腹部具窄翅，

草泽泻

两侧果皮厚纸质，不透明，有光泽；果喙很短，侧生。种子紫褐色，中部微凹。花期 6 ～ 7 月，果期 8 ～ 9 月。

**| 生境分布 |** 生于湖边、水塘、沼泽、沟边及湿地等。分布于吉林白城（通榆、镇赉、洮南）、松原（宁江）、白山（长白）、延边（汪清）等。

**| 资源情况 |** 野生资源较少。药材主要来源于野生。

**| 采收加工 |** 秋、冬季采挖块茎，除去茎叶、须根，削去粗皮，洗净，干燥或切片干燥。

**| 功能主治 |** 甘、淡，寒。利水，渗湿，泄热。用于水肿，泄泻，热淋涩痛。

**| 用法用量 |** 内服煎汤，3 ～ 15g。

**| 附　　注 |** 本种与窄叶泽泻 *Alisma canaliculatum* A. Braun et Bouche. 外部形态相近，但本种叶片直；花柱很短，向背部反卷，花丝基部宽；果实背部具 1 ～ 2 浅沟或不明显，易于区别。

泽泻科 Alismataceae 泽泻属 *Alisma*

# 东方泽泻 *Alisma orientale* (Samuel.) Juz.

| 植物别名 | 水车前、水泽、车苦菜。

| 药 材 名 | 泽泻（药用部位：块茎。别名：水泽泻、芒芋）、泽泻叶（药用部位：叶）。

| 形态特征 | 多年生水生或沼生草本。具较大、球形的地下块茎，外皮褐色，密生须根。叶基生，多数，沉水叶条形或披针形，挺水叶宽披针形、椭圆形，先端渐尖，基部近圆形或浅心形，叶脉 5 ~ 7，叶柄长，较粗壮，基部渐宽，边缘窄膜质。花葶由基生叶中抽出，明显高于基生叶；花轮生成伞形花序，常具 3 ~ 9 轮分枝，每轮分枝 3 ~ 9，再集合成大型的圆锥花序；花两性；花梗不等长；外轮花被片卵形，

东方泽泻

边缘窄膜质，具 5 ~ 7 脉，内轮花被片近圆形，比外轮大，白色、淡红色，边缘波状；心皮排列不整齐，花柱直立，柱头长约为花柱的 1/5；花丝长，向上渐窄，花药黄绿色或黄色；花托在果期呈凹凸。瘦果椭圆形，背部具 1 ~ 2 浅沟，腹部自果喙处凸起，呈膜质翅，两侧果皮纸质，半透明或否，具果喙，自腹侧中上部伸出；种子紫红色。花期 6 ~ 7 月，果期 8 ~ 9 月。

**| 生境分布 |** 生于水边湿地、湖泊、水塘、稻田、沟渠及沼泽中，常成单优势的大面积群落。吉林各地均有分布。

**| 资源情况 |** 野生资源较少。药材主要来源于野生。

**| 采收加工 |** 泽泻：冬季茎叶开始枯萎时采挖，洗净，干燥，除去须根和粗皮。
泽泻叶：夏季采收，鲜用或晒干。

**| 药材性状 |** 泽泻：本品呈类球形、椭圆形或卵圆形，长 2 ~ 7cm，直径 2 ~ 6cm。表面黄白色或淡黄棕色，有不规则的横向环状浅沟纹和多数细小凸起的须根痕，有的底部有瘤状芽痕。质坚实，断面黄白色，粉性，有多数细孔。气微，味微苦。

**| 功能主治 |** 泽泻：甘、淡，寒。归肾、膀胱经。利水渗湿，泄热，化浊降脂。用于小便不利，水肿胀满，泄泻，痰饮眩晕，热淋涩痛，高脂血症。
泽泻叶：微咸，平。益肾，止咳，通脉，下乳。用于虚劳，咳喘，乳汁不下，疮肿。

**| 用法用量 |** 泽泻：内服煎汤，6 ~ 12g。
泽泻叶：内服煎汤，15 ~ 30g。外用适量，捣敷。

**| 附　　注 |** 本种与泽泻 *Alisma plantago-aquatica* Linn. 外部形态十分相似，但本种花果较小，花柱很短，内轮花被片边缘波状，花托在果期中部呈凹形；瘦果在花托上排列不整齐，易于区别。

泽泻科 Alismataceae 慈姑属 *Sagittaria*

# 野慈姑 *Sagittaria trifolia* L.

| 植物别名 | 慈菇、三裂慈姑。

| 药 材 名 | 野慈姑（药用部位：全草。别名：三裂慈菇）。

| 形态特征 | 多年生水生或沼生草本。根茎横走，较粗壮，末端膨大为小球茎或否。挺水叶箭形，叶片长短、宽窄变异很大，通常顶裂片短于侧裂片，顶裂片与侧裂片之间缢缩或否；叶柄基部渐宽，鞘状，边缘膜质，具横脉，或不明显。花葶直立，挺水，通常粗壮；花序总状或圆锥状，较长，具 1 ～ 2 分枝，具花多轮，每轮 2 ～ 3 花；苞片 3，基部多少合生，先端尖；花单性；花被片反折，外轮花被片椭圆形或广卵形，内轮花被片白色或淡黄色，基部收缩；雌花通常 1 ～ 3 轮，

野慈姑

花梗短粗，心皮多数，两侧压扁，花柱自腹侧斜上；雄花多轮，花梗斜举，雄蕊多数，花药黄色，花丝长短不一，通常外轮短，向里渐长。瘦果两侧压扁，倒卵形，具翅，背翅多少不整齐；果喙短，自腹侧斜上；种子褐色。花期 7 ~ 8 月，果期 8 ~ 9 月。

**| 生境分布 |** 生于水边、湿地、湖泊、沼泽、稻田及沟渠等地，常成片生长。吉林各地均有分布。

**| 资源情况 |** 野生资源较丰富。药材主要来源于野生。

**| 采收加工 |** 夏、秋季采收，除去杂质，晒干。

**| 功能主治 |** 清热解毒，凉血消肿。用于黄疸，瘰疬，蛇咬伤，疮肿，丹毒，恶疮，难产，产后血闷，胎衣不下，崩漏，带下。

泽泻科 Alismataceae 慈姑属 *Sagittaria*

# 剪刀草 *Sagittaria trifolia* Linn. var. *trifolia* f. *longiloba* (Turcz.) Makino

剪刀草

## | 药材名 |

慈姑（药用部位：全草或球茎。别名：张口草、华夏慈菇、燕尾草）。

## | 形态特征 |

多年生水生或沼生草本。根茎横生，末端膨大或否。叶柄基部渐宽，鞘状，边缘膜质；挺水叶箭形，叶片长短、宽窄变异很大，通常顶裂片短于侧裂片，比值为 1 ： 1.2 ～ 1 ： 1.5，有时侧裂片更长，顶裂片与侧裂片之间缢缩或否。花葶直立，挺水，高（15 ～）20 ～ 70cm；花序总状或圆锥状，长 5 ～ 20cm，具 1 ～ 2 分枝，具花多轮，每轮 2 ～ 3 花，苞片 3；花单性，花被片反折，外轮花被片椭圆形或广卵形，内轮花被片白色或淡黄色；雌花 1 ～ 3 轮，心皮多数，两侧压扁；雄花多轮，雄蕊多数，花丝长短不一，通常外轮短，向里渐长。瘦果倒卵形，具翅，背翅多少不整齐；种子褐色。花果期 5 ～ 10 月。

## | 生境分布 |

生于水边、湿地及稻田沟旁。以长白山区为主要分布区域，分布于吉林延边、白山、通化、吉林、辽源（东丰）等。

**| 资源情况 |** 野生资源较丰富。药材主要来源于野生。

**| 采收加工 |** 夏、秋季采收全草，除去杂质和泥沙，晒干。秋季采收球茎，除去杂质和泥沙，晒干。

**| 药材性状 |** 本品全草长 15 ~ 30cm。完整基生叶展平后呈线状披针形，长 8 ~ 20cm，宽 5 ~ 13cm，全缘或边缘具短尖齿，稀羽状分裂；茎生叶呈椭圆状披针形或披针形，长 5 ~ 15cm，宽 7 ~ 14mm。果实有翅棱，喙长约 1mm。气微，味苦。本品球茎鲜品呈长卵圆形或椭圆形，长 2.2 ~ 4.5cm，直径 1.8 ~ 3.2cm，表面黄白色或黄棕色，有的微呈青紫色，具纵皱纹和横环状节，节上残留红棕色的鳞叶，鳞叶脱落后，显淡绿黄色；先端生芽，长 5 ~ 7cm，或具芽脱落的圆形痕，基部钝圆或平截；切断面类白色，水分较多，富含淀粉。干品多纵切或横切成块状，切面灰白色，粉性强。气微，味微苦、甜。

**| 功能主治 |** 甘、微苦、微辛，微寒。清热解毒，凉血消肿。用于黄疸，瘰疬，蛇咬伤，疮肿。

**| 用法用量 |** 内服煎汤，15 ~ 30g；或绞汁。外用适量，捣敷；或磨汁沉淀后点眼。

花蔺科 Butomaceae 花蔺属 *Butomus*

# 花蔺 *Butomus umbellatus* Linn.

花蔺

## | 植物别名 |

猪尾巴菜、帽子草、猫头草。

## | 药 材 名 |

花蔺（药用部位：茎叶）。

## | 形态特征 |

多年生水生草本，通常成丛生长。根茎横走或斜向生长，节生须根多数。叶基生，上部伸出水面，三棱状条形，无柄，先端渐尖，基部扩大成鞘状，鞘缘膜质。花葶圆柱形，与叶近等长；伞形花序顶生，花序基部具 3 苞片，卵形，先端渐尖，花小，两性；外轮花被片 3，较小，萼片状，绿色而稍带红色，宿存，内轮花被片 3，较大，花瓣状，粉红色；雄蕊 9，花丝扁平，基部较宽；心皮 6，粉红色，轮状排列，柱头纵折状向外弯曲。蓇葖果成熟时沿腹缝线开裂，先端具长喙；种子多数，细小，有沟槽。花期 8 月，果期 8 ~ 9 月。

## | 生境分布 |

生于河岸、低洼处、水田边、池塘、湖泊、浅水或沼泽中。分布于吉林松原（长岭、扶余、前郭尔罗斯）、四平（梨树）、长春（德惠、农安、榆树、九台）、白城（大安、通榆、镇赉）、通化（通化、集安、辉南）、白山（长白）等。

**｜资源情况｜** 野生资源较少。药材主要来源于野生。

**｜采收加工｜** 夏季采收，除去杂质，晒干。

**｜功能主治｜** 清热解毒，止咳平喘。用于咳嗽痰喘。

水鳖科 Hydrocharitaceae 水鳖属 *Hydrocharis*

# 水鳖 *Hydrocharis dubia* (Bl.) Backer

**| 植物别名 |** 马尿花、芣菜。

**| 药 材 名 |** 水鳖（药用部位：全草。别名：水白、水苏、芣菜）。

**| 形态特征 |** 浮水草本。须根很长。匍匐茎发达，节间很长，先端生芽，并可产生越冬芽。叶簇生，多漂浮，有时伸出水面；叶片心形或圆形，先端圆，基部心形，全缘，远轴面有蜂窝状贮气组织，并具气孔；叶脉 5，中脉明显。雄花序腋生；花序梗稍长；佛焰苞 2，膜质，透明，具红紫色条纹，苞内雄花 5 ~ 6，每次仅 1 朵开放；花梗较长；萼片 3，离生，常具红色斑点，尤以先端为多；花瓣 3，黄色，与萼片互生，先端微凹，基部渐狭，近轴面有乳头状突起；雄蕊 12，呈 4 轮排列。

水鳖

雌佛焰苞小，苞内雌花 1；花梗较长；花大；萼片 3，先端圆，常具红色斑点；花瓣 3，白色，基部黄色，较雄花花瓣大，近轴面具乳头状突起；退化雄蕊 6，成对并列，与萼片对生；花柱 6，每枚 2 深裂，密被腺毛；子房下位。果实浆果状，球形至倒卵形，具数条沟纹；种子多数，种皮上有许多毛状突起。花期 8 ~ 9 月，果期 9 ~ 10 月。

**| 生境分布 |** 生于湖泊、静水池沼或稻田中。分布于吉林白城、松原、四平等。

**| 资源情况 |** 野生资源较少。药材主要来源于野生。

**| 采收加工 |** 春、夏季采收，鲜用或晒干。

**| 药材性状 |** 本品须根很长。茎节间很长，先端生芽。叶片心形或圆形，先端圆，基部心形，全缘，中脉明显。花瓣黄色或白色。果实浆果状，球形至倒卵形，具数条沟纹；种子多数，种皮上有许多毛状突起。气微，味苦。

**| 功能主治 |** 苦，寒。解毒收敛，止血止带，清热利湿。用于湿热带下，崩漏，天疱疮。

**| 用法用量 |** 内服研末，2 ~ 4g。

冰沼草科 Scheuchzeriaceae 冰沼草属 *Scheuchzeria*

# 冰沼草 *Scheuchzeria palustris* Linn.

| **植物别名** | 芝菜。

| **药 材 名** | 冰沼草（药用部位：全草。别名：芝菜）。

| **形态特征** | 多年生沼生草本。地下根茎粗短，横走。地上茎直立，具节。叶基生和茎生，具开放的叶鞘，鞘内生有多数长毛；茎生叶互生，对折，叶片线形，半圆柱状而中实，上部筒状，先端近轴面有 1 孔；叶鞘先端有 1 明显的叶舌。花数朵排成顶生的短总状花序，花梗基部有苞片；完全花，无蜜腺；宿存花被排列为相似的 2 轮，每轮各具分离的、黄绿色的被片 3；雄蕊 6，分离，花丝短，花药纵裂；雌蕊群由 3（～ 6）心皮组成。果实为蓇葖果，外弯伸展，几无喙；种子小，

冰沼草

无胚乳。花期 6 ~ 7 月。

| **生境分布** | 生于静水池湿地、沼泽地。分布于吉林延边（和龙、安图）等。

| **资源情况** | 野生资源较少。药材主要来源于野生。

| **采收加工** | 夏、秋季采收，除去杂质，晒干。

| **药材性状** | 本品根茎粗短。茎具节。叶具叶鞘，鞘内生有多数长毛，叶片线形，半圆柱状而中实，上部筒状。花数朵排成顶生的短总状花序。果实为蓇葖果。气微，味微苦。

| **功能主治** | 清热利湿。用于湿热带下。

| **附　　注** | 本种为国家Ⅱ级重点保护野生植物。

眼子菜科 Potamogetonaceae 眼子菜属 *Potamogeton*

# 菹草 *Potamogeton crispus* L.

**| 植物别名 |** 札草、虾藻、猪草。

**| 药 材 名 |** 菹草（药用部位：全草）。

**| 形态特征 |** 多年生沉水草本，具近圆柱形细长的根茎。茎稍扁，多分枝，侧枝先端常结芽苞，脱落后长成新植株，近基部常匍匐地面，于节处生出疏或稍密的须根。叶条形，无柄，先端钝圆，基部与托叶合生，但不形成叶鞘，叶缘多少呈浅波状，具疏或稍密的细锯齿；叶脉 3 ~ 5，平行，先端连接，中脉近基部两侧伴有通气组织形成的细纹，次级叶脉疏而明显可见；托叶薄膜质，基部与叶合生，早落；休眠芽腋生，略似松果，叶革质，2 列密生，基部扩张，肥厚，坚硬，

菹草

边缘具有细锯齿。穗状花序顶生叶腋，具花 2 ~ 4 轮，初时每轮 2 朵对生，穗轴伸长后常稍不对称；花序梗棒状，较茎细；花小，被片 4，淡绿色，雌蕊 4，基部合生。小坚果，卵形，果喙向后稍弯曲，背脊约 1/2 以下具牙齿。花期 6 ~ 7 月，果期 7 ~ 8 月。

**| 生境分布 |** 生于水边、湿地、沼泽地、池塘、水稻田、沟渠等。以长白山区为主要分布区域，分布于吉林延边、白山、通化、吉林、辽源（东丰）等。

**| 资源情况 |** 野生资源较少。药材主要来源于野生。

**| 采收加工 |** 4 ~ 6 月采收，除去杂质，晒干。

**| 药材性状 |** 本品根茎细长，近圆柱形。茎稍扁，多分枝，侧枝先端常结芽苞。叶条形，无柄，先端钝圆，基部与托叶合生，不形成叶鞘，叶缘呈浅波状，具细锯齿；托叶薄，膜质，肥厚，坚硬，边缘具细锯齿。穗状花序顶生叶腋；花序梗棒状，较茎细。小坚果，卵形。气微，味微苦。

**| 功能主治 |** 苦，寒。清热明目，渗湿利水，通淋止痛，止血消肿，驱蛔。用于目赤肿痛，水肿泄泻，热淋涩痛，瘀血肿痛，蛔虫病。

眼子菜科 Potamogetonaceae 眼子菜属 *Potamogeton*

# 眼子菜 *Potamogeton distinctus* A. Benn.

| 植物别名 | 鸭子草、牙齿草、水上漂。

| 药 材 名 | 眼子菜（药用部位：全草）。

| 形态特征 | 多年生水生草本。根茎发达，白色，常具红色斑点，多分枝，常于先端形成纺锤状休眠芽体，节处生有稍密的须根。茎圆柱形，通常不分枝。浮水叶互生，花序下部者对生，有长柄，叶片革质，披针形、宽披针形至卵状披针形，先端尖或钝圆，基部钝圆或有时近楔形，叶脉多条，先端连接；沉水叶互生，披针形至狭披针形，柄比浮水叶短，叶片草质，常早落；托叶膜质，先端尖锐，呈鞘状抱茎。穗状花序顶生于浮水叶的叶腋，花梗较长，密生多轮黄绿色小花，

眼子菜

开花时伸出水面，开花后沉没水中；花序梗稍膨大，粗于茎，花时直立，花后自基部弯曲；花被片 4；雌蕊 2，花柱短。小坚果宽倒卵形，背部具明显 3 脊，中脊锐，于果实上部明显隆起，侧脊稍钝，基部及上部各具 2 突起，喙略下陷而斜伸。花期 7 ~ 8 月，果期 8 ~ 9 月。

**| 生境分布 |** 生于小河、水泡、池塘、沼泽、河流浅水处、稻田、沟渠等，常成片生长。以长白山区为主要分布区域，分布于吉林延边、白山、通化、吉林、辽源（东丰）、白城（镇赉）等。

**| 资源情况 |** 野生资源较少。药材主要来源于野生。

**| 采收加工 |** 夏季采收，除去杂质，晒干。

**| 药材性状 |** 本品呈团状，灰绿色。茎纤细，长短不一，直径约 1mm，有纵纹。叶常皱缩或破碎；完整者二型；浮水叶互生，花序下面的叶对生，叶片呈阔披针形或近长椭圆形，先端渐尖或钝圆，基部近圆形，全缘，略带革质；沉水叶披针形。穗状花序，花密生。小核果阔卵形，背部有 3 脊。气微，味微苦。

**| 功能主治 |** 苦，寒。归胆、肝、膀胱经。清热解毒，利尿消肿，止血，驱蛔。用于痢疾，黄疸，淋证，带下，血崩，蛔虫病，疮疡红肿，痔血。

**| 用法用量 |** 内服煎汤，9 ~ 15g，鲜品 30 ~ 60g。外用适量，捣敷。

眼子菜科 Potamogetonaceae 眼子菜属 *Potamogeton*

# 竹叶眼子菜 *Potamogeton malaianus* Miq.

**| 植物别名 |** 箬叶藻、马来眼子菜。

**| 药 材 名 |** 竹叶眼子菜（药用部位：全草）。

**| 形态特征 |** 多年生沉水草本。根茎发达，白色，节处生有须根。茎圆柱形，不分枝或具少数分枝，节间很长。叶条形或条状披针形，先端钝圆而具小凸尖，基部钝圆或楔形，边缘浅波状，有细微的锯齿，具稍长的长柄；中脉显著，自基部至中部发出 6 至多条与之平行、并在先端连接的次级叶脉，三级叶脉清晰可见；托叶大而明显，近膜质，无色或淡绿色，与叶片离生，鞘状抱茎。穗状花序顶生，具花多轮，密集或稍密集；花序梗膨大，稍粗于茎；花小，被片 4，绿色；雌

竹叶眼子菜

蕊 4，离生。果实倒卵形，两侧稍扁，背部有明显 3 脊，中脊狭翅状，侧脊锐。花期 7 ~ 8 月，果期 8 ~ 9 月。

**| 生境分布 |** 生于小河、水泡、池塘、灌渠、河流等静流水体，水体多为酸性。分布于吉林白城、松原、四平等。

**| 资源情况 |** 野生资源较少。药材主要来源于野生。

**| 采收加工 |** 夏季采收，除去杂质，晒干。

**| 功能主治 |** 清热，解毒，利尿，止血消肿，消积，驱蛔。用于急性结膜炎，痢疾，黄疸，水肿，腰痛，淋证，带下，痔血，衄血，小儿疳积，蛔虫病，疮疖肿毒。

**| 附　　注 |** 在 FOC 中，本种的拉丁学名被修订为 *Potamogeton wrightii* Morong。

眼子菜科 Potamogetonaceae 眼子菜属 *Potamogeton*

# 浮叶眼子菜 *Potamogeton natans* L.

| **药 材 名** | 水案板（药用部位：全草）。

| **形态特征** | 多年生水生草本。根茎发达，白色，常具红色斑点，多分枝，节处生有须根。茎圆柱形，通常不分枝或极少分枝。浮水叶革质，卵形至矩圆状卵形，有时为卵状椭圆形，先端圆形或具钝尖头，基部心形至圆形，稀渐狭，具长柄；叶脉 23 ~ 35，于叶端连接，其中 7 ~ 10 显著；沉水叶质厚，叶柄状，呈半圆柱状的线形，先端较钝，具不明显的 3 ~ 5 脉；常早落；托叶近无色，鞘状抱茎，多脉，常呈纤维状宿存。穗状花序顶生，具花多轮，开花时伸出水面；花序梗稍有膨大，粗于茎或有时与茎等粗，开花时通常直立，花后弯曲而使穗沉没水中。花小，被片 4，绿色，肾形至近圆形；

浮叶眼子菜

雌蕊 4，离生。果实倒卵形，外果皮常为灰黄色；背部钝圆或具不明显的中脊。花果期 7 ~ 10 月。

**| 生境分布 |** 生于湖泊、沟塘等静水或缓流中，水体多呈微酸性。以长白山区为主要分布区域，分布于吉林延边、白山、通化、吉林、辽源（东丰）等。

**| 资源情况 |** 野生资源较少。药材主要来源于野生。

**| 采收加工 |** 8 ~ 10 月采收，鲜用或切段晒干。

**| 功能主治 |** 微苦，凉。清热解毒，利尿，利水消肿，消积，补虚健脾，驱虫。用于结膜炎，牙痛，水肿，痢疾，黄疸，痔疮，淋证，带下，血崩，痔血，蛔虫病，干血痨，小儿疳积；外用于疮疖肿毒。

**| 用法用量 |** 内服煎汤，15 ~ 30g。外用适量，捣敷患处。

眼子菜科 Potamogetonaceae 水麦冬属 *Triglochin*

# 水麦冬 *Triglochin palustre* Linn.

| **植物别名** | 小麦冬、牛毛草、三尖草。

| **药 材 名** | 水麦冬（药用部位：全草）。

| **形态特征** | 多年生湿生草本，植株细弱。根茎短，生有多数须根。叶全部基生，条形，长不超过花序，先端钝，基部具鞘，两侧鞘缘膜质，残存叶鞘纤维状，叶舌膜质。花葶细长，直立，圆柱形，无毛；总状花序顶生，花排列较疏散，无苞片；花梗短；花被片 6，绿紫色，椭圆形或舟形；雄蕊 6，近无花丝，花药卵形，2 室；雌蕊由 3 合生心皮组成，柱头毛笔状。蒴果棒状条形，成熟时自下至上呈 3 瓣开裂，仅顶部联合。花期 7 ~ 8 月，果期 8 ~ 9 月。

水麦冬

**| 生境分布 |** 生于河岸湿地及湿草甸子中。分布于吉林白城（镇赉、通榆、洮南、大安）、松原（长岭、前郭尔罗斯）、长春（农安、德惠、九台、榆树）、延边（安图）等。

**| 资源情况 |** 野生资源较少。药材主要来源于野生。

**| 采收加工 |** 夏季采收，除去杂质，晒干。

**| 药材性状 |** 本品根茎短，生有多数须根。叶基生，条形，膜质，残存叶鞘纤维状，叶舌膜质。花葶细长，直立，圆柱形，无毛；总状花序，花排列较疏散，无苞片；花梗短；花被片 6，绿紫色。蒴果棒状条形，成熟时自下至上呈 3 瓣开裂，仅顶部联合。气微，味微苦。

**| 功能主治 |** 清热利湿，消肿止泻。用于水肿，泄泻，目昏。

茨藻科 Najadaceae 茨藻属 *Najas*

# 纤细茨藻 *Najas gracillima* (A. Br.) Magnus

**| 药 材 名 |** 纤细茨藻（药用部位：全草）。

**| 形态特征 |** 一年生沉水草本，长10～20cm。植株纤细，易碎，呈黄绿色至深绿色，基部节生有不定根。茎圆柱形，分枝多，呈二叉状。叶多为5叶假轮生，少数为3叶，或叶以上假轮生，多呈簇生的数枚叶与单枚叶拟对生状态，无柄；叶片狭线形至刚毛状，下部几无齿，上部边缘每侧具极小的刺状细齿，齿端具1黄褐色刺细胞；叶表皮细胞近长方形；叶鞘显著，黄绿色至褐色，抱茎，圆形至多少呈倒心形；叶耳短，先端具刺状细齿6～7。花单性，1～4腋生，2朵以上者多只有1雄花，其他皆为雌花；雄花较小，椭圆形，黄绿色，具1佛焰苞和1花被，雄蕊1，花药1室；雌花显著，裸露，每雌花具1雌蕊，花

纤细茨藻

柱短，柱头 2 裂。瘦果褐色，长椭圆形，常成对生于茎节上。花期 6 ~ 7 月，果期 7 ~ 8 月。

**| 生境分布 |** 生于稻田或藕田中，亦见于水沟和池塘的浅水处。分布于吉林白城、松原、四平等。

**| 资源情况 |** 野生资源较少。药材主要来源于野生。

**| 采收加工 |** 夏、秋季采捞或者割取，除去杂质，洗净，晒干。

**| 功能主治 |** 祛风，利水。用于风水水肿。

**| 附　　注 |** 本种为国家Ⅱ级重点保护野生植物。

茨藻科 Najadaceae 茨藻属 *Najas*

# 草茨藻 *Najas graminea* Del.

**| 药 材 名 |** 草茨藻（药用部位：全草）。

**| 形态特征 |** 一年生沉水草本，长 10 ~ 20cm。植株较柔软，纤弱，下部匍匐，上部直立，呈黄绿色或深绿色，基部节上多生有不定根；茎干光滑无齿，圆柱形，节间稍长；基部分枝较多，上部分枝较少，呈二叉状。叶 3，假轮生或 2 枚近对生，无柄；叶片狭线形至线形，中脉 1，明显，背面沿脉无锯齿，先端渐尖，边缘每侧有较密而微小的细齿，叶基扩大成鞘，抱茎；叶鞘先端心状耳形，两侧均着生数枚褐色刺状细齿。花单性，腋生，常单生或 2 ~ 3 聚生。雄花浅黄绿色，椭圆形，多生于植株上部，无佛焰苞；花被裂片圆形；花粉粒椭圆形。雌花无佛焰苞和花被，雌蕊长圆形，花柱极短，柱头 2 ~ 4 裂。瘦

草茨藻

果黄褐色至褐色，长椭圆形，柱头宿存；种皮坚硬，易碎，种脊明显。花果期6～9月。

**| 生境分布 |** 生于静水池塘、藕田、稻田和缓流中。分布于吉林白城、松原、长春等。

**| 资源情况 |** 野生资源较少。药材主要来源于野生。

**| 采收加工 |** 夏、秋季采捞或者割取，除去杂质，洗净，晒干。

**| 功能主治 |** 祛风，利水。用于风水浮肿。

茨藻科 Najadaceae 茨藻属 *Najas*

# 大茨藻 *Najas marina* L.

**| 药 材 名 |** 大茨藻（药用部位：全草）。

**| 形态特征 |** 一年生沉水草本，长 30 ~ 100cm。植株多汁，较粗壮，呈黄绿色至墨绿色，有时节部褐红色，质脆，极易从节部折断；茎细，节间长，通常越近基部则越长，基部节上生有不定根；分枝多，呈二叉状，常具稀疏锐尖的粗刺。叶近对生和 3 叶假轮生，于枝端较密集，无柄；叶片线状披针形，稍向上弯曲，边缘每侧具 4 ~ 10 粗锯齿，背面沿中脉疏生刺状齿；叶鞘宽圆形，抱茎，全缘或上部具稀疏的细锯齿。花黄绿色，单生于叶腋，雌雄异株。雄花短，具 1 瓶状佛焰苞；花被片 1 ~ 2 裂；雄蕊 1；花粉粒椭圆形。雌花无花被，裸露；雌蕊 1，椭圆形；花柱圆柱形，柱头 2 ~ 3 裂；子房 1 室。

大茨藻

瘦果黄褐色，椭圆形或倒卵状椭圆形，不偏斜，柱头宿存；种皮质硬，易碎，外种皮细胞多边形，凹陷，排列不规则。花期 9 月，果期 10 月。

**| 生境分布 |** 生于静水中、水池、湖泊、缓流河水中，常群聚成丛。分布于吉林长春（农安、德惠、九台、榆树）等。

**| 资源情况 |** 野生资源较少。药材主要来源于野生。

**| 采收加工 |** 夏、秋季采收，除去杂质，晒干。

**| 药材性状 |** 本品茎较细，呈黄绿色至墨绿色，有时节部褐红色，质脆，极易从节部折断；节间长，通常越近基部则越长，基部节上生有不定根；分枝多，呈二叉状，常具稀疏锐尖的粗刺。叶无柄；叶片线状披针形，稍向上弯曲；叶鞘宽圆形，抱茎，全缘或上部具稀疏的细锯齿。花黄绿色，单生于叶腋。瘦果黄褐色，椭圆形或倒卵状椭圆形，柱头宿存；种皮质硬，易碎。气微，味微苦。

**| 功能主治 |** 祛风，利水。用于水肿。

百合科 Liliaceae 葱属 *Allium*

# 洋葱 *Allium cepa* L.

| 药 材 名 | 洋葱（药用部位：鳞茎）。

| 形态特征 | 二年生或多年生草本。鳞茎粗大，近球状至扁球状，外皮紫红色、褐红色、淡褐红色、黄色至淡黄色，纸质至薄革质，内皮肥厚，肉质，均不破裂。叶圆筒状，中空，中部以下最粗，向上渐狭，比花葶短。花葶粗壮，呈中空的圆筒状，在中部以下膨大，向上渐狭，下部被叶鞘；总苞 2 ~ 3 裂；伞形花序球状，具多而密集的花；小花梗稍长；花粉白色；花被片具绿色中脉，矩圆状卵形；花丝等长，稍长于花被片，约在基部 1/5 处合生，合生部分下部的 1/2 与花被片贴生，内轮花丝的基部极为扩大，扩大部分每侧各具 1 齿，外轮的锥形；子房近球状，基部具有帘的凹陷蜜穴；花柱短。蒴果。花期 5 ~ 6 月，

洋葱

果期 6 ~ 7 月。

**| 生境分布 |** 生于农田、菜园等。吉林无野生分布。吉林西部地区（松原、白城）、东部地区（珲春、汪清、和龙）等有大面积栽培。

**| 资源情况 |** 吉林有栽培。药材主要来源于栽培。

**| 采收加工 |** 夏、秋季采收，除去杂质，鲜用或晒干。

**| 功能主治 |** 散寒，理气，解毒，杀虫。外用于便秘，创伤，溃烂及妇女滴虫性阴道炎。

**| 用法用量 |** 内服生食或烹食，30 ~ 60g。外用适量，捣敷；或捣汁涂。

百合科 Liliaceae 葱属 *Allium*

# 黄花葱 *Allium condensatum* Turcz.

| 药 材 名 | 黄花葱（药用部位：全草）。

| 形态特征 | 多年生草本。鳞茎狭卵状柱形至近圆柱状，外皮红褐色，薄革质，有光泽，老时先端条裂。叶 4 ~ 7，圆柱状或半圆柱状，上面具沟槽，中空，比花葶短。花葶圆柱状，实心，基部 1/4 具叶鞘；总苞 2 裂，宿存；伞形花序球状，具多而密集的花；小花梗近等长，基部具小苞片；花淡黄色或白色；花被片卵状矩圆形，钝头，外轮的略短；花丝等长，比花被片长 1/4 ~ 1/2，锥形，无齿，基部合生并与花被片贴生；子房倒卵球状，基部具有短帘的凹陷蜜穴；花柱伸出花被外。花期 7 ~ 8 月，果期 8 ~ 9 月。

| 生境分布 | 生于山坡、草地。以长白山区为主要分布区域，分布于吉林延边、

黄花葱

白山、通化、吉林、辽源（东丰）、松原（乾安）、白城（通榆、大安）等。

**| 资源情况 |** 野生资源较丰富。药材主要来源于野生。

**| 采收加工 |** 7 ~ 9 月采收，除去杂质，晒干。

**| 药材性状 |** 本品鳞茎呈狭卵状柱形至近圆柱状；鳞茎外皮红褐色，薄革质，有光泽，老时先端条裂。叶圆柱状或半圆柱状，上面具沟槽，中空，比花葶短。花葶圆柱状，实心；总苞宿存，伞形花序球状，花淡黄色或白色，花被片卵状矩圆形，花柱伸出花被外。气香，味微辣。

**| 功能主治 |** 发汗，散寒。用于外感表证，发热恶寒，无汗。

百合科 Liliaceae 葱属 *Allium*

# 葱 *Allium fistulosum* L.

**| 药 材 名 |** 葱白（药用部位：鳞茎。别名：大葱、香葱、细香葱）、葱汁（药用部位：鲜汁。别名：葱涕）、葱子（药用部位：种子）、葱叶（药用部位：叶）、葱根（药用部位：根）。

**| 形态特征 |** 一年生或二年生草本植物。鳞茎单生至数枚簇生，圆柱状，稀为基部膨大的卵状圆柱形，较粗，外皮白色或淡红褐色，膜质至薄革质，全缘，不破裂。叶圆筒状，中空，向先端渐狭，约与花葶等长。花葶圆柱状，中空，中部以下膨大，向先端渐狭，约在 1/3 以下被叶鞘；总苞白色，膜质，2 裂；伞形花序球状，多花，密集；小花梗纤细，与花被片等长，或为其 2 ~ 3 倍长，基部无小苞片；花白色；花被片 6，近卵形，先端渐尖，具反折的尖头，外轮的稍短；花丝为花被片长度的 1.5 ~ 2 倍，锥形，在基部合生并与花被片贴生；

葱

子房倒卵状，基部具不明显的蜜穴；花柱细长，伸出花被外。花期 5 ～ 6 月，果期 6 ～ 7 月。

**| 生境分布 |** 生于农田、菜园等。分布于吉林四平（铁东）等。吉林各地有栽培。

**| 资源情况 |** 吉林有栽培。药材主要来源于栽培。

**| 采收加工 |** 葱白：秋季采挖，洗去泥沙，鲜用或晒干。

葱汁：夏、秋季采收，压榨出汁，鲜用。

葱子：秋季果实成熟时采收果序，晒干，搓出种子，除去杂质。

葱叶：夏、秋季采收，鲜用或晒干。

葱根：秋季采挖，洗去泥沙，收集根，晒干。

**| 药材性状 |** 葱白：本品呈不规则的卵圆形，大小不一，长 0.5 ～ 1.2cm，直径 0.5 ～ 1.5cm，上部有茎痕；表面黄白色或淡黄棕色，半透明，有纵沟与皱纹，或被数层膜质鳞片包被，揉之易脱。质坚硬，角质，不易破碎，断面黄白色。有蒜臭，味微辣。

**| 功能主治 |** 葱白：辛，温。归肺、胃经。发汗解表，理气散结，通阳利尿，止痛。用于风寒感冒，头痛鼻塞，身热无汗，中风，面目浮肿，疮痈肿痛，跌打损伤。

葱汁：辛，温。归肝经。散瘀止血，通窍，驱虫，解毒。用于衄血，尿血，头痛，耳聋，虫积，外伤出血，跌打损伤，疮痈肿痛。

葱子：辛，温。温肾，明目，解毒。用于肾虚阳痿，遗精，目眩，视物昏暗，疮痈。

葱叶：辛，温。祛风发汗，解毒消肿。用于风寒感冒，头痛鼻塞，身热无汗，中风，面目浮肿，疮痈肿痛，跌打创伤。

葱根：辛，平。祛风散寒，解毒散瘀。用于风寒头痛，喉疮，痔疮，冻伤。

**| 用法用量 |** 葱白：内服煎汤，9 ～ 15g；或煮酒。外用捣敷、炒熨、煎汤洗；或塞耳、鼻窍中。

葱汁：内服 5 ～ 10ml，单饮；或和酒服；或泛丸。外用适量，涂搽；或滴鼻、滴耳。

百合科 Liliaceae 葱属 *Allium*

# 硬皮葱 *Allium ledebourianum* Roem. et Schult.

硬皮葱

## | 药材名 |

硬皮葱（药用部位：鳞茎）。

## | 形态特征 |

多年生草本。鳞茎数枚聚生，狭卵状圆柱形，直径 0.3 ～ 1cm，外皮灰色至灰褐色，薄革质至革质，片状破裂。叶 1 ～ 2，呈中空的管状，比花葶短，直径 5 ～ 7（～ 10）mm。花葶圆柱状，高 15 ～ 70（～ 80）cm，中部以下被光滑的叶鞘；总苞 2 裂，宿存；伞形花序半球状至近球状，具多而密集的花；小花梗近等长，比花被片长 1.5 ～ 3 倍，基部无小花苞片；花淡紫色；花被片卵状披针形至披针形，长 4 ～ 8（～ 10）mm，宽 2 ～ 3mm，等长，有时外轮的略短，具紫色中脉，先端具短尖头；花丝等长，等长于或略短于花被片，基部合生并与花被片贴生，合生部分高约 1mm，内轮花丝分离部分呈狭长三角形，基部约为外轮基部宽的 1.5 倍，外轮的锥形；子房卵球状，腹缝线基部具小的凹陷蜜穴；花柱伸出花被外；柱头点状。花果期 6 ～ 9 月。

| **生境分布** | 生于海拔 1800m 以下的湿润草地、沟边、河谷以及山坡和沙地上。以长白山区为主要分布区域，分布于吉林延边、白山、通化、吉林、辽源（东丰）等。

| **资源情况** | 野生资源较少。药材主要来源于野生。

| **采收加工** | 秋季采挖，洗去泥沙，鲜用或晒干。

| **功能主治** | 健胃消食。用于坏血病，消化不良。

百合科 Liliaceae 葱属 *Allium*

# 长梗韭 *Allium neriniflorum* (Herb.) Baker

**| 植物别名 |** 长梗葱、野葱。

**| 药 材 名 |** 长梗韭（药用部位：鳞茎）。

**| 形态特征 |** 多年生草本植物，植株无葱蒜气味。鳞茎单生，卵球状至近球状，外皮灰黑色，膜质，不破裂，内皮白色，膜质。叶圆柱状或近半圆柱状，中空，具纵棱，沿纵棱具细糙齿，等长于或长于花葶。花葶圆柱状，下部被叶鞘；总苞单侧开裂，宿存；伞形花序疏散；小花梗不等长，基部具小苞片；花红色至紫红色；花被片基部互相靠合成管状，分离部分星状开展，卵状矩圆形、狭卵形或倒卵状矩圆形，先端钝或具短尖头，内轮的常稍长而宽，有时近等宽，少有内轮稍狭的；花丝约为花被片长的1/2，基部合生并与靠合的花被管贴生，

长梗韭

分离部分锥形；子房圆锥状球形；花柱常与子房近等长，也有更短或更长的；柱头 3 裂。花期 8 月，果期 9 月。

**| 生境分布 |** 生于山坡、草地、沙地、山坡、湿地或海边沙地等。分布于吉林延边（安图、和龙）、白山（临江、浑江）、白城（通榆、镇赉、洮南、大安）、松原（前郭尔罗斯、乾安、长岭、扶余）、四平（双辽）等。

**| 资源情况 |** 野生资源较少。药材主要来源于野生。

**| 采收加工 |** 秋季采挖，洗去泥沙，鲜用或切片晒干。

**| 功能主治 |** 辛、苦，温。通阳散结，行气导滞。用于胸痹心痛，脘腹胀痛。

百合科 Liliaceae 葱属 *Allium*

# 碱韭 *Allium polyrhizum* Turcz. ex Regel

**| 植物别名 |** 紫花韭。

**| 药 材 名 |** 碱韭（药用部位：鳞茎、种子）。

**| 形态特征 |** 多年生草本，具根茎。鳞茎成丛地紧密簇生，圆柱状，外皮黄褐色，破裂成纤维状，呈近网状，紧密或松散。叶基生，叶片横切面半圆柱状，边缘具细糙齿，稀光滑，比花葶短。花葶圆柱状，很高，下部被叶鞘；总苞 2 ~ 3 裂，宿存；伞形花序半球状，具多而密集的花；小花梗近等长或为花被片 3 倍长，基部具小苞片；花紫红色或淡紫红色，稀白色；外轮花被片狭卵形至卵形，内轮花被片矩圆形至矩圆状狭卵形，稍长；花丝等长或近等长于花被片，基部 1/6 ~ 1/2 合生成筒状，合生部分的 1/3 ~ 1/2 与花被片贴生，内轮分离部分的

碱韭

基部扩大，扩大部分每侧各具1锐齿，极少无齿，外轮的锥形；子房卵形，基部深绿色，不具凹陷的蜜穴；花柱比子房长。花期8月，果期9月。

**| 生境分布 |** 生于碱性草地、沙地、向阳山坡或草地上。分布于吉林四平（双辽）、松原（乾安、长岭）、白城（镇赉、通榆、洮南）等。

**| 资源情况 |** 野生资源较丰富。药材主要来源于野生。

**| 采收加工 |** 秋季采挖鳞茎，洗去泥沙，鲜用或切片晒干。秋季果实成熟时采收果序，晒干，搓出种子，除去杂质，再晒干。

**| 功能主治 |** 鳞茎，温中通阳，理气宽胸。用于胸痹心痛。种子，健胃，消肿。用于积食腹胀，消化不良，风寒湿痹，痈疖疔毒，皮肤炭疽。

百合科 Liliaceae 葱属 *Allium*

# 野韭 *Allium ramosum* L.

野韭

## |药材名|

野韭（药用部位：全草）。

## |形态特征|

多年生草本，具横生粗壮的根茎。鳞茎近圆柱状，外皮暗黄色至黄褐色，破裂成纤维状，网状。叶三棱状条形，背面具呈龙骨状隆起的纵棱，中空，比花序短，沿叶缘和纵棱具细糙齿或光滑。花葶圆柱状，具纵棱，有时棱不明显，下部被叶鞘；总苞单侧开裂至2裂，宿存；伞形花序半球状或近球状，多花；小花梗近等长，比花被片长2 ~ 4倍，基部除具小苞片外常在数枚小花梗的基部又为1共同的苞片所包围；花白色，稀淡红色；花被片具红色中脉，内轮的矩圆状倒卵形，先端具短尖头或钝圆，外轮的常与内轮的等长但较窄，矩圆状卵形至矩圆状披针形，先端具短尖头；花丝等长，为花被片长度的1/2 ~ 3/4，基部合生并与花被片贴生，内轮的稍宽；子房倒圆锥状球形，具3圆棱，外壁具细的疣状突起。蒴果瓣近圆形。花期8月，果期9月。

## |生境分布|

生于草原、山坡、向阳山坡、草坡或草地等。

分布于吉林延边（安图、敦化、珲春、和龙、延吉）、白山（抚松、长白）、长春（九台）、四平（梨树）、松原（乾安、扶余、长岭）、白城（洮南、洮北、通榆、镇赉）等。

**｜资源情况｜** 野生资源较丰富。药材主要来源于野生。

**｜采收加工｜** 夏、秋季采收，洗净，晾干。

**｜药材性状｜** 本品根茎粗壮。鳞茎近圆柱状，外皮暗黄色至黄褐色，破裂成纤维状，网状。叶三棱状条形，背面具呈龙骨状隆起的纵棱，中空，比花序短。花葶圆柱状，具纵棱，下部被叶鞘；总苞宿存；伞形花序半球状或近球状，多花。蒴果瓣近圆形。有蒜臭气，味微辣。

**｜功能主治｜** 活血祛瘀。用于瘀血肿痛。

百合科 Liliaceae 葱属 *Allium*

# 蒜 *Allium sativum* L.

**| 植物别名 |** 胡蒜、独蒜、蒜头。

**| 药 材 名 |** 蒜（药用部位：鳞茎。别名：胡蒜、独头蒜、独蒜）。

**| 形态特征 |** 一年生或二年生草本。鳞茎球状至扁球状，通常由多数肉质、瓣状的小鳞茎紧密地排列而成，外面被数层白色至带紫色的膜质外皮。叶宽条形至条状披针形，扁平，先端长渐尖，比花葶短，宽可达 2.5cm。花葶实心，圆柱状，高可达 60cm，中部以下被叶鞘；总苞具长 7 ~ 20cm 的长喙，早落；伞形花序密具珠芽，间有数花；小花梗纤细；小苞片大，卵形，膜质，具短尖；花常为淡红色；花被片披针形至卵状披针形，长 3 ~ 4mm，内轮的较短；花丝比花被片短，基部合生并与花被片贴生，内轮的基部扩大，扩大部分每

蒜

侧各具 1 齿，齿端呈长丝状，长超过花被片，外轮的锥形；子房球状；花柱不伸出花被外。花期 7 月。

**| 生境分布 |** 生于农田、菜园等。吉林无野生分布。吉林各地均有栽培。

**| 资源情况 |** 吉林广泛栽培。药材主要来源于栽培。

**| 采收加工 |** 春、夏季采收，扎把，悬挂于通风处，阴干备用。

**| 药材性状 |** 本品鳞茎呈扁球形或短圆锥形，外被灰白色或淡棕色膜质鳞被；剥去鳞叶，内有 6 ~ 10 蒜瓣，轮生于花茎的周围；茎基部盘状，生有多数须根。每一蒜瓣外包薄膜，剥去薄膜，即见白色、肥厚多汁的鳞片。有浓烈的蒜臭，味辛辣。以个大、肥厚、味辛辣者为佳。

**| 功能主治 |** 辛，温。归脾、胃、肺、大肠经。健胃，止痢，止咳，杀菌，驱虫。用于预防流行性感冒、流行性脑脊髓膜炎，肺结核，百日咳，食欲不振，消化不良，细菌性痢疾，阿米巴痢疾，肠炎，蛲虫病，钩虫病；外用于阴道滴虫，急性阑尾炎。

**| 用法用量 |** 内服煎汤，4.5 ~ 9g；或生食、煨食；或捣泥为丸。外用捣敷；或制成栓剂；或切片灸。

百合科 Liliaceae 葱属 *Allium*

# 山韭 *Allium senescens* L.

山韭

## | 植物别名 |

山葱、岩葱。

## | 药 材 名 |

山韭（药用部位：叶、鳞茎。别名：藿、藿菜）。

## | 形态特征 |

多年生草本，具粗壮的横生根茎。鳞茎单生或数枚聚生，近狭卵状圆柱形或近圆锥状，外皮灰黑色至黑色，膜质，不破裂，内皮白色，有时带红色。叶狭条形至宽条形，肥厚，基部近半圆柱状，上部扁平，有时略呈镰状弯曲，短于或稍长于花葶，先端钝圆。花葶圆柱状，常具 2 纵棱，有时纵棱变成窄翅而使花葶成为二棱柱状，下部被叶鞘；总苞 2 裂，宿存；伞形花序半球状至近球状，具多而稍密集的花；小花梗近等长，比花被片长 2 ~ 4 倍，基部具小苞片；花紫红色至淡紫色；内轮花被片矩圆状卵形至卵形，先端钝圆并常具不规则的小齿，外轮花被片卵形，舟状，略短；花丝等长，但比花被片略长或为其长的 1.5 倍；子房近球状，基部无凹陷的蜜穴；花柱伸出花被外。花期 7 ~ 8 月，果期 8 ~ 9 月。

| 生境分布 | 生于干燥的石质山坡、林缘、荒地、草地、路旁等。以长白山区为主要分布区域，分布于吉林延边、白山、通化、吉林、辽源（东丰）等。

| 资源情况 | 野生资源较少。药材主要来源于野生。

| 采收加工 | 夏季采收叶，鲜用或晒干。秋季采挖鳞茎，洗去泥沙，鲜用或切片晒干。

| 药材性状 | 本品鳞茎皱缩，近狭卵状圆柱形或近圆锥状，外皮灰黑色至黑色，膜质，内皮白色，有时带红色，膜质。叶狭条形至宽条形，肥厚，基部近半圆柱状，上部扁平，短于或稍长于花葶，先端钝圆。气特异，味咸、涩。

| 功能主治 | 叶，温中行气。用于脾胃虚弱，饮食不佳，脘腹胀满，羸乏及脾胃不足之腹泻，尿频数。鳞茎用于抗菌消炎。

| 附　　注 | （1）本种与冀韭 *Allium chiwui* Wang et Tang 形态极相似，但冀韭的花为白色至黄色，花药黄色，小花梗基部无小苞片，以此而不同于本种。

（2）本种嫩叶及花序可食。

百合科 Liliaceae 葱属 *Allium*

# 球序韭 *Allium thunbergii* G. Don

**| 植物别名 |** 野韭、山韭。

**| 药 材 名 |** 球序韭（药用部位：全草或鳞茎。别名：韲、韲菜）。

**| 形态特征 |** 多年生草本，具短而直的根茎。鳞茎常单生，卵状至狭卵状，或卵状柱形，外皮污黑色或黑褐色，纸质，先端常破裂成纤维状，内皮有时带淡红色，膜质。叶 3 ~ 5，三棱状条形，中空或基部中空，背面具 1 纵棱，呈龙骨状隆起，短于或略长于花葶。花葶中生，圆柱状，中空，1/4 ~ 1/2 被疏离的叶鞘；总苞单侧开裂或 2 裂，宿存；伞形花序球状，具多而极密集的花；小花梗近等长，比花被片长 2 ~ 4 倍，基部具小苞片；花红色至紫色；花被片椭圆形至卵状椭圆形，先端钝圆，外轮舟状，较短；花丝等长，长约为花被片的 1.5 倍，

球序韭

锥形，无齿，仅基部合生并与花被片贴生；子房倒卵状球形，腹缝线基部具有帘的凹陷蜜穴；花柱伸出花被外。花期 8 月，果期 9 ~ 10 月。

**| 生境分布 |** 生于山坡、草地、湿草地、林缘、林下湿地。分布于吉林白山（抚松、长白、靖宇）、延边（安图、珲春）、通化（通化、柳河）、吉林（桦甸、磐石、蛟河、舒兰）、四平（东辽、梨树、公主岭）、长春（榆树）、白城（镇赉）等。

**| 资源情况 |** 野生资源较丰富。药材主要来源于野生。

**| 采收加工 |** 夏、秋季采收全草，洗净，鲜用或晾干。秋季采收鳞茎，洗净，鲜用或晾干。

**| 药材性状 |** 本品根茎短粗。鳞茎卵状至狭卵状，或卵状柱形，外皮污黑色或黑褐色，纸质，内皮有时带淡红色，膜质。叶三棱状条形，中空或基部中空，具纵棱，呈龙骨状隆起。花葶中生，圆柱状，中空；总苞单侧开裂或 2 裂，宿存；伞形花序球状，具多而极密集的花；花被片椭圆形至卵状椭圆形，先端钝圆，外轮较短。气特异，味咸、涩。

**| 功能主治 |** 全草，咸，平。归脾、肾经。健脾开胃，补肾缩尿。用于脾胃气虚，饮食减少，肾虚不固，小便频数。鳞茎，理气，散结，止痛。

**| 用法用量 |** 内服煎汤，5 ~ 15g；或煮作羹。

**| 附　　注 |** 本种的外形与藠头 *Allium chinense* G. Don 相近，但藠头的花葶侧生，叶为具 3 ~ 5 棱的圆柱状，中空，内轮花丝基部具 2 齿，这些特征易与本种区别。

百合科 Liliaceae 葱属 *Allium*

# 韭 *Allium tuberosum* Rottl. ex Spreng.

| 药 材 名 | 韭菜子（药用部位：种子。别名：韭菜仁）。

| 形态特征 | 多年生草本，具倾斜的横生根茎。鳞茎簇生，近圆柱状，外皮暗黄色至黄褐色，破裂成纤维状，呈网状或近网状。叶基生，条形，扁平，实心，比花葶短，边缘平滑。花葶圆柱状，常具2纵棱，下部被叶鞘；总苞单侧开裂，或2～3裂，宿存；伞形花序半球状或近球状，具多但较稀疏的花；小花梗近等长，比花被片长2～4倍，基部具小苞片，且数枚小花梗的基部又为1共同的苞片所包围；花白色；花被片常具绿色或黄绿色的中脉，内轮花被片矩圆状倒卵形，稀为矩圆状卵形，先端具短尖头或钝圆，外轮花被片常较窄，矩圆状卵形至矩圆状披针形，先端具短尖头；花丝等长，为花被片长度

韭

的 2/3 ~ 4/5，基部合生并与花被片贴生，分离部分狭三角形，内轮的稍宽；子房倒圆锥状球形，具 3 圆棱，外壁具细的疣状突起。蒴果，具倒心形的果瓣；种子黑色。花期 8 月，果期 9 月。

**| 生境分布 |** 生于农田、菜园、田埂边等。吉林各地均有分布。吉林各地均有栽培，多为农户庭院零散栽培。

**| 资源情况 |** 野生资源稀少。药材主要来源于栽培。

**| 采收加工 |** 秋季果实成熟时采收果序，晒干，搓出种子，除去杂质。

**| 药材性状 |** 本品呈半圆形或半卵圆形，略扁，长 2 ~ 4mm，宽 1.5 ~ 3mm；表面黑色，一面突起，粗糙，有细密的网状皱纹，另一面微凹，皱纹不甚明显；先端钝，基部稍尖，有点状突起的种脐。质硬。气特异，味微辛。

**| 功能主治 |** 辛、甘，温。归肝、肾经。温补肝肾，壮阳固精。用于阳痿遗精，腰膝酸痛，遗尿尿频，白浊带下。

**| 用法用量 |** 内服煎汤，6 ~ 12g；或入丸、散。

**| 附　　注 |** （1）本种与野韭 *Allium ramosum* L. 极为相似，不同处在于野韭的叶为三棱状条形，背面因纵棱隆起而成龙骨状，中空，花被片常具红色中脉，且叶缘和沿纵棱常具细的糙齿。

（2）本种在吉林药用历史较久。在《长白汇征录》（1910）、《怀德县志》（1929）、《（伪康德）通化地方志》（1935）等地方志中均有关于韭的记载。

百合科 Liliaceae 葱属 *Allium*

# 茖葱 *Allium victorialis* L.

茖葱

## | 植物别名 |

格葱、天韭、寒葱。

## | 药 材 名 |

茖葱（药用部位：鳞茎。别名：格葱、山葱、隔葱）、寒葱（药用部位：全草。别名：朝葱、山葱、旱葱）。

## | 形态特征 |

多年生草本。鳞茎柱状圆锥形，单生或 2 ~ 3 聚生，外皮灰褐色至黑褐色，破裂成纤维状，呈明显的网状。叶 2 ~ 3，倒披针状椭圆形至椭圆形，基部楔形，沿叶柄稍下延，先端渐尖或短尖，叶柄长为叶片的 1/5 ~ 1/2。花葶圆柱状，很高，1/4 ~ 1/2 被叶鞘；总苞 2 裂，膜质，宿存；伞形花序球状，具多而密集的花；小花梗近等长，比花被片长 2 ~ 4 倍，果期伸长，基部无小苞片；花白色或带绿色，极稀带红色；内轮花被片椭圆状卵形，先端钝圆，常具小齿，外轮花被片狭而短，先端钝圆；花丝比花被片长，基部合生并与花被片贴生，内轮的狭长三角形，外轮的锥形，基部比内轮的窄；子房具 3 圆棱，基部收狭成短柄，每室具 1 胚珠。蒴果开裂，先端凹；种子黑色。花期 6 ~ 7 月，果期 7 ~ 8 月。

**| 生境分布 |** 生于阴湿山坡、山地林下、林缘草甸及灌丛等。分布于吉林白山（长白、抚松）、延边（安图、和龙、敦化、汪清、珲春）、辽源（东丰）等。吉林辽源、延边有栽培。

**| 资源情况 |** 野生资源较少。药材主要来源于栽培。

**| 采收加工 |** 茖葱：夏、秋季采挖鳞茎，洗净，鲜用或晾干。
寒葱：夏、秋季采收全草，洗净，鲜用或晾干。

**| 药材性状 |** 寒葱：本品鳞茎呈长椭圆形，长 3 ~ 5cm，宽 1 ~ 2cm，外被棕褐色丝网状鳞茎皮。基生叶片倒披针状椭圆形至椭圆形，基部渐狭成叶鞘，先端渐尖或钝，全缘，长 8 ~ 15cm，宽 2 ~ 5cm。伞形花序球形，花白色或带绿色。蒴果倒心形，具 3 棱。气特异，味辛辣。

**| 功能主治 |** 茖葱：辛，微温。散瘀止血，镇痛。用于瘀血，衄血，跌打损伤，高血压，动脉粥样硬化，胃病。
寒葱：散瘀止痛，止血，解毒。用于外疮肿痛，衄血，漆疮。

**| 附　　注 |** （1）本种为吉林省Ⅲ级重点保护野生植物。
（2）本种鳞茎及地上幼苗为传统山野菜。

百合科 Liliaceae 芦荟属 *Aloe*

# 芦荟 *Aloe vera* L. var. *chinensis* (Haw.) Berg.

芦荟

## |药 材 名|

芦荟（药材来源：叶的汁液浓缩干燥物）。

## |形态特征|

常绿、多肉质的草本，茎较短。叶近簇生或稍2列（幼小植株），肥厚多汁，条状披针形，粉绿色，长15 ~ 35cm，基部宽4 ~ 5cm，先端有几个小齿，边缘疏生刺状小齿。花葶高60 ~ 90cm，不分枝或有时稍分枝；总状花序具几十朵花；苞片近披针形，先端锐尖；花点垂，稀疏排列，淡黄色而有红斑；花被长约2.5cm，裂片先端稍外弯；雄蕊与花被近等长或略长，花柱明显伸出花被外。

## |生境分布|

生于庭院、温室、植物园等。吉林无野生分布。吉林温室、植物园等有栽培。

## |资源情况|

吉林有栽培。药材主要来源于栽培。

## |采收加工|

全年均可采收，割取叶片收集流出的汁液蒸发到适当浓度，逐渐冷却变硬，即得干浸膏。

### 药材性状

本品呈不规则的块状，大小不一，表面棕黑色而发绿，有光泽，黏性大，遇热易溶化。质松脆，易破碎，破碎面平滑而具玻璃样光泽。

### 功能主治

苦，寒。归肝、胃、大肠经。清肝热，通便。用于便秘，小儿疳积，惊风；外用于湿癣。

### 用法用量

内服煎汤，2 ~ 5g。外用适量，研末敷。

百合科 Liliaceae 天门冬属 *Asparagus*

# 攀援天门冬 *Asparagus brachyphyllus* Turcz.

攀援天门冬

## | 植物别名 |

寄马椿、海滨天冬。

## | 药 材 名 |

攀援天门冬（药用部位：块根）。

## | 形态特征 |

多年生攀缘植物，长 20 ~ 100cm。块根肉质，肥厚，近圆柱状。茎近平滑，分枝具纵凸纹，通常有软骨质齿。叶状枝每 4 ~ 10 成簇，近扁的圆柱形，略有几条棱，伸直或弧曲，有软骨质齿，较少齿不明显；鳞片状叶基部有刺状短距，有时距不明显。花通常每 2 ~ 4 腋生，淡紫褐色；花梗短，关节位于近中部；雄花花被较雌花花被长，花丝中部以下贴生于花被片上；雌花较小，花被较雄花花被短。浆果球形，成熟时红色，通常有 4 ~ 5 种子。花期 5 ~ 6 月，果期 8 月。

## | 生境分布 |

生于山坡、田边及灌丛中。分布于吉林延边、白山、通化、长春、吉林、辽源等。

## | 资源情况 |

野生资源较少。药材主要来源于野生。

**| 采收加工 |** 秋、冬季采挖块根，洗净，除去茎基和须根，置沸水中煮或蒸至透心，趁热除去外皮，干燥。

**| 药材性状 |** 本品呈长梭状，肉质，肥厚，长超过 10cm，直径 7 ~ 12mm。表面黄白色至棕黄色，有细纵纹及深浅不一的沟纹。质柔韧，有黏性。气微，味淡。

**| 功能主治 |** 祛风除湿，清热解毒，润肺止咳，滋补。用于风湿痹痛，肺燥咳嗽，体虚羸弱。鲜品外用排脓，生肌，敛疮拔毒。

百合科 Liliaceae 天门冬属 *Asparagus*

# 天门冬 *Asparagus cochinchinensis* (Lour.) Merr.

**| 植物别名 |** 野鸡食。

**| 药 材 名 |** 天门冬（药用部位：块根。别名：蕈冬、大当门根、天冬）。

**| 形态特征 |** 多年生攀缘草本，长可达 1 ~ 2m。块根稍肉质，在中部或近末端膨大成纺锤状。茎平滑，常弯曲或扭曲，分枝具棱或狭翅。叶状枝通常每 3 枚成簇，扁平或由于中脉龙骨状而略呈锐三棱形，稍镰状；茎上的叶鳞片状，基部具硬刺，刺在茎上长，在分枝上较短或不明显。花通常 2 朵生于腋生，淡绿色；花梗短，关节一般位于中部；雄花花被短，花丝不贴生于花被片上；雌花大小和雄花相似。浆果球形，成熟时红色，有 1 种子。花期 5 ~ 6 月，果期 8 ~ 10 月。

天门冬

**| 生境分布 |** 生于林缘、林下、灌丛、山坡、路旁。分布于吉林白山（抚松）、白城（洮南）等。

**| 资源情况 |** 野生资源较少。药材主要来源于野生。

**| 采收加工 |** 秋、冬季采挖块根，洗净，除去茎基和须根，置沸水中煮或蒸至透心，趁热除去外皮，洗净，干燥。

**| 药材性状 |** 本品呈长纺锤形，略弯曲，长 5 ～ 18cm，直径 0.5 ～ 2cm。表面黄白色至淡黄棕色，半透明，光滑或具深浅不等的纵皱纹，偶见残存的灰棕色外皮。质硬或柔润，有黏性，断面角质样，中柱黄白色。气微，味甜、微苦。以肥满、致密、色黄白、半透明者为佳。

**| 功能主治 |** 甘、苦，寒。归肺、肾经。养阴生津，润肺清心。用于肺燥干咳，虚劳咳嗽，津伤口渴，心烦失眠，内热消渴，肠燥便秘，白喉，早期乳癌，乳腺小叶增生。

**| 用法用量 |** 内服煎汤，6 ～ 15g；或熬膏；或入丸、散。外用适量，鲜品捣敷；或捣烂绞汁涂。

百合科 Liliaceae 天门冬属 *Asparagus*

# 兴安天门冬 *Asparagus dauricus* Fisch. ex Link

兴安天门冬

## | 植物别名 |

山苞米。

## | 药 材 名 |

兴安天门冬（药用部位：全草或根）。

## | 形态特征 |

多年生直立草本，高 30 ~ 70cm。根稍肉质，细长。茎和分枝均有条纹，有时幼枝具软骨质齿。叶状枝每 1 ~ 6 成簇，通常全部斜立，与分枝交成锐角，很少兼有平展和下倾的，稍扁的圆柱形，略有几条不明显的钝棱，伸直或稍弧曲，有时有软骨质齿；鳞片状叶基部无刺。花每 2 朵腋生，黄绿色，单性，雌雄异株；雄花花梗与花被近等长，关节位于近中部，花丝大部分贴生于花被片上，离生部分很短，只有花药一半长；雌花极小，花被短于花梗，花梗关节位于上部。浆果球形；有 2 ~ 6 种子。花期 5 ~ 6 月，果期 7 ~ 9 月。

## | 生境分布 |

生于沙丘、坡地、多沙山坡、干燥山坡。分布于吉林白城（镇赉、通榆、洮南）、松原（长岭、扶余）、吉林（蛟河）、通化（柳河）、白山（靖宇、长白）等。

**| 资源情况 |** 野生资源较少。药材主要来源于野生。

**| 采收加工 |** 全草，夏、秋季采收，除去杂质，晒干。根，秋、冬季采挖，洗净，除去茎基和须根，置沸水中煮或蒸至透心，趁热除去外皮，洗净，干燥。

**| 药材性状 |** 本品根稍肉质，细长。茎和分枝均有条纹。叶状枝每 1 ~ 6 成簇，与分枝交成锐角，稍扁的圆柱形，略有几条不明显的钝棱，有时有软骨质齿；鳞片状叶基部无刺。花黄绿色。浆果球形，有 2 ~ 6 种子。气微，味甜、微苦。

**| 功能主治 |** 根，利尿。用于小便不利。全草，舒筋活血。用于月经不调。

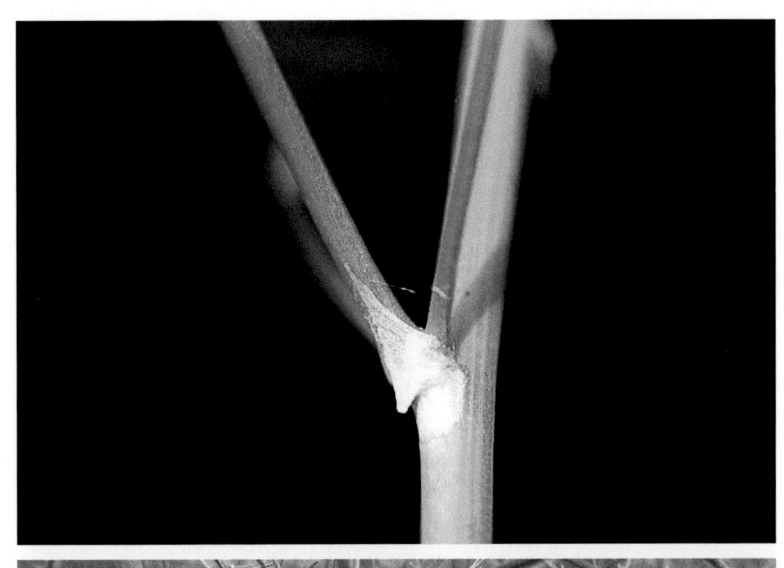

百合科 Liliaceae 天门冬属 *Asparagus*

# 石刁柏 *Asparagus officinalis* L.

石刁柏

## | 植物别名 |

芦笋、露笋。

## | 药 材 名 |

石刁柏（药用部位：块根。别名：小百部、山文竹）。

## | 形态特征 |

多年生草本，高可达 100cm。根稍肉质。茎平滑，直立，上部在后期常俯垂，分枝较柔弱。叶状枝每 3 ~ 6 成簇，近扁的圆柱形，稍压扁，纤细，常稍弧曲；鳞片状叶基部有刺状短距或近无距。花每 1 ~ 4 腋生，单性，雌雄异株，绿黄色；花梗稍短，关节位于上部或近中部；雄花花被片 6，较雌花花被片长，花丝中部以下贴生于花被片上；雌花较小，花被短，具 6 退化雄蕊。浆果球形，成熟时红色，有 2 ~ 3 种子。花期 5 ~ 6 月，果期 9 ~ 10 月。

## | 生境分布 |

生于山间沟旁、林下等。分布于吉林吉林（永吉）、松原（乾安）等。吉林部分地区有栽培。

**| 资源情况 |** 野生资源稀少。药材主要来源于野生。

**| 采收加工 |** 春、秋季采挖块根，洗净，开水烫后晒干。

**| 药材性状 |** 本品块根数个或数十个成簇，亦有单个散在者，呈长圆柱形，长 10 ~ 25cm，直径约 4mm。外表黄白色或土黄色，有不规则沟槽。质地柔韧，断面淡黄白色。气微，味甜。

**| 功能主治 |** 微甘，平。清热利湿，活血散结。用于肝炎，银屑病，高脂血症，癥瘕积聚。

**| 用法用量 |** 内服煎汤，15 ~ 30g。

百合科 Liliaceae 天门冬属 *Asparagus*

# 南玉带 *Asparagus oligoclonos* Maxim.

南玉带

## | 植物别名 |

南玉帚、南龙须菜。

## | 药 材 名 |

南玉带（药用部位：根）。

## | 形态特征 |

多年生直立草本，高 40 ~ 80cm。根稍肉质，较细长。茎平滑或稍具条纹，坚挺，上部不俯垂；分枝具条纹，稍坚挺，有时嫩枝疏生软骨质齿。叶状枝通常 5 ~ 12 成簇，近扁的圆柱形，略有钝棱，伸直或稍弧曲；鳞片状叶基部通常距不明显或有短距，极少具短刺。花每 1 ~ 2 腋生，单性，雌雄异株，黄绿色；花梗很少有较短的，关节位于近中部或上部；雄花花被片 6，雄蕊 6，花丝全长 3/4 贴生于花被片上，花药与花丝离生部分近等长；雌花较小，花被片 6，具 6 退化雄蕊。浆果球形，成熟时红色，后渐变黑色。花期 5 ~ 6 月，果期 7 ~ 8 月。

## | 生境分布 |

生于林缘、林下、灌丛、草原。吉林各地均有分布。

**| 资源情况 |** 野生资源较少。药材主要来源于野生。

**| 采收加工 |** 春、秋季采挖，除去茎叶、须根及泥沙，晒干。

**| 药材性状 |** 本品长 2.5 ~ 8cm，直径 1.5 ~ 2.5cm。表面粗糙，上方具多数圆形茎痕或芽，纵向伏生众多棕褐色的膜质鳞片。须根较粗长，圆柱形或扁圆柱形，长 20 ~ 60cm，直径 2.5 ~ 4mm；质地稍硬，韧而不易折断，外壁易破裂。切断面可见中央有黄色小木心，木心与外皮间有放射状排列的裂隙，木心细小，易脱离。气微弱，味淡，嚼之发黏。

**| 功能主治 |** 清热解毒，止咳平喘，利尿。用于咳嗽咳痰，喘息，小便不利。

百合科 Liliaceae 天门冬属 *Asparagus*

# 龙须菜 *Asparagus schoberioides* Kunth

龙须菜

## 植物别名

雉隐天冬、玉带天门冬。

## 药材名

龙须菜（药用部位：根茎。别名：海菜、江离、线菜）。

## 形态特征

多年生草本，高可达100cm。根茎短，生许多细长、密集、稍肉质的根。茎直立，圆柱形，上部及分枝具纵棱，分枝有时有极狭的翅。叶状枝通常每3～4成簇，窄条形，镰状，基部近锐三棱形，上部扁平；叶为鳞片状，近披针形，基部无刺。花每2～4朵腋生，黄绿色；花梗很短；雄花花被片6，雄蕊稍短于花被片，花丝不贴生于花被片上；雌花和雄花近等大。浆果球形，成熟时红色，通常有1～2种子。花期6～7月，果期8～9月。

## 生境分布

生于林缘、林下、灌丛。以长白山区为主要分布区域，分布于吉林延边、白山、通化、长春、吉林、辽源（东丰）、白城（洮北）等。

**| 资源情况 |** 野生资源较少。药材主要来源于野生。

**| 采收加工 |** 夏、秋季采挖，除去杂质，晒干。

**| 药材性状 |** 本品呈不规则状，上端密生多数棕黄色至绿黄色膜质鳞片，下端及周围残留有多数断裂的根痕。根呈圆柱形或扁圆柱形，略弯曲，长短不一，直径 1 ~ 4mm；表面灰褐色或浅灰棕色，略光滑；质柔韧，不易折断，断面皮部与木心分离，木心占直径的 1/8 ~ 1/6，抽出木心后呈空管状。气微，味微苦。

**| 功能主治 |** 润肺降气，下痰止咳。用于肺实喘满，咳嗽多痰，胃脘疼痛。

**| 附　　注 |** 本种未展叶的幼苗可食，蒸熟有青玉米的味道，民间称“山苞米”。因被采挖做山野菜食用，野生资源遭到破坏，蕴藏量逐渐减少。

百合科 Liliaceae 天门冬属 *Asparagus*

# 文竹 *Asparagus setaceus* (Kunth) Jessop

**| 药 材 名 |** 文竹（药用部位：块根。别名：蓬莱竹、小百部）。

**| 形态特征 |** 多年生攀缘藤本，高可达几米。根稍肉质，细长。茎的分枝极多，分枝近平滑。叶状枝通常每 10 ~ 13 成簇，刚毛状，略具 3 棱，长 4 ~ 5mm；鳞片状叶基部稍具刺状距或距不明显。花通常每 1 ~ 3（~ 4）朵腋生，白色，有短梗；花被片长约 7mm。浆果直径 6 ~ 7mm，成熟时紫黑色，有 1 ~ 3 种子。

**| 生境分布 |** 生于庭院、植物园等。吉林无野生分布。吉林部分地区庭院、植物园有栽培。

**| 资源情况 |** 吉林偶见栽培。药材主要来源于栽培。

文竹

**| 采收加工 |** 秋季割去蔓茎，挖出块根，去掉泥土，水煮或蒸至皮裂，剥去外皮，切段，干燥。

**| 药材性状 |** 本品细长，稍肉质，长 15 ~ 24cm，直径 3 ~ 4mm；表面黄白色，有深浅不等的皱纹，并有纤细支根。质较柔韧，不易折断，断面黄白色。气微香，味苦、微辛。

**| 功能主治 |** 甘、微苦，寒。润肺止咳，凉血通淋。用于阴虚肺燥，咳嗽，咯血，小便淋沥。

**| 用法用量 |** 内服煎汤，6 ~ 30g。

百合科 Liliaceae 天门冬属 *Asparagus*

# 曲枝天门冬 *Asparagus trichophyllus* Bunge

曲枝天门冬

## | 药 材 名 |

曲枝天门冬（药用部位：根）。

## | 形态特征 |

多年生草本，高 60 ~ 100cm。块根稍肉质，较细。茎平滑，近直立，中部至上部强烈回折状，有时上部疏生软骨质齿；分枝先下弯而后上升，靠近基部这一段形成强烈弧曲，有时近半圆形，上部回折状，小枝多少具软骨质齿。叶状枝通常每 5 ~ 8 成簇，刚毛状，略有 4 ~ 5 棱，稍弧曲，通常稍伏贴于小枝上，有时稍具软骨质齿；茎上的鳞片状叶基部有短刺状距，极少成为硬刺，分枝上的距不明显。花每 2 朵腋生，单性，雌雄异株，绿黄色而稍带紫色；花梗关节位于近中部；雄花花被片 6，花丝中部以下贴生于花被片上；雌花较小。浆果球形，成熟时红色，有 3 ~ 5 种子。花期 5 月，果期 7 月。

## | 生境分布 |

生于山坡、灌丛、山地、路旁、田边及荒地上。分布于吉林松原（乾安）、白城（洮南）等。

**| 资源情况 |** 野生资源较少。药材主要来源于野生。

**| 采收加工 |** 春、秋季采挖，除去茎叶、须根及泥沙，晒干。

**| 功能主治 |** 甘、微苦，凉。祛风除湿。用于风湿腰腿痛，局部性浮肿；外用于瘙痒，渗出性皮肤病，疮疖红肿。

**| 用法用量 |** 内服煎汤，6 ~ 9g。外用鲜品 6g，捣外敷，已溃烂者敷疮口周围，每日换一次。

百合科 Liliaceae 七筋姑属 *Clintonia*

# 七筋姑 *Clintonia udensis* Trautv. et Mey.

七筋姑

## | 植物别名 |

蓝果七筋姑、雷公七。

## | 药 材 名 |

七筋姑（药用部位：全草。别名：剪刀七、竹叶七、对口剪）。

## | 形态特征 |

多年生草本。根茎短，较硬，生许多须根。茎基部有撕裂成纤维状的残存鞘叶。基生叶较大，叶 3 ~ 4，纸质或厚纸质，椭圆形、倒卵状矩圆形或倒披针形，无毛或幼时边缘有柔毛，先端骤尖，基部成鞘状抱茎或后期伸长成柄状，直脉较细，明显，有横脉。花葶单一，直立，密生白色短柔毛，果期花葶伸长；总状花序顶生，有花 3 ~ 12，花梗密生柔毛，花后期延长；苞片披针形，密生柔毛，早落；花白色，少有淡蓝色；花被片矩圆形，先端钝圆，外面有微毛，具 5 ~ 7 脉；子房上位，柱头 3 浅裂。浆果，球形至矩圆形，蓝色或蓝黑色，自先端至中部沿背缝线作蒴果状开裂，每室有种子 6 ~ 12；种子卵形或梭形。花期 6 ~ 7 月，果期 8 ~ 9 月。

**| 生境分布 |** 生于山地针阔叶混交林及针叶林林下、林缘等。以长白山区为主要分布区域，分布于吉林延边、白山、通化、吉林、辽源（东丰）等。

**| 资源情况 |** 野生资源较少。药材主要来源于野生。

**| 采收加工 |** 夏、秋季采收，除去杂质，晒干。

**| 药材性状 |** 本品根茎短，较硬，多须根，茎基部有撕裂成纤维状的残存鞘叶。基生叶较大，叶纸质或厚纸质，椭圆形、倒卵状矩圆形或倒披针形。总状花序顶生，花梗密生柔毛；苞片披针形，密生柔毛；花白色，少有淡蓝色。果实球形至矩圆形，蓝色或蓝黑色，自先端至中部沿背缝线作蒴果状开裂，每室有种子 6 ~ 12；种子卵形或梭形。气微，味苦、辛。

**| 功能主治 |** 苦、微辛，凉；有小毒。清热解毒，祛风，败毒，散瘀，止痛。用于跌打损伤，劳伤，疮疡肿毒，秃发症。

**| 用法用量 |** 内服煎汤，0.3 ~ 0.9g；或泡酒服。

百合科 Liliaceae 铃兰属 *Convallaria*

# 铃兰 *Convallaria majalis* Linn.

| **植物别名** | 香水花、铃铛花、小芦玲。

| **药 材 名** | 铃兰（药用部位：全草。别名：芦藜花、鹿铃草、铃铛花）。

| **形态特征** | 多年生草本，高达 30cm，植株全部无毛，常成片生长。根茎横走，白色，须根呈束状。叶通常 2，稀 3，鞘状抱茎，下部外面包着数枚膜质鳞片，叶片椭圆形或卵状披针形，先端近急尖，基部楔形而抱着。花葶由下部膜质鳞片中抽出，上部稍弯曲；总状花序下垂，偏向一侧，苞片膜质，披针形，短于花梗；小花梗短，近先端有关节，果熟时从关节处脱落；花稀疏，约 10，芳香，花被片白色，下部结合成钟状，中上部分离为 6 浅裂，裂片卵状三角形，先端锐尖，有 1 脉；雄蕊 6，花丝稍短于花药，向基部扩大，花药近矩圆形；花柱柱状。浆果

铃兰

球形，成熟后红色，稍下垂；种子扁圆形或双凸状，表面有细网纹。花期 5 ~ 6 月，果期 7 ~ 8 月。

**| 生境分布 |** 生于富含腐殖质、肥沃的山地林下、林缘灌丛及沟边等，常成片生长。以长白山区为主要分布区域，分布于吉林延边、白山、通化、长春、吉林、辽源（东丰）、松原（扶余）等。

**| 资源情况 |** 野生资源较丰富。药材主要来源于野生。

**| 采收加工 |** 5 ~ 6 月开花时采收，除去杂质，晒干。

**| 药材性状 |** 本品长 10 ~ 30cm。根茎细长，匍匐状，具多数肉质须根。叶通常 2，完整叶片椭圆形或椭圆状披针形，长 7 ~ 20cm，宽 3 ~ 8cm，全缘，先端急尖，基部楔形，叶脉平行，弧形，叶柄长 8 ~ 20cm，稍呈鞘状。总状花序，偏向一侧，花白色，约 10，下垂。气微，味甘、苦。

**| 功能主治 |** 甘、苦，温；有毒。温阳利水，活血祛风。用于心力衰竭，风湿性心脏病，阵发性心动过速，急性心肌炎，心内膜炎，紫癜，浮肿，劳伤，崩漏，带下，克山病，跌打损伤。

**| 用法用量 |** 内服煎汤，3 ~ 6g；或研末，每次 0.3 ~ 0.6g；或制成酊剂、注射剂用。外用适量，煎汤洗；或烧灰研粉调敷。

**| 附　　注 |** 吉林东部山区本种野生资源丰富，只是尚未得到有效的利用。目前，吉林铃兰药材商品的年产量不足 100t，可开发空间很大。

百合科 Liliaceae 万寿竹属 *Disporum*

# 宝铎草 *Disporum sessile* D. Don

宝铎草

## | 植物别名 |

黄花宝铎草。

## | 药 材 名 |

竹林霄（药用部位：全草。别名：石竹根、竹林消、万花梢）。

## | 形态特征 |

多年生草本，高30 ~ 80cm。根茎肉质，横走，根簇生。茎直立，上部具叉状分枝。叶薄纸质至纸质，矩圆形、卵形、椭圆形至披针形，先端骤尖或渐尖，基部圆形或宽楔形，下面色浅，脉上和边缘有乳头状突起，具横脉，有短柄或近无柄。花钟状，黄色、淡黄色、绿黄色或白色，1 ~ 5着生于分枝先端；花梗稍长，较平滑；花被片6，近直出，倒卵状披针形，上部宽，下部渐窄，内面有细毛，边缘有乳头状突起，基部有短距；雄蕊内藏，花丝稍长；花柱稍长，具3裂而外弯的柱头。浆果椭圆形或球形，黑色，具3种子；种子深棕色。花期5 ~ 6月，果期7 ~ 8月。

## | 生境分布 |

生于林下及灌丛中。以长白山区为主要分

布区域，分布于吉林延边、白山、通化、吉林、辽源（东丰）等。

**| 资源情况 |** 野生资源稀少。药材主要来源于野生。

**| 采收加工 |** 春、秋季采收，除去杂质及泥沙，晒干。

**| 药材性状 |** 本品根茎肉质。茎有分枝。叶矩圆形、卵形、椭圆形至披针形，薄纸质至纸质。花钟状，黄色、淡黄色、绿黄色或白色；花梗稍长；花被片 6，倒卵状披针形，上部宽，下部渐窄，内面有细毛，边缘有乳头状突起，基部有短距。果实椭圆形或球形，黑色，具 3 种子；种子深棕色。气微，味微甜。

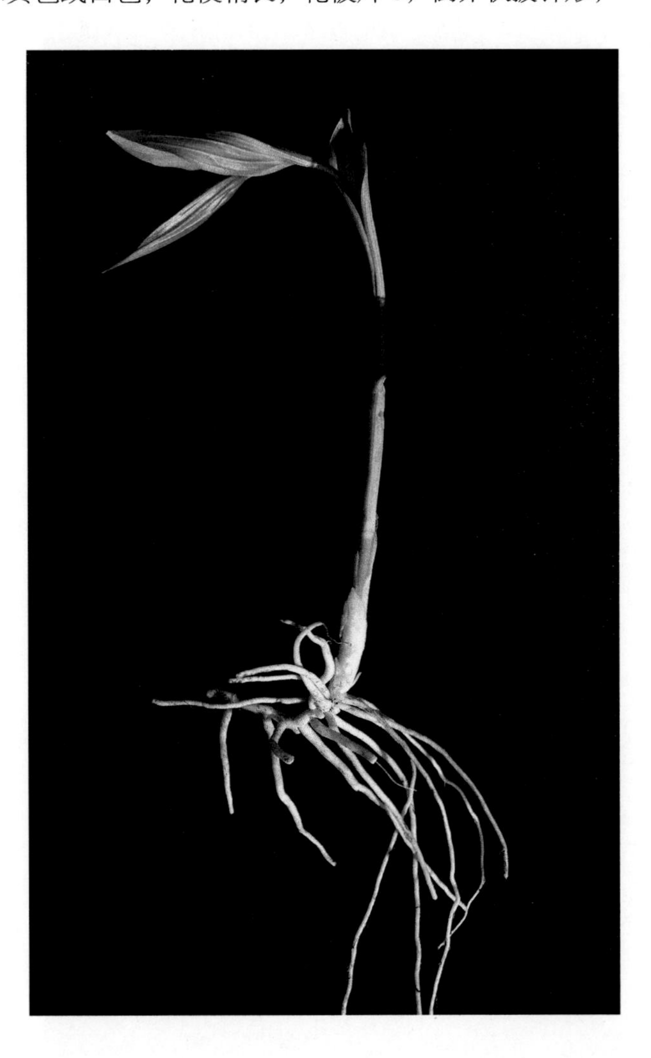

**| 功能主治 |** 甘、淡，平。消炎止痛，祛风除湿，清肺化痰，止咳，健脾消食，舒筋活血。用于肺痨咳嗽，咯血，肺气肿，肺结核，食欲不振，胸腹胀满，肠风下血，筋骨疼痛，腰腿痛，劳伤，带下，遗精，遗尿；外用于烫火伤，骨折。

**| 用法用量 |** 内服煎汤，9 ~ 15g。外用适量，鲜品捣敷；或熬膏涂擦；或研粉调敷。

百合科 Liliaceae 万寿竹属 *Disporum*

# 宝珠草 *Disporum viridescens* (Maxim.) Nakai

宝珠草

## 植物别名

绿宝铎草。

## 药 材 名

宝珠草（药用部位：根、地上部分）。

## 形态特征

多年生草本，高 30 ~ 80cm。根茎短，生多而较细的不定根，通常有 1 ~ 3 匍匐茎。茎直立，单一，上部有分枝。叶纸质，椭圆形至卵状矩圆形，先端短渐尖或有短尖头，横脉明显，下面脉上和边缘稍粗糙，基部收狭成短柄或近无柄。花淡绿色，1 ~ 2 生于茎、枝先端；花梗较长；花被 6，张开，漏斗状，花被片矩圆状披针形，脉纹明显，先端尖，基部囊状；雄蕊 6，花药与花丝近等长；花柱短，柱头 3 裂，向外弯卷，子房与花柱等长或稍短。浆果球形，黑色，有 2 ~ 3 种子；种子球形，红褐色，种皮具颗粒状皱纹。花期 5 ~ 6 月，果期 8 ~ 9 月。

## 生境分布

生于山坡、草地、林下、林缘、灌丛。以长白山区为主要分布区域，分布于吉林延边、白山、通化、吉林、辽源（东丰）等。

**| 资源情况 |** 野生资源较丰富。药材主要来源于野生。

**| 采收加工 |** 春、秋季采收，除去杂质及泥沙，晒干。

**| 药材性状 |** 本品根茎短，生多而细的不定根。茎有分枝。叶椭圆形至卵状矩圆形，纸质。花淡绿色；花梗较长；花被 6，漏斗状，花被片矩圆状披针形，脉纹明显，先端尖，基部囊状；子房与花柱等长或稍短。果实球形，黑色，有 2 ~ 3 种子；种子球形，红褐色，种皮具颗粒状皱纹。气微，味苦。

**| 功能主治 |** 根，苦，凉。清肺化痰，健脾和胃，止咳，祛风湿。用于肺热咳嗽，咳痰黄稠，饮食积滞，风湿痹证。地上部分，驱虫。用于蛔虫病。

百合科 Liliaceae 猪牙花属 *Erythronium*

# 猪牙花 *Erythronium japonicum* Decne.

| 植物别名 | 车前叶山慈姑、母猪牙。

| 药 材 名 | 猪牙花（药用部位：鳞茎）。

| 形态特征 | 多年生草本，植株全长 25 ~ 30cm，茎约 1/3 深埋于地下。鳞茎下宽上窄，犹如野猪的獠牙，乳白色，外层鳞茎皮膜质，近基部一侧常有几个扁球形乳白色的小鳞茎，生多数纤细土黄色不定根。叶 2，有长柄，对生于植株中部以下，叶片椭圆形或宽披针形，全缘，表面有不规则的白色斑点或紫色斑点或无斑点，先端具短尖头或近急尖，基部楔形，2 叶鞘不等宽。花葶单一，由 2 叶片中间抽出，通常花 1，顶生，较大，俯垂，紫红色；花被片 6，2 轮，披针形，下部有近三齿状的黑色斑纹，开花时强烈反卷；雄蕊 6，花丝稍不等长，

猪牙花

丝状，短于花被片，花药黑紫色近狭矩圆形；子房上位，花柱向上端稍增粗，具 3 裂柱头。蒴果，浅黄绿色，有 3 棱；种子数枚，暗棕红色。花期 4 ~ 5 月，果期 6 ~ 7 月。

| **生境分布** | 生于富含腐殖质、肥沃的山地林下、林缘、灌丛及沟边等，常成单优势的大面积群落。分布于吉林通化（集安、通化、柳河、辉南）、白山（靖宇、临江、抚松）、延边（安图）等。

| **资源情况** | 野生资源较丰富。药材主要来源于野生。

| **采收加工** | 秋季采挖，洗去泥沙，鲜用或切片晒干。

| **药材性状** | 本品略呈长圆锥形，高 3 ~ 6cm。表面乳白色，外层鳞叶膜质，较光滑，近基部一侧常有几个扁球形乳白色的小鳞茎，生多数纤细土黄色不定根。质脆。气微，味微甜。

| **功能主治** | 祛风止痛。用于风湿痹证。

| **附　　注** | 本种为吉林省Ⅲ级重点保护野生植物。

百合科 Liliaceae 贝母属 *Fritillaria*

# 轮叶贝母 *Fritillaria maximowiczii* Freyn

| **植物别名** | 一轮贝母、多轮贝母。

| **药 材 名** | 轮叶贝母（药用部位：鳞茎）。

| **形态特征** | 多年生草本，高 27 ~ 54cm。鳞茎由 4 ~ 5 或更多鳞片组成，周围又有许多米粒状小鳞片，后者很容易脱落。叶条状或条状披针形，先端不卷曲，通常每 3 ~ 6 排成 1 轮，极少为 2 轮，向上有时还有 1 ~ 2 散生叶。花单朵，少有 2 朵，紫色，稍有黄色小方格；叶状苞片 1，先端不卷；花被片 6；雄蕊长约为花被片的 3/5；花药近基部着生，花丝无小乳突；柱头裂片短。蒴果，有棱，棱上有翅。花期 5 ~ 6 月，果期 6 ~ 7 月。

轮叶贝母

| **生境分布** | 生于沟谷、溪水边、富含腐殖质、湿润、肥沃的山坡、林下及林缘等。分布于吉林吉林（蛟河）等。

| **资源情况** | 野生资源较少。药材主要来源于野生。

| **采收加工** | 秋季采挖鳞茎，洗去泥沙，晒干。

| **药材性状** | 本品呈圆锥形、卵圆形至卵形，高 6 ~ 10mm，直径 5 ~ 8mm。表面黄白色，不分瓣，一侧具 1 纵沟，可见鳞茎盘、少数须根和珠牙。质坚实而脆，断面粉性。气微，味微苦。

| **功能主治** | 润肺散结，止咳化痰。用于咳嗽咳痰。

百合科 Liliaceae 顶冰花属 *Gagea*

# 小顶冰花 *Gagea hiensis* Pasch.

**| 植物别名 |** 小顶冰草。

**| 药 材 名 |** 小顶冰花（药用部位：鳞茎）。

**| 形态特征 |** 多年生草本，植株高 8 ~ 15cm。鳞茎卵形，直径 4 ~ 7mm，鳞茎皮褐黄色，通常在鳞茎皮内基部具一团小鳞茎。基生叶 1，长 12 ~ 18cm，宽 1 ~ 3mm，扁平。总苞片狭披针形，约与花序等长，宽 2 ~ 2.5mm；花通常 3 ~ 5，排成伞形花序；花梗略不等长，无毛；花被片条形或条状披针形，长 6 ~ 9mm，宽 1 ~ 2mm，先端锐尖或钝圆，内面淡黄色，外面黄绿色；雄蕊长为花被片的一半，花丝基部扁平，花药矩圆形；子房长倒卵形，花柱长为子房的一倍半。蒴

小顶冰花

果倒卵形，长为宿存花被的一半。花期 4 月，果期 5 月。

**| 生境分布 |** 生于土质肥沃、有机质丰富的林下、林缘及灌丛中等。分布于吉林延边、白山、通化等。

**| 资源情况 |** 野生资源较少。药材主要来源于野生。

**| 采收加工 |** 春、夏季采挖，洗净，剥取鳞叶，置沸水中略烫，干燥。

**| 功能主治 |** 有毒。强心利尿。用于小便不利，心悸。

**| 附　　注 |** 本种与林生顶冰花 *Gagea filiformis* (Ledeb.) Kunth 很相近，但本种花梗和小苞片无毛。

百合科 Liliaceae 顶冰花属 *Gagea*

# 顶冰花 *Gagea lutea* (L.) Ker-Gawl.

| **植物别名** | 朝鲜顶冰花。

| **药 材 名** | 顶冰花（药用部位：鳞茎。别名：朝鲜顶冰花）。

| **形态特征** | 多年生细弱草本，植株高 15 ~ 20cm。鳞茎卵球形，鳞茎皮灰黄色，无附属小鳞茎。基生叶 1，条形，扁平，中部向下收狭，无毛，超过植株。花葶上无叶；花通常 3 ~ 5，排成伞形花序，其下有 2 苞片，一大一小，大者约等于花序；花梗略不等长，无毛；花被 6，花被片条形或条状披针形，先端锐尖或钝圆，内面淡黄色，外面黄绿色；雄蕊 6，雄蕊长为花被片的 2/3；花丝基部扁平，花药矩圆形；子房矩圆形，花柱长为子房的 1.5 ~ 2 倍，柱头不明显 3 裂。蒴果卵圆

顶冰花

形至倒卵形，长为宿存花被的 2/3，具 3 棱，内有种子多数。花期 4 ~ 5 月，果期 5 ~ 6 月。

**| 生境分布 |** 生于山坡草地、河边、沼泽湿地、富含腐殖质湿润肥沃的山坡、林缘、灌丛、沟谷及河岸草地等。以长白山区为主要分布区域，分布于吉林延边、白山、通化、长春、吉林、辽源（东丰）、松原（扶余）等。

**| 资源情况 |** 野生资源较丰富。药材主要来源于野生。

**| 采收加工 |** 春、夏季采挖，洗净，剥取鳞叶，置沸水中略烫，干燥。

**| 药材性状 |** 本品呈卵形，直径 2 ~ 5mm，基部无珠芽，鳞茎皮灰黄色。质脆，易脱落。气微，味微甜。

**| 功能主治 |** 清心，强心利尿。用于心脏病。

**| 附　　注 |** 在 FOC 中，本种的拉丁学名被修订为 *Gagea nakaiana* Kitagawa。

百合科 Liliaceae 顶冰花属 *Gagea*

# 三花顶冰花 *Gagea triflora* (Ledeb.) Roem. et Schult.

三花顶冰花

## | 植物别名 |

三花萝蒂。

## | 药 材 名 |

三花顶冰花（药用部位：全草）。

## | 形态特征 |

多年生草本，植株高 15 ~ 30cm。地下鳞茎宽卵球形，鳞茎外皮灰黄褐色，膜质，上端不延伸，在鳞茎皮内基部有几个很小的小鳞茎。基生叶 1，条形；茎生叶 1 ~ 3，下面的 1 枚较大，狭条状披针形，边缘内卷，上面的较小。花 2 ~ 4，排成二歧的伞房花序；小苞片狭条形；花被片条状倒披针形，白色；雄蕊 6，长为花被片的一半，花药矩圆形；子房倒卵形，花柱与子房近等长，柱头头状。蒴果三棱状倒卵形，长为宿存花被的 1/3。花期 4 ~ 5 月，果期 5 ~ 6 月。

## | 生境分布 |

生于富含腐殖质湿润肥沃的山坡、林缘、灌丛、沟谷及河岸草地等。以长白山区为主要分布区域，分布于吉林延边、白山、通化、吉林、辽源（东丰）等。

**| 资源情况 |** 野生资源较丰富。药材主要来源于野生。

**| 采收加工 |** 4 ~ 5 月间采收，晒干。

**| 药材性状 |** 本品地下鳞茎呈宽卵球形，鳞茎外皮灰黄褐色，膜质，鳞茎皮内基部有几个很小的小鳞茎。基生叶 1，条形；茎生叶 1 ~ 3，下面的 1 枚较大，狭条状披针形，边缘内卷，上面的较小。花 2 ~ 4，排成二歧的伞房花序；小苞片狭条形；花被片条状倒披针形，白色。蒴果三棱状倒卵形。气微，味淡。

**| 功能主治 |** 散寒止痛。用于冻伤。

**| 附　　注 |** 本种附属小鳞茎的形状和着生位置与小顶冰花 *Gagea hiensis* Pasch. 很相似，区别在于小顶冰花无茎生叶，花黄色。

百合科 Liliaceae 萱草属 *Hemerocallis*

# 萱草 *Hemerocallis fulva* (L.) L.

**| 植物别名 |** 摺叶萱草、黄花菜。

**| 药 材 名 |** 萱草（药用部位：根）。

**| 形态特征 |** 多年生草本。根茎短，生肉质、肥大、纺锤状的块根。叶基生，排成2列，条形，下面呈龙骨状突起。花葶粗壮，花早上开，晚上凋谢，蝎壳状聚伞花序再组成圆锥状，具花6 ~ 12或更多；苞片卵状披针形；橘红色至橘黄色，无香味，具短花梗；花被片下部合生成花被筒，外轮花被片3，矩圆状披针形，具平行脉，内轮花被片3，矩圆形，具分枝的脉，中部具褐红色的色带，下部一般有"∧"形彩斑，边缘波状皱褶，盛开时裂片反曲；雄蕊伸出，上弯，比花被裂片短；

萱草

花柱伸出，上弯，比雄蕊长，蒴果矩圆形。花期 5 ~ 6 月，果期 6 ~ 7 月。

**| 生境分布 |** 生于田间、农田、路旁等。分布于吉林辽源（东辽）、吉林（昌邑）、延边（敦化）、松原（长岭）、白城（洮北）等。

**| 资源情况 |** 野生资源较少。吉林部分地区有栽培。药材主要来源于野生。

**| 采收加工 |** 夏、秋季采挖，除去残茎、须根，洗净，晒干。

**| 功能主治 |** 甘，凉。利水，凉血。用于水肿，小便不利，淋浊，带下，黄疸，衄血，便血，崩漏，乳痈。

**| 用法用量 |** 内服煎汤，6 ~ 12g。外用适量，捣敷。

百合科 Liliaceae 萱草属 *Hemerocallis*

# 北黄花菜 *Hemerocallis lilioasphodelus* Linn.

| **植物别名** | 黄花菜、金针菜、黄花苗子。

| **药 材 名** | 黄花菜根（药用部位：根）。

| **形态特征** | 多年生草本。具短的根茎和肉质、膨大、多少绳索状的须根。叶基生，2列，长条形。花葶由叶丛中抽出，纤细，长于或稍短于叶，有分枝，每枝具2～3淡黄色或黄色、芳香的花，花梗明显长短不一，由多数的花再组成假二歧的总状花序或圆锥花序，花序下部的苞片较大，披针形，上部渐小；花被片6，排成内外2轮，下部联合成管状，管长绝不超过3cm，上部裂片盛开时反曲，外轮花被片披针形，内轮花被片圆状椭圆形；雄蕊6，伸出，上弯；花柱伸出，

北黄花菜

上弯，丝状，略比雄蕊长而略短于花被裂片，子房圆柱形。蒴果，宽椭圆形；种子扁平，多数，暗褐色。花期 6 ~ 7 月，果期 8 ~ 9 月。

**| 生境分布 |** 生于山坡、草地、林缘、湿草甸子、草原、灌丛及林下。以长白山区为主要分布区域，分布于吉林延边、白山、通化、长春、吉林、辽源（东丰）、松原（前郭尔罗斯）、四平（双辽）、白城（洮南）等。吉林四平、吉林有栽培。

**| 资源情况 |** 野生资源较丰富。药材主要来源于野生。

**| 采收加工 |** 春、秋季采挖，洗净，晒干。

**| 药材性状 |** 本品根茎短粗，上端可见多数棕褐色毛状纤维性叶残基，密生不定根。单个不定根类圆柱形，长 5 ~ 10cm，直径 0.1 ~ 0.3cm。表面灰棕色或灰黄棕色，多皱缩，具明显细密环纹。体轻，质脆，易折断，断面灰白色至黄褐色，有放射状裂隙。气微辛，味微甜。

**| 功能主治 |** 甘，凉。归肝、脾、膀胱经。清热凉血，解毒，利水消肿。用于乳痈，挫伤，淋证，小便不利，水肿。

**| 用法用量 |** 内服煎汤，5 ~ 10g。

**| 附　　注 |** （1）黄花菜根是朝鲜族民间习用药材，朝医称之为“원추리”，音译为“组榅哩”。

（2）本种花蕾晒干后可以做菜食用，鲜花蕾因含秋水仙碱不宜食用。

百合科 Liliaceae 萱草属 *Hemerocallis*

# 大苞萱草 *Hemerocallis middendorfii* Trautv. et Mey.

**| 植物别名 |** 大花萱草、萱草、黄花菜。

**| 药 材 名 |** 黄花菜（药用部位：根、地上部分）。

**| 形态特征 |** 多年生草本。具短的根茎和绳索状须根。叶基生，长条形，柔软，上部下弯曲成弧形。花葶从基生叶丛中抽出，直立，很高，与叶近等长，不分枝，在先端具 2 ~ 6 花，排列紧密，花开放时有清香气味；苞片大，宽卵形，先端长渐尖至近尾状；花被片 6，金黄色或橘黄色，基部联合成花被管，花被管 1/3 ~ 2/3 为苞片所包裹，花梗短；雄蕊 6，伸出，略弯，比花被片短；雌蕊 1，花柱伸出，伸直，或稍弯。蒴果椭圆形，稍有 3 钝棱。花期 6 ~ 7 月，果期 8 ~ 9 月。

大苞萱草

| 生境分布 | 生于山坡、灌丛、林缘、林下、湿地、草甸或草地上，常成单优势的大面积群落。分布于吉林通化（集安、柳河、辉南、通化）、白山（临江、长白、抚松）、吉林（桦甸、磐石）、延边（安图、敦化、汪清、珲春）等。

| 资源情况 | 野生资源较丰富。药材主要来源于野生。

| 采收加工 | 夏、秋季采挖全草，除去杂质，根与地上部分分别晒干。

| 药材性状 | 本品具短的根茎和绳索状须根。叶基生，长条形，柔软，上部弯曲成弧形。花葶不分枝，排列紧密；苞片大，宽卵形，先端长渐尖至近尾状；花被片 6，金黄色或橘黄色，基部联合成花被管，花被管 1/3 ~ 2/3 为苞片所包裹，花梗短；雄蕊 6；雌蕊 1。蒴果椭圆形，稍有 3 钝棱。气清香，味甘。

| 功能主治 | 根，甘，凉；有小毒。清热利尿，凉血止血。地上部分，清热解毒，补肝益肾。用于肺热咳嗽，肝胆湿热，咽喉疼痛，肾虚，失眠。

| 附　　注 | （1）本种为吉林省Ⅲ级重点保护野生植物。

（2）本种花蕾晒干后可以做菜食用，鲜花蕾因含秋水仙碱不宜食用。

百合科 Liliaceae 萱草属 *Hemerocallis*

# 小黄花菜 *Hemerocallis minor* Mill.

小黄花菜

## | 植物别名 |

小萱草金针菜、黄花苗子。

## | 药 材 名 |

黄花菜（药用部位：根茎、花蕾、嫩苗）。

## | 形态特征 |

多年生草本。具短的根茎和绳索状须根，根的末端稀见膨大成纺锤状。叶基生，2 列，条形，与花葶近等长。花葶由叶丛中抽出，纤细，先端具 1 ~ 2 花，少有具 3 花；花淡黄色或黄色，芳香，花梗短或几无梗，花序下部的苞片较大，披针形，上部渐小，具数条脉纹；花被片 6，排成内外 2 轮，下部联合成管状，上部裂片盛开时反曲，外轮花被片倒披针形，内轮花被片圆状椭圆形；雄蕊 6，伸出，上弯；花柱细长，伸出，上弯，丝状，比雄蕊长而略短于花被裂片；子房长圆形，蒴果椭圆形。花期 6 ~ 7 月，果期 8 ~ 9 月。

## | 生境分布 |

生于草甸、湿草地、林间及山坡稍湿草地等。吉林各地均有分布。

**| 资源情况 |** 野生资源较少。药材主要来源于野生。

**| 采收加工 |** 秋季采挖根茎，除去茎叶、须根及泥沙，洗净，晒干。6 ~ 8 月采摘花蕾、嫩苗，除去杂质，蒸制后晒干。

**| 药材性状 |** 本品花梗短或几无梗，苞片较大，披针形，具数条脉纹；花被片 6，排成内外 2 轮，下部联合成管状；上部裂片反曲，外轮花被片倒披针形，内轮花被片圆状椭圆形；雄蕊 6；花柱细长伸出，丝状，比雄蕊长，略比花被裂片短。气微，味淡。

**| 功能主治 |** 根茎，甘，凉。清热解毒，利尿消肿，凉血止血。用于小便不利，浮肿，淋证，衄血，便血，崩漏，带下，黄疸，乳痈肿痛。花蕾，清热利湿，宁心除烦，清肝明目，凉血止血。嫩苗，利湿热，宽胸，消食。

**| 用法用量 |** 根茎，内服煎汤，鲜品 15 ~ 30g。外用适量，捣敷。

**| 附　　注 |** （1）本种为吉林省Ⅲ级重点保护野生植物。

（2）本种花蕾晒干后可以做菜食用，鲜花蕾因含秋水仙碱不宜食用。

百合科 Liliaceae 玉簪属 *Hosta*

# 东北玉簪 *Hosta ensata* F. Maekawa

东北玉簪

## | 植物别名 |

剑叶玉簪、紫萼、卵叶玉簪。

## | 药 材 名 |

东北玉簪（药用部位：根、叶、花。别名：卵叶玉簪）。

## | 形态特征 |

多年生草本。根茎粗，须根多数，丛生，外皮黄白色，内部白色。叶基生，有长柄，叶片矩圆状披针形、狭椭圆形至卵状椭圆形，先端近渐尖，基部楔形，下延成狭翅，具 5 ~ 8 对弧形脉。花葶从基生叶中抽出，总状花序，花葶具花 5 ~ 22，集生于花葶顶生，多偏于一侧，花梗短，有近宽披针形、膜质的苞片；花紫色，单生，直立或开展，花被下部联合成筒，先端分裂，裂片 6，椭圆形，盛开时裂片从花被管向上逐渐扩大；雄蕊 6，稍伸出花被之外，上部完全离生，下部与花被管贴生，花药背部着生。蒴果长圆形。花期 8 ~ 9 月，果期 9 ~ 10 月。

## | 生境分布 |

生于阴湿山地、灌丛、林下、林缘及河边湿地等，常成片生长。分布于吉林通化（通化、集安、柳河、辉南）、白山（临江、长白、抚松）、吉林（桦甸、磐石）、延边（安图、敦化、汪清、珲春）、四平（双辽）等。

**| 资源情况 |** 野生资源较少。药材主要来源于野生。

**| 采收加工 |** 春、秋季采挖根，除去茎叶、须根及泥沙，洗净，晒干。夏、秋季采收叶，鲜用或晾干。8 ~ 9 月采摘花，晾干。

**| 药材性状 |** 本品根粗，须根多数，外皮黄白色，内部白色。叶基生，有长柄，叶片矩圆状披针形、狭椭圆形至卵状椭圆形。总状花序，花梗短，有近宽披针形、膜质的苞片；花紫色，椭圆形。气微，味淡。

**| 功能主治 |** 根，消肿，解毒，止血。用于咽肿，吐血，骨鲠，痈疽，瘰疬。叶，清热解毒，消肿止痛，生肌。用于咽喉肿痛，中耳炎，小腿慢性溃疡，乳痈，疮痈肿毒，烫火伤。花，清咽，利尿，解毒，通经。用于咽喉肿痛，小便不通，疮毒，烧伤。

**| 用法用量 |** 内服煎汤，3 ~ 6g；或研末，每次 3g。外用适量，捣敷。

**| 附　　注 |** （1）本种为吉林省Ⅲ级重点保护野生植物。

（2）本种嫩叶可食。

百合科 Liliaceae 玉簪属 *Hosta*

# 玉簪 *Hosta plantaginea* (Lam.) Aschers.

**|药 材 名|** 玉簪根（药用部位：根。别名：玉簪花根）、玉簪花（药用部位：花。别名：白玉簪、白鹤花、玉簪花）、玉簪叶（药用部位：叶）。

**|形态特征|** 多年生草本，具粗根茎。叶基生，有长柄，叶卵状心形、卵形或卵圆形，具 6 ~ 10 对侧脉，先端近渐尖，基部心形。花亭于夏、秋季从叶丛中抽出，具 1 膜质的苞片状叶。总状花序，花梗短，基部具苞片；花白色，芳香，花被筒下部细小，花被裂片 6，长椭圆形；雄蕊与花被近等长或略短，基部贴生于花被管上或稍伸出花被外；子房稍短，花柱伸出花被外。蒴果圆柱状，有 3 棱。花期 8 ~ 9 月，果期 9 ~ 10 月。

玉簪

**生境分布** 生于林下、草坡或岩石边。吉林无野生分布。吉林各地均有栽培，用作园林绿化、街道美化。

**资源情况** 吉林有栽培。药材主要来源于栽培。

**采收加工** 玉簪根：秋季采挖，除去茎叶、须根，洗净，鲜用或切片，晾干。

玉簪花：夏、秋季花将开放时采摘，及时阴干。

玉簪叶：夏、秋季采收叶，鲜用或晾干。

**药材性状** 玉簪花：总状花序，花梗短，基部具苞片；花白色，长椭圆形；雄蕊与花被近等长或略短，基部贴生于花被管上或稍伸出花被外；子房稍短，花柱伸出花被外。气微，味淡。

玉簪叶：叶基生，有长柄，卵状心形、卵形或卵圆形，叶基部心形。气微，味淡。

**功能主治** 玉簪根：甘、辛，寒；有毒。清热解毒，消肿止痛。用于咽肿，吐血，骨鲠；外用于乳痈，中耳炎，疮痈肿毒，烫火伤。

玉簪花：苦、甘，凉；有小毒。清热解毒，利水通经。用于咽喉肿痛，小便不通，疮毒，烧伤，疮痈肿痛，经闭。

玉簪叶：甘、辛，寒；有毒。清热解毒，消肿止痛。用于痈肿，疔疮，蛇虫咬伤；外用于下肢溃疡。

**用法用量** 玉簪根：内服煎汤，9 ~ 15g；鲜品倍量，捣汁。外用适量，捣敷。

玉簪花：内服煎汤， 6 ~ 9g。

玉簪叶：内服煎汤，鲜用 3 ~ 9g；或捣汁和酒服。外用适量，捣敷或捣汁滴耳。

百合科 Liliaceae 玉簪属 *Hosta*

# 紫萼 *Hosta ventricosa* (Salisb.) Stearn

| 植物别名 | 紫玉簪。

| 药 材 名 | 紫玉簪（药用部位：花）、紫玉簪叶（药用部位：叶）、紫玉簪根（药用部位：根及根茎）。

| 形态特征 | 多年生草本。根茎粗。叶基生，叶片卵状心形、卵形至卵圆形，先端通常近短尾状或骤尖，基部心形或近截形，极少叶片基部下延而略呈楔形，具 7 ~ 11 对拱形平行的侧脉；叶柄很长，两侧具翅。花葶从叶丛中抽出，花单生，数朵，排成总状花序，花盛开时从花被管向上骤然作近漏斗状扩大，紫红色或淡紫色；花梗短，基部具矩圆状披针形、白色、膜质的苞片；花冠裂片 6，长椭圆形，雄蕊着生于花冠筒基部，伸出花被之外，完全离生。蒴果圆柱状，先端具

紫萼

细尖，有 3 棱；种子黑色。花期 6 ～ 7 月，果期 7 ～ 9 月。

**| 生境分布 |** 生于路旁、公园、花圃等。分布于吉林通化（梅河口、二道江、柳河）。吉林各地均有栽培，栽培量少，用于花圃调色搭配和城市、乡村路旁、公园栽培观赏。

**| 资源情况 |** 野生资源较少。药材主要来源于野生。

**| 采收加工 |** 紫玉簪：夏季花开时采摘花，晾干。

紫玉簪叶：夏季叶盛时采摘叶，晾干。

紫玉簪根：夏、秋季花谢后采挖，除去残茎、须根，洗净泥土，晒干。

**| 药材性状 |** 紫玉簪：本品多皱缩成条状，完整者长 3.5 ～ 5cm，呈漏斗状，表面紫褐色或棕褐色，花丝 6，花丝基部与花被管分离。质软，易破碎。气微，味甘、微苦。

紫玉簪叶：本品呈卵状心形、卵形至卵圆形，先端通常近短尾状或骤尖，基部心形或近截形，具 7 ～ 11 对拱形平行的侧脉；叶柄很长，两侧具翅。质脆，易破碎。气微，味甘、微苦。

**| 功能主治 |** 紫玉簪：甘、苦，平。理气和血，补虚，凉血止血，解毒。用于遗精，吐血，妇女虚弱，崩漏，湿热带下，咽喉肿痛。

紫玉簪叶：甘，平。凉血止血，解毒。用于崩漏，带下，溃疡。

紫玉簪根：甘、苦，平。清热解毒，散瘀止痛，止血，消骨鲠。用于咽喉肿痛，牙痛，胃痛，血崩，带下，痈疽，瘰疬。

**| 用法用量 |** 紫玉簪：内服煎汤，9 ～ 15g。

紫玉簪叶：内服煎汤，9 ～ 15g，鲜品加倍。外用适量，捣敷；或用沸水泡软敷。

紫玉簪根：内服煎汤，9 ～ 15g，鲜品加倍。外用适量，捣敷。

百合科 Liliaceae 百合属 *Lilium*

# 条叶百合 *Lilium callosum* Sieb. et Zucc.

**| 药 材 名 |** 条叶百合（药用部位：鳞茎、花）。

**| 形态特征 |** 多年生草本，高 50 ~ 100cm。鳞茎小，扁球形；鳞叶卵形或卵状披针形，白色。茎直立，圆筒形，无毛。叶散生，稀疏，条形，两端窄，有 3 ~ 5 脉，无毛，边缘有小乳头状突起。花少，单生，排成总状花序；苞片 1 ~ 2，先端加厚；花梗稍长，弯曲；花下垂；花被片 6，倒披针状匙形，中部以上反卷，红色或淡红色，几无斑点，蜜腺两边有稀疏的小乳头状突起；花丝稍短，钻形，橙黄色，无毛，花药短；子房圆柱形；花柱短于子房，柱头膨大，3 裂。蒴果狭矩圆形。花期 7 ~ 8 月，果期 8 ~ 9 月。

**| 生境分布 |** 生于富含腐殖质的林下、林缘、草地、溪边及路旁等。分布于吉林

条叶百合

吉林（桦甸、蛟河）、松原（前郭尔罗斯）等。

**|资源情况|** 野生资源较少。药材主要来源于野生。

**|采收加工|** 秋季地上部分枯萎时采挖鳞茎，洗净，剥取鳞叶，置沸水中略烫，干燥。花初开时采收，晒干或低温干燥。

**|功能主治|** 鳞茎，润肺止咳，宁心安神。用于阴虚久咳，肺结核咳嗽，痰中带血，热病后余热未清，神经衰弱，虚烦惊悸，心神不安，脚气浮肿，骨折；外用于冻伤。花，用于经闭，高血压。

**|附　　注|** 本种与绿花百合 *Lilium fargesii* Franch. 形态相近，不同点在于本种苞片先端加厚，花红色或淡红色，几无斑点，蜜腺两边有乳头状突起。

百合科 Liliaceae 百合属 *Lilium*

# 垂花百合 *Lilium cernuum* Komar.

| 植物别名 | 松叶百合、粉花百合、紫花百合。

| 药 材 名 | 垂花百合（药用部位：鳞茎。别名：松叶百合）。

| 形态特征 | 多年生草本，高 20 ~ 70cm。鳞茎矩圆形或卵圆形；鳞叶披针形或卵形，乳白色，鳞茎上方的茎上生不定根。茎直立，圆柱形，无毛。叶细条形，先端渐尖，边缘稍反卷并有乳头状突起，中脉明显，基部无柄。总状花序有花 1 ~ 6；苞片叶状，条形，先端不加厚；花梗长，上升，直立，先端弯曲；花下垂，有香味；花被片 6，2 轮，披针形，强烈反卷，先端钝，淡粉红色，下部有紫色斑点，蜜腺两边密生乳头状突起；花丝无毛，花药背部着生，黑紫色；子房圆柱形；花柱长于子房，柱头膨大，稍 3 裂。蒴果直立，卵球形；

垂花百合

种子多数，片状，扁平，边缘有翅，近阔卵圆形或近倒阔卵圆形，黄棕色。花期 7 ～ 8 月，果期 8 ～ 9 月。

**| 生境分布 |** 生于山坡灌丛、草丛、林缘及岩石缝隙中。分布于吉林白山（长白、抚松）、延边（汪清、安图）、吉林（蛟河、丰满）、通化（通化、集安）、四平（铁东）等。

**| 资源情况 |** 野生资源较少。药材主要来源于野生。

**| 采收加工 |** 秋季采挖，洗净，剥取鳞叶，置沸水中略烫，干燥。

**| 药材性状 |** 本品略呈圆锥形而扁，高 6 ～ 15mm。表面黄白色，不分瓣，一侧具纵沟，可见鳞茎盘和少量须根。质脆，断面粉性。

**| 功能主治 |** 甘，微寒。养阴润肺，清心安神。用于阴虚咳嗽，痰中带血，虚烦惊悸，失眠多梦，精神恍惚。

**| 附　　注 |** 本种与山丹 *Lilium pumilum* DC. 形态相似，但本种花为淡粉红色、下部有深紫色斑点，可以区别。

百合科 Liliaceae 百合属 *Lilium*

# 渥丹 *Lilium concolor* Salisb.

| **植物别名** | 山丹。

| **药 材 名** | 渥丹（药用部位：鳞叶、花）。

| **形态特征** | 多年生草本。鳞茎卵球形，高 2 ~ 3.5cm，直径 2 ~ 3.5cm；鳞片卵形或卵状披针形，长 2 ~ 2.5（~ 3.5）cm，宽 1 ~ 1.5（~ 3）cm，白色，鳞茎上方茎上有根。茎高 30 ~ 50cm，少数近基部带紫色，有小乳头状突起。叶散生，条形，长 3.5 ~ 7cm，宽 3 ~ 6mm，脉 3 ~ 7，边缘有小乳头状突起，两面无毛。花 1 ~ 5 排成近伞形或总状花序；花梗长 1.2 ~ 4.5cm；花直立，星状开展，深红色，无斑点，有光泽；花被片矩圆状披针形，长 2.2 ~ 4cm，宽 4 ~ 7mm，蜜腺两边具乳头状突起；雄蕊向中心靠拢；花丝长

渥丹

1.8 ~ 2cm，无毛，花药长矩圆形，长约 7mm；子房圆柱形，长 1 ~ 1.2cm，宽 2.5 ~ 3mm；花柱稍短于子房，柱头稍膨大。蒴果矩圆形，长 3 ~ 3.5cm，宽 2 ~ 2.2cm。花期 6 ~ 7 月，果期 8 ~ 9 月。

**| 生境分布 |** 生于海拔 350 ~ 2000m 的山坡草丛、路旁、灌木林下。分布于吉林白山（抚松、靖宇、长白）等。

**| 资源情况 |** 野生资源较少。药材主要来源于野生。

**| 采收加工 |** 秋季采挖鳞茎，洗去泥沙，鲜用或晒干。花初开时采收花，晒干或低温干燥。

**| 药材性状 |** 本品鳞叶呈长椭圆形，长 4 ~ 8cm，宽 2 ~ 5cm，中部厚 4 ~ 9mm；表面类白色、淡棕黄色，有数条纵直平行的白色维管束；先端稍尖，基部较宽，边缘薄，微波状，略向内弯曲。质硬而脆，断面较平坦，角质样。无臭，味微苦。花呈星状开展，深红色。梗长，质脆。花被片矩圆状披针形，与花梗近等长。花丝无毛，花药长矩圆形。无臭，味微苦。

**| 功能主治 |** 鳞叶，除烦热，润肺，止咳，安神。用于虚劳咳嗽，吐血，心悸，失眠，浮肿。花，活血。外用于疔疮恶肿。

百合科 Liliaceae 百合属 *Lilium*

# 大花百合 *Lilium concolor* Salisb. var. *megalanthum* Wang et Tang

**|药 材 名|** 大花百合（药用部位：鳞叶）。

**|形态特征|** 多年生草本，高 30 ~ 50cm。鳞茎卵球形；鳞片卵形或卵状披针形，白色，鳞茎上方茎上有根。茎少数近基部带紫色，有小乳头状突起。叶散生，条形，宽于渥丹，脉 3 ~ 7，边缘有小乳头状突起，两面无毛。花 1 ~ 5 排成近伞形或总状花序；花梗稍长；花直立，星状开展，深红色，有光泽；花被片矩圆状披针形，有紫色斑点，蜜腺两边具乳头状突起；雄蕊向中心靠拢；花丝无毛，花药长矩圆形；子房圆柱形；花柱稍短于子房，柱头稍膨大。蒴果矩圆形。花期 6 ~ 7 月，果期 8 ~ 9 月。

大花百合

**| 生境分布 |** 生于山坡草丛、路旁、灌木林下。以长白山区为主要分布区域，分布于吉林延边、白山、通化、吉林、辽源（东丰）等。

**| 资源情况 |** 野生资源较少。药材主要来源于野生。

**| 采收加工 |** 秋季采挖，洗净，剥取鳞叶，置沸水中略烫，干燥。

**| 药材性状 |** 本品为干燥的鳞叶，呈长椭圆形，披针形或长三角形，长 2 ~ 4cm，宽 0.5 ~ 1.5cm，肉质肥厚，中心较厚，边缘薄而呈波状，或向内卷曲，表面乳白色或淡黄棕色，光滑细腻，略有光泽，瓣内有数条平行纵走的白色维管束。质坚硬而稍脆，折断面较平整，黄白色，似蜡样。气微，味微苦。

**| 功能主治 |** 润肺止咳，养心安神。用于虚劳咳嗽，心神不宁，心悸，失眠。

百合科 Liliaceae 百合属 *Lilium*

# 有斑百合 *Lilium concolor* Salisb. var. *pulchellum* (Fisch.) Regel

**| 植物别名 |** 山凳子。

**| 药 材 名 |** 有斑百合（药用部位：鳞茎）。

**| 形态特征 |** 多年生草本，高 30 ~ 50cm。鳞茎卵球形；鳞叶卵形或卵状披针形，乳白色，鳞茎上方的茎上有不定根。茎圆柱形，绿色，有的基部带紫色，有小乳头状突起。叶散生，条形，脉 3 ~ 7，边缘有小乳头状突起，两面无毛。花 1 ~ 5 排成近伞形或总状花序；花梗稍长；花直立，星状开展，深红色；花被片 6，内外 2 轮，有紫黑色斑点，有光泽，矩圆状披针形，蜜腺两边具乳头状突起；雄蕊向中心靠拢；花丝长为花被的 1/2，无毛；子房圆柱形，稍长于花柱，柱头稍膨大。蒴果矩圆形；种子多数，片状扁平，边缘

有斑百合

有翅，近阔卵圆形或近倒阔卵圆形，黄棕色。花期6～7月，果期8～9月。

**| 生境分布 |** 生于林缘、干山坡、草丛、石质山坡、草地、灌丛及疏林下。以长白山区为主要分布区域，分布于吉林延边、白山、通化、长春、吉林、辽源（东丰）、松原（扶余）等。

**| 资源情况 |** 野生资源较少。药材主要来源于野生。

**| 采收加工 |** 秋季采挖，洗净，剥取鳞叶，置沸水中略烫，干燥。

**| 功能主治 |** 润肺化痰。用于虚劳咳嗽，咳痰。

百合科 Liliaceae 百合属 *Lilium*

# 毛百合 *Lilium dauricum* Ker-Gawl.

**| 植物别名 |** 卷帘百合、卷莲花。

**| 药 材 名 |** 毛百合（药用部位：鳞茎）。

**| 形态特征 |** 多年生草本，高 50 ~ 100cm。鳞茎扁球形；鳞叶宽披针形，乳白色，有节或无节，鳞茎上方的茎上密生不定根。茎直立，有棱翼，折断后手揉之有特殊香气。苗期叶在茎下部散生，在茎先端密集，每一茎节有 4 ~ 5 叶片轮生，基部有一簇白绵毛，边缘有小乳头状突起，有的还有稀疏的白色绵毛；花蕾密被白色绵毛；苞片叶状；花梗稍长，有白色绵毛；花期与果期绵毛渐少；花 1 ~ 4 顶生，较大，钟形，橙红色或红色，有紫红色斑点；花被片 6，2 轮，外轮花被片倒披针形，先端渐尖，基部渐狭，外面有白色绵毛，内轮花被片稍窄，蜜腺两

毛百合

边有深紫色的乳头状突起；雄蕊向中心靠拢；花丝无毛，花药红色；雌蕊比雄蕊稍长，子房圆柱形；花柱长为子房的2倍以上，柱头膨大，3裂。蒴果矩圆形，3瓣裂；种子多数，片状扁平，边缘有翅，近阔卵圆形或近倒阔卵圆形，黄棕色。花期6～7月，果期8～9月。

**| 生境分布 |** 生于干山坡、草原、林下、林缘、灌丛、草甸、湿草地及山沟路边等。以长白山区为主要分布区域，分布于吉林延边、白山、通化、吉林、辽源（东丰）等。

**| 资源情况 |** 野生资源较少。药材主要来源于野生。

**| 采收加工 |** 秋季采挖，洗净，剥取鳞叶，置沸水中略烫，干燥。

**| 功能主治 |** 甘，微寒。润肺止咳，清心安神。用于虚劳咳嗽，心神不宁，心悸，失眠。

百合科 Liliaceae 百合属 *Lilium*

# 东北百合 *Lilium distichum* Nakai

东北百合

## | 植物别名 |

轮叶百合、山粳米、羹匙菜。

## | 药 材 名 |

东北百合（药用部位：鳞茎。别名：轮叶百合）。

## | 形态特征 |

多年生草本，高 60 ~ 120cm。鳞茎卵圆形；鳞叶披针形，乳白色，有节，鳞茎下方生有多数稍肉质的根。茎直立，有小乳头状突起。叶 7 ~ 20 轮生于茎中部，茎上部还有散生叶，倒卵状披针形至矩圆状披针形，弧形脉，先端急尖或渐尖，下部渐狭，无毛。花生于茎顶，2 ~ 12 排成总状花序；苞片叶状；花梗较长；花淡橙红色，具紫红色斑点；花被片 6，2 轮，反卷，蜜腺两边无乳头状突起；雄蕊比花被片短；花丝无毛，花药条形；子房圆柱形；花柱长约为子房的 2 倍，柱头膨大，球形，3 裂；蒴果倒卵形，具 3 棱。种子多数，片状扁平，边缘有翅，近阔卵圆形或近倒阔卵圆形，黄棕色。花期 7 ~ 8 月，果期 8 ~ 9 月。

**| 生境分布 |** 生于富含腐殖质的林下、林缘、草地、草丛、溪边及路旁等。以长白山区为主要分布区域，分布于吉林延边、白山、通化、吉林、辽源（东丰）等。

**| 资源情况 |** 野生资源较丰富。药材主要来源于野生。

**| 采收加工 |** 秋季采挖，洗净，剥取鳞叶，置沸水中略烫，干燥。

**| 功能主治 |** 甘，寒。归大肠经。养阴润肺，清心安神。用于阴虚燥咳，劳嗽咯血，虚烦惊悸，失眠多梦，精神恍惚。

**| 附　　注 |** 本种与青岛百合 *Lilium tsingtauense* Gilg 形态很相似，不同点在于本种鳞片具节、花被片反卷，且两者的分布区也不同。

百合科 Liliaceae 百合属 *Lilium*

# 大花卷丹 *Lilium leichtlinii* var. *maximowiczii* (Regel) Baker

**| 植物别名 |** 卷帘花、山丹花。

**| 药 材 名 |** 大花卷丹（药用部位：鳞茎）。

**| 形态特征 |** 多年生草本，高 50 ~ 200cm。鳞茎球形，乳白色。茎有紫色斑点，具小乳头状突起。叶散生，窄披针形，边缘有小乳头状突起，上部叶腋间不具珠芽。花 2 ~ 8 排成总状花序，少有单花；苞片叶状，位于花梗中下部，卵状披针形；花梗较长；花大而下垂，花被片 6，披针形，强烈反卷，橙红色，具紫色斑点，内轮花被片比外轮花被片稍宽，蜜腺两边有乳头状突起，尚有流苏状突起；雄蕊 6，四面张开，花丝无毛，花药深紫红色；子房上位，圆柱形，花柱长。种子多数，片状扁平，边缘有翅，近阔卵圆形或近倒阔卵圆形，黄棕

大花卷丹

色。花期 7 ~ 8 月，果期 9 ~ 10 月。

**| 生境分布 |** 生于林缘、草甸、草地、沟谷、砂质地、灌丛。分布于吉林通化（通化、集安）、白山（临江、长白、抚松、靖宇）等。吉林靖宇、东丰有栽培。

**| 资源情况 |** 野生资源较少。药材主要来源于野生。

**| 采收加工 |** 秋季采挖，洗净，剥取鳞叶，置沸水中略烫，干燥。

**| 功能主治 |** 甘，寒。清热解毒，润肺止咳，宁心安神。用于肺结核，肺痈，阴虚久咳，痰中带血，虚烦惊悸，失眠多梦，精神恍惚，毒疮，中耳炎。

**| 附　　注 |** 大花卷丹与卷丹 *Lilium lancifolium* Thunb. 形态相似，区别在于本种上部叶腋间不具珠芽，花红色、有紫色斑点。

百合科 Liliaceae 百合属 *Lilium*

# 山丹 *Lilium pumilum* DC.

山丹

## 植物别名

细叶百合、百合、山丹丹。

## 药材名

百合（药用部位：鳞叶。别名：山丹花、焉支花、簪簪花）。

## 形态特征

多年生草本。鳞茎卵形或圆锥形，高 2.5 ~ 4.5cm，直径 2 ~ 3cm；鳞片矩圆形或长卵形，长 2 ~ 3.5cm，宽 1 ~ 1.5cm，白色。茎高 15 ~ 60cm，有小乳头状突起，有的带紫色条纹。叶散生于茎中部，条形，长 3.5 ~ 9cm，宽 1.5 ~ 3mm，中脉下面突出，边缘有乳头状突起。花单生或数朵排成总状花序，鲜红色，通常无斑点，有时有少数斑点，下垂。花被片反卷，长 4 ~ 4.5cm，宽 0.8 ~ 1.1cm，蜜腺两边有乳头状突起。花丝长 1.2 ~ 2.5cm，无毛，花药长椭圆形，长约 1cm，黄色，花粉近红色。子房圆柱形，长 0.8 ~ 1cm；花柱稍长于子房或长 1 倍多，长 1.2 ~ 1.6cm，柱头膨大，直径 5mm，3 裂。蒴果矩圆形，长 2cm，宽 1.2 ~ 1.8cm。花期 7 ~ 8 月，果期 9 ~ 10 月。

**| 生境分布 |** 生于林间草地、向阳石质山坡。以长白山区为主要分布区域，分布于吉林延边、白山、通化、吉林、辽源（东丰）等。

**| 资源情况 |** 野生资源较丰富。药材主要来源于野生。

**| 采收加工 |** 8 ~ 9 月间挖取鳞茎，去泥土和须根，稍晾晒后，剥去鳞叶，在锅内蒸煮 2 ~ 3min 后取出，再晒至全干。

**| 药材性状 |** 本品呈长椭圆形，长 2 ~ 5cm，宽 1 ~ 2cm，中部厚 1.3 ~ 4mm；表面黄白色至淡棕黄色，有的微带紫色，有数条纵直平行的白色维管束；先端稍尖，基部较宽，边缘薄，微波状，略向内弯曲。质硬而脆，断面较平坦，角质样。气微，味微苦。

**| 功能主治 |** 甘，寒。归大肠经。养阴润肺，清心安神。用于阴虚燥咳，劳嗽咯血，虚烦惊悸，失眠多梦，精神恍惚。

**| 用法用量 |** 内服煎汤，6 ~ 12g。

**| 附　　注 |** （1）本种在花被片未卷时与渥丹 *Lilium concolor* Salisb. 难以区别，但本种花大，花被片长 4 ~ 4.5cm，花柱比子房稍长或长 1 倍多；而后者花小，花被片长 2.2 ~ 4cm，花柱比子房短或稍短。

（2）山丹在吉林药用历史较久。在《长白汇征录》（1910）、《（宣统）安图地方志》（1911）等地方志中均有关于山丹的记载。

百合科 Liliaceae 洼瓣花属 *Lloydia*

# 洼瓣花 *Lloydia serotina* (L.) Rchb.

| **植物别名** | 单花萝蒂。

| **药 材 名** | 洼瓣花（药用部位：全草）。

| **形态特征** | 多年生草本，植株高 10 ~ 20cm。鳞茎狭卵形，上端向上延伸，上部开裂。基生叶通常 2，很少仅 1，扁平，边缘内卷，背部有钝棱，短于或有时高于花序；茎生叶 2 ~ 4，甚短而细，狭披针形或近条形。花 1 ~ 2，生于茎顶；花被片 6，内外花被片近相似，狭长椭圆形，白色，有深紫色脉纹，先端钝圆，内面近基部有折而似呈半月形的洼陷；雄蕊和雌蕊明显短于花被片，为花被片的 1/2 ~ 3/5，花丝无毛；子房近矩圆形或狭椭圆形；花柱与子房近等长，柱头 3 裂不明显。蒴果近倒卵形，略有 3 钝棱，稍短于宿存的花被片，先端有

洼瓣花

宿存花柱；种子近三角形，扁平。花期 6 ~ 7 月，果期 8 ~ 9 月。

**| 生境分布 |** 生于高山冻原带及亚高山岳桦林的石壁、林下、林缘及草甸等。分布于吉林白山（长白、抚松）、延边（安图）等。

**| 资源情况 |** 野生资源稀少。药材主要来源于野生。

**| 采收加工 |** 夏、秋季采收，除去杂质，阴干或晒干。

**| 药材性状 |** 本品鳞茎呈狭卵形。基生叶通常 2，扁平，边缘内卷，背部有钝棱；茎生叶狭披针形或近条形。花被片呈狭长椭圆形，白色，有深紫色脉纹；子房近矩圆形或狭椭圆形。蒴果呈近倒卵形，略有 3 钝棱，稍短于宿存的花被片，先端有宿存花柱；种子近三角形，扁平。气微，味苦。

**| 功能主治 |** 清热解毒，活血化瘀。用于跌打损伤，胸腔内脓疡，各种眼病。

百合科 Liliaceae 舞鹤草属 *Maianthemum*

# 两色鹿药 *Maianthemum bicolor* (Nakai) Cubey

| **植物别名** | 双色鹿药。

| **药 材 名** | 两色鹿药（药用部位：根茎）。

| **形态特征** | 多年生草本，高 30 ~ 60cm。地下根茎横走。地上茎绿色，光滑，无毛，上部向外倾斜。叶大，椭圆形或宽椭圆形，具短柄，先端渐尖或长渐尖，稀钝，叶面绿色无毛，叶背微有毛。圆锥花序生于茎顶，花轴有少量毛，花序 1 ~ 3 分枝，花黄绿色，逐渐变带紫色；花被片 6，披针形；雄蕊 6，柱头 3 裂；花苞小，卵状披针形，紫色。浆果近球形，成熟时红色。花期 5 ~ 6 月，果期 8 ~ 9 月。

| **生境分布** | 生于针阔叶混交林或针叶林林下阴湿处，常成片生长。分布于吉林

两色鹿药

白山（长白、临江、江源）、通化（通化、集安）等。

**| 资源情况 |** 野生资源较少。药材主要来源于野生。

**| 采收加工 |** 春、秋季采挖，除去泥沙及杂质，洗净，晒干。

**| 功能主治 |** 益肾气，祛风湿，调经血。用于肾虚体弱，风湿痹证，月经不调。

百合科 Liliaceae 舞鹤草属 *Maianthemum*

# 舞鹤草 *Maianthemum bifolium* (L.) F. W. Schmidt

**| 植物别名 |** 二叶舞鹤草、元宝草。

**| 药 材 名 |** 舞鹤草（药用部位：全草。别名：二叶舞鹤草）。

**| 形态特征 |** 多年生草本，高 8 ~ 25cm。根茎细长，有时分叉，节上有少数根，节间长，明显。茎无毛或散生柔毛。基生叶有长柄，到花期已凋萎；茎生叶通常 2，极少 3，互生于茎的上部，三角状卵形，先端急尖至渐尖，基部心形，弯缺张开，下面脉上有柔毛或散生微柔毛，边缘有细小的锯齿状乳突或具柔毛；叶柄常有柔毛。总状花序直立，有 10 ~ 25 花；花序轴有柔毛或乳头状突起；花白色，单生或成对；花梗细，先端有关节；花被片矩圆形，有 1 脉；花丝短于花被片；花药卵形，黄白色；子房球形。浆果；种子卵圆形，种皮黄色，有

舞鹤草

颗粒状皱纹。花期 6 ~ 7 月，果期 7 ~ 8 月。

**| 生境分布 |** 生于林缘、草地、针阔叶混交林或针叶林林下，常在阴湿处成片生长。以长白山区为主要分布区域，分布于吉林延边、白山、通化、吉林、辽源（东丰）等。

**| 资源情况 |** 野生资源较丰富。药材主要来源于野生。

**| 采收加工 |** 7 ~ 8 月采收，洗净，晒干或鲜用。

**| 药材性状 |** 本品根茎细长，呈圆柱形，黄棕色，有节，节上生有须根，上部残存的鳞叶和叶柄呈纤维状，棕褐色；质脆，易折断，断面类白色。茎纤细，长 8 ~ 25cm，直径约 1mm，具纵棱，绿褐色，下部常有黑紫色斑。叶 2，常卷曲，展平后为卵状心形，叶缘具细睫毛，弧形叶脉，下表面叶脉有粗毛，绿色或黄绿色。总状花序。果实球形，成熟时污棕色，有种子 1 ~ 2。气微，味酸、涩。

**| 功能主治 |** 酸、涩，微寒。归肝经。清热解毒，凉血止血。用于外伤出血，吐血，尿血，月经过多。

**| 用法用量 |** 内服煎汤，15 ~ 30g。外用适量，研末撒；或捣敷。

百合科 Liliaceae 沿阶草属 *Ophiopogon*

# 麦冬 *Ophiopogon japonicus* (L. f.) Ker-Gawl.

**| 植物别名 |** 麦门冬、沿阶草。

**| 药 材 名 |** 麦冬（药用部位：块根。别名：虋冬、不死药、禹余粮）。

**| 形态特征 |** 多年生常绿草本。根较粗，中间或近末端常膨大成椭圆形或纺锤形的小块根；小块根长 1 ~ 1.5cm 或更长，宽 5 ~ 10mm，淡褐黄色；地下走茎细长，直径 1 ~ 2mm，节上具膜质的鞘。茎很短，叶基生成丛，禾叶状，长 10 ~ 50cm，少数更长些，宽 1.5 ~ 3.5mm，具 3 ~ 7 脉，边缘具细锯齿。花葶长 6 ~ 15（~ 27）cm，通常比叶短得多，总状花序长 2 ~ 5cm，或有时更长些，具几朵至十几朵花；花单生或成对着生于苞片腋内；苞片披针形，先端渐尖，最下面的长可达 7 ~ 8mm；花梗长 3 ~ 4mm，关节位于中部以上或近中部；花被片

麦冬

常稍下垂而不展开，披针形，长约 5mm，白色或淡紫色；花药三角状披针形，长 2.5 ~ 3mm；花柱长约 4mm，较粗，宽约 1mm，基部宽阔，向上渐狭。种子球形，直径 7 ~ 8mm。花期 5 ~ 8 月，果期 8 ~ 9 月。

**| 生境分布 |** 生于海拔 2000m 以下的山坡阴湿处、林下或溪旁等。吉林无野生分布。吉林东部山区有栽培。

**| 资源情况 |** 吉林有栽培。药材主要来源于栽培。

**| 采收加工 |** 选晴天挖取麦冬，抖去泥土，切下块根和须根，洗净泥土，晒干水气后，揉搓，再晒，再搓，重复 4 ~ 5 次，直到去尽须根后，干燥即得。

**| 药材性状 |** 本品呈纺锤形，两端略尖，长 1.5 ~ 3cm，直径 0.3 ~ 0.6cm，表面淡黄色或灰黄色，有细纵纹。质柔韧，断面黄白色，半透明，中柱细小。气微香，味甘、微苦。以肥大、淡黄白色、半透明、质柔、嚼之有黏性者为佳。

**| 功能主治 |** 甘、微苦，寒。归肺、胃、心经。滋阴润肺，益胃生津，清心除烦。用于肺燥干咳，肺痈，阴虚劳嗽，津伤口渴，消渴，心烦失眠，咽喉疼痛，肠燥便秘，血热吐衄。

**| 用法用量 |** 内服煎汤，6 ~ 15g；或入丸、散、膏。外用适量，研末调敷；或煎汤涂；或鲜品捣汁搽。

百合科 Liliaceae 虎眼万年青属 *Ornithogalum*

# 虎眼万年青 *Ornithogalum caudatum* Jacq.

| **药材名** | 虎眼万年青（药用部位：全草）。

| **形态特征** | 多年生草本。鳞茎卵球形，绿色，直径可达 10cm。叶 5 ~ 6，带状或长条状披针形，长 30cm 以上，宽 2.5 ~ 5cm，先端尾状并常扭转，常绿，近革质。花葶高 45 ~ 100cm，常稍弯曲；总状花序长 15 ~ 30cm，具多数、密集的花；苞片条状狭披针形，绿色，迅速枯萎，但不脱落；花被片矩圆形，长约 8mm，白色，中央有绿脊；雄蕊稍短于花被片，花丝下半部极扩大。花期 7 ~ 8 月，室内栽培冬季也可开花。

| **生境分布** | 栽培于庭院、公园等。吉林无野生分布。

虎眼万年青

**| 资源情况 |** 吉林偶见栽培。药材主要来源于栽培。

**| 采收加工 |** 全年均可采收，秋季采挖为宜，除去杂质，干燥。

**| 药材性状 |** 本品多皱缩，有的破碎。根丛生，须状。鳞茎干瘪，黄色至棕黄色，略为扁平状，有膜质外皮。叶基生，无柄，暗绿色，叶片皱缩，边缘卷曲，展平后呈带状，长 20 ~ 80cm 或更长，宽 2 ~ 5cm，平行脉。总状花序，花序轴长 45 ~ 100cm，花梗基部具苞片，条状披针形。蒴果，室背 3 裂；种子黑色。气微，味甘。

**| 功能主治 |** 甘，微寒。归肝、脾经。清热解毒，软坚散结。用于痈疽疔疮，无名肿毒，痄腮，瘿瘤瘰疬，癥瘕积聚，黄疸。

**| 用法用量 |** 内服煎汤，5 ~ 10g。

**| 附　　注 |** 虎眼万年青已被列入 2019 年版《吉林省中药材标准》第一册。

百合科 Liliaceae 重楼属 *Paris*

# 北重楼 *Paris verticillata* M.-Bieb

北重楼

## | 植物别名 |

七叶一枝花。

## | 药 材 名 |

北重楼（药用部位：根茎。别名：上天梯、王孙、轮叶王孙）。

## | 形态特征 |

多年生草本，植株高 25 ~ 60cm。根茎细长。茎单一，绿白色，有时带紫色。叶 5 ~ 8 轮生茎顶，披针形、狭矩圆形、倒披针形或倒卵状披针形，先端渐尖，基部楔形，具短柄或近无柄。花单一，自轮生叶中抽出，顶生 1 花，花梗较长；外轮花被片绿色，极少带紫色，叶状，通常 4 ~ 5，纸质，平展，倒卵状披针形、矩圆状披针形或倒披针形，先端渐尖，基部圆形或宽楔形；内轮花被片 4，黄绿色，条形；雄蕊 8，花药稍长，花丝基部稍扁平，药隔显著凸出，丝状；子房近球形，紫褐色，先端无盘状花柱基，花柱具 4 ~ 5 分枝，分枝细长，并向外反卷。蒴果浆果状，紫黑色，不开裂，具几颗种子。花期 6 ~ 7 月，果期 8 ~ 9 月。

**| 生境分布 |** 生于富含腐殖质的山坡、林下、林缘、草丛、阴湿地、沟边、沟谷等，形成小片群落。以长白山区为主要分布区域，分布于吉林延边、白山、通化、吉林、辽源（东丰）等。

**| 资源情况 |** 野生资源丰富。药材主要来源于野生。

**| 采收加工 |** 秋季茎叶枯萎时采挖，除去泥土及须根，干燥。

**| 药材性状 |** 本品呈圆柱形，稍扁，略弯曲，长 5 ~ 10cm，直径约 3mm，表面棕黄色，具纵皱纹，有节，节上残留膜状鳞叶、须根或根痕。质坚脆，易折断，断面较平坦，白色至淡黄色，显粉性。气无，味微甘而后麻。

**| 功能主治 |** 苦，寒；有小毒。祛风利湿，清热定惊，解毒消肿。用于风湿痹痛，热病抽搐，咽喉肿痛，痈肿，瘰疬，毒蛇咬伤。

**| 用法用量 |** 内服煎汤，3 ~ 6g；或入丸、散。外用适量，捣敷；或以醋磨汁涂。

百合科 Liliaceae 黄精属 *Polygonatum*

# 五叶黄精 *Polygonatum acuminatifolium* Kom.

**| 植物别名 |** 五叶玉竹。

**| 药 材 名 |** 五叶黄精（药用部位：根茎）。

**| 形态特征 |** 多年生草本，高 20 ～ 30cm。根茎细圆柱形。茎单一，下部直立，上部向一侧倾斜。叶互生，仅具 4 ～ 5 叶，叶片椭圆形至矩圆状椭圆形，先端短渐尖或钝，基部楔形，具短柄。花序梗单生于叶腋，下弯，先端着生 2 ～ 3 花，在花梗中部以上具 1 膜质的微小苞片，无脉；花被片 6，下部合生成筒，白绿色，裂片 6，短，筒内花丝贴生部分具短绵毛；花丝两侧扁，具乳头状突起至具短绵毛，先端有时膨大成囊状；子房短，椭圆形；花柱与花冠筒近等长或稍短，不伸出筒外。浆果蓝黑色。花期 5 ～ 6 月，果期 8 ～ 9 月。

五叶黄精

**| 生境分布 |** 生于林下、林缘及路旁等，常成片生长。以长白山区为主要分布区域，分布于吉林延边、白山、通化、吉林、辽源（东丰）等。

**| 资源情况 |** 野生资源较少。药材主要来源于野生。

**| 采收加工 |** 春、秋季采挖，除去地上部分及须根，洗净，置沸水中略烫或蒸至透心，干燥。

**| 功能主治 |** 养阴润燥，生津止咳，养胃。用于肺胃阴伤，燥热咳嗽，舌干口渴，咽干口燥，干咳少痰，心烦心悸，糖尿病。

百合科 Liliaceae 黄精属 *Polygonatum*

# 长苞黄精 *Polygonatum desoulayi* Kom.

**| 植物别名 |** 长苞玉竹、玉竹。

**| 药 材 名 |** 长苞黄精（药用部位：根茎。别名：长苞玉竹）。

**| 形态特征 |** 多年生草本，高 20 ~ 30cm，植物体无毛。根茎细圆柱形，横走，具较长的节间。茎圆柱形，具棱，下部直立，上部向一侧倾斜。具 5 ~ 9 叶，互生，叶片矩圆状椭圆形，先端短渐尖，无柄或具近短柄，叶脉弧形。花序梗单生于叶腋，稍扁平，显著具条棱，先端着生 1 ~ 2 花，花梗上具 2 叶状苞片，绿色，披针形，不包着花，宿存，具多脉；小花梗极短，双生；花被 6，下部合生成筒，白色，口部稍缢缩，裂片 6，短，向外反折；雄蕊 6，花丝向上略弯，两侧扁，着生于花冠筒上部，具乳头状突起；子房短，花柱等长于花被或稍伸出花被

长苞黄精

之外。浆果蓝黑色，具 7 ~ 8 种子，圆形。花期 5 ~ 6 月，果期 8 ~ 9 月。

**| 生境分布 |** 生于林下、林缘等。分布于吉林通化（通化）、吉林（桦甸、蛟河）、白山（浑江）、延边（延吉、图们）等。

**| 资源情况 |** 野生资源较少。药材主要来源于野生。

**| 采收加工 |** 春、秋季采挖，除去地上部分及须根，洗净，置沸水中略烫或蒸至透心，干燥。

**| 功能主治 |** 甘、微苦，凉。平肝息风，清热凉血，滋补肝肾，养阴润燥，生津止渴。用于肝风内动，眩晕，肝肾亏虚，血热出血，津伤口渴。

百合科 Liliaceae 黄精属 *Polygonatum*

# 小玉竹 *Polygonatum humile* Fisch. ex Maxim.

**| 植物别名 |** 小黄精、山苞米、山铃铛。

**| 药 材 名 |** 小玉竹（药用部位：根茎。别名：长苞玉竹）。

**| 形态特征 |** 多年生草本，高 25 ~ 50cm。根茎较细，圆柱形，横生。茎单一，直立，有棱角。叶互生，具 7 ~ 14 叶，叶片椭圆形、长椭圆形或卵状椭圆形，先端尖至略钝，下面具短糙毛。花序通常仅具 1 花，花梗显著向下弯曲；花被片 6，下部联合成直筒状，先端 6 浅裂，乳白色，先端带绿色，花冠筒里无毛；雄蕊 6，花丝短，稍两侧扁，粗糙，具乳突状突起；子房短，上位，花柱稍长。浆果蓝黑色，有 5 ~ 6 种子。花期 5 ~ 6 月，果期 7 ~ 8 月。

小玉竹

## | 生境分布 |

生于山坡、林下、林缘、路旁等，常成片生长。以长白山区为主要分布区域，分布于吉林延边、白山、通化、吉林、辽源（东丰）等。

## | 资源情况 |

野生资源丰富。药材主要来源于野生。

## | 采收加工 |

秋季采挖，除去须根，洗净，晒至柔软后，反复揉搓至无硬心，晒干；或蒸透后，揉至半透明，晒干。

## | 功能主治 |

养阴润燥，生津止咳，止渴除烦。用于热病伤阴，口渴心烦，口干舌燥，糖尿病，心脏病，腰酸遗精，跌打损伤。

百合科 Liliaceae 黄精属 *Polygonatum*

# 毛筒玉竹 *Polygonatum inflatum* Kom.

毛筒玉竹

## | 植物别名 |

毛筒黄精、东北玉竹。

## | 药 材 名 |

毛筒玉竹（药用部位：根茎）。

## | 形态特征 |

多年生草本，高 50 ~ 80cm。根茎圆柱形，肉质，横走，具发达的顶芽，乳白色。茎圆柱形，下部直立，上部斜生，具棱角。叶 6 ~ 9，叶互生，卵形、卵状椭圆形或椭圆形，先端略尖至钝，叶柄短。花序具 2 ~ 5 花，生于叶腋，总花梗较长；小花梗较短，基部具苞片；苞片近草质，条状披针形，具 3 ~ 5 脉；花被片 6，联合成筒状，绿白色，筒稍长，下垂，在口部稍缢缩，裂片 6，浅裂，短，筒内花丝贴生部分具短绵毛；雄蕊 6，花丝丝状，具乳头状突起至具短绵毛；子房短，上位，花柱稍长。浆果成熟时蓝黑色，具 9 ~ 13 种子。花期 6 ~ 7 月，果期 8 ~ 9 月。

## | 生境分布 |

生于山坡、林下、林缘及路旁等。以长白山区为主要分布区域，分布于吉林延边、白山、通化、吉林、辽源（东丰）等。

**| 资源情况 |** 野生资源稀少。药材主要来源于野生。

**| 采收加工 |** 秋季采挖，除去须根，洗净，晒至柔软后，反复揉搓至无硬心，晒干；或蒸透后，揉至半透明，晒干。

**| 功能主治 |** 养阴润燥，生津止渴。用于热病伤阴，口渴心烦。

百合科 Liliaceae 黄精属 *Polygonatum*

# 二苞黄精 *Polygonatum involucratum* (Franch. et Sav.) Maxim.

**| 植物别名 |** 二苞玉竹、小玉竹。

**| 药 材 名 |** 二苞黄精（药用部位：根茎）。

**| 形态特征 |** 多年生草本，高 20 ~ 50cm，植物体无毛。根茎细圆柱形，横走，具较长的节间。茎圆柱形，具棱，下部直立，上部向一侧倾斜。具 4 ~ 7 叶，互生，叶片卵形、卵状椭圆形至矩圆状椭圆形，先端短渐尖，下部的具短柄，上部的近无柄，叶脉弧形，清晰可见。花序梗单生于叶腋，稍扁平，显著具条棱，先端着生 2 花，花梗上具苞片 2，绿色，卵圆形，将花包着，宿存，具多脉；小花梗极短，双生；花被 6，下部合生成筒，绿白色至淡黄绿色，口部稍缢缩，

二苞黄精

裂片 6，短，向外反折；雄蕊 6，花丝向上略弯，两侧扁，着生于花冠筒上部，具乳头状突起；子房短，花柱等长于花被或稍伸出花被之外。浆果蓝黑色，具 7 ~ 8 种子，圆形。花期 5 ~ 6 月，果期 8 ~ 9 月。

**| 生境分布 |** 生于林下、林缘、山坡。以长白山区为主要分布区域，分布于吉林延边、白山、通化、长春、吉林、辽源（东丰）、松原（扶余）等。

**| 资源情况 |** 野生资源较丰富。药材主要来源于野生。

**| 采收加工 |** 秋季采挖，除去须根，洗净，晒至柔软后，反复揉搓至无硬心，晒干；或蒸透后，揉至半透明，晒干。

**| 功能主治 |** 平肝熄风，养阴明目，清热凉血，生津止渴，滋补肝肾。用于头痛目赤，咽喉痛，高血压，癫痫，口干舌燥，神经衰弱，食欲不振，痈疖。

百合科 Liliaceae 黄精属 *Polygonatum*

# 热河黄精 *Polygonatum macropodium* Turcz.

热河黄精

## | 植物别名 |

多花黄精、多花玉竹、长柄黄精。

## | 药 材 名 |

热河黄精（药用部位：根茎。别名：多花玉竹）。

## | 形态特征 |

多年生草本，高 30 ~ 100cm。根茎圆柱形。叶互生，卵形至卵状椭圆形，少有卵状矩圆形，先端尖。花序具 3 ~ 8 花，近伞房状，总花梗长，小花梗短；苞片无或极微小，位于花梗中部以下；花被白色或带红点，裂片短；花丝短，具 3 狭翅，呈皮屑状，粗糙，花药短；花柱稍长。浆果深蓝色，具 7 ~ 8 种子。花期 5 ~ 6 月，果期 8 ~ 9 月。

## | 生境分布 |

生于林下或阴坡等。分布于吉林吉林（蛟河）、白山（抚松）、延边（汪清、敦化）等。

## | 资源情况 |

野生资源较少。药材主要来源于野生。

**| 采收加工 |** 秋季采挖，除去须根，洗净，晒至柔软后，反复揉搓至无硬心，晒干；或蒸透后，揉至半透明，晒干。

**| 药材性状 |** 本品呈长圆柱形，略扁，少有分枝，表面淡黄棕色，半透明，具纵皱纹及微隆起的环节，有白色圆点状的须根痕和圆盘状茎痕。质硬而脆或稍软，易折断，断面角质样或显颗粒性。气微，味甘，嚼之发黏。

**| 功能主治 |** 补脾润肺，益气养阴，益精壮骨。用于阴虚咳嗽，肺痨咳血，肾虚精亏，头晕，腰酸足软，内热烦渴，脾胃虚弱。

百合科 Liliaceae 黄精属 *Polygonatum*

# 狭叶黄精 *Polygonatum stenophyllum* Maxim.

| **植物别名** | 狭叶玉竹。

| **药 材 名** | 狭叶黄精（药用部位：根茎）。

| **形态特征** | 多年生草本，高达 100cm，植株光滑，无毛。根茎圆柱状，结节稍膨大。茎直立，单一。茎上部叶紧密轮生，每轮有 4 ~ 6 叶；叶条状披针形，先端渐尖，不弯曲拳卷，全缘。花序从下部 3 ~ 4 轮叶腋间抽出，具 2 花，总花梗和小花梗都极短，俯垂；苞片白色，膜质，较花梗稍长或近等长；花被片 6，下部合生成筒，白色，花被筒在喉部稍缢缩，裂片短；雄蕊 6，花丝丝状，着生于花被筒的中下部；雌蕊 1，与雄蕊等长，子房上位，卵形或椭圆形，花柱比子房稍长。

狭叶黄精

花期 6 ~ 7 月，果期 7 ~ 8 月。

**| 生境分布 |** 生于草甸、灌丛、林下、林缘、路旁、河岸及草地等，常成片生长。以长白山区为主要分布区域，分布于吉林延边、白山、通化、吉林、辽源（东丰）、松原（扶余）、白城（通榆）等。

**| 资源情况 |** 野生资源较少。药材主要来源于野生。

**| 采收加工 |** 秋季采挖，除去须根，洗净，晒至柔软后，反复揉搓至无硬心，晒干；或蒸透后，揉至半透明，晒干。

**| 功能主治 |** 补气养阴，健脾，益肾。用于口渴，口干舌燥，神经衰弱，脾胃不振。

百合科 Liliaceae 虎尾兰属 *Sansevieria*

# 金边虎尾兰 *Sansevieria trifasciata* Prain var. *laurentii* (De Wildem.) N. E. Brown

**| 药 材 名 |** 虎尾兰（药用部位：叶。别名：老虎尾、弓弦麻、花蛇草）。

**| 形态特征 |** 多年生草本植物，有横走根茎。叶基生，常 1 ~ 2，也有 3 ~ 6 成簇的，直立，硬革质，扁平，长条状披针形，长 30 ~ 70（~ 120）cm，宽 3 ~ 5（~ 8）cm，有白绿色和深绿色相间的横带斑纹，边缘绿色，向下部渐狭成长短不等的、有槽的柄。花葶高 30 ~ 80cm，基部有淡褐色的膜质鞘；花淡绿色或白色，每 3 ~ 8 簇生，排成总状花序；花梗长 5 ~ 8mm，关节位于中部；花被长 1.6 ~ 2.8cm，管部与裂片长度约相等。浆果直径 7 ~ 8mm。花期 11 ~ 12 月。

**| 生境分布 |** 栽培于公园、庭院等。吉林无野生分布。

金边虎尾兰

**| 资源情况 |** 吉林有栽培。药材主要来源于栽培。

**| 采收加工 |** 全年均可采收，洗净鲜用或晒干。

**| 药材性状 |** 本品叶片皱缩折曲，展平后完整者呈长条形或长倒披针形，长 30 ~ 60cm，宽 2.8 ~ 5cm，两面灰绿色或浅绿色，具相间的暗绿色横斑纹，先端刺尖，基部渐窄，全缘。质稍韧而脆，易折断，断面整齐。气微，味淡、微涩。

**| 功能主治 |** 酸，凉。清热解毒，活血消肿。用于感冒，肺热咳嗽，疮疡肿毒，跌打损伤，毒蛇咬伤，烫火伤。

**| 用法用量 |** 内服煎汤，15 ~ 30g。外用适量，捣敷。

百合科 Liliaceae 绵枣儿属 *Scilla*

# 绵枣儿 *Scilla scilloides* (Lindl.) Druce

绵枣儿

## |植物别名|

石枣儿、天蒜、老雅蒜。

## |药 材 名|

绵枣儿（药用部位：鳞茎。别名：绵枣）。

## |形态特征|

多年生草本。鳞茎卵形或近球形，鳞茎皮黑褐色。基生叶通常 2 ~ 5，狭带状，基部紫红色，上部嫩绿色，苗期坚挺直立，花期伸出，柔软而弯曲。花葶从基生叶中抽出，通常比叶长；总状花序长，生多数紫红色、粉红色至白色的小花，在花梗先端脱落；花梗短，基部有 1 ~ 2 较小的、狭披针形苞片；花被片近椭圆形、倒卵形或狭椭圆形，基部稍合生而呈盘状，先端钝而且增厚；雄蕊生于花被片基部，稍短于花被片；花丝近披针形，边缘和背面常多少具小乳突，基部稍合生，中部以上骤然变窄，变窄部分极短；子房短，基部有短柄，表面多少有小乳突，3 室；花柱长约为子房的 1/2 ~ 2/3。蒴果近倒卵形；种子 1 ~ 3，黑色，矩圆状狭倒卵形。花期 7 ~ 8 月，果期 9 ~ 10 月。

| **生境分布** | 生于林下、林缘、草地、杂草地、多石山坡、砂质地等，常成片生长。分布于吉林通化（通化、集安）、白城（镇赉、通榆、大安）、四平（双辽）、松原（乾安、长岭）等。

| **资源情况** | 野生资源较丰富。药材主要来源于野生。

| **采收加工** | 6 ~ 7 月采收，洗净，鲜用或晒干。

| **药材性状** | 本品呈卵圆形或长卵形，长 2 ~ 3cm，直径 0.5 ~ 1.5cm。表面黄褐色或黑棕色，外被数层膜质鳞叶，向内为半透明肉质叠生的鳞叶，中央有黄绿色心芽，上端残留茎基，下部有须根。质硬或较软，断面有黏性。无臭，味微苦而辣。

| **功能主治** | 甘，寒；有小毒。活血解毒，消肿止痛。用于乳痈，肠痈，跌打损伤，腰腿痛。

| **用法用量** | 内服煎汤，3 ~ 9g。外用适量，捣敷。

| **附　　注** | 在 FOC 中，本种的拉丁学名被修订为 *Barnardia japonica* (Thunberg) Schultes & J. H. Schultes。

百合科 Liliaceae 鹿药属 *Smilacina*

# 兴安鹿药 *Smilacina dahurica* Turcz.

| 药 材 名 | 兴安鹿药（药用部位：根茎）。

| 形态特征 | 多年生草本，植株高 30 ~ 60cm。根茎纤细。茎近无毛或上部有短毛，单叶互生，具 6 ~ 12 叶。叶纸质，矩圆状卵形或矩圆形，先端急尖或具短尖，背面密生短毛，无柄。总状花序顶生，除花以外全部有短毛；花通常 2 ~ 4 簇生，极少为单生，白色；花梗短；花被片 6，基部稍合生，上部反卷，倒卵状矩圆形或矩圆形；雄蕊 6，花药小，黄色，近球形；花柱极短，与子房近等长或稍短，柱头稍 3 裂。浆果近球形，成熟时红色或紫红色，具 1 ~ 2 种子。花期 6 ~ 7 月，果期 7 ~ 8 月。

兴安鹿药

| 生境分布 | 生于林下、林缘、山脚阴湿地、草甸、湿草地、沼泽附近，常成片生长。分布于吉林白山（长白、抚松、靖宇、临江）、通化（柳河）、延边（汪清、安图、和龙、敦化、珲春）等。

| 资源情况 | 野生资源较丰富。药材主要来源于野生。

| 采收加工 | 春、秋季采挖，除去杂质，洗净，晒干。

| 功能主治 | 甘、微辛，温。归肝、肾经。补气益肾，祛风除湿，活血调经。用于劳伤，阳痿，偏、正头痛，风湿疼痛，月经不调；外用于乳痈，痈疖肿毒，跌打损伤。

| 附　　注 | 在 FOC 中，本种的拉丁学名被修订为 *Maianthemum dahuricum* (Turczaninow ex Fischer & C. A. Meyer) LaFrankie。

百合科 Liliaceae 鹿药属 *Smilacina*

# 鹿药 *Smilacina japonica* A. Gray

**|植物别名|** 山糜子。

**|药 材 名|** 鹿药（药用部位：根及根茎。别名：磨盘七、盘龙七、螃蟹七）。

**|形态特征|** 多年生草本，植株高 30 ~ 60cm。根茎横走，多少圆柱状，有时具膨大结节，具多数须根。茎单一，圆柱形，下部直立，中上部向一侧倾斜，具粗伏毛。单叶互生，具 4 ~ 9 叶；叶纸质，卵状椭圆形、椭圆形或矩圆形，先端近短渐尖，两面疏生粗毛或近无毛，具短柄。圆锥花序顶生，花序轴有毛，具花 10 ~ 20 或更多；花小，单生，白色；花梗短；花被片分离或仅基部稍合生，矩圆形或矩圆状倒卵形；雄蕊 6，基部贴生于花被片上，花药小；花柱极短，与子房近等长，柱头几不裂。浆果近球形，成熟时红色，具 1 ~ 2 种子。花

鹿药

期 5 ~ 6 月，果期 8 ~ 9 月。

**| 生境分布 |** 生于林下、林缘、山坡、针阔叶混交林或杂木林林下阴湿处，常成片生长。以长白山区为主要分布区域，分布于吉林延边、白山、通化、吉林、辽源（东丰）等。

**| 资源情况 |** 野生资源较丰富。药材主要来源于野生。

**| 采收加工 |** 秋季采挖，洗净，晒干。

**| 药材性状 |** 本品根茎略呈结节状，稍扁，长 6 ~ 15cm，直径 0.5 ~ 1cm，表面棕色至棕褐色，具皱纹，先端有 1 至数个茎基或芽基，周围密生多数须根。质较硬，断面白色，粉性。气微，味甜、微辛。

**| 功能主治 |** 甘，温。归肝、肾经。补肾壮阳，活血祛瘀，祛风止痛。用于肾虚阳痿，月经不调，偏、正头痛，风湿痹痛，痈肿疮毒，跌打损伤。

**| 用法用量 |** 内服煎汤，6 ~ 15g；或浸酒。外用适量，捣敷；或烫热熨。

**| 附　　注 |** （1）在 FOC 中，本种的拉丁学名被修订为 *Maianthemum japonicum* (A. Gray) LaFrankie。

（2）本种未展叶的幼苗为山野菜，因本种与有毒植物藜芦的幼苗相似，采集食用时应注意鉴别。

百合科 Liliaceae 鹿药属 *Smilacina*

# 三叶鹿药 *Smilacina trifolia* (L.) Desf.

三叶鹿药

## | 药 材 名 |

三叶鹿药（药用部位：根茎）。

## | 形态特征 |

多年生草本，植株较小，高 10 ~ 20cm。根茎细长。茎无毛，具 3 叶。叶纸质，矩圆形或狭椭圆形，先端具短尖头，两面无毛，基部多少抱茎。总状花序生于茎先端，无毛，具 4 ~ 7 花；花单生，白色，花被片离生或仅基部合生，矩圆形或椭圆形；花梗短，果期伸长；雄蕊基部贴生于花被片上，稍短于花被片；花药小，矩圆形；花柱与子房近等长，柱头略 3 裂。花期 6 月，果期 8 月。

## | 生境分布 |

生于林下、林缘湿地、沼泽地及河岸等，常成片生长。分布于吉林通化（柳河）、白山（靖宇、江源）、延边（安图）等。

## | 资源情况 |

野生资源较少。药材主要来源于野生。

## | 采收加工 |

秋季采挖，洗净，晒干。

**| 功能主治 |** 甘、微辛，温。归肝、肾经。补气益肾，祛风除湿，活血调经。用于劳伤，阳痿，偏、正头痛，风湿疼痛，月经不调；外用于乳痈，痈疖肿毒，跌打损伤。

**| 附　　注 |** （1）在 FOC 中，本种的拉丁学名被修订为 *Maianthemum trifolium* (Linnaeus) Sloboda。

（2）本种为吉林省Ⅲ级重点保护野生植物。

百合科 Liliaceae 菝葜属 *Smilax*

# 白背牛尾菜 *Smilax nipponica* Miq.

白背牛尾菜

## | 植物别名 |

牛尾菜、长叶牛尾菜、粗梗牛尾菜。

## | 药 材 名 |

白背牛尾菜（药用部位：根茎）。

## | 形态特征 |

一年生草本，直立或稍攀缘，长 20 ~ 100cm。有根茎。茎中空，有少量髓，干后凹瘪而具槽，无刺。叶片卵形至矩圆形，先端渐尖，基部浅心形至近圆形，下面苍白色且通常具粉尘状微柔毛，很少无毛，主脉无毛；叶柄稍长，脱落点位于上部，如有卷须则位于基部至近中部。伞形花序通常有几十朵花；总花梗较长，稍扁，有时很粗壮；花序托膨大，小苞片极小，早落；花绿黄色或白色，盛开时花被片外折；花被片短，内外轮相似；雄蕊的花丝明显长于花药；雌花与雄花大小相似，具 6 退化雄蕊。浆果，成熟时黑色，有白色粉霜。花期 5 ~ 6 月，果期 8 ~ 9 月。

## | 生境分布 |

生于水旁、林下、林缘、灌丛及草丛中。分布于吉林通化（通化、集安、辉南、柳河、梅河口）等。

**| 资源情况 |** 野生资源较少。药材主要来源于野生。

**| 采收加工 |** 6 ~ 8 月采挖，洗净，晒干。

**| 功能主治 |** 苦，平。舒筋活血，通络止痛。用于腰腿筋骨痛。

**| 用法用量 |** 内服煎汤，6 ~ 12g；或浸酒饮。

**| 附　　注 |** 本种幼苗为山野菜。

百合科 Liliaceae 菝葜属 *Smilax*

# 牛尾菜 *Smilax riparia* A. DC.

**| 植物别名 |** 心叶牛尾菜、龙须菜、鞭杆子菜。

**| 药 材 名 |** 牛尾菜（药用部位：根茎）。

**| 形态特征 |** 多年生草质藤本，长 100 ~ 200cm。有根茎。茎中空，有少量髓，干后凹瘪并具槽，枝较软，无刺，幼时有细点状毛，后平滑。叶比白背牛尾菜厚，但叶形状变化较大，叶片卵形、椭圆形至宽卵圆形，下面绿色，无毛，先端渐尖，基部圆形；叶柄稍短，通常在叶柄中部以下有卷须。花单性，雌雄异株，淡绿色，数朵排成伞形花序，总花梗较纤细；雄花的花被片 6，分离，雄蕊 6，花药条形，多少弯曲，小苞片短小，在花期一般不落；雌花比雄花略小，不具或具钻形退化雄蕊。浆果球形，成熟时黑色；种子 1 ~ 2，

牛尾菜

枣红色。花期 6 ~ 7 月，果期 8 ~ 9 月。

### | 生境分布 |

生于林下、林缘、草丛、灌丛。以长白山区为主要分布区域，分布于吉林延边、白山、通化、长春、吉林、辽源（东丰）等。

### | 资源情况 |

野生资源较少。药材主要来源于野生。

### | 采收加工 |

夏季采挖，洗净切片，晒干。

### | 功能主治 |

甘、苦，平。归肝、肺经。补气活血，舒筋通络，祛痰止咳，消暑，润肺，消炎，镇痛。用于气虚浮肿，筋骨疼痛，跌打损伤，腰肌劳损，偏瘫，头晕头痛，咳嗽吐血，淋巴结炎，支气管炎，肺结核，骨结核，带下。

### | 用法用量 |

内服煎汤，9 ~ 15g，大量可用至 30 ~ 60g；或浸酒；或炖肉。外用适量，捣敷。

### | 附　　注 |

（1）本种形态与华东菝葜 *Smilax sieboldii* Miq. 和短梗菝葜 *Smilax scobinicaulis* C. H. Wright 相似，但后 2 种茎木质，通常具刺，花序只有较少的花，花序托几乎不膨大等，可以以此区别。

（2）本种幼苗可作山野菜。

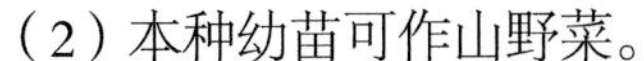

百合科 Liliaceae 扭柄花属 *Streptopus*

# 丝梗扭柄花 *Streptopus koreanus* Ohwi

| 植物别名 | 箭头算盘七。

| 药 材 名 | 丝梗扭柄花（药用部位：根茎）。

| 形态特征 | 多年生草本，植株高 15 ~ 40cm。根茎细长，匍匐状。茎不分枝或中部以上分枝，散生有粗毛。叶薄纸质，卵状披针形或卵状椭圆形，先端有短尖头，基部圆形，边缘具睫毛状细齿。花小，1 ~ 2，貌似自叶下面生出，黄绿色；花梗细如丝，果期伸长；花被片窄卵形，近基部合生，内面具有小疣状突起，先端锐尖；花药倒心形，基部有小疣状突起；花丝极短，扁平，呈半球形平贴于花被片近基部；子房球形，无棱；花柱无，柱头圆盾形，不分枝。浆果球形；种子多数，矩圆形，稍弯。花期 5 月，果期 7 ~ 8 月。

丝梗扭柄花

**| 生境分布 |** 生于针叶林下。分布于吉林延边（安图）、白山（长白、抚松、靖宇、临江）、通化（集安）等。

**| 资源情况 |** 野生资源较少。药材主要来源于野生。

**| 采收加工 |** 春、秋季采挖，除去杂质，洗净，晒干。

**| 功能主治 |** 健脾消食。用于饮食积滞。

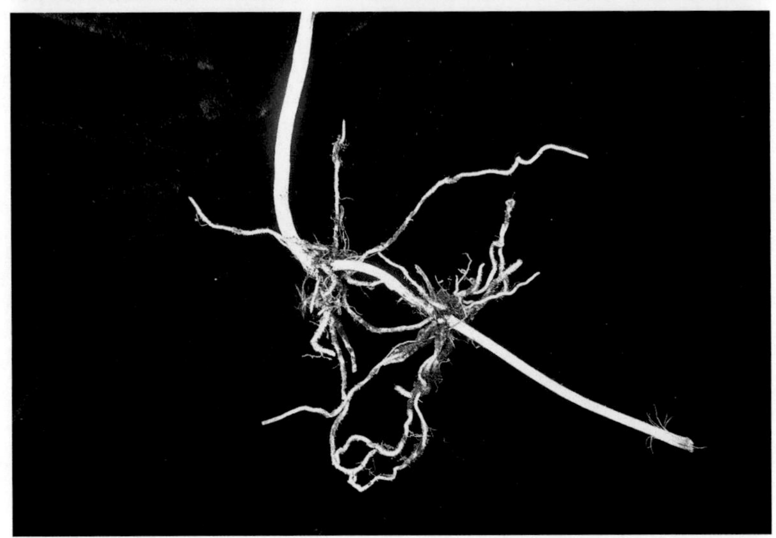

百合科 Liliaceae 扭柄花属 *Streptopus*

# 卵叶扭柄花 *Streptopus ovalis* (Ohwi) Wang et Y. C. Tang

**| 植物别名 |** 金刚草、黄瓜香。

**| 药 材 名 |** 卵叶扭柄花（药用部位：根。别名：金刚草）。

**| 形态特征 |** 多年生草本，植株高 20 ~ 45cm。根茎细长，由节处密生须根。茎圆形，直立，不分枝或上部分枝，回折状，具毛，下部具白色膜质叶鞘，叶鞘无毛，不久枯萎。叶互生于茎上部，无叶柄，叶片薄纸质，矩圆形、卵状披针形或卵状椭圆形，弧形脉 5 ~ 7，叶端尾状，叶基心形，抱茎，叶缘具睫毛状细齿。花 2 ~ 4 生于茎或枝条先端；花梗细，较长，有毛；花被片卵状披针形，先端尾状，白色，具紫色斑点；花药椭圆形，花丝短；子房近球形，具 3 翅状棱；花柱短，但远比子房长，柱头明显 3 裂。浆果球形，红色，具 2 ~ 3 圆形种

卵叶扭柄花

子。花期 5 ~ 6 月，果期 7 ~ 8 月。

| 生境分布 | 生于富含腐殖质的山地、林下、林缘、灌丛或沟边，常成片生长。分布于吉林通化（通化、集安、柳河、辉南、梅河口、二道江）、白山（临江）等。

| 资源情况 | 野生资源较少。药材主要来源于野生。

| 采收加工 | 春、秋季采挖，除去杂质，洗净，晒干。

| 功能主治 | 消食健脾，利湿，清热解毒。用于饮食积滞，水肿，泄泻。

| 附　　注 | 本种幼苗可食，有鲜黄瓜味。

百合科 Liliaceae 岩菖蒲属 *Tofieldia*

# 长白岩菖蒲 *Tofieldia coccinea* Richards.

长白岩菖蒲

## | 药材名 |

长白岩菖蒲（药用部位：全草）。

## | 形态特征 |

多年生矮小草本，具根茎，高 5 ~ 12cm。基生叶套折，两侧压扁，质地较韧，花葶上有 1 ~ 2 短叶。总状花序稍缩短，卵形至椭圆形，花梗极短，开花后下弯，在果期可延长；小苞片合生成小杯状，具 3 浅裂，略呈二唇形，紧托着花；花被片 6，白色或带粉红色，矩圆状倒披针形；雄蕊 6，花丝稍长于花被片，花药椭圆形，黑紫色；子房卵形；花柱 3，分离，粗短，与花药长度近相等。蒴果球形，稍长于花被片，室间开裂，上端几不裂或 3 浅裂，宿存花柱，稍外弯，柱头明显膨大；种子近条状梭形，不具白色纵带。花期 7 ~ 8 月，果期 8 ~ 9 月。

## | 生境分布 |

生于高山冻原带、草甸、湿原或岩石缝中。分布于吉林白山（抚松、长白）、延边（安图）等。

## | 资源情况 |

野生资源稀少。药材主要来源于野生。

**| 采收加工 |** 夏、秋季采收，除去杂质和泥沙，晒干。

**| 药材性状 |** 本品根茎粗壮。基生叶两侧压扁，质地较韧。总状花序稍缩短，卵形至椭圆形，花梗极短；小苞片合生成小杯状，白色或带粉红色，矩圆状倒披针形。蒴果球形，稍长于花被片，室间开裂，宿存花柱；种子近条状梭形。气微，味甘、微苦。

**| 功能主治 |** 散寒止痛。用于冻伤。

百合科 Liliaceae 延龄草属 *Trillium*

# 吉林延龄草 *Trillium kamtschaticum* Pall. ex Pursh

**| 植物别名 |** 白花延龄草、高丽瓜、头顶一颗珠。

**| 药 材 名 |** 吉林延龄草（药用部位：根茎。别名：白花延龄草）。

**| 形态特征 |** 多年生草本，高 35 ~ 50cm。茎直立，从生于粗短的根茎上，基部有 1 ~ 2 褐色的膜质鞘。叶 3，轮生茎顶，叶片菱状扁圆形或卵圆形，近无柄，先端渐尖或急尖，基部楔形，两面光滑，无毛。花单生，花梗自轮生叶丛中抽出，花梗较长；花被片 6，离生，排成 2 轮，外轮花被片 3，绿色，内轮花被片 3，白色，椭圆形或倒卵形；雄蕊 6，短于花被片，花药比花丝长，先端有稍凸出的药隔；子房上位，圆锥状。浆果卵圆形，具多数种子；种子近长圆形，具倒生的肉质种阜。花期 6 ~ 7 月，果期 8 ~ 9 月。

吉林延龄草

**| 生境分布 |** 生于林下、阴湿地、林缘、湿地、湿草甸。分布于吉林通化（通化、柳河、辉南、集安）、白山（抚松、靖宇、临江、长白）、延边（敦化、和龙、汪清、安图、珲春）等。

**| 资源情况 |** 野生资源较少。药材主要来源于野生。

**| 采收加工 |** 夏、秋季采挖，除去叶及须根，洗净，晒干或鲜用。

**| 药材性状 |** 本品根茎呈圆柱形或圆锥形，长 1 ~ 2cm，直径 2 ~ 4cm。表面棕黄色或棕褐色，表面有须根痕，具明显的纵纹。体轻，质坚脆，断面淡黄色。气微，味辛。

**| 功能主治 |** 甘，温；有小毒。祛风，止血，止痛，镇静，疏肝。用于高血压，神经衰弱，眩晕头痛，腰腿疼痛，月经不调，崩漏，外伤出血，跌打损伤。

**| 用法用量 |** 内服煎汤，6 ~ 9g；研末 3g。外用适量，研末敷；或鲜品捣敷。

**| 附　　注 |** （1）在 FOC 中，本种的拉丁学名被修订为 *Trillium camschatcense* Ker Gawler。

（2）本种 2015 年开始尝试引种栽培，目前仅限于根茎繁殖，种子育苗未取得成功。本种在吉林东部山区被称“高丽挂”，近年被高价收购，野生资源遭到破坏，资源逐渐减少。

百合科 Liliaceae 郁金香属 *Tulipa*

# 老鸦瓣 *Tulipa edulis* (Miq.) Baker

**| 植物别名 |** 光慈菇。

**| 药 材 名 |** 老鸦瓣（药用部位：鳞茎）。

**| 形态特征 |** 鳞茎皮纸质，内面密被长柔毛。茎长 10 ~ 25cm，通常不分枝，无毛。叶 2，长条形，长 10 ~ 25cm，远比花长，通常宽 5 ~ 9mm，少数可窄至 2mm 或宽达 12mm，上面无毛。花单朵顶生，靠近花的基部具 2 对生（较少 3 轮生）的苞片，苞片狭条形，长 2 ~ 3cm；花被片狭椭圆状披针形，长 20 ~ 30mm，宽 4 ~ 7mm，白色，背面有紫红色纵条纹；雄蕊 3 长 3 短，花丝无毛，中部稍扩大，向两端逐渐变窄或从基部向上逐渐变窄；子房长椭圆形；花柱长约 4mm。蒴果近球形，有长喙，长 5 ~ 7mm。花期 3 ~ 4 月，果期 4 ~ 5 月。

老鸦瓣

| **生境分布** | 生于山坡草地及路旁。吉林无野生分布。吉林公园、庭院有栽培。

| **资源情况** | 吉林有栽培。药材主要来源于栽培。

| **采收加工** | 夏、秋季采挖，除去叶，晒干或烘干。

| **功能主治** | 散结化瘀。用于咽喉肿痛，瘰疬，疮肿，产后瘀滞，无名肿毒。

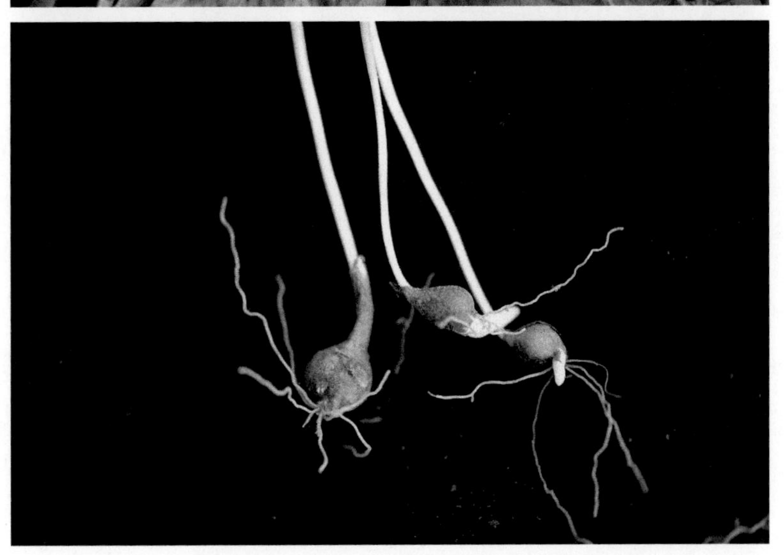

百合科 Liliaceae 藜芦属 *Veratrum*

# 兴安藜芦 *Veratrum dahuricum* (Turcz.) Loes. f.

兴安藜芦

## | 植物别名 |

毛叶藜芦、老旱葱。

## | 药 材 名 |

藜芦（药用部位：根及根茎）。

## | 形态特征 |

多年生草本，植株高 70 ~ 150cm。根茎短，生多数稍肉质具横环纹的须根。茎单一，基部具浅褐色或灰色的、无网眼的纤维束。单叶互生，叶片椭圆形或卵状椭圆形，先端渐尖，基部无柄，抱茎，背面密生银白色短柔毛，叶片因叶脉凸出凹入而呈瓦楞状。圆锥花序生于茎顶，近纺锤形，具多数近等长的侧生总状花序，生于最下面的侧枝常常再次短分枝，先端总状花序近等长于侧生花序；总轴和枝轴密生白色短绵状毛；花密集，花被片淡黄绿色，带苍白色边缘，近直立或稍开展，椭圆形或卵状椭圆形，先端锐尖或稍钝，基部具柄，边缘啮蚀状，背面具短毛；花梗短；小苞片比花梗长，卵状披针形，背面和边缘有毛；雄蕊 6，长约为花被片的一半；子房上位，近圆锥形，密生短柔毛。种子扁平，具膜质翅。花期 6 ~ 7 月，果期 8 ~ 9 月。

**| 生境分布 |** 生于草甸、湿草地、林下及林缘等，常成片生长。分布于吉林通化（通化）、白山（抚松、长白）、延边（汪清、珲春、安图）等。

**| 资源情况 |** 野生资源较丰富。药材主要来源于野生。

**| 采收加工 |** 5 ~ 6 月未抽花葶前采挖，除去叶，晒干或烘干。

**| 药材性状 |** 本品根茎呈圆柱形或圆锥形，有时被切开呈三角状或半圆状，长 1 ~ 2cm，直径 2 ~ 4cm；表面棕黄色或土黄色，先端残留叶基及浅褐色或灰色无网眼的纤维，形如蓑衣，下部着生多数细根。根长 5 ~ 8cm，直径 1 ~ 2mm，多弯曲，表面黄白色或黄褐色，具有细密的横皱纹，体轻，质坚脆，断面类白色，中心有淡黄色细木心，与皮部分离。气微，味苦、辛。

**| 功能主治 |** 甘，寒；有毒。归肺、胃、肝经。解毒散结，行血化瘀，涌吐风痰，杀虫毒。用于中风痰涌，风痫癫疾，黄疸，久疟，泄痢，头痛，喉痹，鼻息疥癣，恶疮，毒蛇咬伤。

**| 用法用量 |** 内服入丸、散，0.3 ~ 0.6g。外用适量，研末，以油或水调涂。

**| 附　　注 |** （1）本种形态与近毛叶藜芦 *Veratrum grandiflorum* (Maxim.) Loes. f. 相近，不同点在于本种的叶背面具银白色短柔毛，花被片较狭、边缘为苍白色。

（2）因为兴安藜芦和人参、党参、赤芍、白芍等常用中药材药性相反，中医临床很少使用，只是将其作为提取白藜芦醇的原料，年用量近百吨。吉林兴安藜芦分布区主要集中在东部山区，药材年产量 50t 左右，走销顺畅。

百合科 Liliaceae 藜芦属 *Veratrum*

# 毛穗藜芦 *Veratrum maackii* Regel

毛穗藜芦

## | 植物别名 |

马氏藜芦、老旱葱、蒜藜芦。

## | 药 材 名 |

藜芦（药用部位：根及根茎）。

## | 形态特征 |

多年生草本，植株高达 60 ~ 160cm。根茎短，生多数稍肉质具横环纹的须根。茎较纤细，基部稍粗，具叶鞘，被棕褐色、有网眼的纤维网。叶折扇状，长矩圆状披针形至狭长矩圆形，两面无毛，先端长渐尖或渐尖，基部收狭为柄，叶柄很长。圆锥花序生于茎顶，通常疏生较短的侧生花序，最下面的侧生花序偶尔再次分枝；总轴和枝轴密生绵状毛；花多数，疏生；花被片黑紫色，开展或反折，近倒卵状矩圆形，先端钝，基部无柄，全缘；花梗长约为花被片的 2 倍，在侧生花序上的花梗比顶生花序上的花梗短；小苞片短，背面和边缘生毛；雄蕊 6，长约为花被片的一半；子房上位，无毛。蒴果直立；种子扁平，具膜质翅。花期 7 ~ 8 月，果期 8 ~ 9 月。

## | 生境分布 |

生于林下、灌丛、山坡、草甸及林缘等。

分布于吉林白山、通化（柳河、辉南）、吉林（蛟河）、延边（珲春、汪清）等。

**| 资源情况 |** 野生资源较丰富。药材主要来源于野生。

**| 采收加工 |** 同“兴安藜芦”。

**| 药材性状 |** 本品呈圆柱形，黄棕色，先端残留叶柄残基及黑色纤维，下部密生 20 ~ 30 条。根细柱状，直径约 0.2cm，长短不等，微弯曲，棕黄色，质脆，断面灰白色。气微，味苦。

**| 功能主治 |** 同“兴安藜芦”。

**| 用法用量 |** 同“兴安藜芦”。

**| 附　　注 |** 本种为吉林省Ⅲ级重点保护野生植物。

百合科 Liliaceae 藜芦属 *Veratrum*

# 藜芦 *Veratrum nigrum* L.

**| 植物别名 |** 长叶藜、老旱葱、鹿莲。

**| 药 材 名 |** 藜芦（药用部位：根及根茎。别名：山葱、丰芦、蕙葵）、藜芦茎叶（药用部位：茎叶）。

**| 形态特征 |** 多年生草本，高达100cm。根茎短，生多数稍肉质具横环纹的须根。茎通常粗壮，单一，基部的鞘枯死后残留为有网眼的黑色纤维网。单叶互生，叶片椭圆形、宽卵状椭圆形，薄革质，先端锐尖或渐尖，基部无柄或生于茎上部的具短柄，两面无毛，叶片因叶脉凸出凹入而呈瓦楞状。圆锥花序顶生且长，密生黑紫色的花；侧生总状花序近直立伸展，通常具雄花；顶生总状花序常较侧生花序长2倍以上，几乎全部着生两性花；总轴和枝轴密生白色绵状毛；小苞片披针形，

藜芦

边缘和背面有毛；生于侧生花序上的花梗短，约等长于小苞片，密生绵状毛；花被片开展或在两性花中略反折，全缘；雄蕊 6，长为花被片的一半，花丝无毛；子房钝三棱，无毛，花柱 3，外卷，短于子房。蒴果直立，近球形，成熟时 3 裂，花柱宿存；种子扁平，具膜质翅。花期 7 ~ 8 月，果期 8 ~ 9 月。

**| 生境分布 |** 生于林下、林缘、山坡、林间、草甸、湿地。以长白山区为主要分布区域，分布于吉林延边、白山、通化、吉林、辽源（东丰）等。

**| 资源情况 |** 野生资源较丰富。药材主要来源于野生。

**| 采收加工 |** 藜芦：同“兴安藜芦”。

藜芦茎叶：夏、秋季之间割茎叶，除去杂质，晒干。

**| 药材性状 |** 藜芦：本品根茎短粗，表面褐色；上端残留叶基及棕色毛状的维管束。须根多数，簇生于根茎四周，长 12 ~ 20cm，直径约 3mm；表面黄白色或灰褐色，有细密的横皱，下端多纵皱。质脆易折断，断面白色、粉质，中心有 1 淡黄色纤细的木部，易与皮部分离。气微，味苦、辛。

藜芦茎叶：本品长 30 ~ 100cm，茎圆柱状，中空，表面灰绿色或棕褐色，基部常残留黑褐色网状纤维。叶片椭圆形，基部抱茎，全缘，两面无毛，具数条明显的平行脉。体轻质脆，气微。

**| 功能主治 |** 藜芦：同“兴安藜芦”。

藜芦茎叶：辛、苦，寒；有毒。归肺、胃、肝经。宣壅导滞，涌吐风痰。用于痰涎壅盛，风痫癫疾，喉痹，鼻息。

**| 用法用量 |** 藜芦：同“兴安藜芦”。

藜芦茎叶：内服煎汤，1.5 ~ 3g。

**| 附　　注 |** （1）藜芦在吉林药用历史较久。在《长白汇征录》（1910）、《大中华吉林地理志》（1921）、《桦甸地方志（未是稿）》（1931）等多部地方志中均有关于藜芦的记载。

（2）藜芦茎叶已被列入 2019 年版《吉林省中药材标准》第一册。

百合科 Liliaceae 藜芦属 *Veratrum*

# 尖被藜芦 *Veratrum oxysepalum* Turcz.

**| 植物别名 |** 光脉藜芦、白藜芦、老旱葱。

**| 药 材 名 |** 尖被藜芦（药用部位：根茎。别名：光脉藜芦、毛脉藜芦）。

**| 形态特征 |** 多年生草本，高达 100cm 或更高。根茎短，生多数稍肉质具横环纹的须根。茎单一，粗壮，基部密生无网眼的纤维束。幼苗期嫩叶包裹在一起呈粗壮圆锥形或圆柱形；单叶互生，中部叶最大，下部叶较中部叶小，同形，椭圆形或矩圆形，基部无柄，抱茎；上部叶渐小，长披针形至条形，全部叶片因叶脉凸出凹入而呈瓦楞状。圆锥花序很长，生于茎顶，密生或疏生多数花，花序轴密生短绵毛；花被片内面白色，有绿色脉纹，背面绿色，矩圆形至倒卵状矩圆形，先端钝圆或稍尖，基部明显收狭，边缘具细牙齿，外花被片背

尖被藜芦

面基部略生短毛；花梗比小苞片短，苞片绿色，宿存；雄蕊 6，长为花被片的 1/2 ~ 3/4，花药黄色，球形；子房上位，疏生短柔毛或乳突状毛，柱头 3，外卷。蒴果圆锥形，花柱宿存，3 室；种子多数，有膜质的翅。花期 7 ~ 8 月，果期 8 ~ 9 月。

**| 生境分布 |** 生于草甸、湿草地、林下、林缘及亚高山草地上，常成单优势的大面积群落。以长白山区为主要分布区域，分布于吉林延边、白山、通化、吉林、辽源（东丰）等。

**| 资源情况 |** 野生资源较丰富。药材主要来源于野生。

**| 采收加工 |** 5 ~ 6 月末抽花茎前采挖根部，除去地上部分，洗净，晒干。

**| 功能主治 |** 辛、苦，寒；有毒。涌吐风痰，清热燥湿。用于中风痰壅，喉痹不通，癫痫，蚊虫叮咬，红肿热痛，疮疡不愈。

石蒜科 Amaryllidaceae 君子兰属 *Clivia*

# 君子兰 *Clivia miniata* Regel

**|植物别名|** 大花君子兰、和尚君子兰。

**|药 材 名|** 君子兰（药用部位：根）。

**|形态特征|** 多年生草本。肉质根多数、白色、不分枝。根茎极短。基生叶多数，从缩短的根茎上2列叠出，叶片质厚，革质，互生，排列整齐，深绿色，有光泽，带状，脉纹清晰，网格状。花茎由基生叶中抽出，扁平，实心，较宽；伞形花序有花10～20，有时更多；花梗稍长；花直立向上，花被宽漏斗形，鲜红色，内面略带黄色；花被管短，外轮花被裂片先端有微凸头，内轮先端微凹，略长于雄蕊；花柱长，稍伸出于花被外。未成熟浆果为绿色，成熟后紫红色，宽卵形；种子大，球形，通常少于10。全年均可开花，花期以春、夏季为主，

君子兰

有时冬季也可开花。

**生境分布** 吉林无野生分布。吉林部分地区农田、庭院及房前屋后等有栽培。

**资源情况** 吉林有栽培。药材主要来源于栽培。

**采收加工** 秋季采挖，除去残茎、泥土，晒干。

**功能主治** 化痰止咳平喘。用于咳嗽痰喘。

石蒜科 Amaryllidaceae 朱顶红属 *Hippeastrum*

# 朱顶红 *Hippeastrum rutilum* (Ker-Gawl.) Herb.

| **植物别名** | 对红、华胄兰、红花莲。

| **药 材 名** | 朱顶红（药用部位：鳞茎）。

| **形态特征** | 多年生草本。鳞茎近球形，并有匍匐枝。叶 6 ~ 8，花后抽出，鲜绿色，带形。花茎中空，稍扁，具白粉；花 2 ~ 4；佛焰苞状总苞片披针形；花梗纤细；花被管绿色，圆筒状，花被裂片长圆形，先端尖，洋红色，略带绿色，喉部有小鳞片；雄蕊 6，花丝长，红色，花药线状长圆形；子房稍长，花柱长，柱头 3 裂。全年均可开花，花期以春、夏季为主，有时冬季也可开花。

朱顶红

**| 生境分布 |** 吉林无野生分布。吉林部分地区农田、庭院及房前屋后等有栽培。

**| 资源情况 |** 吉林有栽培。药材主要来源于栽培。

**| 采收加工 |** 秋季采挖，洗去泥沙，鲜用或晒干。

**| 功能主治 |** 活血散瘀，解毒消肿。用于痈疮肿毒。

石蒜科 Amaryllidaceae 朱顶红属 *Hippeastrum*

# 花朱顶红 *Hippeastrum vittatum* (L'Her.) Herb.

**| 植物别名 |** 绕带蒜、百枝莲、朱顶兰。

**| 药 材 名 |** 花朱顶红（药用部位：鳞茎）。

**| 形态特征 |** 多年生草本。鳞茎大，球形。叶 6 ~ 8，常花后抽出，鲜绿色，带形。花茎高超过半米；伞形花序，常有花 3 ~ 6；佛焰苞状总苞片披针形；花梗与总苞片近等长；花被漏斗状，红色，中心及边缘有白色条纹；花被管长，花被裂片倒卵形至长圆形，先端急尖；喉部有小形不显著的鳞片；雄蕊 6，着生于花被管喉部，短于花被裂片；子房下位，胚珠多数；花柱与花被近等长或稍长，柱头深 3 裂。蒴果球形，3 瓣开裂；种子扁平。全年均可开花，花期以春、

花朱顶红

夏季为主，有时冬季也可开花。

| **生境分布** | 吉林无野生分布。吉林各地农田、庭院、室内、温室有栽培，供观赏。

| **资源情况** | 吉林有栽培。药材主要来源于栽培。

| **采收加工** | 秋季采挖，洗去泥沙，鲜用或切片晒干。

| **功能主治** | 辛，温；有小毒。散瘀活血，解毒消肿。外用于痈疮肿毒，跌打损伤。

石蒜科 Amaryllidaceae 葱莲属 *Zephyranthes*

# 葱莲 *Zephyranthes candida* (Lindl.) Herb.

**|植物别名|** 玉帘、葱兰。

**|药 材 名|** 肝风草（药用部位：全草。别名：惊风草、石葱、葱兰）。

**|形态特征|** 多年生草本。鳞茎卵形，直径约 2.5cm，具有明显的颈部，颈长 2.5 ~ 5cm。叶狭线形，肥厚，亮绿色，长 20 ~ 30cm，宽 2 ~ 4mm。花茎中空；花单生于花茎先端，下有带褐红色的佛焰苞状总苞，总苞片先端 2 裂；花梗长约 1cm；花白色，外面常带淡红色；几无花被管，花被片 6，长 3 ~ 5cm，先端钝或具短尖头，宽约 1cm，近喉部常有很小的鳞片；雄蕊 6，长约为花被的 1/2；花柱细长，柱头不明显 3 裂。蒴果近球形，直径约 1.2cm，3 瓣开裂；种子黑色，扁平。花期秋季。

葱莲

**| 生境分布 |** 吉林无野生分布。吉林各地庭院、温室、公园、植物园、家庭有栽培，供观赏。

**| 资源情况 |** 吉林有栽培。药材主要来源于栽培。

**| 采收加工 |** 全年均可采收，洗净，多为鲜用。

**| 功能主治 |** 甘，平。归肝经。平肝息风。用于小儿惊风，癫痫，破伤风。

**| 用法用量 |** 内服煎汤，1.5 ~ 2.5g；或绞汁饮。外用适量，捣敷。

石蒜科 Amaryllidaceae 葱莲属 *Zephyranthes*

# 韭莲 *Zephyranthes grandiflora* Lindl.

**| 植物别名 |** 风雨花。

**| 药 材 名 |** 韭莲（药用部位：全草）。

**| 形态特征 |** 多年生草本。鳞茎卵球形，直径 2 ~ 3cm。基生叶常数枚簇生，线形，扁平，长 15 ~ 30cm，宽 6 ~ 8mm。花单生于花茎先端，下有佛焰苞状总苞，总苞片常带淡紫红色，长 4 ~ 5cm，下部合生成管；花梗长 2 ~ 3cm；花玫瑰红色或粉红色；花被管长 1 ~ 2.5cm，花被裂片 6，裂片倒卵形，先端略尖，长 3 ~ 6cm；雄蕊 6，长为花被的 2/3 ~ 4/5，花药“丁”字形着生；子房下位，3 室，胚珠多数，

韭莲

花柱细长，柱头深3裂。蒴果近球形；种子黑色。花期夏、秋季。

**| 生境分布 |** 吉林无野生分布。吉林各地庭院室内、温室、公园、家庭有栽培，供观赏。

**| 资源情况 |** 吉林有栽培。药材主要来源于栽培。

**| 采收加工 |** 全年均可采收，洗净，多为鲜用。

**| 功能主治 |** 苦，寒。散热解毒，凉血补血。用于吐血，血崩；外用于痈疮红肿，跌打损伤，毒蛇咬伤。

**| 用法用量 |** 内服煎汤，30 ~ 60g。外用适量，捣敷。

薯蓣科 Dioscoreaceae 薯蓣属 *Dioscorea*

# 甘薯 *Dioscorea esculenta* (Lour.) Burkill

| **植物别名** | 甜薯。

| **药 材 名** | 甘薯（药用部位：块茎）。

| **形态特征** | 缠绕草质藤本。地下块茎先端通常有 4 ~ 10 分枝或更高，各分枝末端膨大成卵球形的块茎，外皮淡黄色，光滑。茎左旋，基部有刺，被“丁”字形柔毛。单叶互生，阔心形，先端急尖，基部心形，基出脉 9 ~ 13，被“丁”字形长柔毛，尤以背面较多；叶柄基部有刺。雄花序为穗状花序，单生，雄花无梗或具极短的梗，通常单生，稀有 2 ~ 4 簇生，排列于花序轴上；苞片卵形，先端渐尖；花被浅杯状，被短柔毛，外轮花被片阔披针形，内轮稍短；发育雄蕊 6，着生于花被管口部，较裂片稍短。雌穗状花序单生于上部叶腋，下垂，花

甘薯

序轴稍有棱。蒴果较少成熟，三棱形，先端微凹，基部截形，每棱翅状；种子圆形，具翅。花期初夏。

**| 生境分布 |** 吉林无野生分布。吉林各地庭院、室内、农田、菜园、温室有栽培，供观赏。

**| 资源情况 |** 吉林有栽培。药材主要来源于栽培。

**| 采收加工 |** 夏、秋季采收，洗净，切片晒干或鲜用。

**| 药材性状 |** 本品略呈圆柱形，弯曲而稍扁。表面黄白色或淡黄色，有纵沟、纵皱纹及须根痕，偶见浅棕色外皮残留。体重，质坚实，不易折断，断面白色、粉性。气微，味淡、微酸。

**| 功能主治 |** 甘，平。补虚乏，益气力，健脾胃，强肾阴。用于脾虚气弱，肾阴虚。

**| 用法用量 |** 内服适量，作食品。

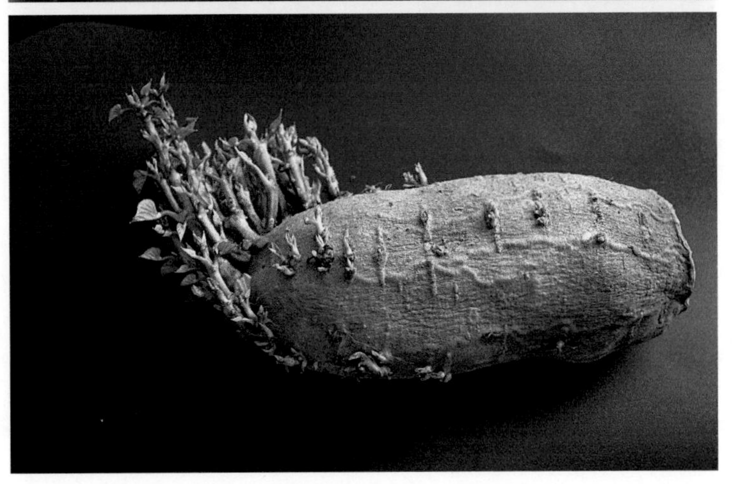

薯蓣科 Dioscoreaceae 薯蓣属 *Dioscorea*

# 薯蓣 *Dioscorea opposita* Thunb.

| 植物别名 | 光山药、山药、山药蛋。

| 药 材 名 | 山药（药用部位：根茎）、零余子（药用部位：珠芽）。

| 形态特征 | 多年生缠绕草质藤本。块茎长圆柱形，垂直生长，长可超过 1m，断面干时白色。茎通常带紫红色，右旋，无毛。单叶，在茎下部的互生，中部以上的对生，很少 3 叶轮生；叶片变异大，卵状三角形至宽卵形或戟形，先端渐尖，基部深心形、宽心形或近截形，边缘常 3 浅裂至 3 深裂，中裂片卵状椭圆形至披针形，侧裂片耳状，圆形、近方形至长圆形；幼苗时叶片一般为宽卵形或卵圆形，基部深心形；叶腋内常有珠芽。雌雄异株；雄花序为穗状，直立，2 ~ 8 着生于叶腋，偶尔呈圆锥状排列；花序轴明显地呈“之”字形曲

薯蓣

折；苞片和花被片有紫褐色斑点；雄花的外轮花被片为宽卵形，内轮卵形，较小，雄蕊 6；雌花序为穗状花序，1 ~ 3 着生于叶腋。蒴果不反折，三棱状扁圆形或三棱状圆形，外面有白粉；种子着生于果实每室的中央，四周有薄膜状栗褐色的翅。花期 6 ~ 7 月，果期 8 ~ 9 月。

**| 生境分布 |** 生于向阳山坡、林边或灌丛中。分布于吉林通化（集安）等。吉林各地均有栽培。

**| 资源情况 |** 野生资源稀少。药材主要来源于栽培。

**| 采收加工 |** 山药：冬季茎生叶枯萎后采挖，切去根头，洗净，除去外皮和须根，干燥，习称为“毛山药”；或除去外皮，趁鲜切厚片，干燥，习称为“山药片”；也可选择肥大顺直的干燥山药，置清水中，浸至无干心，闷透，切齐两端，用木板搓成圆柱状，晒干，打光，习称为“光山药”。

零余子：秋季采收，切片，晒干或鲜用。

**| 药材性状 |** 山药：本品毛山药略呈圆柱形，弯曲而稍扁，长 15 ~ 30cm，直径 1.5 ~ 6cm，表面黄白色或淡黄色，有纵沟、纵皱纹及须根痕，偶见浅棕色外皮残留。体重，质坚实，不易折断，断面白色，粉性，气微，味淡、微酸，嚼之发黏。光山药呈圆柱形，两端平齐，长 9 ~ 18cm，直径 1.5 ~ 3cm，表面光滑，白色或黄白色。二者均以条粗、质坚实、粉性足、色洁白者为佳。

**| 功能主治 |** 山药：甘，平。归脾、肺、肾经。补脾养胃，生津益肺，补肾涩精，止泻。用于脾虚食少，久泻不止，肺虚喘咳，肾虚遗精，带下，尿频，虚热消渴。

零余子：甘，平。归肾经。补虚益肾强腰。用于虚劳羸瘦，腰膝酸软。

**| 用法用量 |** 山药：内服煎汤，15 ~ 30g，大剂量可用 60 ~ 250g；或入丸、散。外用适量，捣敷。补阴宜生用；健脾止泻宜炒黄用。

零余子：内服煎汤，15 ~ 30g。

**| 附　　注 |** 在 FOC 中，本种的拉丁学名被修订为 *Dioscorea polystachya* Turczaninow。

雨久花科 Pontederiaceae 凤眼蓝属 *Eichhornia*

# 凤眼蓝 *Eichhornia crassipes* (Mart.) Solms

| 植物别名 | 水葫芦、水浮莲、凤眼莲。

| 药 材 名 | 水葫芦（药用部位：全草。别名：大水萍、水浮莲、洋水仙）。

| 形态特征 | 浮水草本，高 30 ~ 60cm。须根发达，棕黑色。茎极短，具淡绿色或带紫色的匍匐枝，与母株分离后长成新植物。叶在基部丛生，莲座状排列；叶片厚，光亮，圆形、宽卵形或宽菱形，全缘，具弧形脉；叶柄长短不等，中部膨大成囊状或纺锤形，光滑，叶柄基部有薄而半透明的鞘状苞片。花葶从叶柄基部的鞘状苞片腋内伸出，多棱；穗状花序，通常具 9 ~ 12 花；花被裂片 6，花瓣状，卵形、长圆形或倒卵形，紫蓝色，花冠两侧对称，上方 1 裂片较大，三色，即四周淡紫红色，中间蓝色，在蓝色的中央有 1 黄色圆斑，下方 1 裂片

凤眼蓝

较狭，花被片基部合生成筒，外面近基部有腺毛；雄蕊 6，贴生于花被筒上，3 长 3 短，长的从花被筒喉部伸出，短的生于近喉部；花药蓝灰色；花粉粒黄色；子房上位；花柱 1，伸出花被筒的部分有腺毛；柱头上密生腺毛。蒴果卵形。花期 7 ~ 9 月，果期 8 ~ 10 月。

**| 生境分布 |** 生于水塘、沟渠及稻田。吉林无野生分布。吉林偶见栽培。

**| 资源情况 |** 药材主要来源于栽培。

**| 采收加工 |** 春、夏季采收，洗净，晒干或鲜用。

**| 药材性状 |** 本品须根呈棕黑色。茎极短，具淡绿色或带紫色的匍匐枝。叶基部丛生，叶片厚，光亮，圆形、宽卵形或宽菱形，全缘，具弧形脉；叶柄长短不等，中部膨大成囊状或纺锤形，光滑，叶柄基部有薄而半透明的鞘状苞片。穗状花序；花被裂片 6，花瓣状，卵形、长圆形或倒卵形，紫蓝色，花冠两侧对称。蒴果卵形。气微，味淡。

**| 功能主治 |** 淡，凉。清热解暑，利尿消肿，祛风湿。用于中暑烦渴，肾炎水肿，小便不利，热疮。

**| 用法用量 |** 内服煎汤，15 ~ 30g。外用适量，捣敷。

雨久花科 Pontederiaceae 雨久花属 *Monochoria*

# 雨久花 *Monochoria korsakowii* Regel et Maack

**| 植物别名 |** 蓝鸟花、水白菜、兰花菜。

**| 药 材 名 |** 雨久花（药用部位：全草）。

**| 形态特征 |** 多年生直立水生草本，高 30 ~ 70cm。根茎粗壮，下生纤维根。茎直立，全株光滑无毛，基部有时带紫红色。叶基生和茎生；基生叶宽卵状心形，先端急尖或渐尖，基部心形，全缘，具多数弧状脉，叶柄很长，有时膨大成囊状；茎生叶叶柄渐短，基部增大成鞘，抱茎。总状花序顶生，有时再聚成圆锥花序；花 10 余朵，花梗较短；花被片椭圆形，先端圆钝，蓝色；雄蕊 6，其中 1 枚较大，花药长圆形，浅蓝色，其余各枚较小，花药黄色，花丝丝状。蒴果长卵状圆形；种子长圆形，有纵棱。花期 7 ~ 8 月，果期 9 ~ 10 月。

雨久花

**| 生境分布 |** 生于水沟、池塘、湖沼边的浅水处及稻田中，常成单优势的大面积群落。吉林各地均有分布。

**| 资源情况 |** 野生资源较丰富。药材主要来源于野生。

**| 采收加工 |** 夏季采收，晒干。

**| 药材性状 |** 本品根茎粗壮，有纤维根。茎光滑无毛，有时带紫红色。叶基生和茎生；基生叶宽卵状心形，全缘，叶柄很长，有时膨大成囊状；茎生叶叶柄渐短，基部增大成鞘，抱茎。总状花序，有时再聚成圆锥花序；花梗较短；花被片椭圆形，先端圆钝，蓝色。蒴果长卵状圆形；种子长圆形，有纵棱。气微，味甘。

**| 功能主治 |** 甘，凉。清热解暑，止咳平喘，利尿消肿，祛风湿，明目。用于中暑烦渴，水肿，小便不利，热疮。

**| 用法用量 |** 内服煎汤，3 ~ 6g。

雨久花科 Pontederiaceae 雨久花属 *Monochoria*

# 鸭舌草 *Monochoria vaginalis* (Burm. f.) Presl

| 植物别名 | 鸭儿嘴、鸭嘴菜、肥猪草。

| 药 材 名 | 鸭舌草（药用部位：全草）。

| 形态特征 | 水生草本，高 12 ~ 35cm。根茎极短，具柔软须根。茎直立或斜上，全株光滑无毛。叶基生和茎生；叶片形状和大小变化较大，由心状宽卵形、长卵形至披针形，先端短突尖或渐尖，基部圆形或浅心形，全缘，具弧状脉；叶柄很长，基部扩大成开裂的鞘，先端有舌状体。总状花序从叶柄中部抽出，该处叶柄扩大成鞘状；花序梗短，基部有 1 披针形苞片；花序在花期直立，在果期下弯；花通常 3 ~ 5，蓝色；花被片卵状披针形或长圆形；雄蕊 6，其中 1 枚较大，花药长圆形，其余 5 枚较小，花丝丝状。蒴果卵形至长圆形；种子多数，

鸭舌草

椭圆形，灰褐色，具 8 ~ 12 纵条纹。花期 8 ~ 9 月，果期 9 ~ 10 月。

**| 生境分布 |** 生于稻田、池沼及水沟边等。分布于吉林延边（安图、珲春）、通化（集安）、吉林（蛟河）等。

**| 资源情况 |** 野生资源较少。药材主要来源于野生。

**| 采收加工 |** 夏、秋季采收，除去杂质，晒干。

**| 药材性状 |** 本品根茎极短，具柔软须根。茎光滑无毛。叶基生和茎生；叶片形状和大小变化较大，由心状宽卵形、长卵形至披针形，先端短突尖或渐尖，基部圆形或浅心形，全缘，具弧状脉；叶柄很长，基部扩大成开裂的鞘，先端有舌状体。总状花序从叶柄中部抽出，该处叶柄扩大成鞘状；花序梗短；花通常 3 ~ 5，蓝色；花被片卵状披针形或长圆形。蒴果卵形至长圆形；种子多数，椭圆形，灰褐色，具 8 ~ 12 纵条纹。气微，味微苦。

**| 功能主治 |** 甘、苦，微凉。清热解毒，清肝凉血，消肿止痛。用于泄泻，痢疾，暴热，哮喘，乳蛾，牙龈脓肿，吐血，血崩，小儿丹毒；外用于蛇虫咬伤，疮疖，痈疽肿毒。

**| 用法用量 |** 内服煎汤，15 ~ 30g，鲜品 30 ~ 60g；或捣汁。外用适量，捣敷。

鸢尾科 Iridaceae 番红花属 *Crocus*

# 番红花 *Crocus sativus* L.

**| 植物别名 |** 西红花、藏红花。

**| 药 材 名 |** 西红花（药用部位：柱头。别名：藏红花）。

**| 形态特征 |** 多年生草本。球茎扁圆球形，外有黄褐色的膜质包被。叶基生，9 ~ 15，条形，灰绿色，边缘反卷；叶丛基部包有 4 ~ 5 膜质的鞘状叶。花茎甚短，不伸出地面；花 1 ~ 2，淡蓝色、红紫色或白色，有香味；花被裂片 6，2 轮排列，内、外轮花被裂片皆为倒卵形，先端钝；雄蕊直立；花药黄色，先端尖，略弯曲；花柱橙红色，上部 3 分枝，分枝弯曲而下垂，柱头略扁，先端楔形，有浅齿，较雄蕊长；子房狭纺锤形。蒴果椭圆形。花期 6 ~ 7 月，果期 8 ~ 9 月。

番红花

**| 生境分布 |** 生于农田等。吉林无野生分布。吉林东部、中部部分地区有栽培。

**| 资源情况 |** 吉林偶见栽培。药材主要来源于栽培。

**| 采收加工 |** 开花期晴天的早晨采花，摘取柱头，摊放在竹匾内，上盖一张薄吸水纸后晒干，或在 40℃～50℃的温度下烘干，或在通风处晾干。

**| 药材性状 |** 本品呈线形，3 分枝，长约 3cm。暗红色，上部较宽而略扁平，先端边缘显不整齐的齿状，内侧有一短裂隙，下端有时残留一小段黄色花柱。体轻，质松软，无油润光泽，干燥后质脆易断。气特异，微有刺激性，味微苦。

**| 功能主治 |** 甘，平。归心、肝经。活血化瘀，凉血解毒，解郁安神。用于经闭癥瘕，产后瘀阻，温毒发斑，忧郁痞闷，惊悸发狂。

**| 用法用量 |** 内服煎汤，1 ～ 3g；或沸水泡服。

鸢尾科 Iridaceae 香雪兰属 *Freesia*

# 香雪兰 *Freesia refracta* Klatt

香雪兰

## | 植物别名 |

菖蒲兰、小菖兰、小苍兰。

## | 药 材 名 |

香雪兰（药用部位：球茎）。

## | 形态特征 |

多年生草本。球茎狭卵形或卵圆形，外包有薄膜质的包被，包被上有网纹及暗红色的斑点。叶剑形或条形，略弯曲，黄绿色，中脉明显。花茎直立，上部有 2 ~ 3 弯曲的分枝，下部有数枚叶；花无梗；每朵花基部有 2 膜质苞片，苞片宽卵形或卵圆形，先端略凹或 2 尖头；花直立，淡黄色或黄绿色，有香味；花被管喇叭形，基部变细，花被裂片 6，2 轮排列，外轮花被裂片卵圆形或椭圆形，内轮较外轮花被裂片略短而狭；雄蕊 3，着生于花被管上；花柱 1，柱头 6 裂；子房绿色，近球形。蒴果近卵圆形，室背开裂。花期 4 ~ 5 月，果期 6 ~ 9 月。

## | 生境分布 |

生于农田等。吉林无野生分布。吉林东部、中部部分地区有栽培。

**| 资源情况 |** 吉林有栽培。药材主要来源于栽培。

**| 采收加工 |** 春、夏季采收，洗净，鲜用或晒干。

**| 功能主治 |** 清热解毒，活血通经。用于月经过多，崩漏，衄血，胃肠出血，痢疾，外伤出血，蛇咬伤，疮痈。

**| 用法用量 |** 内服煎汤，3 ~ 10g。外用适量，捣敷。

鸢尾科 Iridaceae 唐菖蒲属 *Gladiolus*

# 唐菖蒲 *Gladiolus gandavensis* Van Houtte

唐菖蒲

## | 植物别名 |

荸荠莲、菖兰、剑兰。

## | 药 材 名 |

标杆花（药用部位：球茎。别名：八百锤、千锤打、铜锤）。

## | 形态特征 |

多年生草本。球茎扁圆球形，外包有棕色或黄棕色的膜质包被。叶基生或在花茎基部互生，剑形，基部鞘状，先端渐尖，嵌迭状排成 2 列，灰绿色，有数条纵脉及 1 条明显而突出的中脉。花茎直立，不分枝，花茎下部生有数枚互生的叶；顶生穗状花序，每朵花下有苞片 2，膜质，黄绿色，卵形或宽披针形，中脉明显；无花梗；花在苞内单生，两侧对称，有红色、黄色、白色或粉红色等；花被管基部弯曲，花被裂片 6，2 轮排列，内、外轮的花被裂片皆为卵圆形或椭圆形，上面 3 片略大，最上面的 1 片内花被裂片特别宽大，弯曲成盔状；雄蕊 3，直立，贴生于盔状的内花被裂片内；花药条形，红紫色或深紫色；花丝白色，着生在花被管上；花柱长，先端 3 裂，柱头略扁宽而膨大，具短绒毛；子房椭圆形，绿色，3 室，中轴胎座，胚珠多数。蒴果椭圆形或倒卵形，成熟时室背开裂；种子扁而有翅。花期 7 ~ 9 月，果期 8 ~ 10 月。

**| 生境分布 |** 生于路旁、庭院等。吉林无野生分布。吉林部分地区有栽培，用于观赏和绿化。

**| 资源情况 |** 吉林有栽培。药材主要来源于栽培。

**| 采收加工 |** 秋季采收，洗净，晒干或鲜用。

**| 药材性状 |** 本品呈扁圆球形，外包有棕色或黄棕色的膜质包被，大小不一，直径 1 ~ 5cm。气微，味淡。

**| 功能主治 |** 辛，温；有毒。清热解毒，散瘀，消肿止痛。用于跌打损伤，咽喉肿痛；外用于痄腮，蛇咬伤，疮毒，瘰疬，淋巴结核。

鸢尾科 Iridaceae 鸢尾属 *Iris*

# 野鸢尾 *Iris dichotoma* Pall.

野鸢尾

## | 植物别名 |

射干鸢尾、二歧鸢尾、扁蒲扇。

## | 药 材 名 |

白花射干（药用部位：全草）。

## | 形态特征 |

多年生草本。根茎块状，棕褐色或黑褐色；须根发达，粗而长，黄白色，分枝少。叶基生或在花茎基部互生，两面灰绿色，剑形，先端多弯曲，呈镰形，基部鞘状抱茎，无明显的中脉。花茎实心，上部二歧状分枝，分枝处生有披针形的茎生叶，下部有 1 ~ 2 抱茎的茎生叶，花序生于分枝先端；苞片 4 ~ 5，内包含有 3 ~ 4 花；花蓝紫色或浅蓝色，有棕褐色的斑纹；花梗细，常超出苞片；花被管甚短，外花被裂片宽倒披针形，上部向外反折，无附属物，内花被裂片狭倒卵形，先端微凹；雄蕊 3；花药与花丝等长；花柱分枝扁平，花瓣状，先端裂片狭三角形；子房绿色。蒴果圆柱形或略弯曲，果皮黄绿色，革质，成熟时自先端向下开裂至 1/3 处；种子暗褐色，椭圆形，有小翅。花期 8 月，果期 8 ~ 9 月。

**| 生境分布 |** 生于干旱草原、向阳草地、干山坡、固定沙丘等。分布于吉林四平、白城（通榆、镇赉、洮南）、松原（前郭尔罗斯）、吉林（蛟河）、通化（通化、集安）、延边（安图）等。

**| 资源情况 |** 野生资源较少。药材主要来源于野生。

**| 采收加工 |** 夏、秋季采收，洗净，晒干。

**| 药材性状 |** 本品根茎呈块状，棕褐色；多须根，粗而长，黄白色，分枝少。叶互生，两面灰绿色，剑形，先端多弯曲，呈镰形，无明显的中脉。花序顶生；花蓝紫色或浅蓝色，有棕褐色的斑纹；花梗细；子房绿色。蒴果圆柱形或略弯曲，果皮黄绿色，革质，成熟时自先端向下开裂至 1/3 处；种子暗褐色，椭圆形，有小翅。气微，味苦。

**| 功能主治 |** 苦，寒；有小毒。归肺、胃、肝经。清热解毒，活血消肿。用于乳蛾，肝炎，胃痛，乳痈，牙龈肿痛。

**| 用法用量 |** 内服煎汤，3 ~ 9g；或入丸、散；或绞汁。外用适量，鲜根茎切片贴或捣敷；或煎汤洗。

鸢尾科 Iridaceae 鸢尾属 *Iris*

# 玉蝉花 *Iris ensata* Thunb.

| **植物别名** | 花菖蒲、紫花鸢尾、马兰花。

| **药 材 名** | 玉蝉花（药用部位：根茎。别名：土知母）。

| **形态特征** | 多年生草本，植株基部围有叶鞘残留的纤维。根茎粗壮，斜伸，外包有棕褐色叶鞘残留的纤维；须根绳索状，灰白色，有皱缩的横纹。叶条形，先端渐尖或长渐尖，基部鞘状，两面中脉明显。花茎圆柱形，实心，有 1 ～ 3 茎生叶；苞片 3，近革质，披针形，先端急尖、渐尖或钝，平行脉明显而突出，内包含有 2 花；花深紫色；花梗稍长；花被管漏斗形，外花被裂片倒卵形，爪部细长，中央下陷，呈沟状，中脉上有黄色斑纹，内花被裂片小，直立，狭披针形或宽

玉蝉花

条形；雄蕊 3；花药紫色，较花丝长；花柱分枝扁平，紫色，略呈拱形弯曲，先端裂片三角形，有稀疏的牙齿；子房圆柱形。蒴果长椭圆形，先端有短喙，6 条肋明显，成熟时自先端向下开裂至 1/3 处；种子棕褐色，扁平，半圆形，边缘呈翅状。花期 6 ～ 7 月，果期 8 ～ 9 月。

**| 生境分布 |** 生于沼泽地、林缘及草甸等。分布于吉林通化（通化）、延边（和龙、敦化、汪清、安图、珲春）、白山（临江、靖宇）等。

**| 资源情况 |** 野生资源较少。药材主要来源于野生。

**| 采收加工 |** 秋后采挖，晒干。

**| 药材性状 |** 本品根茎呈不规则条状，有分枝，长 7 ～ 18cm，直径 1 ～ 2cm。表面棕黄色，上部残留茎基及叶鞘纤维，先端有横环纹，下侧有须根痕。质松脆，断面类白色，角质样。气微，味甜、微苦。

**| 功能主治 |** 辛、苦，寒；有小毒。归肺、脾、肝经。清热解毒，活血消肿，消食。用于乳蛾，肝炎，胃痛，乳痈，牙龈肿痛。

**| 用法用量 |** 内服煎汤，3 ～ 9g；或浸酒。

鸢尾科 Iridaceae 鸢尾属 *Iris*

# 马蔺 *Iris lactea* Pall. var. *chinensis* (Fisch.) Koidz.

**| 植物别名 |** 马莲、马兰花、马莲子。

**| 药 材 名 |** 马蔺子（药用部位：种子。别名：蠡实、荔实、马楝子）、马蔺花（药用部位：花。别名：剧荔花、蠡草花、马楝花）、马蔺根（药用部位：根）。

**| 形态特征 |** 多年生密丛草本。根茎粗壮，木质，斜伸，外包有大量致密、红紫色、折断的老叶残留叶鞘及毛发状的纤维；须根粗而长，黄白色，少分枝。叶基生，坚韧，灰绿色，条形或狭剑形，先端渐尖，基部鞘状，带红紫色，无明显的中脉。花茎光滑；苞片 3 ~ 5，草质，绿色，边缘白色，披针形，先端渐尖或长渐尖，内包含有 2 ~ 4 花，浅蓝色、蓝色或蓝紫色，花被上有较深颜色的条纹；花梗较；花被管甚

马蔺

短，外花被裂片倒披针形，先端钝或急尖，爪部楔形，内花被裂片狭倒披针形，爪部狭楔形；雄蕊 3；花药黄色；花丝白色；子房纺锤形。蒴果长椭圆状柱形，有 6 条明显的肋，先端有短喙；种子为不规则的多面体，棕褐色，略有光泽。花期 5 ~ 6 月，果期 8 ~ 9 月。

**| 生境分布 |** 生于路边、草原、山坡草地等，常成片生长。吉林各地均有分布。

**| 资源情况 |** 野生资源丰富。药材主要来源于野生。

**| 采收加工 |** 马蔺子：8 ~ 9 月，果实成熟时割下果穗，晒干，阳光下打取种子，除去杂质，晒干。

马蔺花：开花后择晴天采摘，阴干或晒干。

马蔺根：秋季采挖，除去须根及杂质，晒干。

**| 药材性状 |** 马蔺子：本品为扁平或不规则卵形的多面体，长约 5mm，宽 3 ~ 4mm。表面红棕色至黑棕色。种脐先端有合点，略突起，质坚硬，切断面胚乳肥厚，灰白色，角质性；胚位于种脐的一端，白色，细小、弯曲。气微弱，味淡。

马蔺花：本品具花被 6，线形，长 2.5 ~ 3cm，直径 2 ~ 4mm，多皱缩，先端弯曲，基部膨大，呈深棕色或蓝紫色；雄蕊 3，花药多碎断或脱落，有残存的花丝，花柄长短不等。质轻，气显著，味微苦。以整齐、色紫者为佳。

马蔺根：本品呈短缩的结节状，长 3 ~ 12cm，直径 1 ~ 1.5cm。表面浅棕黄色至棕褐色，上部残留有环状叶痕，有的先端带有茎残基与叶基纤维，下部有少量须根和根痕。质稍坚硬，结节处易折断，断面不平坦，黄白色。气微，味苦而辛。

**| 功能主治 |** 马蔺子：甘，平。归肝、胃、脾、肺经。清热利湿，止血，解毒。用于黄疸，泄泻，吐血，衄血，血崩，带下，喉痹，痈肿，肿瘤。

马蔺花：微苦、辛、微甘，寒。归胃、脾、肺、肝经。清热凉血，止血，利尿消肿。用于吐血，咯血，衄血，咽喉肿痛，小便淋痛；外用于痈疖疮疡，外伤出血。

马蔺根：甘，平。归脾、大肠、肝经。清热解毒，活血利尿。用于急性咽喉肿痛，病毒性肝炎，痔疮，牙痛。

**| 用法用量 |** 马蔺子：内服煎汤，3 ~ 9g；或入丸、散。外用适量，研末调敷；或捣敷。

马蔺花：内服煎汤，3 ~ 6g；或入丸、散；或绞汁。

马蔺根：内服煎汤，3 ~ 9g；或绞汁。外用适量，煎汤熏洗。

鸢尾科 Iridaceae 鸢尾属 *Iris*

# 燕子花 *Iris laevigata* Fisch.

**| 植物别名 |** 马兰花、钢笔水花。

**| 药 材 名 |** 燕子花（药用部位：根茎。别名：蓝蝴蝶、蛤蟆七、扁竹叶）。

**| 形态特征 |** 多年生草本，植株基部围有棕褐色、毛发状的老叶残留纤维。根茎粗壮，斜伸，棕褐色；须根黄白色，有皱缩的横纹。叶灰绿色，剑形或宽条形，无明显的中脉。花茎实心，光滑，有不明显的纵棱，中下部有 2 ~ 3 茎生叶；苞片 3 ~ 5，膜质，披针形，中脉明显，内包含有 2 ~ 4 花；花大，蓝紫色；花梗稍长；花被管似喇叭形；外花被裂片上部反折下垂，爪部楔形，中央下陷，呈沟状，鲜黄色，无附属物，内花被裂片直立，倒披针形；花药白色；花柱分枝扁平，花瓣状，拱形弯曲，先端裂片半圆形，边缘有波状的牙齿；子房钝

燕子花

三角状圆柱形，上部略膨大。蒴果椭圆状柱形，有 6 纵肋，其中 3 条较粗；种子扁平，半圆形，褐色，有光泽。花期 5 ~ 6 月，果期 7 ~ 8 月。

**| 生境分布 |** 生于阳光较为充足的沼泽地、湿草甸以及河岸等，常成片生长。分布于吉林通化（通化、柳河、梅河口、辉南、集安）、吉林（磐石）、白山（临江、长白）、延边（敦化、和龙、汪清、安图、珲春）等。

**| 资源情况 |** 野生资源较少。药材主要来源于野生。

**| 采收加工 |** 秋季采挖，除去茎生叶及须根，洗净，晒干。

**| 药材性状 |** 本品呈短缩结节状，长 3 ~ 6cm。表面浅棕黄色，上部残留有环状叶痕，有的先端带有茎残基与叶基纤维，下部有少量须根痕。质稍坚硬，结节处易折断，断面不平坦，黄白色。气微，味苦。

**| 功能主治 |** 祛痰。用于咳嗽咳痰。

鸢尾科 Iridaceae 鸢尾属 *Iris*

# 长白鸢尾 *Iris mandshurica* Maxim.

**|植物别名|** 东北鸢尾。

**|药 材 名|** 长白鸢尾（药用部位：花）。

**|形态特征|** 多年生草本，植株基部围有棕褐色的老叶残留纤维。根茎短粗，肥厚，肉质，块状；须根近肉质，上粗下细，少分枝，黄白色。叶镰状弯曲或中部以上略弯曲，花期叶明显小于果期叶，先端渐尖或短渐尖，基部鞘状，有 2 ～ 4 纵脉，无明显的中脉。花茎平滑，基部包有披针形的鞘状叶；苞片 3，膜质，绿色，倒卵形或披针形，中脉明显，先端短渐尖或骤尖，内包含有 1 ～ 2 花；花黄色；花梗短；花被管狭漏斗形，外花被裂片倒卵形，有紫褐色的网纹，爪部狭楔形，中脉上密布黄色须毛状的附属物，内花被裂片向外斜伸，狭椭

长白鸢尾

圆形或倒披针形；雄蕊稍长；花药黄色；花柱分枝扁平，先端裂片较宽大，半圆形，有稀疏的牙齿；子房绿色，纺锤形。蒴果纺锤形，有 6 条明显的纵肋，其中室背的 3 条略粗，先端渐尖，呈长喙，成熟时室背开裂，喙及基部不裂。花期 5 月，果期 6 ～ 8 月。

**| 生境分布 |** 生于向阳坡地及疏林灌丛间。分布于吉林通化（通化）、白山（江源、长白、抚松）、延边（延吉、安图、汪清）、辽源等。

**| 资源情况 |** 野生资源较少。药材主要来源于野生。

**| 采收加工 |** 花初开时采收，晒干或低温干燥。

**| 功能主治 |** 止血。用于出血。

鸢尾科 Iridaceae 鸢尾属 *Iris*

# 紫苞鸢尾 *Iris ruthenica* Ker.-Gawl.

**| 植物别名 |** 细茎鸢尾、苏联鸢尾。

**| 药 材 名 |** 紫苞鸢尾（药用部位：种子、花）。

**| 形态特征 |** 多年生草本，植株基部围有短的鞘状叶。根茎斜伸，二歧分枝，节明显，外包以棕褐色老叶残留的纤维；须根粗，暗褐色。叶条形，灰绿色，先端长渐尖，基部鞘状，有 3 ~ 5 纵脉。花茎纤细，略短于叶，有 2 ~ 3 茎生叶；苞片 2，膜质，绿色，边缘带红紫色，披针形或宽披针形，中脉明显，内包含有 1 花；花蓝紫色；花梗较短；花被管较短，外花被裂片倒披针形，有白色及深紫色的斑纹，内花被裂片直立，狭倒披针形；雄蕊 3；花药乳白色；花柱分枝扁平，先端裂片狭三角形；子房狭纺锤形。蒴果球形或卵圆形，6 肋明显，

紫苞鸢尾

先端无喙，成熟时自先端向下开裂至 1/2 处；种子球形或梨形，有乳白色的附属物，遇潮湿易变黏。花期 5 ~ 6 月，果期 7 ~ 8 月。

**| 生境分布 |** 生于干草甸、向阳草地及向阳山坡等。分布于吉林通化（通化、集安、柳河）、延边（安图）、吉林（蛟河）等。

**| 资源情况 |** 野生资源较少。药材主要来源于野生。

**| 采收加工 |** 秋季果实成熟时采收果实，晒干，打下种子，除去杂质。春、夏季花盛开时采收花，晒干。

**| 药材性状 |** 本品花蓝紫色；花梗较短；花被管较短，外花被裂片倒披针形，有白色及深紫色的斑纹，内花被裂片狭倒披针形；雄蕊 3，花药乳白色；花柱分枝扁平，先端裂片狭三角形，子房狭纺锤形。气微，味微苦。种子球形或梨形，有乳白色的附属物，遇潮湿易变黏。

**| 功能主治 |** 种子，解毒杀虫，祛腐生肌。用于烧伤。花，明目。

鸢尾科 Iridaceae 鸢尾属 *Iris*

# 溪荪 *Iris sanguinea* Donn ex Horn.

**| 植物别名 |** 东方鸢尾、红眼兰、马兰花。

**| 药 材 名 |** 溪荪（药用部位：根茎）。

**| 形态特征 |** 多年生草本。根茎粗壮，斜伸，外包有棕褐色老叶残留的纤维；须根绳索状，灰白色，有皱缩的横纹。叶条形，先端渐尖，基部鞘状，中脉不明显。花茎光滑，实心，具 1 ～ 2 茎生叶；苞片 3，膜质，绿色，披针形，先端渐尖，内包含有 2 花；花天蓝色；花被管短而粗，外花被裂片倒卵形，基部有黑褐色的网纹及黄色的斑纹，爪部楔形，中央下陷，呈沟状，无附属物，内花被裂片直立，狭倒卵形；雄蕊 3；花药黄色；花丝白色，丝状；花柱分枝扁平，先端裂片钝三角形，有细齿；子房三棱状圆柱形。果实长卵状圆柱形，长为宽

溪荪

的 3 ～ 4 倍，有 6 明显的肋，成熟时自先端向下开裂至 1/3 处。花期 6 ～ 7 月，果期 8 ～ 9 月。

**| 生境分布 |** 生于草甸、林缘、沼泽地或向阳坡地等，常成单优势的大面积群落。以长白山区为主要分布区域，分布于吉林延边、白山、通化、长春、吉林、辽源（东丰）、白城（洮南）、松原（前郭尔罗斯）等。

**| 资源情况 |** 野生资源较少。药材主要来源于野生。

**| 采收加工 |** 秋后采收，洗净，鲜用或晒干。

**| 药材性状 |** 本品粗壮，外包有棕褐色老叶残留的纤维；须根绳索状，灰白色，有皱缩的横纹。下部有少量须根和根痕。质稍坚硬，结节处易折断，断面不平坦，淡黄色。气微，味苦。

**| 功能主治 |** 辛，平。消积行水，行气止痛。用于食积，蓄水疼痛，大便不通，疝气。

**| 用法用量 |** 外用适量，鲜品捣敷。

鸢尾科 Iridaceae 鸢尾属 *Iris*

# 山鸢尾 *Iris setosa* Pall. ex Link

**| 植物别名 |** 刚毛鸢尾、马兰花。

**| 药 材 名 |** 山鸢尾（药用部位：根茎、花）。

**| 形态特征 |** 多年生草本，植株基部围有棕褐色的老叶残留纤维。根茎粗，斜伸，灰褐色；须根绳索状，黄白色。叶剑形或宽条形，先端渐尖，基部鞘状，无明显的中脉。花茎光滑，上部有 1 ~ 3 个细长的分枝，并有 1 ~ 3 茎生叶；每个分枝处生有苞片 3，膜质，绿色略带红褐色，披针形至卵圆形，先端渐尖或骤尖；花蓝紫色，较大；花梗细，较短；花被管短，喇叭形，外花被裂片宽倒卵形，上部反折下垂，爪部楔形，黄色，有紫红色脉纹，无附属物，内花被裂片较外花被裂片明显短而狭，狭披针形，直立；雄蕊 3；花药紫色；花丝

山鸢尾

与花药等长，花柱分枝扁平，先端裂片近方形，边缘有稀疏的牙齿；子房圆柱形。蒴果椭圆形至卵圆形，先端无喙，6肋明显突出；种子淡褐色。花期7 ~ 8月，果期8 ~ 9月。

**| 生境分布 |** 生于林缘、沼泽地及亚高山湿草甸上，常成片生长。分布于吉林延边（安图、敦化、汪清）、白山（长白、抚松、江源、临江）、通化（柳河）等。

**| 资源情况 |** 野生资源较少。药材主要来源于野生。

**| 采收加工 |** 秋季采挖根茎，除去茎叶及须根，洗净，晒干。夏季采收盛开的花，除去杂质，晾干。

**| 药材性状 |** 本品根茎呈扁圆柱形；表面灰棕色，有节，节上常有分歧，节间部分一端膨大，另一端缩小，膨大部分密生同心环纹，愈近先端愈密。气微，味苦。花蓝紫色，较大；花梗细，较短；花被管短，喇叭形；雄蕊，花药紫色，花丝与花药等长，花柱分枝扁平，先端裂片近方形，边缘有稀疏的牙齿，子房圆柱形。质轻。气微，味微苦。

**| 功能主治 |** 苦，凉。清热解毒，消肿止痛。外用于疥疮，牙痛。

**| 用法用量 |** 外用适量，研末敷。

鸢尾科 Iridaceae 鸢尾属 *Iris*

# 粗根鸢尾 *Iris tigridia* Bunge

**| 植物别名 |** 粗根马莲、拟虎鸢尾。

**| 药 材 名 |** 粗根鸢尾（药用部位：种子、根）。

**| 形态特征 |** 多年生草本，植株基部常有大量老叶叶鞘残留的纤维，不反卷，棕褐色。根茎不明显，短而小，木质；须根肉质，有皱缩的横纹，黄白色或黄褐色，先端渐细，基部略粗，不分枝或少分枝；叶深绿色，有光泽，狭条形，花期叶明显短于果期叶，先端长渐尖，基部鞘状，膜质，色较淡，无明显的中脉。花茎细、短，不伸出或略伸出地面；苞片 2，黄绿色，膜质，内包含有 1 花；花蓝紫色；花梗短；花被管稍长，上部逐渐变粗，外花被裂片狭倒卵形，有紫褐色及白色的斑纹，爪部楔形，中脉上有黄色须毛状的附属物，内花被裂片倒披

粗根鸢尾

针形，先端微凹，花盛开时略向外倾斜；雄蕊稍长；花柱分枝扁平，先端裂片狭三角形；子房绿色，狭纺锤形。蒴果卵圆形或椭圆形，果皮革质，先端渐尖成喙，枯萎的花被宿存其上，室背开裂；种子棕褐色，梨形，有黄白色的附属物。花期 5 月，果期 6 ~ 8 月。

**| 生境分布 |** 生于固定沙丘、沙质草原、灌丛及干山坡上。分布于吉林四平（双辽）、松原（乾安）、吉林（磐石）等。

**| 资源情况 |** 野生资源较少。药材主要来源于野生。

**| 采收加工 |** 秋季采收成熟果实，晒干，打下种子，除去杂质。秋季采挖根，除去茎叶、须根、泥土，晒干。

**| 功能主治 |** 种子，养血安胎。用于血虚胎动不安。根，用于跌打损伤，毒蛇咬伤。

鸢尾科 Iridaceae 鸢尾属 *Iris*

# 北陵鸢尾 *Iris typhifolia* Kitagawa

北陵鸢尾

## | 植物别名 |

香蒲叶鸢尾、马兰花。

## | 药 材 名 |

北陵鸢尾（药用部位：根、种子）。

## | 形态特征 |

多年生草本，植株基部红棕色，围有披针形的鞘状叶及叶鞘残留的纤维。根茎较粗，斜伸；须根灰白色或灰褐色，上下近等粗，有皱缩的横纹。叶条形，扭曲，花期叶明显短于果期叶，先端长渐尖，基部鞘状，中脉明显。花茎平滑，中空，有 2 ~ 3 枚披针形的茎生叶；苞片 3 ~ 4，膜质，有棕褐色或红褐色的细斑点，披针形，先端渐尖，中脉明显；花深蓝紫色；花梗稍长；花被管短，外花被裂片倒卵形，爪部狭楔形，中央下陷，呈沟状，中脉上无附属物，内花被裂片直立，倒披针形，先端微凹；雄蕊稍长；花药黄褐色；花丝白色；花柱分枝，先端裂片三角形，有稀疏的牙齿；子房钝三棱状柱形。蒴果三棱状椭圆形，具 6 肋，其中 3 条较明显，室背开裂。花期 5 ~ 6 月，果期 8 ~ 9 月。

| **生境分布** | 生于沼泽地、水边湿地及草甸等。分布于吉林四平（双辽）、白城（洮南）、松原（扶余）、吉林（磐石）等。

| **资源情况** | 野生资源较少。药材主要来源于野生。

| **采收加工** | 秋季采挖根，除去茎叶及须根，洗净，晒干。秋季果实成熟时采收，晒干，除去杂质。

| **功能主治** | 解热抗菌，催吐泻下。用于发热，外伤感染，乳痈，口疮。

| **附　　注** | 本种与溪荪 *Iris sanguinea* Donn ex Horn. 的形态相近，区别在于本种叶狭，一般宽约 2mm；花深蓝紫色，有棕褐色或红褐色的细斑点。

鸢尾科 Iridaceae 鸢尾属 *Iris*

# 单花鸢尾 *Iris uniflora* Pall. ex Link

| 植物别名 | 花菖蒲、紫花鸢尾、马兰花。

| 药 材 名 | 单花鸢尾（药用部位：根）、单花鸢尾子（药用部位：种子）。

| 形态特征 | 多年生草本，植株基部围有黄褐色的老叶残留纤维及膜质的鞘状叶。根茎细长，斜伸，二歧分枝，节处略膨大，棕褐色；须根细，生于节处。叶条形或披针形，花果期叶较长，先端渐尖，基部鞘状，无明显的中脉。花茎纤细，中下部有 1 膜质、披针形的茎生叶；苞片 2，等长，质硬，干膜质，黄绿色，有的植株苞片边缘略带红色，披针形或宽披针形，先端骤尖或钝，内包含有 1 花；花蓝紫色；花梗甚短；花被管细，上部膨大成喇叭形，外花被裂片狭倒披针形，

单花鸢尾

上部卵圆形，平展，内花被裂片条形或狭披针形，直立；雄蕊 3；花丝细长；花柱分枝扁平，先端裂片近半圆形，边缘有稀疏的牙齿，与内花被裂片等长；子房柱状纺锤形。蒴果圆球形，有 6 条明显的肋，先端常残留有凋谢的花被，基部宿存有黄色干膜质的苞片。花期 5 ~ 6 月，果期 7 ~ 8 月。

**| 生境分布 |** 生于干山坡、林缘、路旁及林中旷地等，常成片生长。分布于吉林白山（长白）、通化（通化、柳河）、延边（安图）、吉林（蛟河）、四平（梨树）等。

**| 资源情况 |** 野生资源较丰富。药材主要来源于野生。

**| 采收加工 |** 单花鸢尾：秋季采挖，除去茎叶及须根，洗净，晒干。

单花鸢尾子：秋季果实成熟时采收，晒干，除去杂质。

**| 功能主治 |** 单花鸢尾：甘、苦，微寒；有小毒。泻下，逐腹水，通便利尿。用于水肿，肝硬化腹水，小便不利，大便秘结。

单花鸢尾子：甘，平。清热解毒，利湿退黄，通便利尿。用于咽喉肿痛，疮疡痈肿，湿热黄疸，小便不利，便秘。

**| 用法用量 |** 单花鸢尾：内服煎汤，3 ~ 6g；或研末。

单花鸢尾子：内服煎汤，3 ~ 9g；或研末。

鸢尾科 Iridaceae 鸢尾属 *Iris*

# 囊花鸢尾 *Iris ventricosa* Pall.

| **植物别名** | 巨苞鸢尾。

| **药 材 名** | 囊花鸢尾（药用部位：花）。

| **形态特征** | 多年生密丛草本，植株基部宿存有橙黄色或棕褐色纤维状枯死叶鞘。地下生有不明显的木质块状根茎；须根多数，灰黄色，坚韧，上下近等粗。叶条形，灰绿色，先端渐尖，纵脉多条，无明显的中脉。花茎圆柱形，有 1 ~ 2 茎生叶；苞片 3，草质，边缘膜质，卵圆形或宽披针形，先端长渐尖，平行脉间横脉相连成网状；花蓝紫色；花梗较短；花被管细长，丝状，上部略膨大，外花被裂片细长，匙形，爪部狭楔形，中央下陷，呈沟状，中脉上有稀疏、单细胞的纤毛，无附属物，内花被裂片宽条形或狭披针形，爪部狭楔形，直立；

囊花鸢尾

雄蕊长；花药黄紫色；花柱分枝片状，略弯曲成拱形，先端裂片条状狭三角形；子房圆柱形，中部略膨大。蒴果三棱状卵圆形，基部圆形，先端长渐尖，有喙，6 肋明显，成熟时 3 瓣裂；种子卵圆形，黄褐色，有光泽。

**| 生境分布 |** 生于固定沙丘或沙质草甸。以长白山区为主要分布区域，分布于吉林延边、白山、通化、吉林、辽源（东丰）等。

**| 资源情况 |** 野生资源较少。药材主要来源于野生。

**| 采收加工 |** 花初开时采收，晒干或低温干燥。

**| 功能主治 |** 止血。用于血证。

灯心草科 Juncaceae 灯心草属 *Juncus*

# 小灯心草 *Juncus bufonius* Linn.

小灯心草

## 植物别名

野灯草。

## 药材名

小灯心草（药用部位：茎髓）。

## 形态特征

一年生草本，高 4 ~ 30cm。有多数细弱、浅褐色须根。茎丛生，细弱，直立或斜升，有时稍下弯，基部常红褐色。叶基生和茎生；茎生叶常 1；叶片线形，扁平，长 1 ~ 13cm，宽约 1mm，先端尖；叶鞘具膜质边缘，无叶耳。花序呈二歧聚伞状，或排列成圆锥状，生于茎顶，花序分枝细弱而微弯；叶状总苞片长 1 ~ 9cm；花排列疏松，很少密集，具花梗和小苞片；小苞片 2 ~ 3，三角状卵形，膜质，长 1.3 ~ 2.5mm，宽 1.2 ~ 2.2mm；花被片披针形，外轮者长 3.2 ~ 6mm，宽 1 ~ 1.8mm，背部中间绿色，边缘宽膜质，白色，先端锐尖，内轮者稍短，先端稍尖；雄蕊 6，长为花被的 1/3 ~ 1/2；花药长圆形，淡黄色；花丝丝状；雌蕊具短花柱；柱头 3，外向弯曲，长 0.5 ~ 0.8mm。蒴果三棱状椭圆形，黄褐色，长 3 ~ 5mm；种子椭圆形，两端细尖，黄褐色，有纵纹，长 0.4 ~ 0.6mm。花期 6 ~ 7 月，果期 8 ~ 9 月。

**| 生境分布 |** 生于湿草地、湖岸、河边、沼泽地等。分布于吉林白城（通榆、镇赉、洮南、大安）、松原（前郭尔罗斯）、延边（汪清、敦化）、吉林（蛟河）、白山（抚松、长白）、通化（通化）等。

**| 资源情况 |** 野生资源较丰富。药材主要来源于野生。

**| 采收加工 |** 夏末至秋季割取茎，晒干，取出茎髓，理直，扎成小把。

**| 药材性状 |** 本品呈细长圆柱形，一般长 20 ~ 30cm，或更长。表面乳白色至淡黄白色，粗糙，有细纵沟纹，表面有许多丝状物，相互交织成网。质轻软如海绵状，略有弹性，易折断，断面不平坦，白色。气微，味淡。

**| 功能主治 |** 清热利尿，祛水利湿，通淋止血。用于小便不利，水肿泄泻，血证。

**| 用法用量 |** 内服煎汤，3 ~ 6g。

灯心草科 Juncaceae 灯心草属 *Juncus*

# 扁茎灯心草 *Juncus compressus* Jacq.

**| 植物别名 |** 灯心草。

**| 药 材 名 |** 扁茎灯心草（药用部位：全草。别名：细灯心草）。

**| 形态特征 |** 多年生丛生草本，高 15 ~ 40cm。根茎粗壮横走，褐色，具黄褐色须根。茎直立，圆柱形或稍扁，绿色。叶基生和茎生；低出叶鞘状，淡褐色；基生叶 2 ~ 3，叶片线形；茎生叶 1 ~ 2，叶片线形，扁平；叶鞘较长，松弛抱茎；叶耳圆形。顶生复聚伞花序；叶状总苞片通常 1，线形，常超出花序；从总苞叶腋中发出多个花序分枝，花序分枝纤细，长短不一；花单生，彼此分离；小苞片 2；花被片披针形或长圆状披针形，先端钝圆，外轮者稍长于内轮，较窄，内轮者具宽膜质边缘，背部淡绿色，先端和边缘褐色；雄蕊 6；花药黄色；

扁茎灯心草

花丝短；子房长圆形；花柱很短；柱头 3 分叉。蒴果卵球形，超出花被，成熟时褐色、光亮；种子斜卵形，表面具纵纹，成熟时褐色。花期 6 ~ 7 月，果期 7 ~ 8 月。

**| 生境分布 |** 生于河岸、塘边、田埂上、沼泽及草原湿地等。分布于吉林白城（通榆、镇赉）、松原（前郭尔罗斯）、四平（双辽）、白山（长白、抚松、临江）、延边（安图、敦化、汪清、和龙）等。

**| 资源情况 |** 野生资源较少。药材主要来源于野生。

**| 采收加工 |** 夏、秋季采收，除去杂质，晒干。

**| 功能主治 |** 清热解毒，祛水利湿，利水消肿，安眠镇惊。用于淋证，小便不利，湿热黄疸，心悸不安，心烦失眠，尿少涩痛，口舌生疮。

灯心草科 Juncaceae 灯心草属 *Juncus*

# 灯心草 *Juncus effusus* Linn.

灯心草

## 植物别名

灯草、水灯芯。

## 药材名

灯心草根（药用部位：根及根茎）、灯心草（药用部位：茎髓。别名：虎须草、赤须、灯心）。

## 形态特征

多年生丛生草本。根茎粗壮横走，密生黄褐色须根。基部有披针形的芽，外生褐色鳞片。茎直立，圆柱型，淡绿色，具纵条纹，茎内充满乳白色的髓；茎基部由红褐色至黑褐色叶鞘包围，叶鞘前端为刺芒状，为叶片退化的刺芒状。聚伞花序假侧生，含多花，淡绿色，排列紧密或疏散；总苞片圆柱形，生于先端，似茎的延伸，直立，先端尖锐；花被片 6，条状披针形，外轮稍长；雄蕊 3，比花被片短。蒴果矩圆状，3 室，先端钝或微凹，黄褐色，比花被片稍长或与花被片等长；种子卵状长圆形，黄褐色。花期 7 ~ 8 月，果期 8 ~ 9 月。

## 生境分布

生于水边、沼泽地、草甸、湿草地、沟边及

林缘等，常成片生长。吉林各地均有分布。

**资源情况** 野生资源较丰富。药材主要来源于野生。

**采收加工** 灯心草根：秋季采挖根及根茎，洗净，晒干。

灯心草：夏末至秋季割取茎，晒干，取出茎髓，理直，扎成小把。

**药材性状** 灯心草：本品呈细长圆柱形，一般长 50 ~ 60cm，亦有达 1m 以上者，表面乳白色至淡黄白色，粗糙，有细纵沟纹，用放大镜观察，可见表面有许多丝状物，相互交织成网，最外层多呈短毛状，质轻软如海绵状，略有弹性，易折断，断面不平坦，白色。气微，味淡。以色白、条长、粗细均匀、有弹性者为佳。

**功能主治** 灯心草根：甘，寒。归心、膀胱经。利水通淋，清心安神。用于淋证，小便不利，湿热黄疸，心悸不安。

灯心草：甘、淡，微寒。归心、肺、小肠经。清心火，利小便。用于心烦失眠，尿少涩痛，口舌生疮。

**用法用量** 灯心草根：内服煎汤，15 ~ 30g。

灯心草：内服煎汤，1 ~ 3g，鲜品 15 ~ 30g；或入丸、散。治心烦不眠，朱砂拌用。外用适量，煅存性，研末撒；或用鲜品捣敷，扎把外擦。

灯心草科 Juncaceae 灯心草属 *Juncus*

# 乳头灯心草 *Juncus papillosus* Franch. et Savat.

**| 药 材 名 |** 乳头灯心草（药用部位：全草）。

**| 形态特征 |** 多年生草本，高 15 ~ 50cm，植株常有细小乳状突起。根茎短。茎直立，圆柱形。基生叶 2 ~ 3，茎生叶通常 2；叶片细长圆柱形，中空，有明显的横隔，先端近针形；叶鞘松弛抱茎，边缘膜质，其先端具狭窄的叶耳。复聚伞花序大而向两侧开展，由多数小头状花序组成；小头状花序通常含 2 ~ 4 花；叶状总苞片 1，常短于花序；苞片卵形，边缘膜质；花被片狭披针形，先端锐尖，内轮比外轮稍长；雄蕊 3；花药长圆形；花丝短。蒴果三棱状披针形或披针状三角锥形，先端长渐尖；种子狭椭圆形或倒卵形，黄色，基部棕色，表面具网纹。花期 7 ~ 8 月，果期 8 ~ 9 月。

乳头灯心草

**| 生境分布 |** 生于沼泽地、水边湿地、湿草甸。以长白山区为主要分布区域，分布于吉林延边、白山、通化、吉林、辽源（东丰）等。

**| 资源情况 |** 野生资源较丰富。药材主要来源于野生。

**| 采收加工 |** 夏、秋季采收，除去杂质，干燥。

**| 功能主治 |** 清热利尿，除烦。用于小便不利，心悸不安，心烦失眠，尿少涩痛。

**| 附　　注 |** 本种植株常有细小乳状突起。复聚伞花序大而向两侧展开，头状花序较小，含2 ~ 4花；花被片狭披针形。蒴果三棱状披针形或披针状三角锥形，先端长渐尖。根据以上特点，可将本种与其他种类进行区分。

灯心草科 Juncaceae 地杨梅属 *Luzula*

# 淡花地杨梅 *Luzula pallescens* (Wahl.) Swartz

| **植物别名** | 锈地杨梅。

| **药 材 名** | 淡花地杨梅（药用部位：全草）。

| **形态特征** | 多年生丛生草本，高 10 ~ 36cm。根茎短，须根褐色。茎直立，圆柱形。叶基生和茎生，禾草状；基生叶线形或线状披针形，扁平，边缘具丝状毛，背面淡绿色；茎生叶通常 2 ~ 3，比基生叶稍短；叶鞘筒状抱茎，鞘口簇生白色丝状长毛。花序由数个小头状花簇组成，排列成伞形；花序梗长短不一，惟中央的头状花序近无梗；叶状总苞片线状披针形，通常长于花序；头状花序长圆形或圆球形，含花数朵；花梗极短或几无梗，基部常具 1 ~ 2 苞片；每朵花下有 2 膜质小苞片，先端芒尖，边缘具稀疏缘毛或齿裂，淡黄白色；花被片披

淡花地杨梅

针形，先端锐尖，边缘膜质，淡黄褐色或黄白色，外轮比内轮略长；雄蕊 6；花药黄色；花丝与花药近等长；子房卵形；花柱短；柱头 3 分叉。蒴果三棱状倒卵形至三棱状椭圆形，黄褐色；种子卵形，褐色，种阜黄白色。花期 5 ~ 7 月，果期 6 ~ 8 月。

**| 生境分布 |** 生于湿草地、草甸、山坡、林下、林缘、路边、荒草地。分布于吉林延边、白山、通化、长春、吉林、辽源等。

**| 资源情况 |** 野生资源较丰富。药材主要来源于野生。

**| 采收加工 |** 夏季采收，除去杂质，晒干。

**| 药材性状 |** 本品根茎短，须根褐色。茎圆柱形。叶基生和茎生，禾草状；基生叶线形或线状披针形，扁平，边缘具丝状毛，背面淡绿色。花序排列成伞形；花序梗长短不一，子房卵形。蒴果三棱状倒卵形至三棱状椭圆形，黄褐色；种子卵形，褐色，种阜黄白色。气微，味淡。

**| 功能主治 |** 祛风除湿。用于风湿痹证。

灯心草科 Juncaceae 地杨梅属 *Luzula*

# 火红地杨梅 *Luzula rufescens* Fisch. ex E. Mey.

**| 药 材 名 |** 火红地杨梅（药用部位：全草）。

**| 形态特征 |** 多年生丛生草本，高 10 ~ 25cm。根茎横走，具褐色或黄褐色须根。茎直立，纤细。叶基生和茎生；基生叶多数，线形或线状披针形，先端钝尖并加厚，边缘具丝状缘毛；茎生叶 2 ~ 3；叶鞘筒状包茎，鞘口部密生丝状长毛。花序通常为单伞形花序状；总苞片披针形或卵形，边缘具丝状长柔毛；花单生；花梗纤细，长短不一，基部有苞片；每朵花下有 2 膜质小苞片，先端稍钝，边缘具丝状长柔毛，有时不规则撕裂；花被片披针形或卵状披针形，内外轮近等长，先端渐尖，边缘膜质白色，中央红褐色；雄蕊 6；花药狭长圆形，黄色；花丝短；子房卵形；花柱短；柱头 3 分叉，线形。蒴果三棱状卵形，

火红地杨梅

先端具短尖头，麦秆黄色；种子卵形至椭圆形，暗红色，种阜淡黄色。花期 5 ~ 6 月，果期 6 ~ 7 月。

**| 生境分布 |** 生于林缘湿草地、山坡路旁、田间、沼泽潮湿处。分布于吉林延边、白山、通化等。吉林东部地区有栽培。

**| 资源情况 |** 野生资源较少。药材主要来源于栽培。

**| 采收加工 |** 春、夏季采收，除去杂质，晒干。

**| 功能主治 |** 祛风除湿。用于风湿痹证。

**| 附　　注 |** 本种与羽毛地杨梅 *Luzula plumosa* E. Mey. 形态相近，但本种花序为单伞形花序，花序梗不分叉，花较小，花被片长 2.5 ~ 3mm，种阜比种子短，两者易于区别。

凤梨科 Bromeliaceae 凤梨属 *Ananas*

# 凤梨 *Ananas comosus* (Linn.) Merr.

**| 植物别名 |** 菠萝。

**| 药 材 名 |** 菠萝（药用部位：果、果皮。别名：波罗、番娄子、露兜子）、菠萝根叶（药用部位：根叶）。

**| 形态特征 |** 多年生草本，茎短。叶多数，莲座式排列，剑形，长 40 ～ 90cm，宽 4 ～ 7cm，先端渐尖，全缘或有锐齿，腹面绿色，背面粉绿色，边缘和先端常带褐红色，生于花序顶部的叶变小，常呈红色。花序于叶丛中抽出，状如松球，长 6 ～ 8cm，结果时增大；苞片基部绿色，上半部淡红色，三角状卵形；萼片宽卵形，肉质，先端带红色，长约 1cm；花瓣长椭圆形，端尖，长约 2cm，上部紫红色，下部白色。

凤梨

聚花果肉质，长 15cm 以上。花期夏季至冬季。

**| 生境分布 |** 生于庭院、植物园等。吉林无野生分布。吉林部分地区有栽培，用于观赏。

**| 资源情况 |** 吉林偶见栽培。药材主要来源于栽培。

**| 采收加工 |** 菠萝：8 ~ 9 月收集果实，加工菠萝时削下果皮，分别晒干。

菠萝根叶：全年均可采收，鲜用或晒干。

**| 功能主治 |** 菠萝：果，清暑解渴，消食止泻，补脾胃，固元气，益气血，消食，祛湿，养颜瘦身。用于中暑，津伤口渴，脘腹胀满，不思饮食。果皮，涩、甘，平。解毒，止咳，止痢。用于咳嗽，痢疾。

菠萝根叶：消食和胃，止泻。用于夏日暑泻，消化不良，胃脘胀痛。

**| 用法用量 |** 菠萝：内服煎汤，9 ~ 15g。

鸭跖草科 Commelinaceae 鸭跖草属 *Commelina*

# 鸭跖草 *Commelina communis* Linn.

| 植物别名 | 鸡舌草、鸭舌草、三角菜。

| 药 材 名 | 鸭跖草（药用部位：地上部分。别名：鸡舌草、鼻斫草、碧竹子）。

| 形态特征 | 一年生草本，长可达 1m。茎下部匍匐生根，多分枝，无毛，上部直立或上升，被短毛；具节，节间明显。叶互生，叶片披针形至卵状披针形，先端渐尖，基部有宽膜质叶鞘，边缘有缘毛。总苞片佛焰苞状，有柄，与叶对生，折叠状，展开后为心形，先端短急尖，基部心形，边缘常有硬毛；聚伞花序，下面一枝仅有花 1，具短梗；上面一枝具花 3 ~ 4，具短梗，几乎不伸出佛焰苞。花梗花期稍长，果期弯曲；萼片 3，绿色，膜质，内面 2 枚常靠近或合生；花瓣 3，大小不一，大形者 2，深蓝色，小形者 1，色淡；雄蕊 6，3 枚能育

鸭跖草

者有长花丝，3 枚退化者先端成蝴蝶状，花丝短；雌蕊 1，子房上位，花柱先端弯曲。蒴果椭圆形，2 室，2 爿裂，有种子 4；种子棕黄色，一端平截、腹面平，有不规则窝孔。花期 7 ~ 8 月，果期 8 ~ 9 月。

**| 生境分布 |** 生于路边、草原、山坡、沟边、林缘、荒地、田间地头、房前屋后。吉林各地均有分布。

**| 资源情况 |** 野生资源丰富。药材主要来源于野生。

**| 采收加工 |** 夏、秋季采收，晒干。

**| 药材性状 |** 本品长可达 60cm，黄绿色或黄白色，较光滑。茎有纵棱，直径约 0.2cm；多有分枝或须根，节稍膨大，节间长 3 ~ 9cm；质柔软，断面中心有髓。叶互生，多皱缩、破碎，完整叶片展平后呈卵状披针形或披针形，长 3 ~ 9cm，宽 1 ~ 2.5cm；先端尖，全缘，基部下延成膜质叶鞘，抱茎，叶脉平行。花多脱落，总苞佛焰苞状，心形，两边不相连；花瓣皱缩，蓝色。气微，味淡。

**| 功能主治 |** 甘、淡，寒。清热泻火，解毒，利水消肿。用于感冒发热，热病烦渴，咽喉肿痛，水肿尿少，热淋涩痛，痈肿疔毒。

鸭跖草科 Commelinaceae 水竹叶属 *Murdannia*

# 疣草 *Murdannia keisak* (Hassk.) Hand.-Mazz.

| **植物别名** | 水竹叶。

| **药 材 名** | 疣草（药用部位：根）。

| **形态特征** | 一年生水生草本，全株柔弱，稍肉质，光滑，无毛。茎长而分枝，匍匐生根，分枝常上升。叶 2 列互生，无柄，叶柄基部抱茎，叶狭披针形，具数条平行脉。聚伞花序腋生或顶生，有花 1 ~ 3，腋生者多为单花，初开时直立向上，开后至果期花序梗及花梗伸长，下弯，使花果下垂；苞片披针形，花梗稍短；萼片 3，披针形；花瓣蓝紫色或粉红色，倒卵圆形，比萼长；能育雄蕊 3，对萼，不育雄蕊 3，花丝生长须毛。蒴果长椭圆形，两端极尖；种子稍扁，平滑无毛。花期 7 ~ 8 月，果期 8 ~ 9 月。

疣草

| **生境分布** | 生于阴湿地、田野、路旁、沟边及林缘等较潮湿的地方。分布于吉林通化（柳河、辉南、通化、集安）、延边（珲春）等。

| **资源情况** | 野生资源较少。药材主要来源于野生。

| **采收加工** | 秋季采挖，除去杂质，晒干。

| **功能主治** | 清热解毒，利尿消肿。用于小便淋痛，瘰疬，蛇咬伤。

鸭跖草科 Commelinaceae 竹叶子属 *Streptolirion*

# 竹叶子 *Streptolirion volubile* Edgew.

**| 植物别名 |** 水竹草、竹叶子草、猪耳草。

**| 药 材 名 |** 竹叶子（药用部位：全草）。

**| 形态特征 |** 多年生攀缘草本。极少茎近直立，常无毛。叶柄长，叶片心状圆形，有时心状卵形，先端常尾尖，基部深心形，上面多少被柔毛。蝎尾状聚伞花序有花 1 至数朵，集成圆锥状，圆锥花序下面的总苞片叶状，上部的小且呈卵状披针形。花无梗；萼片短，先端急尖；花瓣白色、淡紫色而后变白色，线形，略比萼长。蒴果先端有芒状突尖；种子褐灰色。花期 7 ~ 8 月，果期 9 ~ 10 月。

竹叶子

**| 生境分布 |** 生于杂林、山谷、灌丛、密林下或草地等。分布于吉林通化（集安）、白山（临江、长白）等。

**| 资源情况 |** 野生资源较少。药材主要来源于野生。

**| 采收加工 |** 夏、秋季采收，洗净，鲜用或晒干。

**| 药材性状 |** 本品茎常无毛。叶柄长，叶片心状圆形或卵形；先端尖，基部深心形，表面被柔毛。蝎尾状聚伞花序，圆锥状，无梗；萼片短。蒴果先端有芒状突尖；种子褐灰色。气微，味涩。

**| 功能主治 |** 涩，凉。祛风除湿，养阴，清热解毒，利尿。用于跌打损伤，痈疮肿毒，风湿骨痛，肺痨，感冒发热，咽喉肿痛，口渴心烦，热淋，小便不利。

谷精草科 Eriocaulaceae 谷精草属 *Eriocaulon*

# 宽叶谷精草 *Eriocaulon robustius* (Maxim.) Makino

| 药材名 | 宽叶谷精草（药用部位：全草）。

| 形态特征 | 一年生草本。叶基生，宽线形，半透明，具横格，脉 7 ~ 12。花葶多数，细，扭转，具 4 ~ 5 棱；鞘状苞片较长，口部斜裂；花序熟时近球形，黑褐色；总苞片宽卵形至矩圆形，禾秆色，平展或稍反折，硬膜质，无毛或上部边缘有少数短毛；总（花）托无毛，偶见少数短毛；苞片倒卵形至倒披针形，无毛或边缘有少数毛；花 3 数；雄花花萼佛焰苞状，先端 3 浅裂，无毛或先端有少数毛，花冠 3 裂，裂片锥形，各具 1 黑色腺体，无毛，雄蕊 6，花药黑色；雌花花萼佛焰苞状，3 浅裂，无毛或边缘有个别毛，花瓣 3，披针状匙形，肉质，内面有长柔毛，先端无毛，各具 1 黑色腺体；子房 3 室，花柱分枝 3，

宽叶谷精草

短于花柱。蒴果矩圆形；种子倒卵形，表面具横格，每格有 2 ~ 4 “Y” 形、条形或少数为 “T” 形突起。花期 7 ~ 8 月，果期 8 ~ 9 月。

**| 生境分布 |** 生于河滩水边及沼泽湿地中。分布于吉林延边（安图、和龙）、白山（抚松、临江）等。

**| 资源情况 |** 野生资源较少。药材主要来源于野生。

**| 采收加工 |** 夏、秋季采收，除去杂质，晒干。

**| 药材性状 |** 本品叶基生，宽线形，半透明，具横格，有脉。花葶多数，具棱；花序熟时近球形，黑褐色；总苞片宽卵形至矩圆形，禾秆色，硬膜质。蒴果矩圆形；种子倒卵形，表面具横格。气微，味微甜。

**| 功能主治 |** 甘、淡，寒。清热解毒，利水消肿，疏散风热，明目退翳，清肝，祛风。用于风热表证，头痛，目赤，咽喉肿痛，目赤肿痛。

禾本科 Gramineae 芨芨草属 *Achnatherum*

# 远东芨芨草 *Achnatherum extremiorientale* (Hara) Keng ex P. C. Kuo

**| 药 材 名 |** 远东芨芨草（药用部位：全草）。

**| 形态特征 |** 多年生疏丛草本，高达 150cm。须根细韧。秆直立，光滑，具 3 ~ 4 节，基部具鳞芽。叶鞘较松弛，平滑，上部者短于节间；叶舌平截，先端常具裂齿；叶片扁平或边缘稍内卷，上面及边缘微粗糙，下面平滑。圆锥花序开展，分枝 3 ~ 6 簇生，细长而微粗糙，基部裸露，中部以上疏生小穗，成熟后水平开展；小穗草绿色或紫色；颖膜质，长圆状披针形，先端尖，几等长或第一颖稍短，平滑，具 3 脉；外稃先端具不明显 2 微齿，背部密被柔毛，具 3 脉，脉于先端汇合，基盘钝圆，具短毛，芒一回膝曲，芒柱扭转且具短微毛；内稃背部圆形，无脊，具 2 脉，脉间被柔毛，成熟时背部裸出；花药黄色，

远东芨芨草

先端具毫毛。颖果，纺锤形。花期7～8月，果期8～9月。

| **生境分布** | 生于低矮山坡草地、山谷草丛、林缘、灌丛中及路旁。以长白山区为主要分布区域，分布于吉林延边、白山、通化、吉林、辽源（东丰）等。

| **资源情况** | 野生资源较少。药材主要来源于野生。

| **采收加工** | 夏、秋季采收，除去杂质，晒干。

| **功能主治** | 清热，利水，止血。用于水肿，泄泻，出血。

禾本科 Gramineae 芨芨草属 *Achnatherum*

# 芨芨草 *Achnatherum splendens* (Trin.) Nevski

| 药 材 名 | 芨芨草（药用部位：全草）。

| 形态特征 | 多年生密丛型草本，高 50 ~ 250cm。秆直立，坚硬，内具白色的髓，节多聚于基部，具 2 至 3 节，平滑无毛，基部宿存枯萎的黄褐色叶鞘。叶鞘无毛，具膜质边缘；叶舌三角形或尖披针形；叶片纵卷，质坚韧，上面脉纹凸起，微粗糙，下面光滑无毛。圆锥花序，开花时呈金字塔形开展，主轴平滑，或具角棱而微粗糙，分枝细弱，2 ~ 6 枚簇生，平展或斜向上升，基部裸露；小穗灰绿色，基部带紫褐色，成熟后常变草黄色；颖膜质，披针形，先端尖或锐尖，第一颖具 1 脉，第二颖具 3 脉，第一颖短于第二颖；外稃厚纸质，先端具 2 微齿，背部密生柔毛，具 5 脉，基盘钝圆，具柔毛，芒自外稃齿间伸出，

芨芨草

直立或微弯，粗糙，不扭转，易断落；内稃短，具 2 脉而无脊，脉间具柔毛；花药短，先端具毫毛。花期 7 ~ 8 月，果期 8 ~ 9 月。

**| 生境分布 |** 生于微碱性的草滩及砂土山坡上。分布于吉林白城（大安）、松原（前郭尔罗斯）等。

**| 资源情况 |** 野生资源较少。药材主要来源于野生。

**| 采收加工 |** 夏、秋季采收，除去杂质，晒干。

**| 功能主治 |** 甘、淡，平。清热利尿，止血。用于小便淋痛，尿道炎，初生儿小便不利，出血。

**| 用法用量 |** 内服煎汤，15 ~ 30g。

禾本科 Gramineae 冰草属 *Agropyron*

# 冰草 *Agropyron cristatum* (L.) Gaertn.

冰草

## | 植物别名 |

大麦草、麦穗草、大麦子。

## | 药 材 名 |

冰草（药用部位：根）。

## | 形态特征 |

多年生疏丛型草本，高 20 ~ 75cm。秆上部紧接花序部分被短柔毛或无毛，有时分蘖横走或下伸成根茎。叶片长，质较硬而粗糙，常内卷，上面叶脉强烈隆起成纵沟，脉上密被微小短硬毛。穗状花序较粗壮，矩圆形或两端微窄；小穗紧密平行排列成两行，整齐呈篦齿状，含 5 ~ 7 小花，颖舟形，脊上连同背部脉间被长柔毛，第一颖短于第二颖，具略短于颖体的芒；外稃被有稠密的长柔毛或显著地被稀疏柔毛，先端具短芒；内稃脊上具短小刺毛。花期 7 ~ 8 月，果期 8 ~ 9 月。

## | 生境分布 |

生于干旱草原、荒漠草原、干燥草地、山坡、丘陵以及沙地等。天然生冰草很少形成单纯的植被，常与其他禾本科草、苔草、非禾本科植物以及灌木混生。分布于吉林白城（镇赉、通榆、洮南、大安）、松原

（前郭尔罗斯、乾安、长岭）、长春（榆树、德惠、九台）等。

| **资源情况** | 野生资源较少。药材主要来源于野生。

| **采收加工** | 秋季采挖，除去杂质，切段，晒干。

| **功能主治** | 止血，利尿。用于血尿，肾盂肾炎，功能失调性子宫出血，月经不调，吐血，咯血，外伤出血。

禾本科 Gramineae 看麦娘属 *Alopecurus*

# 看麦娘 *Alopecurus aequalis* Sobol.

| 植物别名 | 褐蕊看麦娘。

| 药 材 名 | 看麦娘（药用部位：全草。别名：牛头猛、山高粱、道旁谷）。

| 形态特征 | 一年单生或丛生草本，高 15 ~ 40cm。秆细瘦，光滑，节处常膝曲。叶鞘光滑，短于节间；叶舌膜质；叶片扁平，线状披针形。圆锥花序顶生，圆柱状，灰绿色；小穗椭圆形或卵状长圆形；颖膜质，基部互相连合，具 3 脉，脊上有细纤毛，侧脉下部有短毛；外稃膜质，先端钝，与颖等大或稍长于颖，下部边缘互相连合，芒较东北看麦娘短，约于稃体下部 1/4 处伸出，隐藏或稍外露；花药橙黄色。颖果。花期 6 ~ 7 月，果期 8 ~ 9 月。

看麦娘

| 生境分布 | 生于路边、沟边、水田埂上及潮湿之地，常成片生长。吉林各地均有分布。

| 资源情况 | 野生资源较丰富。药材主要来源于野生。

| 采收加工 | 春、夏季采收，除去杂质，晒干或鲜用。

| 药材性状 | 本品茎秆细瘦，少数丛生，光滑。叶鞘光滑，叶舌膜质，叶片扁平，圆锥花序圆柱状，灰绿色。小穗椭圆形或卵状椭圆形，颖膜质，外稃膜质，先端钝，与颖等大或稍长于颖，下部边缘相连合。气微，味淡。

| 功能主治 | 淡，平。利水渗湿，解毒消肿。用于水肿，水痘，小儿消化不良，泄泻。

| 用法用量 | 内服煎汤，30 ~ 60g。外用适量，捣敷；或煎汤洗。

禾本科 Gramineae 荩草属 *Arthraxon*

# 荩草 *Arthraxon hispidus* (Thunb.) Makino

**| 植物别名 |** 马儿草、马草、绿竹。

**| 药 材 名 |** 荩草（药用部位：全草。别名：毛竹、绿竹、中亚荩草）。

**| 形态特征 |** 一年生草本，高 30 ~ 60cm。秆细弱，无毛，基部倾斜，平卧，具多节，基部节着地易生根，上部直立，有分枝。叶鞘短于节间，生短硬疣毛；叶舌膜质，边缘具纤毛；叶片卵状披针形，基部心形，抱茎，除下部边缘生疣基毛外，余均无毛，最上部叶鞘成苞状，带有小形叶片或无。总状花序顶生，细弱，每节生小穗，花序轴节间无毛，长为小穗的 2/3 ~ 3/4；无柄小穗卵状披针形，两侧压扁，灰绿色或带紫；第一颖草质，边缘膜质，包住第二颖的 2/3，具 7 ~ 9

荩草

脉，脉上粗糙至生疣基硬毛，尤以先端及边缘为多，先端锐尖。第二颖近膜质，与第一颖等长，舟形，脊上粗糙，具3脉而2侧脉不明显，先端尖；第一外稃长圆形，透明膜质，先端尖，长为第一颖的2/3；第二外稃与第一外稃等长，透明膜质，有一膝曲的芒；雄蕊2；花药黄色或带紫色。颖果长圆形。花期8～9月，果期9～10月。

**| 生境分布 |** 生于路边、沟边、草原、山坡、荒地、湿地、田间地头、水田埂上及房前屋后，常成片生长。吉林各地均有分布。

**| 资源情况 |** 野生资源丰富。药材主要来源于野生。

**| 采收加工 |** 7～9月采收，除去杂质，晒干。

**| 药材性状 |** 本品茎秆细，分枝多。叶片卵状披针形，除下部边缘生纤毛外，余均无毛。总状花序呈指状排列或簇生于秆顶，花黄色或紫色。颖果长圆形。气微，味微苦。

**| 功能主治 |** 苦，平。清热解毒杀虫，降逆止咳平喘，祛风湿，消炎。用于肝炎，久咳气喘，惊悸，肺结核，咽喉炎，口腔炎，鼻炎，淋巴腺炎，乳腺炎；外用于疥癣，皮肤瘙痒，痈疖。

禾本科 Gramineae 野古草属 *Arundinella*

# 野古草 *Arundinella anomala* Steud.

野古草

## | 植物别名 |

硬骨草、白牛公、乌骨草。

## | 药 材 名 |

野古草（药用部位：全草）。

## | 形态特征 |

多年生草本。根茎较粗壮，长可达 10cm，密生具多脉的鳞片，须根直径约 1mm。秆直立，疏丛生，高 60 ~ 110cm，直径 2 ~ 4mm，有时近地面数节倾斜并有不定根，质硬，节黑褐色，具髯毛或无毛。叶鞘无毛或被疣毛；叶舌短，上缘圆凸，具纤毛；叶片长 12 ~ 35cm，宽 5 ~ 15mm，常无毛，或仅背面边缘疏生一列疣毛至全部被短疣毛。花序长 10 ~ 40（~ 70）cm，开展或略收缩，主轴与分枝具棱，棱上粗糙或具短硬毛；孪生小穗柄长 1.5 ~ 3mm，无毛；第一颖长 3 ~ 3.5mm，具 3 ~ 5 脉；第二颖长 3 ~ 5mm，具 5 脉；第一小花雄性，约等长于等二颖，外稃长 3 ~ 4mm，先端钝，具 5 脉，花药紫色，长 1.6mm；第二小花长 2.8 ~ 3.5mm，外稃上部略粗糙，3 ~ 5 脉不明显，无芒，有时具 0.6 ~ 1m 芒状小尖头；基盘毛长 1 ~ 1.3mm，约为稃体的

1/2；柱头紫红色。花果期 7 ～ 10 月。

｜**生境分布**｜

生于海拔 2000m 以下的山坡灌丛、道旁、林缘、田地边及水沟旁。分布于吉林白山（抚松、靖宇、长白）等。

｜**资源情况**｜

野生资源较少。药材主要来源于野生。

｜**采收加工**｜

夏、秋季采收，除去杂质，晒干。

｜**功能主治**｜

清热，凉血。用于发热，热入营血，血热妄行。

禾本科 Gramineae 燕麦属 *Avena*

# 野燕麦 *Avena fatua* L.

**| 植物别名 |** 乌麦、燕麦草、野麦。

**| 药 材 名 |** 燕麦草（药用部位：全草）。

**| 形态特征 |** 一年生草本，高 60 ~ 120cm。须根较坚韧。秆直立，光滑无毛，具 2 ~ 4 节。叶鞘松弛，光滑或基部者被微毛；叶舌透明膜质；叶片扁平，微粗糙或上面和边缘疏生柔毛。圆锥花序开展，金字塔形，分枝具棱角，粗糙；小穗含 2 ~ 3 小花，其柄弯曲下垂，先端膨胀；小穗轴密生淡棕色或白色硬毛，其节脆硬易断落，第一节间短；颖草质，几相等，通常具 9 脉；外稃质地坚硬，第一外稃背面中部以下具淡棕色或白色硬毛，芒自稃体中部稍下处伸出，膝曲，芒柱棕色，扭转。颖果被淡棕色柔毛，腹面具纵沟。花期 7 ~ 8 月，果期 8 ~ 9 月。

野燕麦

| **生境分布** | 生于田野、林缘、山坡及草地等。以长白山区为主要分布区域，分布于吉林延边、白山、通化、吉林、辽源（东丰）等。

| **资源情况** | 野生资源较少。药材主要来源于野生。

| **采收加工** | 夏季开花期采收，晒干。

| **功能主治** | 甘，平。收敛止血，固表止汗，补虚损。用于吐血，崩漏，带下，便血，自汗，盗汗。

| **用法用量** | 内服煎汤，15 ~ 30g。

禾本科 Gramineae 燕麦属 *Avena*

# 燕麦 *Avena sativa* Linn.

燕麦

## | 药 材 名 |

燕麦（药用部位：种仁。别名：香麦、铃当麦）。

## | 形态特征 |

一年生草本，高 60 ~ 120cm。须根较坚韧。秆直立，光滑无毛，具 2 ~ 4 节。叶鞘松弛，光滑或基部者被微毛；叶舌透明膜质；叶片扁平，微粗糙，或上面和边缘疏生柔毛。圆锥花序开展，金字塔形，分枝具棱角，粗糙；小穗含 1 ~ 2 小花；其柄弯曲下垂，先端膨胀；小穗轴近无毛或疏生短毛，不易断落；第一外稃背部无毛，基盘仅具少数短毛或近无毛，无芒，或仅背部有 1 较直的芒，第二外稃无毛，通常无芒。颖果被淡棕色柔毛，腹面具纵沟。

## | 生境分布 |

生于田间等。分布于吉林白山（抚松、靖宇、长白）等。吉林东部、中部地区有栽培。

## | 资源情况 |

野生资源较少。药材主要来源于栽培。

| **采收加工** | 果实成熟时采收，除去外壳，晒干。

| **药材性状** | 本品呈扁平状，长约 1cm。表面浅黄色。质脆，易碎。气微，味淡。

| **功能主治** | 退虚热，益气止汗，解毒。用于骨蒸劳热，气虚不固，汗出过多。

禾本科 Gramineae 菵草属 *Beckmannia*

# 菵草 *Beckmannia syzigachne* (Steud.) Fern.

菵草

### | 植物别名 |

水稗子。

### | 药 材 名 |

菵米（药用部位：种子。别名：水稗子）。

### | 形态特征 |

一年生草本，高 15 ~ 90cm。秆直立，具 2 ~ 4 节。叶鞘无毛，多长于节间；叶舌透明膜质；叶片扁平，粗糙或下面平滑。圆锥花序，分枝稀疏，直立或斜升；小穗扁平，圆形，灰绿色，常含 1 小花；颖草质，边缘质薄，白色，背部灰绿色，具淡色的横纹；外稃披针形，具 5 脉，常具伸出颖外之短尖头；花药黄色。颖果黄褐色，长圆形，先端具丛生短毛。花期 7 ~ 8 月，果期 8 ~ 9 月。

### | 生境分布 |

生于沟边、湿地、水沟边等，常成片生长。吉林各地均有分布。

### | 资源情况 |

野生资源丰富。药材主要来源于野生。

| **采收加工** | 秋季采收成熟果实，晒干，打下种子，除去杂质。

| **功能主治** | 甘，寒。清热，滋养益气，健胃利肠。用于气虚，饮食积滞。

禾本科 Gramineae 雀麦属 *Bromus*

# 雀麦 *Bromus japonicus* Thunb. ex Murr.

| 药 材 名 | 雀麦（药用部位：茎生叶。别名：牡姓草、牛星草、野麦）、雀麦米（药用部位：种仁）。

| 形态特征 | 一年生草本，高 40 ~ 90cm。秆直立。叶鞘闭合，被柔毛；叶舌先端近圆形；叶片两面生柔毛。圆锥花序疏展，具 2 ~ 8 分枝，向下弯垂；分枝细，上部着生 1 ~ 4 小穗，小穗黄绿色，密生数枚小花；颖近等长，脊粗糙，边缘膜质，第一颖具 3 ~ 5 脉，第二颖具 7 ~ 9 脉；外稃椭圆形，草质，边缘膜质，具 9 脉，微粗糙，先端钝三角形，芒自先端下部伸出，基部稍扁平，成熟后外弯；内稃两脊疏生细纤毛；小穗轴短棒状；花药极短。颖果。花期 6 ~ 7

雀麦

月，果期 7 ~ 8 月。

**| 生境分布 |** 生于山坡林缘、荒野路旁及河漫滩湿地等。分布于吉林白城、松原、四平等。吉林西部地区有少量栽培。

**| 资源情况 |** 野生资源较少。药材主要来源于栽培。

**| 采收加工 |** 雀麦：夏初采收，除去杂质，切段，晒干。

雀麦米：秋季采收，晒干。

**| 功能主治 |** 雀麦：甘，平。催产，杀虫，止汗。用于自汗，盗汗，难产，虫积。

雀麦米：甘，平。滑肠，益肝和胃。用于肝胃不和证。

**| 用法用量 |** 雀麦：内服煎汤，15 ~ 30g。

雀麦米：内服煮食，适量。

禾本科 Gramineae 拂子茅属 *Calamagrostis*

# 拂子茅 *Calamagrostis epigeios* (Linn.) Roth

| **植物别名** | 林中拂子茅、密花拂子茅。

| **药 材 名** | 拂子茅（药用部位：全草。别名：林中拂子茅、密花拂子茅）。

| **形态特征** | 多年生草本，高 45 ~ 100cm。具根茎。秆直立，平滑无毛或花序下稍粗糙。叶鞘平滑或稍粗糙，短于或基部者长于节间；叶舌膜质，长圆形，先端易破裂；叶片扁平或边缘内卷，上面及边缘粗糙，下面较平滑。圆锥花序紧密，圆筒形，劲直、具间断，分枝粗糙，直立或斜向上升；小穗淡绿色或带淡紫色；两颖近等长或第二颖微短，先端渐尖，具 1 脉，第二颖具 3 脉，主脉粗糙；外稃透明膜质，长约为颖之半，先端具 2 齿，基盘的柔毛几与颖等长，芒自稃体背中部附近伸出，细直；内稃长约为外稃的 2/3，先端细齿裂；小穗轴

拂子茅

不延伸于内稃之后，或有时仅于内稃之基部残留微小的痕迹；雄蕊 3；花药黄色。花期 7 ~ 8 月，果期 8 ~ 9 月。

**| 生境分布 |** 生于草丛、潮湿草甸、沟渠边、河边、山坡林中、路边、沼泽地等，常成片生长。吉林各地均有分布。

**| 资源情况 |** 野生资源丰富。药材主要来源于野生。

**| 采收加工 |** 春、夏季采收，除去杂质，鲜用或晒干。

**| 药材性状 |** 本品秆平滑无毛或花序下稍粗糙。叶鞘平滑或稍粗糙；叶舌膜质，长圆形；叶片扁平或边缘内卷，上面及边缘粗糙，下面较平滑。圆锥花序紧密，圆筒形，分枝粗糙；小穗轴不延伸于内稃。气微，味淡。

**| 功能主治 |** 催产助生。用于催产，产后出血。

禾本科 Gramineae 虎尾草属 *Chloris*

# 虎尾草 *Chloris virgata* Sw.

**｜植物别名｜** 狼尾花、狼尾珍珠菜、重穗珍珠菜。

**｜药 材 名｜** 虎尾草（药用部位：全草。别名：棒锤草、刷子头、盘草）。

**｜形态特征｜** 一年生草本，高 12 ~ 75cm。秆直立或基部膝曲，光滑无毛。叶鞘背部具脊，包卷松弛，无毛；叶舌无毛或具纤毛；叶片线形，两面无毛或边缘及上面粗糙。穗状花序 5 至 10 余枚，指状着生于秆顶，常直立而并拢成毛刷状，有时包藏于顶叶之膨胀叶鞘中，成熟时常带紫色；小穗无柄，颖膜质，1 脉；第一颖极短，第二颖与穗等长或略短于小穗，中脉延伸成小尖头；第一小花两性，外稃纸质，两侧压扁，呈倒卵状披针形，3 脉，沿脉及边缘被疏柔毛或无毛，两侧边缘上部 1/3 处有白色柔毛，先端尖或有时具

虎尾草

2 微齿，芒自背部先端稍下方伸出，内稃膜质，略短于外稃，具 2 脊，脊上被微毛，基盘具短毛；第二小花不孕，长楔形，仅存外稃，先端截平或略凹，芒稍长，自背部边缘稍下方伸出。颖果纺锤形，淡黄色，光滑无毛而半透明。花期 7 ~ 8 月，果期 8 ~ 9 月。

**| 生境分布 |** 生于田野、路旁、荒地、河岸沙地、住宅附近等，常成片生长。吉林各地均有分布。

**| 资源情况 |** 野生资源丰富。药材主要来源于野生。

**| 采收加工 |** 夏、秋季采收，除去杂质，鲜用或晒干。

**| 药材性状 |** 本品秆呈圆柱形，基部膝曲，光滑无毛。叶鞘背部具脊，包卷松弛，无毛；叶舌无毛或具纤毛；叶片线形，两面无毛或边缘及上面粗糙。穗状花序并拢成毛刷状，有时包藏于顶叶之膨胀叶鞘中，成熟时常带紫色。颖果纺锤形，淡黄色，光滑无毛而半透明，胚长约为颖果的 2/3。气微，味淡。

**| 功能主治 |** 清热除湿，杀虫止痒。用于湿热下注，皮肤瘙痒。

禾本科 Gramineae 隐子草属 *Cleistogenes*

# 宽叶隐子草 *Cleistogenes hackeli* (Honda) Honda var. *nakai* (Keng) Ohwi

宽叶隐子草

## |药 材 名|

宽叶隐子草（药用部位：全草）。

## |形态特征|

多年丛生草本，高 30 ~ 85cm。秆基部具鳞芽，具多节。叶鞘长于或短于节间，常疏生疣毛，鞘口具较长的柔毛；叶舌具纤毛，叶片两面均无毛，边缘粗糙，扁平或内卷。圆锥花序开展，基部分枝；小穗灰绿色，含 2 ~ 5 小花；颖近膜质，具 1 脉或第一颖无脉，第一颖略短于第二颖；外稃披针形，黄绿色，常具灰褐色斑纹，外稃边缘及基盘均具短柔毛，第一外稃短于先端芒长。花果期 7 ~ 10 月。

## |生境分布|

生于山坡、林缘、林下灌丛。吉林各地均有分布。

## |资源情况|

野生资源较多。药材主要来源于野生。

## |采收加工|

春、夏季采收，除去杂质，晒干或鲜用。

**| 药材性状 |** 本品秆基部具鳞芽，多节。叶舌具纤毛，叶片两面均无毛，边缘粗糙，扁平或内卷。圆锥花序开展，基部分枝；小穗灰绿色，颖近膜质，外稃披针形，黄绿色，常具灰褐色斑纹，外稃边缘及基盘均具短柔毛。气微，味淡。

**| 功能主治 |** 祛风除湿。用于风湿痹证。

禾本科 Gramineae 隐子草属 *Cleistogenes*

# 北京隐子草 *Cleistogenes hancei* Keng

**| 药 材 名 |** 北京隐子草（药用部位：全草）。

**| 形态特征 |** 多年生疏丛草本，高 50 ~ 70cm。具短的根茎。秆直立，较粗壮，基部具向外斜伸的鳞芽，鳞片坚硬。叶鞘短于节间，无毛或疏生疣毛；叶舌短，先端裂成细毛；叶片线形，扁平或稍内卷，两面均粗糙，质硬，斜伸或平展，常呈绿色，亦有时稍带紫色。圆锥花序开展，具多数分枝，基部分枝斜上；小穗灰绿色或带紫色，排列较密，含 3 ~ 7 小花；颖具 3 ~ 5 脉，侧脉常不明显，第一颖比第二颖略短；外稃披针形，有紫黑色斑纹，具 5 脉，第一外稃先端具短芒；内稃等长或较长于外稃，先端微凹，脊上粗糙。花期 7 ~ 11 月，果期 7 ~ 11 月。

北京隐子草

| **生境分布** | 生于山坡、路旁、林缘灌丛。吉林各地均有分布。

| **资源情况** | 野生资源较少。药材主要来源于野生。

| **采收加工** | 春、夏季采收，除去杂质，鲜用或晒干。

| **功能主治** | 祛风湿。用于风湿顽痹，腰膝疼痛。

禾本科 Gramineae 隐子草属 *Cleistogenes*

# 多叶隐子草 *Cleistogenes polyphylla* Keng ex Keng f. et L. Liou

**| 药 材 名 |** 多叶隐子草（药用部位：全草）。

**| 形态特征 |** 多年丛生草本，高 15 ~ 40cm。秆直立，粗壮，具多节，干后叶片常自鞘口处脱落，秆上部左右弯曲，与鞘口近叉状分离。叶鞘多少具疣毛，层层包裹直达花序基部；叶舌截平，具短纤毛；叶片披针形至线状披针形，多直立上升，扁平或内卷，坚硬。花序较紧缩，基部常为叶鞘所包；小穗绿色或带紫色，含 3 ~ 7 小花；颖披针形或长圆形，具 1 ~ 3 脉，第一颖短于第二颖；外稃披针形，5 脉，第一外稃长于先端的芒；内稃与外稃近等长；花药短。花期 7 ~ 8 月，果期 9 ~ 10 月。

**| 生境分布 |** 生于干燥山坡、沟岸及灌丛等。分布于吉林四平（双辽）、白城（通

多叶隐子草

榆、镇赉、洮南）、松原（长岭、前郭尔罗斯）等。

**| 资源情况 |** 野生资源较少。药材主要来源于野生。

**| 采收加工 |** 春、夏季采收，除去杂质，鲜用或晒干。

**| 功能主治 |** 利水消肿。用于水肿，小便不利。

禾本科 Gramineae 薏苡属 *Coix*

# 薏米 *Coix chinensis* Tod.

薏米

## | 药 材 名 |

薏苡仁（药用部位：种仁。别名：绿谷、六谷米、苡米）。

## | 形态特征 |

一年生草本，秆高 100 ~ 150cm。具 6 ~ 10 节，多分枝。叶片宽大开展，无毛。总状花序腋生，雄花序位于雌花序上部，具 5 ~ 6 对雄小穗，雄蕊 3；雌小穗位于花序下部，为甲壳质的总苞所包；总苞呈椭圆形，为甲壳质，质地较软而薄，揉搓和手指按压可破，有纵长直条纹，先端成颈状之喙，并具一斜口，基部短收缩，有纵长直条纹，暗褐色或浅棕色。颖果大，长圆形，腹面具宽沟，基部有棕色种脐，质地粉性坚实，白色或黄白色。花果期 7 ~ 10 月。

## | 生境分布 |

生于温暖潮湿的湿边地和山谷溪沟。吉林无野生分布。吉林东部、中部地区有栽培。

## | 资源情况 |

吉林有栽培。药材主要来源于栽培。

**| 采收加工 |** 秋季果实成熟时采割植株，晒干，打下果实，再晒干，除去外壳、黄褐色种皮和杂质，收集种仁。

**| 药材性状 |** 本品呈宽卵形或长椭圆形，长 4 ~ 8mm，宽 3 ~ 6mm。表面乳白色，光滑，偶见残存的黄褐色种皮。一端钝圆，另一端较宽而微凹，有 1 淡棕色点状种脐。背面圆凸，腹面有 1 条宽而深的纵沟。质坚实，断面白色，粉性。气微，味微甜。

**| 功能主治 |** 甘、淡，凉。归脾、肺、肾经。健脾渗湿，除痹止泻，清热排脓。用于水肿，脚气，小便淋痛不利，湿痹拘挛，脾虚泄泻，肺痈，肠痈，扁平疣。

**| 用法用量 |** 内服煎汤，10 ~ 30g；或入丸、散；浸酒；煮粥；作羹。

**| 附　　注 |** （1）在 FOC 中，本种的拉丁学名被修订为 *Coix lacryma-jobi* L. var. *ma-yuen* (Romanet du Caillaud) Stapf。

（2）2020 年版《中国药典》记载本种的拉丁学名为 *Coix lacryma-jobi* L. var. *ma-yuen* (Roman.) Stapf。

禾本科 Gramineae 隐花草属 *Crypsis*

# 隐花草 *Crypsis aculeata* (L.) Ait.

| 药 材 名 | 隐花草（药用部位：全草）。

| 形态特征 | 一年生草本，高 5 ~ 40cm。须根细弱。秆平卧或斜向上升，具分枝，光滑无毛。叶鞘短于节间，松弛或膨大；叶舌短小，顶生纤毛；叶片线状披针形，扁平或对折，边缘内卷，先端呈针刺状，上面微糙涩，下面平滑。圆锥花序短缩成头状或卵圆形，下面紧托两枚膨大的苞片状叶鞘；小穗淡黄白色；颖膜质，不等长，先端钝，具 1 脉，脉上粗糙或生纤毛，第一颖窄线形，第二颖披针形；外稃长于颖，薄膜质，具 1 脉；内稃与外稃同质，等长或稍长于外稃，具极接近而不明显的 2 脉，雄蕊 2，花药黄色。囊果长圆形或楔形。花果期 5 ~ 9 月。

隐花草

**| 生境分布 |** 生于河岸、沟旁及盐碱地。分布于吉林白城、松原等。

**| 资源情况 |** 野生资源较少。药材主要来源于野生。

**| 采收加工 |** 夏、秋季采收，晒干。

**| 功能主治 |** 祛风，活血。用于血瘀。

禾本科 Gramineae 野青茅属 *Deyeuxia*

# 小叶章 *Deyeuxia angustifolia* (Kom.) Y. L. Chang

**| 药 材 名 |** 小叶章（药用部位：全草）。

**| 形态特征 |** 多年生草本，高 30 ~ 100cm，较大叶章矮小。具短根茎。秆直立，平滑无毛，具 3 ~ 4 节。叶鞘平滑，常短于节间；叶舌膜质，先端钝或碎裂；叶片纵卷，线形，两面微粗糙。圆锥花序稍疏松，分枝粗糙，斜向上升；小穗黄绿色或淡紫色；颖片呈窄披针形，先端渐尖，平滑，似膜质，两颖近等长，第一颖具 1 脉，第二颖具 3 脉，中脉粗糙；外稃膜质，先端具细齿，基盘两侧的柔毛等长或稍长于稃体，芒自稃体背中部附近伸出，细直；内稃约短于外稃的 1/2；延伸小穗轴与其所被柔毛短；花药极短。花期 7 月，果期 8 月。

小叶章

**| 生境分布 |** 生于山坡草地、林间草地、路旁及沟边湿地。以长白山区为主要分布区域，分布于吉林延边、白山、通化、吉林、辽源（东丰）等。

**| 资源情况 |** 野生资源较少。药材主要来源于野生。

**| 采收加工 |** 夏季采收，除去杂质，晒干。

**| 药材性状 |** 本品根茎短。秆平滑无毛。叶鞘平滑，叶舌膜质；叶片纵卷，线形，两面微粗糙。圆锥花序稍疏松，分枝粗糙；小穗黄绿色或淡紫色；颖片呈窄披针形，平滑，似膜质；延伸小穗轴与其所被柔毛短；花药极短。气微，味微甜。

**| 功能主治 |** 解表。用于感冒。

禾本科 Gramineae 野青茅属 *Deyeuxia*

# 大叶章 *Deyeuxia langsdorffii* (Link) Kunth

**| 药 材 名 |** 大叶章（药用部位：全草）。

**| 形态特征 |** 多年生草本，高 90 ~ 150cm，较小叶章高大。具横走根茎。秆直立，平滑无毛，通常具分枝。叶鞘多短于节间，平滑无毛；叶舌长圆形，先端钝或易破碎；叶片线形，扁平，两面稍糙涩。圆锥花序疏松开展，近金字塔形，分枝细弱，粗糙，开展或上升，中部以下常裸露；小穗黄绿色带紫色或成熟之后呈黄褐色；颖片披针形，先端尖或渐尖，质薄，边缘呈膜质，两颖近等长或第二颖稍短，具 1 脉，第二颖具 3 脉，中脉具短纤毛；外稃膜质，先端 2 裂，基盘两侧的柔毛近等长或稍长于稃体，芒自稃体背中部附近伸出，细直；内稃长为外稃的 1/2 或 2/3，延伸小穗轴被柔毛；花药短，淡褐色。花期 7 ~ 8

大叶章

月，果期 8 ~ 9 月。

| **生境分布** | 生于山坡草地、林下、沟谷潮湿草地。以长白山区为主要分布区域，分布于吉林延边、白山、通化、吉林、辽源（东丰）等。

| **资源情况** | 野生资源较少。药材主要来源于野生。

| **采收加工** | 夏、秋季采收，除去杂质，切段，晒干。

| **功能主治** | 解表。用于感冒。

| **附　　注** | 在 FOC 中，本种的拉丁学名被修订为 *Deyeuxia purpurea* (Trinius) Kunth。

禾本科 Gramineae 龙常草属 *Diarrhena*

# 龙常草 *Diarrhena manshurica* Maxim.

**| 植物别名 |** 棕心草。

**| 药 材 名 |** 龙常草（药用部位：全草）。

**| 形态特征 |** 多年生草本，高 60 ~ 120cm。具短根茎及被鳞状苞片之芽体，须根纤细。秆直立，具 5 ~ 6 节，节下被微毛，节间粗糙。叶鞘密生微毛，短于其节间；叶舌极短，先端截平或有齿裂；叶片线状披针形，质地较薄，上面密生短毛，下面粗糙，基部渐狭。圆锥花序有角棱，基部主枝贴向主轴，直伸，通常单纯而不分枝，各枝具 2 ~ 5 小穗；小穗轴节间被微毛，小穗含 2 ~ 3 小花；颖膜质，通常具 1 脉，第一颖短于第二颖；外稃具 3 ~ 5 脉，脉糙涩；内稃与其外稃几等长，

龙常草

脊上部 2/3 具纤毛；雄蕊 2。颖果成熟时肿胀，黑褐色，先端圆锥形之喙呈黄色。花期 7 ~ 8 月，果期 8 ~ 9 月。

**| 生境分布 |** 生于低山带林缘、灌丛中及草地上。分布于吉林白山（抚松）、延边（汪清、敦化、和龙、安图、珲春）等。

**| 资源情况 |** 野生资源较少。药材主要来源于野生。

**| 采收加工 |** 秋季采收，晒干。

**| 功能主治 |** 咸，温。清热解毒，轻身，益阴气。用于寒湿痹证。

禾本科 Gramineae 马唐属 *Digitaria*

# 毛马唐 *Digitaria chrysoblephara* Fig.

**| 植物别名 |** 升马唐。

**| 药 材 名 |** 毛马唐（药用部位：全草。别名：黄綫马唐）。

**| 形态特征 |** 一年生草本，高 30 ~ 100cm。秆基部倾卧，着土后节易生根，具分枝。叶鞘多短于其节间，常具柔毛；叶舌膜质；叶片线状披针形，两面多少生柔毛，边缘微粗糙。总状花序，呈指状排列于秆顶；穗轴中肋白色，约占其宽的 1/3，两侧之绿色翼缘具细刺状粗糙，小穗披针形，孪生于穗轴一侧，小穗柄三棱形，粗糙；第一颖小，三角形，第二颖披针形，长约为小穗的 2/3，具 3 脉，脉间及边缘生柔毛；第一外稃等长于小穗，具 7 脉，脉平滑，中脉两侧的脉间较

毛马唐

宽而无毛，间脉与边脉间具丝状柔毛，成熟后此毛张开；第二外稃淡绿色，等长于小穗；花药极短。花期 7 ~ 8 月，果期 9 ~ 10 月。

**| 生境分布 |** 生于路旁、田野。吉林各地均有分布。

**| 资源情况 |** 野生资源丰富。药材主要来源于野生。

**| 采收加工 |** 夏、秋季采收，除去杂质，鲜用或晾干。

**| 药材性状 |** 本品根具分枝。叶鞘多短，常具柔毛，叶舌膜质，叶片线状披针形，两面多少生柔毛，边缘微粗糙。总状花序，呈指状排列于秆顶，穗轴中肋白色，约占其宽的 1/3，两侧翼缘细刺状粗糙。气微，味淡。

**| 功能主治 |** 明目，润肺，调中，清热止血。用于目昏不明，血热出血。

**| 附　　注 |** 在 FOC 中，本种的拉丁学名被修订为 *Digitaria ciliaris* (Retzius) Koeler var. *chrysoblephara* (Figari & De Notaris) R. R. Stewart。

禾本科 Gramineae 马唐属 *Digitaria*

# 马唐 *Digitaria sanguinalis* (L.) Scop.

| **植物别名** | 乱子草。

| **药 材 名** | 马唐（药用部位：全草。别名：羊麻、羊粟、马饭）。

| **形态特征** | 一年生草本，高 10 ~ 80cm。秆直立或下部倾斜，膝曲上升，无毛或节生柔毛。叶鞘短于节间，无毛或散生疣基柔毛；叶舌短小；叶片线状披针形，基部圆形，边缘较厚，微粗糙，具柔毛或无毛。总状花序顶生，4 ~ 12 成指状着生于主轴上；穗轴直伸或开展，两侧具宽翼，边缘粗糙；小穗椭圆状披针形；第一颖小，短三角形，无脉；第二颖具 3 脉，披针形，长为小穗的 1/2 左右，脉间及边缘大多具柔毛；第一外稃等长于小穗，具 7 脉，中脉平滑，两侧的脉

马唐

间距离较宽，无毛，边脉上具小刺状粗糙，脉间及边缘通常无毛或贴生柔毛；第二外稃近革质，灰绿色，先端渐尖，等长于第一外稃。花期 7 ~ 8 月，果期 9 ~ 10 月。

**| 生境分布 |** 生于路旁、沟边、河滩、山坡、荒地、田间等各类草本群落中，常成片生长。吉林各地均有分布。

**| 资源情况 |** 野生资源丰富。药材主要来源于野生。

**| 采收加工 |** 夏、秋季采收，除去杂质，鲜用或晒干。

**| 药材性状 |** 本品长 40 ~ 80cm。秆分枝，下部节上生根。完整叶片条状披针形，长 8 ~ 17cm，宽 5 ~ 15mm，先端渐尖或短尖；基部钝圆，两面无毛或疏生柔毛，叶鞘疏松抱茎，无毛或疏生柔毛。气微，味微甜。

**| 功能主治 |** 甘，寒。明目，润肺，调中，清热止血。用于目暗不明，肺热咳嗽。

**| 用法用量 |** 内服煎汤，9 ~ 15g。

禾本科 Gramineae 稗属 *Echinochloa*

# 长芒稗 *Echinochloa caudata* Roshev.

**| 植物别名 |** 长芒野稗。

**| 药 材 名 |** 长芒野稗（药用部位：根、幼苗）。

**| 形态特征 |** 一年生草本，高 100 ~ 200cm。叶鞘无毛或常有疣基毛（或毛脱落仅留疣基），或仅有粗糙毛，或仅边缘有毛；叶舌缺；叶片线形，两面无毛，边缘增厚而粗糙。圆锥花序稍下垂，主轴粗糙，具棱，疏被疣基长毛，分枝密集，常再分小枝；小穗卵状椭圆形，常带紫色，脉上具硬刺毛，有时疏生疣基毛；第一颖三角形，长为小穗的 1/3 ~ 2/5，先端尖，具三脉；第二颖与小穗等长，先端具短芒，具 5 脉；第一外稃草质，先端具长芒，具 5 脉，脉上疏生刺毛；内

长芒稗

稃膜质，先端具细毛，边缘具细睫毛；第二外稃革质，光亮，边缘包着同质的内稃，鳞被 2，楔形，折叠，具 5 脉，雄蕊 3；花柱基分离。花期 7 ~ 8 月，果期 8 ~ 9 月。

**| 生境分布 |** 生于田边、路旁及河边湿润处。分布于吉林长春、吉林、辽源、白城、松原、四平。

**| 资源情况 |** 野生资源丰富。药材主要来源于野生。

**| 采收加工 |** 秋季采挖根，晒干。春季幼苗高 6 ~ 10cm 时采收，除去杂质和老茎，晒干。

**| 功能主治 |** 止血。用于创伤出血不止。

禾本科 Gramineae 稗属 *Echinochloa*

# 稗 *Echinochloa crusgalli* (L.) Beauv.

| 植物别名 | 稗米、水稗草、稗子。

| 药材名 | 稗（药用部位：全草或种仁。别名：旱稗、稗子、野稗）。

| 形态特征 | 一年生草本，高 50 ~ 150cm。秆光滑无毛，基部倾斜或膝曲。叶鞘扁，疏松裹秆，平滑无毛，下部者长于节间，而上部者短于节间；叶舌缺；叶片扁平，线形，无毛，边缘粗糙。总状花序，分枝斜上举或贴近主轴，组成直立的圆锥花序，近尖塔形，主轴具棱，粗糙或具疣基长刺毛；穗轴粗糙或生疣基长刺毛，小穗卵形，脉上密被疣基刺毛，具短柄或近无柄，密集在穗轴的一侧；第一颖三角形，长为小穗的 1/3 ~ 1/2，具 3 ~ 5 脉，脉上具疣基毛，基部包卷小穗，先端尖；

稗

第二颖与小穗等长，先端渐尖或具小尖头，具5脉，脉上具疣基毛；第一小花通常中性，其外稃草质，上部具7脉，脉上具疣基刺毛，先端延伸成一粗壮的芒，内稃薄膜质，狭窄，具2脊；第二外稃椭圆形，平滑，光亮，成熟后变硬，先端具小尖头，尖头上有一圈细毛，边缘内卷，包着同质的内稃，但内稃先端露出。花期6～7月，果期7～8月。

**| 生境分布 |** 生于沼泽地、沟边及水稻田中，常成片生长。吉林各地均有分布。

**| 资源情况 |** 野生资源丰富。药材主要来源于野生。

**| 采收加工 |** 夏、秋季采收全草，鲜用或晒干。夏、秋季果实成熟时采收种子，舂去壳，晒干。

**| 药材性状 |** 本品秆光滑无毛，基部直径3～5mm。叶片条形。圆锥花序直立，呈不规则的塔形，分枝再分小分枝；小穗密集于穗轴的一侧，有硬疣毛，颖具脉。气微，味微苦。

**| 功能主治 |** 全草，微苦，微温。止血生肌。用于外伤出血，麻疹。种仁，补中益气，止血生肌。用于外伤出血。

**| 用法用量 |** 全草，外用适量，捣敷或研末撒。

**| 附　　注 |** 在《安图地方志》（1929）的“本地物产”中有关于稗的记载。

禾本科 Gramineae 䅟属 *Eleusine*

# 牛筋草 *Eleusine indica* (L.) Gaertn.

**| 植物别名 |** 蟋蟀草、鸭脚草、千人踏。

**| 药 材 名 |** 牛筋草（药用部位：全草。别名：路边草、鸭脚草、蹲倒驴）。

**| 形态特征 |** 一年丛生草本，高 10 ～ 90cm。根系极发达。秆基部倾斜。叶鞘两侧压扁而具脊，松弛，无毛或疏生疣毛；叶舌短小；叶片平展，线形，无毛或上面被疣基柔毛。穗状花序 2 ～ 7，指状，着生于秆顶，很少单生；小穗含 3 ～ 6 小花，颖呈披针形，具脊，脊粗糙，第一颖短于第二颖；第一外稃卵形，膜质，具脊，脊上有狭翼；内稃短于外稃，具 2 脊，脊上有狭翼。囊果卵形，基部下凹，具明显的波状皱纹；鳞被 2，折叠，具 5 脉。花期 7 ～ 8 月，果期 8 ～ 9 月。

牛筋草

| **生境分布** | 生于田野、荒地、路旁、山坡、丘陵及住宅附近。分布于吉林白城、松原、四平等。

| **资源情况** | 野生资源丰富。药材主要来源于野生。

| **采收加工** | 8 ~ 9 月采收，洗净，鲜用或晒干。

| **药材性状** | 本品根呈须状，黄棕色，直径 0.5 ~ 1mm。茎呈扁圆柱形，淡灰绿色，有纵棱，节明显，节间长 4 ~ 8mm，直径 1 ~ 4mm。叶线形，叶脉平行条状。穗状花序数个，呈指状排列于茎先端，常为 3 个。气微，味淡。

| **功能主治** | 甘，平。清热解毒，祛风利湿，散瘀止血。用于乙型脑炎，流行性脑脊髓膜炎，风湿性关节炎，黄疸，小儿消化不良，泄泻，痢疾，小便淋痛，跌打损伤，外伤出血，狂犬咬伤。

| **用法用量** | 内服煎汤，9 ~ 15g，鲜品 30 ~ 90g。

禾本科 Gramineae 画眉草属 *Eragrostis*

# 知风草 *Eragrostis ferruginea* (Thunb.) Beauv.

知风草

## |植物别名|

梅氏画眉草。

## |药 材 名|

知风草（药用部位：根）。

## |形态特征|

多年单生或丛生草本，高 30 ~ 110cm。秆直立或基部膝曲，粗壮。叶鞘两侧极压扁，基部相互跨覆，均较节间为长，光滑无毛，鞘口与两侧密生柔毛，通常在叶鞘的主脉上生有腺点；叶舌退化为一圈短毛；叶片平展或折叠，上部叶超出花序之上，常光滑无毛或上面近基部偶疏生有毛。圆锥花序大而开展，分枝节密，每节生枝 1 ~ 3，向上，枝腋间无毛；小穗柄在其中部或中部偏上有一腺体，在小枝中部也常存在，腺体多为长圆形，稍凸起；小穗长圆形，有 7 ~ 12 小花，多带黑紫色，有时也出现黄绿色；颖开展，具 1 脉，第一颖披针形，先端渐尖；第二颖长披针形，先端渐尖；外稃卵状披针形，先端稍钝；内稃短于外稃，脊上具有小纤毛，宿存。颖果棕红色。花期 8 ~ 9 月，果期 9 ~ 10 月。

| **生境分布** | 生于路边、山坡草地。吉林无野生分布。吉林西部地区部分市县有栽培。

| **资源情况** | 吉林有栽培。药材主要来源于栽培。

| **采收加工** | 秋季采挖，除去地上部分，洗净，晒干或鲜用。

| **功能主治** | 甘，平。舒筋活血，散瘀。用于跌打损伤，筋骨疼痛。

| **用法用量** | 内服煎汤，6 ~ 9g。外用适量，捣敷。

禾本科 Gramineae 画眉草属 *Eragrostis*

# 小画眉草 *Eragrostis minor* Host

**| 药 材 名 |** 小画眉草（药用部位：全草。别名：蚊蚊草、星星草）。

**| 形态特征 |** 一年丛生草本，高 15 ~ 50cm。秆纤细，膝曲上升，具 3 ~ 4 节，节下具有一圈腺体。叶鞘较节间短，松裹茎，叶鞘脉上有腺体，鞘口有长毛；叶舌为一圈长柔毛；叶片线形，平展或卷缩，下面光滑，上面粗糙并疏生柔毛，主脉及边缘都有腺体。圆锥花序开展而疏松，每节一分枝，分枝平展或上举，腋间无毛，花序轴、小枝以及柄上都有腺体；小穗长圆形，含 3 ~ 16 小花，绿色或深绿色，小穗柄短；颖锐尖，具 1 脉，脉上有腺点，第一颖与第二颖近等长；第一外稃广卵形，先端圆钝，具 3 脉，侧脉明显并靠近边缘，主脉上有腺体；内稃弯曲，脊上有纤毛，宿存；雄蕊 3；花药短。颖果红褐色，近

小画眉草

球形。花期 7 ~ 8 月，果期 8 ~ 9 月。

**| 生境分布 |** 生于荒芜田野、草地及路旁等。吉林各地均有分布。

**| 资源情况 |** 野生资源较少。药材主要来源于野生。

**| 采收加工 |** 夏季采收，鲜用或晒干。

**| 功能主治 |** 淡，凉。疏风清热，利尿。用于目赤，膀胱结石，肾结石，肾炎，膀胱炎，脓疱疮。此外，花序用于黄水疮。

**| 用法用量 |** 内服煎汤，15 ~ 30g，鲜品 60 ~ 120g；或研末。外用适量，煎汤洗。

禾本科 Gramineae 野黍属 *Eriochloa*

# 野黍 *Eriochloa villosa* (Thunb.) Kunth

| 植物别名 | 稗米、水稗草、稗子。

| 药 材 名 | 野黍（药用部位：全草。别名：拉拉草、唤猪草）。

| 形态特征 | 一年生草本，高 30 ~ 100cm。秆直立，基部分枝，稍倾斜。叶鞘无毛或被毛，或鞘缘一侧被毛，松弛包茎，节具髭毛；叶舌具纤毛；叶片扁平，表面具微毛，背面光滑，边缘粗糙。圆锥花序狭长，由 4 ~ 8 总状花序组成；总状花序密生柔毛，常排列于主轴之一侧；小穗卵状椭圆形，基盘极短，小穗柄极短，密生长柔毛；第一颖微小，短于或长于基盘；第二颖与第一外稃皆为膜质，等长于小穗，均被细毛，前者具 5 ~ 7 脉，后者具 5 脉；第二外稃革质，稍短于小穗，先端钝，

野黍

具细点状皱纹，鳞被 2，折叠，具 7 脉，雄蕊 3，花柱分离。颖果卵圆形。花期 8 ~ 9 月，果期 9 ~ 10 月。

**| 生境分布 |** 生于山坡、草地、路旁和潮湿地区。吉林各地均有分布。

**| 资源情况 |** 野生资源较丰富。药材主要来源于野生。

**| 采收加工 |** 夏、秋季采收，除去杂质，鲜用或晾干。

**| 药材性状 |** 本品秆基部分枝。叶鞘无毛或被毛，松弛包茎，节具毛；叶舌具纤毛；叶片扁平，表面具微毛，背面光滑，边缘粗糙。圆锥花序狭长，密生柔毛；小穗卵状椭圆形，小穗柄极短，密生长柔毛。颖果卵圆形。气微，味淡。

**| 功能主治 |** 清热解毒，明目。用于结膜炎，视力模糊。

禾本科 Gramineae 茅香属 *Hierochloe*

# 光稃香草 *Hierochloe glabra* Trin.

| 药材名 | 光稃香草（药用部位：全草）。

| 形态特征 | 多年生草本，高 15 ~ 22cm。根茎细长。秆具 2 ~ 3 节，上部长、裸露。叶鞘密生微毛，长于节间；叶舌透明膜质，先端啮蚀状；叶片披针形，质较厚，上面被微毛，秆生者较短，基生者较长而窄狭。圆锥花序；小穗黄褐色，有光泽；颖膜质，具 1 ~ 3 脉，等长或第一颖稍短；雄花外稃等长或较长于颖片，背部向上渐被微毛或几乎无毛，边缘具纤毛；两性花外稃锐尖，上部被短毛。花期 7 ~ 8 月，果期 8 ~ 9 月。

| 生境分布 | 生于山坡及湿润草地等。吉林各地均有分布。

| 资源情况 | 野生资源较少。药材主要来源于野生。

光稃香草

**| 采收加工 |** 夏、秋季采收，除去杂质，切段，晒干。

**| 功能主治 |** 淡，凉。清热利尿，凉血止血。用于急性或慢性肾炎水肿，热淋，吐血，尿血，目赤云翳。

**| 附　　注 |** 在 FOC 中，本种的拉丁学名被修订为 *Anthoxanthum glabrum* (Trinius) Veldkamp。

禾本科 Gramineae 大麦属 *Hordeum*

# 大麦 *Hordeum vulgare* L.

大麦

## |药 材 名|

麦芽（药材来源：成熟果实经发芽、干燥的炮制加工品。别名：麦蘖、大麦毛、大麦芽）。

## |形态特征|

一年生或越年生草本，高 50 ~ 100cm。秆粗壮，光滑无毛，直立。叶鞘松弛抱茎，多无毛或基部具柔毛，两侧有披针形叶耳 2；叶舌膜质；叶片扁平。穗状花序，小穗稠密，每节着生 3 发育的小穗，小穗均无柄；颖线状披针形，外被短柔毛，先端常延伸为稍短的芒；外稃具 5 脉，先端延伸成长芒，边棱具细刺；内稃与外稃几等长。颖果熟时粘着于稃内，不脱出。花期 3 ~ 4 月，果期 4 ~ 5 月。

## |生境分布|

生于疏松、结构良好、富含有机质的中性土壤。吉林各地均有分布。吉林各地均有栽培。

## |资源情况|

野生资源较丰富。药材主要来源于栽培。

## |采收加工|

麦芽生产全年皆可进行，但以冬、春两季为

好。将麦粒用水浸泡后，保持适宜温度、湿度，待幼芽长至约 5mm 时，晒干或低温干燥。

**| 药材性状 |** 本品呈梭形，长 8 ~ 12mm，直径 3 ~ 4mm。表面淡黄色，背面为外稃包围，具 5 脉；腹面为内稃包围。除去内、外稃后，腹面有 1 纵沟；基部胚根处生出幼芽和须根，幼芽长披针状条形，长约 5mm。须根数条，纤细而弯曲。质硬，断面白色，粉性。气微，味微甘。

**| 功能主治 |** 甘，平。归脾、胃经。行气消食，健脾开胃，回乳消胀。用于食积不消，脘腹胀痛，脾虚食少，乳汁郁积，乳房胀痛，妇女断乳，肝郁胁痛，肝胃气痛。

**| 用法用量 |** 内服煎汤，9 ~ 15g；回乳炒用 60g。

**| 附　　注 |** 麦芽和神曲、山楂合称为“三仙”，用量较大。吉林的麦芽生产主要集中在延边、白山、吉林、通化等地，这些地方居住的朝鲜族人较多，他们喜欢用麦芽来制作具有民族特色的朝鲜甜辣酱，以赠送亲朋或自己食用。另外，从麦芽中提取的异麦芽酮糖醇是一种优良的无糖甜味剂，是一种新的糖替代品，发展前景广阔。

禾本科 Gramineae 白茅属 *Imperata*

# 白茅 *Imperata cylindrica* (Linn.) Beauv.

**| 植物别名 |** 印度白茅、茅草、白茅根。

**| 药 材 名 |** 白茅根（药用部位：根茎）。

**| 形态特征 |** 多年生草本，高 30 ～ 80cm。具粗壮的长根茎。秆直立，具 1 ～ 3 节，节无毛。叶鞘聚集于秆基，甚长于其节间，质地较厚，老后破碎，呈纤维状；叶舌膜质，紧贴其背部或鞘口具柔毛，分蘖叶片长，扁平，质地较薄；秆生叶片短，窄线形，通常内卷，先端渐尖，呈刺状，下部渐窄，或具柄，质硬，被有白粉，基部上面具柔毛。圆锥花序稠密，小穗基盘具丝状柔毛；两颖草质及边缘膜质，近相等，具 5 ～ 9 脉，先端渐尖或稍钝，常具纤毛，脉间疏生长丝状毛；第一外稃卵

白茅

状披针形，长为颖片的 2/3，透明膜质，无脉，先端尖或齿裂，第二外稃与其内稃近相等，长约为颖片之半，卵圆形，先端具齿裂及纤毛；雄蕊 2；花药短；花柱细长，基部多少连合，柱头 2，紫黑色，羽状，自小穗先端伸出。颖果椭圆形。花期 7 ~ 8 月，果期 8 ~ 9 月。

| **生境分布** | 生于山坡、路旁、草地及沟岸边，常成片生长。分布于吉林白城（通榆、镇赉、洮南）、松原（长岭）等。

| **资源情况** | 野生资源较少。药材主要来源于野生。

| **采收加工** | 春、秋季采挖，洗净，晒干，除去须根和膜质叶鞘，捆成小把。

| **药材性状** | 本品呈长圆柱形，长 30 ~ 60cm，直径 0.2 ~ 0.4cm。表面黄白色或淡黄色，微有光泽，具纵皱纹，节明显，稍突起，节间长短不等，通常长 1.5 ~ 3cm。体轻，质略脆，断面皮部白色，多有裂隙，放射状排列，中柱淡黄色，易与皮部剥离。无臭，味微甜。

| **功能主治** | 甘，寒。归肺、胃、心、膀胱经。凉血止血，清热利尿。用于血热吐血，衄血，尿血，热病烦渴，湿热黄疸，水肿尿少，热淋涩痛。

| **用法用量** | 内服煎汤，9 ~ 30g，鲜品 30 ~ 60g；或捣汁。外用适量，鲜品捣汁涂。

禾本科 Gramineae 赖草属 *Leymus*

# 羊草 *Leymus chinensis* (Trin.) Tzvel.

**| 植物别名 |** 碱草。

**| 药 材 名 |** 羊草（药用部位：全草。别名：碱草）。

**| 形态特征 |** 多年生草本，高 40 ~ 90cm。具下伸或横走根茎，须根具沙套。秆散生，直立，具 4 ~ 5 节。叶鞘光滑，基部残留叶鞘呈纤维状，枯黄色；叶舌截平，顶具裂齿，纸质；叶片线形，扁平或内卷，上面及边缘粗糙，下面较平滑。穗状花序直立，穗轴边缘具细小睫毛，节间短，最基部的节间较长，小穗含 5 ~ 10 小花，通常 2 枚生于 1 节，在上端及基部者常单生，粉绿色，成熟时变黄，小穗轴节间光滑；颖锥状，等于或短于第一小花，不覆盖第一外稃的基部，质地较硬，

羊草

具不显著3脉，背面中下部光滑，上部粗糙，边缘微具纤毛；外稃披针形，具狭窄膜质的边缘，先端渐尖或形成芒状小尖头，背部具不明显的5脉，基盘光滑；内稃与外稃等长，先端常微2裂，上半部脊上具微细纤毛或近无毛。花期6～7月，果期7～8月。

**| 生境分布 |** 生于干旱草原、草地、山坡、田边等。分布于吉林白城（通榆、镇赉、洮南、大安）、松原（长岭、前郭尔罗斯、乾安）、四平（双辽）等。

**| 资源情况 |** 野生资源丰富。药材主要来源于野生。

**| 采收加工 |** 夏、秋季采收，除去杂质，晒干。

**| 药材性状 |** 本品须根具沙套。秆散生。叶鞘光滑，基部残留叶鞘呈纤维状，枯黄色；叶舌截平，顶具裂齿；叶片扁平或内卷，上面及边缘粗糙，下面较平滑，纸质。穗状花序直立，穗轴边缘具细小睫毛。气微，味微苦。

**| 功能主治 |** 清热利湿，止血。用于感冒，淋证，赤白带下，衄血，痰中带血，水肿。

禾本科 Gramineae 赖草属 *Leymus*

# 赖草 *Leymus secalinus* (Georgi) Tzvel.

|**药 材 名**| 赖草（药用部位：全草）。

|**形态特征**| 多年单生或丛生草本，高 40 ~ 100cm。具下伸和横走的根茎。秆直立，具 3 ~ 5 节，光滑无毛或在花序下密被柔毛。叶鞘光滑无毛，或在幼嫩时边缘具纤毛；叶舌膜质，截平；叶片扁平或内卷，上面及边缘粗糙或具短柔毛，下面平滑或微粗糙。穗状花序直立，灰绿色；穗轴被短柔毛，节与边缘被长柔毛；小穗通常 2 ~ 3 生于每节，含 4 ~ 7 小花；小穗轴节间贴生短毛；颖短于小穗，线状披针形，先端狭窄如芒，不覆盖第一外稃的基部，具不明显的 3 脉，上半部粗糙，边缘具纤毛，第一颖短于第二颖；外稃披针形，边缘膜质，先端渐尖或具芒，背具 5 脉，被短柔毛或上半部无毛，基盘具柔毛；

赖草

内稃与外稃等长，先端常微 2 裂，脊的上半部具纤毛；花药短。花期 7 ~ 8 月，果期 8 ~ 9 月。

| **生境分布** | 生于沙地、平原绿洲及山地草原带等。分布于吉林白城（洮南、通榆）、松原（乾安、长岭）等。

| **资源情况** | 野生资源较少。药材主要来源于野生。

| **采收加工** | 夏、秋季采收，除去杂质，切段，晒干。

| **功能主治** | 甘、微苦，寒。清热利湿，止血。用于淋病，赤白带下，哮喘，痰中带血。此外，根用于感冒，淋证，赤白带下，哮喘，痰中带血，鼻出血。

| **用法用量** | 内服煎汤，30 ~ 60g；或代茶饮。

禾本科 Gramineae 臭草属 *Melica*

# 臭草 *Melica scabrosa* Trin.

臭草

## | 植物别名 |

猫毛草、肥马草、金丝草。

## | 药 材 名 |

猫毛草（药用部位：全草）。

## | 形态特征 |

多年生草本。须根细弱，较稠密。秆丛生，直立或基部膝曲，高 20 ~ 90cm，直径 1 ~ 3mm，基部密生分蘖。叶鞘闭合近鞘口，常撕裂，光滑或微粗糙，下部者长于节间，上部者短于节间；叶舌透明膜质，长 1 ~ 3mm，先端撕裂而两侧下延；叶片质较薄，扁平，干时常卷折，长 6 ~ 15cm，宽 2 ~ 7mm，两面粗糙或上面疏被柔毛。圆锥花序狭窄，长 8 ~ 22cm，宽 1 ~ 2cm；分枝直立或斜向上升，主枝长达 5cm；小穗柄短，纤细，上部弯曲，被微毛；小穗淡绿色或乳白色，长 5 ~ 8mm，含孕性小花 2 ~ 4（~ 6），先端由数个不育外稃集成小球形；小穗轴节间长约 1mm，光滑；颖膜质，狭披针形，两颖几近等长，长 4 ~ 8mm，具 3 ~ 5 脉，背面中脉常生微小纤毛；外稃草质，先端尖或钝，且为膜质，具 7 隆起的脉，背面颖粒状粗糙，第一外稃长 5 ~ 8mm；内稃短于外稃或与外稃相等，倒卵形，先端钝，具 2 脊，脊上被微小纤毛；雄蕊 3，花药长约 1.3mm。颖果褐色，纺锤形，有光泽，长约 1.5m。花果期 5 ~ 8 月。

**| 生境分布 |** 生于海拔 200 ~ 3300m 的山野或荒芜的田野。分布于吉林白城、松原、四平等。

**| 资源情况 |** 野生资源较丰富。药材主要来源于野生。

**| 采收加工 |** 夏季采收，洗净，晒干。

**| 药材性状 |** 本品为根、茎、叶、果混合的段状。根细，茎纤细，浅黄棕色。叶薄光滑或微粗糙。果光亮褐色，纺锤形。气微，味淡。

**| 功能主治 |** 甘，凉。利尿通淋，清热退黄。用于尿路感染，肾炎水肿，感冒发热，黄疸性肝炎，糖尿病。

**| 用法用量 |** 内服煎汤，30 ~ 60g。

禾本科 Gramineae 芒属 *Miscanthus*

# 紫芒 *Miscanthus purpurascens* Anderss.

紫芒

**｜植物别名｜**

荻草。

**｜药 材 名｜**

紫芒（药用部位：根茎、花穗）。

**｜形态特征｜**

多年生草本，高 100cm 以上。秆较粗壮，无毛或在紧接花序部分具柔毛。叶鞘稍短于其节间，鞘节具髭毛，仅鞘口及上部边缘具纤毛；叶舌先端具纤毛；叶片宽线形，先端长渐尖，无毛或下面贴生柔毛。圆锥花序主轴延伸至花序下部，分枝较少，腋间具柔毛；总状花序轴节间无毛；小穗柄无毛，稍膨大，短柄，小穗披针形，基盘柔毛带紫色，稍长或等长于小穗；第一颖先端渐尖，具 2 脊，背面中部以上及边缘生长柔毛；第二颖与第一颖几近等长，具 1 脉，先端渐尖，背部及边缘具柔毛；第一外稃长圆状披针形，较颖稍短，具纤毛；第二外稃狭窄披针形，上部边缘具纤毛，先端 2 齿裂，芒从齿间伸出，芒柱稍扭转、膝曲；第二内稃长约为其外稃之半；雄蕊 3；花药橘黄色；柱头紫黑色，自小穗中部之两侧伸出。花期 8 ～ 9 月，果期 9 ～ 10 月。

| **生境分布** | 生于低山带阳坡路旁、林缘、灌丛中、山坡草地等。分布于吉林白城（通榆）、长春（德惠、农安、长春、九台）、延边（敦化）、辽源（东辽）、白山等。

| **资源情况** | 野生资源较丰富。药材主要来源于野生。

| **采收加工** | 秋季茎生叶枯萎时采挖根茎，除去泥土及须根，干燥。夏、秋季花盛开时采收花穗，晒干。

| **功能主治** | 解毒，生津止渴，活血通络。用于津伤口渴，瘀血阻络。

禾本科 Gramineae 芒属 *Miscanthus*

# 芒 *Miscanthus sinensis* Anderss.

| **植物别名** | 花叶芒、高山鬼芒、金平芒。

| **药 材 名** | 芒 [ 药用部位：根茎、花序、气笋子（幼茎内有寄生虫者）]。

| **形态特征** | 多年生苇状草本，高 100 ~ 200cm。秆无毛或在花序以下疏生柔毛。叶鞘无毛，长于其节间；叶舌膜质，先端及其后面具纤毛；叶片线形，下面疏生柔毛及被白粉，边缘粗糙。圆锥花序直立，主轴无毛，延伸至花序的中部以下，节与分枝腋间具柔毛，分枝较粗硬，直立，不再分枝或基部分枝具第二次分枝，小枝节间三棱形，边缘微粗糙，短柄；小穗披针形，黄色有光泽，基盘具等长于小穗的白色或淡黄色的丝状毛；第一颖顶具 3 ~ 4 脉，边脉上部粗糙，先端渐尖，背部无毛；第二颖常具 1 脉，粗糙，上部内折之边缘具纤毛；第一外

芒

稃长圆形，膜质，边缘具纤毛；第二外稃明显短于第一外稃，先端 2 裂，裂片间具 1 芒，棕色，膝曲，芒柱稍扭曲；第二内稃长约为其外稃的 1/2；雄蕊 3，稃褐色，先雌蕊而成熟，柱头羽状，紫褐色，从小穗中部之两侧伸出。颖果长圆形，暗紫色。花期 8 ~ 9 月，果期 9 ~ 10 月。

**| 生境分布 |** 生于山地、丘陵及荒坡原野等，常组成优势群落。分布于吉林吉林（桦甸、永吉）等。

**| 资源情况 |** 野生资源较少。药材主要来源于野生。

**| 采收加工 |** 秋季茎叶枯萎时采挖根茎，除去泥土及须根，干燥。夏、秋季花盛开时采收花序，晒干。夏季采收气笋子，晒干。

**| 功能主治 |** 根茎，甘，平。清热解毒，利尿止渴，止咳。用于咳嗽，热病口渴，带下，小便淋痛不利。花序，甘，平。活血通经。用于月经不调，半身不遂。气笋子，甘，平。调气，生津，补肾。用于妊娠呕吐，精枯阳痿。

**| 用法用量 |** 根茎，内服煎汤，60 ~ 90g。花序，内服煎汤，30 ~ 60g。气笋子，内服煎汤，5 ~ 10g；或研末。

禾本科 Gramineae 求米草属 *Oplismenus*

# 求米草 *Oplismenus undulatifolius* (Arduino) Beauv.

**| 药 材 名 |** 求米草（药用部位：全草。别名：缩箬）。

**| 形态特征 |** 一年生草本，高 20 ~ 50cm。秆纤细，基部平卧或膝曲并与节处生根。叶鞘多短于节间，但上部者长于节间，密被疣基毛；叶舌膜质，短小；叶片扁平，披针形至卵状披针形，先端尖，基部略圆形而稍不对称，通常具细毛。圆锥花序，主轴密被疣基长刺柔毛，分枝短缩，有时下部的分枝延伸长；小穗卵圆形，被硬刺毛，簇生于主轴或部分孪生；颖草质，第一颖长约为小穗之半，先端具硬直芒，具 3 ~ 5 脉；第二颖长于第一颖，先端芒具 5 脉；第一外稃草质，与小穗等长，具 7 ~ 9 脉，先端芒短；第一内稃通常缺；第二外稃革质，平滑，结实时变硬，边缘包着同质的内稃，鳞被 2，膜质；

求米草

雄蕊 3；花柱基分离。花期 8 ~ 9 月，果期 9 ~ 10 月。

**| 生境分布 |** 生于林缘、灌丛、疏林下阴湿处。分布于吉林通化（集安）等。

**| 资源情况 |** 野生资源较少。药材主要来源于野生。

**| 采收加工 |** 夏、秋季采收，除去杂质，鲜用或晾干。

**| 药材性状 |** 本品秆纤细，节处生根。叶鞘短于或长于节间，密被疣基毛；叶舌膜质，短小；叶片扁平，披针形至卵状披针形，先端尖，基部略圆形而稍不对称，通常具细毛。圆锥花序，主轴密被疣基长刺柔毛，分枝短缩；小穗卵圆形，被硬刺毛；颖草质。气微，味微甜。

**| 功能主治 |** 活血止痛。用于跌打损伤。

禾本科 Gramineae 稻属 *Oryza*

# 稻 *Oryza sativa* L.

| 植物别名 | 水稻、稻子、稻谷。

| 药 材 名 | 稻芽（药材来源：成熟果实经发芽、干燥的炮制加工品）、稻草（药用部位：茎生叶）、糯米（药用部位：种仁。别名：稻子、稻谷）。

| 形态特征 | 一年水生草本，高 50 ~ 150cm。秆直立，随品种而异。叶鞘松弛，无毛；叶舌披针形，两侧基部下延成叶鞘边缘，具 2 镰形抱茎的叶耳；叶片线状披针形，粗糙。圆锥花序大型疏展，分枝多，棱粗糙，成熟期向下弯垂；小穗含 1 成熟花，两侧甚压扁，长圆状卵形至椭圆形；颖极小，仅在小穗柄先端留下半月形的痕迹；退化外稃 2，锥刺状，两侧孕性花外稃质厚，具 5 脉，中脉成脊，表面有方格状小乳状突起，厚纸质，遍布，细毛端毛较密，有芒或无芒；内稃与

稻

外稃同质，具 3 脉，先端尖而无喙；雄蕊 6；花药短。颖果，胚比小，约为颖果长的 1/4。花期 8 月，果期 9 ~ 10 月。

**| 生境分布 |** 生于农田等。吉林无野生分布。吉林各地均有栽培。

**| 资源情况 |** 吉林广泛栽培。药材主要来源于栽培。

**| 采收加工 |** 稻芽：将稻谷用水浸泡后，保持适宜的温度、湿度，待须根长至约 1cm 时，干燥。

稻草：收获稻谷时，收集脱粒的稻秆，晒干。

糯米：秋季收割稻谷，脱粒，晒干。

**| 药材性状 |** 稻芽：本品呈扁长椭圆形，两端略尖，长 7 ~ 9mm，直径约 3mm。外稃黄色，有白色细茸毛，具 5 脉。一端有 2 枚对称的白色条形浆片，长 2 ~ 3mm，浆片内侧伸出弯曲的须根 1 ~ 3，长 0.5 ~ 1.2cm。质硬，断面白色，粉性。无臭，味淡。

**| 功能主治 |** 稻芽：甘，温。归脾、胃经。消食和中，健脾开胃。用于食积不消，腹胀口臭，脾胃虚弱，不饥食少。炒稻芽偏于消食。用于不饥食少。焦稻芽善化积滞。用于积滞不消。

稻草：甘，平。归脾、肺经。宽中，下气，消食积。用于噎膈，反胃，食滞，泄泻，腹痛，消渴，黄疸，白浊，痔疮，烫火伤。

糯米：甘，温。归脾、胃、肺经。补中益气。用于消渴溲多，自汗，泄泻。

**| 用法用量 |** 稻芽：内服煎汤，9 ~ 15g。

稻草：内服煎汤，50 ~ 150g；或烧灰淋汁澄清。外用适量，煎汤浸洗。

糯米：内服煎汤，30 ~ 60g；或入丸、散；或煮粥。外用适量，研末调敷。

**| 附　　注 |** 糯米已被列入 2019 年版《吉林省中药材标准》第二册。

禾本科 Gramineae 黍属 *Panicum*

# 稷 *Panicum miliaceum* L.

**| 植物别名 |** 黍。

**| 药 材 名 |** 黍米（药用部位：种子）、黍茎（药用部位：茎）。

**| 形态特征 |** 一年单生或丛生栽培草本，高 40 ~ 120cm。秆粗壮，直立，节密被髭毛，节下被疣基毛；叶鞘松弛，被疣基毛；叶舌膜质，先端具睫毛，叶片线形或线状披针形，两面具疣基的长柔毛或无毛，先端渐尖，基部近圆形，边缘常粗糙。圆锥花序开展或较紧密，成熟时下垂，分枝粗或纤细，具棱槽，边缘具糙刺毛，下部裸露，上部密生小枝与小穗；小穗卵状椭圆形；颖纸质，无毛，第一颖正三角形，长为小穗的 1/2 ~ 2/3，先端尖或锥尖，通常具 5 ~ 7 脉，第二颖与小穗等长，通常具 11 脉，其脉先端渐汇合，呈喙状；第一外稃形似第二

稷

颖，具 11 ～ 13 脉；内稃透明膜质，短小，先端微凹或深 2 裂；第二小花成熟后因品种不同，而有黄色、乳白色、褐色、红色和黑色等；第二外稃背部圆形，平滑，具 7 脉，内稃具 2 脉，鳞被较发育，多脉，并由 1 级脉分出次级脉；胚乳长为谷粒的 1/2，种脐点状，黑色。花期 7 ～ 8 月，果期 8 ～ 9 月。

**| 生境分布 |** 生于田间。分布于吉林长春、吉林、辽源、白城、松原、四平等。吉林中西部均有栽培。

**| 资源情况 |** 野生资源较少。药材主要来源于栽培。

**| 采收加工 |** 黍米：秋季采收成熟果实，晒干，打下种子，除去外壳。

黍茎：夏、秋季采收，除去杂质，晒干。

**| 功能主治 |** 黍米：甘，平。归大肠、肺、胃、脾经。益气补中，止泻，除热，止烦渴。用于泻痢，烦渴，吐逆，咳嗽，胃痛，小儿鹅口疮，烫火伤。

黍茎：辛，热；有小毒。利尿消肿，止血，解毒。用于小便不利，水肿，妊娠尿血，脚气，苦瓠中毒。

**| 用法用量 |** 黍米：内服煎汤，30 ～ 90g，煮粥或淘取泔汁。外用适量，研末调敷。

黍茎：内服煎汤，9 ～ 15g；或烧存性，研末，每次 1g，每日 3 次。外用适量，煎汤熏洗。

禾本科 Gramineae 狼尾草属 *Pennisetum*

# 狼尾草 *Pennisetum alopecuroides* (L.) Spreng.

| **植物别名** | 狼尾巴草、小芒草、油草。

| **药 材 名** | 狼尾草（药用部位：全草。别名：狗尾巴草、芮草、老鼠狼）。

| **形态特征** | 多年丛生草本，高 30 ~ 120cm。须根较粗壮。秆直立，在花序下密生柔毛。叶鞘光滑，两侧压扁，主脉呈脊，在基部者跨生状，秆上部者长于节间；叶舌具纤毛；叶片线形，先端长渐尖，基部生疣毛。圆锥花序直立，主轴密生柔毛，总梗刚毛粗糙，淡绿色或紫色；小穗通常单生，偶见双生，线状披针形；第一颖微小或缺，膜质，先端钝，脉不明显或具 1 脉；第二颖卵状披针形，先端短尖，具 3 ~ 5 脉，长为小穗的 1/3 ~ 2/3，第一小花中性；第一外稃与小穗等长，具 7 ~ 11 脉；第二外稃与小穗等长，披针形，具 5 ~ 7 脉，边缘包

狼尾草

着同质的内稃，鳞被 2，楔形；雄蕊 3；花药先端无毫毛，花柱基部联合。颖果长圆形。花期 8 ~ 9 月，果期 9 ~ 10 月。

**｜生境分布｜** 生于田间、荒地、道旁及小山坡上等，常成片生长。分布于吉林吉林（蛟河）、辽源（东丰、东辽）、松原（长岭、乾安、扶余）、白城（镇赉、通榆、洮南）等。

**｜资源情况｜** 野生资源较丰富。药材主要来源于野生。

**｜采收加工｜** 夏、秋季采收，除去杂质，晒干。

**｜药材性状｜** 本品须根较粗壮，圆锥形。秆被柔毛。叶鞘两侧压扁，光滑无毛；叶片线形，基部被疣毛。圆锥花序圆柱形，直立，密被柔毛，总梗刚毛粗糙，淡绿色或紫色。颖果长圆形，长约 3.5mm。气微，味微甜。

**｜功能主治｜** 甘，平。清肺止咳，凉血明目，解毒散血。用于目赤肿痛，肺热咳嗽，咯血，痈疮肿毒。

**｜用法用量｜** 内服煎汤，9 ~ 15g。

禾本科 Gramineae 狼尾草属 *Pennisetum*

# 白草 *Pennisetum centrasiaticum* Tzvel.

**| 药 材 名 |** 白草（药用部位：根茎、种子。别名：倒生草）。

**| 形态特征 |** 多年单生或丛生草本，高 20 ~ 90cm。具横走根茎。秆直立。叶鞘疏松抱茎，近无毛，基部者密集，近跨生，上部短于节间；叶舌短，具纤毛；叶片狭线形，两面无毛。圆锥花序紧密，直立或稍弯曲，主轴具棱角，无毛或罕疏生短毛，刚毛柔软，细弱，微粗糙，灰绿色或紫色；小穗通常单生，卵状披针形；第一颖微小，先端钝圆、锐尖或齿裂，脉不明显；第二颖长为小穗的 1/3 ~ 3/4，先端芒尖，具 1 ~ 3 脉；第一小花雄性，罕见中性；第一外稃与小穗等长，厚膜质，先端芒尖，具 3 ~ 5 脉；第一内稃透明，膜质或退化；第二小花两性；第二外稃具 5 脉，先端芒尖，与其内稃同为纸质，鳞被

白草

2，楔形，先端微凹；雄蕊 3；花药先端无毫毛，花柱近基部联合。颖果长圆形。花期 7 ~ 8 月，果期 9 ~ 10 月。

**| 生境分布 |** 生于沙地、山坡、草地、田野和撂荒地等。分布于吉林白城（通榆）、四平（双辽）等。

**| 资源情况 |** 野生资源较丰富。药材主要来源于野生。

**| 采收加工 |** 秋季采挖根茎，洗净，以纸遮蔽，晒干。秋季采收成熟果实，晒干，打下种子，除去杂质。

**| 药材性状 |** 本品根茎呈圆柱形，有的分枝，长短不一，长 30 ~ 60cm，直径 0.2 ~ 0.4cm，表面黄白色或淡黄色，微具光泽，具纵皱纹，节明显，稍突起，偶见须根残留，节间长短不等，长 1.5 ~ 3cm，质地坚硬，断面中央有白色髓心，皮部与中柱不易剥离。无臭，味淡。

**| 功能主治 |** 甘，寒。清热解毒，凉血利尿，滋补。用于胃热烦渴，呕吐，鼻衄，水肿，癃闭，肺热咳嗽，黄疸，高血压，热淋，尿血。

**| 用法用量 |** 内服煎汤，15 ~ 24g。

**| 附　　注 |** 在 FOC 中，本种的拉丁学名被修订为 *Pennisetum flaccidum* Grisebach。

禾本科 Gramineae 虉草属 *Phalaris*

# 虉草 *Phalaris arundinacea* Linn.

**| 药 材 名 |** 虉草（药用部位：全草。别名：草芦、园草芦、马羊草）。

**| 形态特征 |** 多年单生或丛生草本，高 60 ~ 140cm。有根茎。秆有 6 ~ 8 节。叶鞘无毛，下部者长于节间而上部者短于节间；叶舌薄膜质；叶片扁平，幼嫩时微粗糙。圆锥花序紧密狭窄，分枝直向上举，密生小穗，小穗无毛或有微毛；颖沿脊上粗糙，上部有极狭的翼；孕花外稃宽披针形，上部有柔毛；内稃舟形，背具 1 脊，脊的两侧疏生柔毛；不孕外稃 2，退化为线形，具柔毛。花期 6 ~ 7 月，花果期 7 ~ 8 月。

**| 生境分布 |** 生于林下、潮湿草地或水湿处。吉林各地均有分布。

**| 资源情况 |** 野生资源较丰富。药材主要来源于野生。

虉草

| 采收加工 | 夏、秋季采收，除去杂质，晒干。

| 药材性状 | 本品根茎细长。秆有节。叶鞘无毛；叶舌薄膜质；叶片扁平，幼嫩时微粗糙。圆锥花序紧密狭窄，分枝直向上举，密生小穗，小穗无毛或有微毛。气微，味微苦。

| 功能主治 | 苦、辛，平。燥湿止带，调经。用于带下，月经不调，外阴湿痒。

| 用法用量 | 内服煎汤，9 ~ 15g。

禾本科 Gramineae 梯牧草属 *Phleum*

# 梯牧草 *Phleum pratense* L.

**| 植物别名 |** 猫尾草。

**| 药 材 名 |** 梯牧草（药用部位：全草）。

**| 形态特征 |** 多年生草本，高 40 ~ 120cm。须根稠密，有短根茎。秆直立，基部常球状膨大并宿存枯萎叶鞘，具 5 ~ 6 节。叶鞘松弛，多短于节间，但下部者长于节间，光滑无毛；叶舌膜质；叶片扁平，两面及边缘粗糙。圆锥花序圆柱状，灰绿色；小穗长圆形；颖膜质，具 3 脉，脊上具硬纤毛，先端平截，具尖头；外稃薄膜质，具 7 脉，脉上具微毛，先端钝圆；内稃略短于外稃；花药极短。颖果长圆形。花期 7 ~ 8 月，果期 9 ~ 10 月。

梯牧草

**| 生境分布 |** 生于田野、荒地、路旁及住宅附近，常成片生长。分布于吉林延边（安图、汪清）、白山（临江、长白）、通化（通化）等。

**| 资源情况 |** 野生资源较少。药材主要来源于野生。

**| 采收加工 |** 春、夏季采收，除去杂质，晒干。

**| 功能主治 |** 健胃消食，止泻止痢，利尿通淋。用于消化不良，泄泻，痢疾，小便淋痛。

禾本科 Gramineae 芦苇属 *Phragmites*

# 芦苇 *Phragmites australis* (Cav.) Trin. ex Steud.

**| 植物别名 |** 苇子、芦。

**| 药 材 名 |** 芦根（药用部位：新鲜或干燥根茎。别名：芦茅根、苇根、芦菰根）、芦花（药用部位：花）。

**| 形态特征 |** 多年生草本，高 100 ～ 300cm。根茎十分发达。秆直立，具 20 多节，基部和上部的节间较短，最长节间位于下部第 4 ～ 6 节，节下被腊粉。叶鞘下部者短于节间，而上部者长于节间；叶舌边缘密生一圈短纤毛；叶片披针状线形，无毛，先端长渐尖，呈丝形。圆锥花序大型，分枝多数，着生稠密下垂的小穗；小穗柄无毛，小穗含 4 花；颖具 3 脉，第一颖短于第二颖；第一不孕外稃雄性；第二外稃具 3 脉，先端长渐尖，基盘延长，两侧密生等长于外稃的丝状柔毛，与无毛

芦苇

的小穗轴相连接处具明显关节，成熟后易自关节上脱落；内稃两脊粗糙；雄蕊3；花药黄色。颖果。花期7～8月，果期8～9月。

| 生境分布 | 生于草原、山坡、沼泽地、湖泊周边、田间地头、江河沿岸、池塘、沟渠附近等，常成单优势的大面积群落。吉林各地均有分布。

| 资源情况 | 野生资源丰富。药材主要来源于野生。

| 采收加工 | 芦根：全年均可采挖，除去芽、须根及膜状叶，鲜用或晒干。

芦花：夏季采收，阴干。

| 药材性状 | 芦根：本品鲜品呈长圆柱形，有的略扁，长短不一，直径1～2cm。表面黄白色，有光泽，外皮疏松可剥离，节呈环状，有残根和芽痕。体轻，质韧，不易折断。切断面黄白色，中空，壁厚1～2mm，有小孔排列成环。干品呈扁圆柱形，节处较硬，节间有纵皱纹。气微，味甘。以条粗均匀、色黄白、有光泽、无须根者为佳。

芦花：本品为由穗状花序组成的圆锥花序，长20～30cm；下部梗腋间具白柔毛，灰棕色至紫色；小穗长15～20mm，有小花4～7，第一花通常为雄花，其他为两性花；颖片线形，展平后披针形，不等长，第一颖片长为第二颖片之半或更短；外稃具白色柔毛。质轻。气微，味淡。

| 功能主治 | 芦根：甘，寒。归肺、胃、膀胱经。清热泻火，生津止渴，除烦止呕，利尿。用于热病烦渴，肺热咳嗽，肺痈吐脓，胃热呕哕，热淋涩痛。

芦花：甘，寒。止泻，止血，解毒。用于吐泻，衄血，血崩，外伤出血，鱼蟹中毒。

| 用法用量 | 芦根：内服煎汤，15～30g，鲜品60～120g；或鲜品捣汁。外用适量，煎汤洗。

芦花：内服煎汤，15～30g。外用适量，捣敷；或烧存性，研末吹鼻。

| 附　　注 | （1）芦根药用量较大，市场价格走势一般。吉林西部河流、沼泽较多的市县有少量产出。由于所产药材比较细小，质量稍次，多自产自销，无商品供市。

（2）2020年版《中国药典》记载本种的拉丁学名为 *Phragmites communis* Trin.。

禾本科 Gramineae 早熟禾属 *Poa*

# 细叶早熟禾 *Poa angustifolia* L.

| 药 材 名 | 细叶早熟禾（药用部位：全草）。

| 形态特征 | 多年丛生型草本，高 30 ~ 60cm。具匍匐根茎。秆直立，平滑无毛。叶鞘稍短于其节间而数倍长于其叶片；叶舌截平；叶片狭线形，对折或扁平；茎生叶较长；分蘖叶片内卷，且长于茎生叶。圆锥花序长圆形，分枝直立或上升，微粗糙，3 ~ 5 枚着生于各节，基部主枝长，侧生小穗柄短；小穗卵圆形，含 2 ~ 5 小花，绿色或带紫色；颖几近相等，先端尖，脊上微粗糙，第一颖稍短，具 1 脉；外稃先端尖，具狭膜质，脊上部 1/3 微粗糙，下部 2/3 和边脉下部 1/2 具长柔毛，间脉明显，无毛，基盘密生长绵毛，第一外稃短；内稃等长或稍长于外稃，脊具短纤毛；花药极短。颖果纺锤形，扁平。花

细叶早熟禾

期 6 ～ 7 月，果期 7 ～ 9 月。

**| 生境分布 |** 生于松树林缘、较平缓的山坡草地。吉林无野生分布。吉林部分地区有栽培。

**| 资源情况 |** 吉林有栽培。药材主要来源于栽培。

**| 采收加工 |** 春、夏季采收，除去杂质，晒干。

**| 功能主治 |** 清热解毒，利水消肿，止痛。用于小便不利，水肿，咽喉肿痛。

**| 附　　注 |** 在 FOC 中，本种的拉丁学名被修订为 *Poa pratensis* subsp. *angustifolia* (Linnaeus) Lejeun。

禾本科 Gramineae 早熟禾属 *Poa*

# 林地早熟禾 *Poa nemoralis* L.

| 药 材 名 | 林地早熟禾（药用部位：全草）。

| 形态特征 | 多年生疏丛型草本，高 30 ~ 70cm。不具根茎。秆直立或铺散。具 3 ~ 5 节，花序以下部分微粗糙，细弱。叶鞘平滑或糙涩，稍短或稍长于其节间，基部者带紫色；叶舌截圆或细裂；叶片扁平，柔软，边缘和两面平滑无毛。圆锥花序狭窄柔弱，分枝开展，2 ~ 5 着生主轴各节，疏生 1 ~ 5 小穗，微粗糙，下部长裸露，基部主枝稍长；小穗披针形，人多含 3 小花，小穗轴具微毛；颖披针形，具 3 脉，边缘膜质，先端渐尖，脊上部糙涩，第一颖较短而狭窄；外稃长圆状披针形，先端具膜质，间脉不明显，脊中部以下与边脉下部 1/3 具柔毛，基盘具少量绵毛，第一外稃短；内稃两脊粗糙；花

林地早熟禾

药极短。颖果。花期 5 ~ 6 月，果期 7 ~ 8 月。

| **生境分布** | 生于山坡、路边、草地、灌丛及林缘等。以长白山区为主要分布区域，分布于吉林延边、白山、通化、吉林、辽源（东丰）等。

| **资源情况** | 野生资源较少。药材主要来源于野生。

| **采收加工** | 春、夏季采收，除去杂质，晒干。

| **功能主治** | 清热解毒，利水消肿，止痛。用于小便不利，水肿，咽喉肿痛。

禾本科 Gramineae 鹅观草属 *Roegneria*

# 鹅观草 *Roegneria kamoji* Ohwi

**| 植物别名 |** 弯鹅观草、弯穗鹅观草、垂穗鹅观草。

**| 药 材 名 |** 鹅观草（药用部位：全草。别名：弯鹅观草、弯穗鹅观草、垂穗鹅观草）。

**| 形态特征 |** 多年丛生草本，高 30 ~ 100cm。秆直立或基部倾斜。叶鞘外侧边缘常具纤毛；叶片扁平。穗状花序，弯曲或下垂，小穗绿色或带紫色，含 3 ~ 10 小花；颖卵状披针形至长圆状披针形，先端锐尖至具短芒，边缘为宽膜质，第一颖短于第二颖；外稃披针形，具有较宽的膜质边缘，背部以及基盘近无毛或仅基盘两侧具有极微小的短毛，上部具明显的 5 脉，脉上稍粗糙，第一外稃先端延伸成芒，芒粗糙，劲直或上部稍有曲折；内稃约与外稃等长，先端钝头，脊显著具翼，

鹅观草

翼缘具有细小纤毛。花期 7 ~ 8 月，果期 8 ~ 9 月。

| **生境分布** | 生于山坡、林缘、路旁、湿润草地等。以长白山区为主要分布区域，分布于吉林延边、白山、通化、吉林、辽源（东丰）等。

| **资源情况** | 野生资源较丰富。药材主要来源于野生。

| **采收加工** | 夏、秋季采收，除去杂质，晒干。

| **药材性状** | 本品秆呈圆柱形。叶鞘外侧边缘常具纤毛；叶片扁平。穗状花序，弯曲或下垂；小穗绿色或带紫色；颖卵状披针形至长圆状披针形，边缘为宽膜质。气微，味微甜。

| **功能主治** | 甘，凉。清热，凉血，镇痛。用于咳嗽痰中带血，劳伤疼痛，丹毒。

| **用法用量** | 内服 30g，浸酒服。

禾本科 Gramineae 狗尾草属 *Setaria*

# 大狗尾草 *Setaria faberii* Herrm.

大狗尾草

## | 植物别名 |

法氏狗尾草。

## | 药 材 名 |

大狗尾草（药用部位：全草。别名：狗尾巴）。

## | 形态特征 |

一年生草本，高50 ~ 120cm。通常具支柱根。秆粗壮而高大、直立或基部膝曲，光滑无毛。叶鞘松弛，边缘具细纤毛，部分基部叶鞘边缘膜质、无毛；叶舌具密集的纤毛；叶片线状披针形，无毛或上面具较细疣毛，少数下面具细疣毛，先端渐尖细长，基部钝圆或渐窄狭，几呈柄状，边缘具细锯齿。圆锥花序紧缩，呈圆柱状，通常垂头，主轴具较密长柔毛，花序基部通常不间断，偶见间断；小穗椭圆形，先端尖，下托以1 ~ 3枚较粗而直的刚毛，刚毛通常绿色，少具浅褐紫色，粗糙；第一颖长为小穗的1/3 ~ 1/2，宽卵形，先端尖，具3脉；第二颖长为小穗的3/4或稍短于小穗，少数长为小穗的1/2，先端尖，具5 ~ 7脉；第一外稃与小穗等长，具5脉，其内稃膜质，披针形，长为小穗的1/3 ~ 1/2；第二外稃与第一外稃等长，具细横皱纹，先端尖，成熟后背部强烈膨胀隆起，鳞被楔形；花柱基部分离。颖果椭圆形，先端尖。花期 7 ~ 8 月，果期 8 ~ 9 月。

**｜生境分布｜** 生于山坡、路旁、田园及荒野等。吉林各地均有分布。

**｜资源情况｜** 野生资源较少。药材主要来源于野生。

**｜采收加工｜** 夏、秋季采收，除去杂质，晒干。

**｜功能主治｜** 甘，平。清热，消疳，杀虫止痒。用于小儿疳积，风疹，牙痛。

**｜用法用量｜** 内服煎汤，10 ~ 30g。

禾本科 Gramineae 狗尾草属 *Setaria*

# 金色狗尾草 *Setaria glauca* (L.) Beauv.

**| 植物别名 |** 金狗尾草、黄狗尾草、毛狗草。

**| 药 材 名 |** 金色狗尾草（药用部位：全草。别名：金狗尾、狗尾草、狗尾巴）。

**| 形态特征 |** 一年单生或丛生型草本，高 20 ~ 90cm。秆直立或基部膝曲，近地面节可生根，光滑无毛，仅花序下面稍粗糙。叶鞘下部扁压具脊，上部圆形，边缘薄膜质，光滑无纤毛；叶舌具一圈的纤毛；叶片线状披针形或狭披针形，上面粗糙，下面光滑，近基部疏生长柔毛。圆锥花序紧密，呈圆柱状，直立，主轴具短细柔毛，刚毛金黄色或稍带褐色，粗糙，先端尖，通常仅具一个发育的小穗；第一颖宽卵形或卵形，长为小穗的 1/3 ~ 1/2，先端尖，具 3 脉；第二颖宽卵形，长为小穗的 1/2 ~ 2/3，先端稍钝，具 5 ~ 7 脉；第一小花雄性或中

金色狗尾草

性，第一外稃与小穗等长，具 5 脉，其内稃膜质，等长且等宽于第二小花，具 2 脉，通常含 3 雄蕊或无；第二小花两性，外稃革质，等长于第一外稃；先端尖，成熟时背部强烈隆起，具明显的横皱纹，鳞被楔形，花柱基部联合。花期 8 ~ 9 月，果期 9 ~ 10 月。

**| 生境分布 |** 生于荒地、田野、路边、沟边、山坡等，常成片生长。吉林各地均有分布。

**| 资源情况 |** 野生资源丰富。药材主要来源于野生。

**| 采收加工 |** 夏、秋季采收，晒干。

**| 功能主治 |** 甘、淡，平。清热，明目，止痢。用于目赤肿痛，眼睑炎，赤白痢疾。

**| 用法用量 |** 内服煎汤，9 ~ 15g。

**| 附　　注 |** 在 FOC 中，本种的拉丁学名被修订为 *Setaria pumila* (Poiret) Roemer & Schultes。

禾本科 Gramineae 狗尾草属 *Setaria*

# 粱 *Setaria italica* (L.) Beauv.

**| 植物别名 |** 谷子。

**| 药 材 名 |** 秫米（药用部位：种仁。别名：谷子、小米、黄米）、谷芽（药用部位：成熟种子发的芽）。

**| 形态特征 |** 一年生草本，高 10 ~ 100cm 或更高。须根粗大。秆粗壮，直立。叶鞘松裹茎秆，密具疣毛或无毛，毛以近边缘及与叶片交接处的背面为密，边缘密具纤毛；叶舌为一圈纤毛；叶片长披针形或线状披针形，先端尖，基部钝圆，上面粗糙，下面稍光滑。圆锥花序呈圆柱状或近纺锤状，通常下垂，基部多少有间断，常因品种的不同而多变异，主轴密生柔毛，刚毛显著长于或稍长于小穗，黄色、褐色或紫色；小穗椭圆形或近圆球形，黄色、橘红色或紫色；第一颖长

粱

为小穗的 1/3 ~ 1/2，具 3 脉；第二颖稍短于小穗，先端钝，具 5 ~ 9 脉；第一外稃与小穗等长，具 5 ~ 7 脉，其内稃薄纸质，披针形，长为小穗的 2/3；第二外稃等长于第一外稃，卵圆形或圆球形，质坚硬，平滑或具细点状皱纹，成熟后，自第一外稃基部和颖分离脱落，鳞被先端不平，呈微波状，花柱基部分离。花期 7 ~ 8 月，果期 8 ~ 9 月。

**| 生境分布 |** 生于田间等。吉林无野生分布。吉林各地均有栽培。

**| 资源情况 |** 吉林各地广泛栽培。药材主要来源于野生。

**| 采收加工 |** 秫米：秋季种子成熟后采收，除去外壳，晒干。

谷芽：将粟谷用水浸泡后，保持适宜的温度、湿度，待须根长至约 6mm 时，晒干或低温干燥。

**| 药材性状 |** 秫米：本品呈小球形，直径 1 ~ 1.5mm，表面棕色至灰棕色。有外稃和内稃包围。剥去内、外稃壳即为种子，表面淡黄色，光滑，基部有黄褐色的胚，长约 1mm，胚乳近白色。质坚，断面粉质。气微，味微甜。

谷芽：本品呈类圆球形，直径约 2mm，先端钝圆，基部略尖。外壳为革质的稃片，淡黄色，具点状皱纹，下端有初生的细须根，长 3 ~ 6mm，剥去稃片，内含淡黄色或黄白色颖果（小米）1。无臭，味微甘。

**| 功能主治 |** 秫米：甘，微寒。归肺、胃、大肠经。祛风除湿，和胃安神，解毒敛疮。用于疟疾寒热，筋骨挛急，泄泻痢疾，夜寐不安，疔疮肿毒，漆疮，冻疮，犬咬伤。

谷芽：消食和中，健脾开胃。用于食积不消，腹胀口臭，脾胃虚弱，不饥食少。

**| 用法用量 |** 秫米：内服煎汤，9 ~ 15g，包煎；或煮粥；或酿酒。外用适量，研末撒；或捣敷。

谷芽：内服煎汤，10 ~ 15g，大剂量可用 30g；或研末。

禾本科 Gramineae 狗尾草属 *Setaria*

# 狗尾草 *Setaria viridis* (L.) Beauv.

**| 植物别名 |** 金毛狗尾草、谷莠子、毛狗草。

**| 药 材 名 |** 狗尾草（药用部位：全草。别名：谷莠子）。

**| 形态特征 |** 一年生草本，高 10 ~ 100cm。根为须状，高大植株具支持根。秆直立或基部膝曲。叶鞘松弛，无毛或疏具柔毛或疣毛，边缘具较长的密绵毛状纤毛；叶舌极短；叶片扁平，长三角状狭披针形或线状披针形，先端长渐尖或渐尖，基部钝圆形，几呈截状或渐窄，通常无毛或疏被疣毛，边缘粗糙。圆锥花序紧密，呈圆柱状，或基部稍疏离，直立或稍弯垂，主轴被较长柔毛，刚毛粗糙或微粗糙，直或稍扭曲，通常绿色或褐黄至紫红或紫色；小穗 2 ~ 5 簇生于主轴上或更多的小穗着生在短小枝上，椭圆形，先端钝，铅绿色；第一颖卵形、宽

狗尾草

卵形，长约为小穗的 1/3，先端钝或稍尖，具 3 脉；第二颖几与小穗等长，椭圆形，具 5 ~ 7 脉；第一外稃与小穗等长，具 5 ~ 7 脉，先端钝，其内稃短小、狭窄；第二外稃椭圆形，先端钝，具细点状皱纹，边缘卷抱内稃，成熟时背部稍隆起，鳞被楔形，先端微凹；花柱基分离。花期 8 ~ 9 月，果期 9 ~ 10 月。

**| 生境分布 |** 生于荒地、田野、路边、沟边、住宅附近，常成片生长。吉林各地均有分布。

**| 资源情况 |** 野生资源丰富。药材主要来源于野生。

**| 采收加工 |** 夏、秋季采收，除去杂质，晒干。

**| 药材性状 |** 本品全体呈灰黄白色，表面有毛状物，长 30 ~ 90cm。秆纤细。叶线状，互生。秆先端有柱状圆锥花序，长 2 ~ 15cm，小穗 2 ~ 6 成簇，生于缩短的分枝上，基部具刚毛，有的已脱落，颖与外稃略与小穗等长。颖果长圆形，成熟后背部稍隆起，边缘卷抱内稃。质纤弱，易折断。气微，味淡。

**| 功能主治 |** 淡，凉。归心、肝经。清热解毒，祛风明目，除热祛湿，消肿，杀虫。用于痈疮肿毒，黄水疮，癣疥流汁，瘙痒，疣目，目赤多泪，老年眼目不明，头昏胀痛，黄发。

**| 用法用量 |** 内服煎汤，6 ~ 12g，鲜品可用 30 ~ 60g。外用适量，煎汤洗或捣敷。

禾本科 Gramineae 高粱属 *Sorghum*

# 高粱 *Sorghum bicolor* (L.) Moench

**| 植物别名 |** 蜀黍、荻粱、乌禾。

**| 药 材 名 |** 高粱（药用部位：种仁。别名：蜀黍、荻粱、乌禾）。

**| 形态特征 |** 一年生草本，高 3 ~ 4m。秆较粗壮，直立，节间长，基部节上具支持根。叶互生；叶鞘无毛或稍有白粉；叶舌硬膜质；叶片线形至线状披针形，先端渐尖，基部圆或微呈耳形，表面暗绿色，背面淡绿色或有白粉，边缘软骨质，中脉较宽，白色。圆锥花序疏松，总梗直立或微弯曲，主轴具纵棱，疏生细柔毛，分枝 3 ~ 7，轮生，每一总状花序具 3 ~ 6 节，节间粗糙或稍扁，无柄小穗倒卵形或倒卵状椭圆形；两颖均革质，有毛，初时黄绿色，成熟后为淡红色至暗棕色；第一颖背部圆凸，边缘内折而具狭翼，向下变硬而有光泽，具 12 ~ 16 脉，先端

高粱

尖或具 3 小齿；第二颖 7 ~ 9 脉，背部圆凸，略呈舟形，边缘有细毛；外稃透明膜质，第一外稃披针形，边缘有长纤毛；第二外稃披针形至长椭圆形，具 2 ~ 4 脉，有一膝曲的芒；雄蕊 3，子房倒卵形；花柱分离，柱头帚状。颖果两面平凸，淡红色至红棕色，熟时先端微外露。花期 6 ~ 7 月，果期 8 ~ 9 月。

**| 生境分布 |** 生于农田等。吉林无野生分布。吉林各地均有栽培。

**| 资源情况 |** 吉林各地广泛栽培。药材主要来源于栽培。

**| 采收加工 |** 秋季种子成熟后采收，除去外壳，晒干。

**| 药材性状 |** 本品呈椭圆形而稍扁，长约 5mm。外表面具 1 层棕红色薄膜，基部色较浅，可见果柄痕。质硬，断面白色，富粉性。气微，味淡。

**| 功能主治 |** 温中涩肠，止泻，止霍乱，利气，利尿，碎石。用于霍乱，下痢，小便淋痛不利，小儿消化不良。

**| 用法用量 |** 内服煎汤，30 ~ 60g；或研末。

禾本科 Gramineae 大油芒属 *Spodiopogon*

# 大油芒 *Spodiopogon sibiricus* Trin.

大油芒

## | 植物别名 |

红毛公、红眼八、大白草。

## | 药 材 名 |

大油芒（药用部位：全草。别名：山黄管、大荻）。

## | 形态特征 |

多年生草本，高 70 ~ 150cm。秆直立，通常单一，具 5 ~ 9 节。叶鞘大多长于其节间；叶舌干膜质，截平；叶片线状披针形，先端长渐尖。圆锥花序，总状花序具有 2 ~ 4 节，节具髯毛；小穗极短，宽披针形，草黄色或稍带紫色，基盘具短毛；第一颖草质，先端尖或具 2 微齿，具 7 ~ 9 脉；第二颖与第一颖近等长，先端尖或具小尖头 1，无柄者具 3 脉，有柄者具 5 ~ 7 脉，脉间生柔毛；第一外稃透明膜质，卵状披针形，与小穗等长，先端尖，具 1 ~ 3 脉；雄蕊 3；花药极短；第二小花两性，外稃稍短于小穗，先端深裂达稃体长度的 2/3，自 2 裂片间伸出一芒；芒中部膝曲，芒柱栗色，扭转无毛；内稃先端尖，下部宽大，短于其外稃，无毛；雄蕊 3；花药极短，柱头棕褐色。颖果长圆状披针形，棕栗色。花期 7 ~ 8 月，果期 8 ~ 9 月。

**生境分布** 生于向阳的石质山坡或干燥的沟谷底部，一些草原中也有分布。在向阳山坡或草原，可以形成小片单种群落；也可散生于固定沙丘上；在东部森林区的阳坡，当森林被破坏后可以大量生长。以长白山区为主要分布区域，分布于吉林延边、白山、通化、吉林、辽源（东丰）等。

**资源情况** 野生资源较丰富。药材主要来源于野生。

**采收加工** 春、夏、秋季均可采收，除去杂质，晒干或鲜用。

**药材性状** 本品秆单一，具 5 ~ 9 节。叶鞘大多长于其节间；叶舌干膜质，截平；叶片线状披针形，先端长渐尖。圆锥花序，总状花序具有 2 ~ 4 节，节具髯毛；小穗极短，宽披针形，草黄色或稍带紫色，基盘具短毛。颖果长圆状披针形，棕栗色。气微，味淡。

**功能主治** 清热解毒，和血调经，止血，催产。用于月经过多，难产，胸闷，气胀，阳痿，感冒，喉痛，毒蛇咬伤。

禾本科 Gramineae 针茅属 *Stipa*

# 狼针草 *Stipa baicalensis* Roshev.

| 药 材 名 | 狼针草（药用部位：全草）。

| 形态特征 | 多年生密丛草本，高 50 ~ 80cm。秆直立，具 3 ~ 4 节，基部宿存枯萎的叶鞘。叶鞘平滑或糙涩，下部者通常长于节间；基生叶舌平截或 2 裂，秆生叶舌钝圆或 2 裂，均具睫毛，叶舌短于大针茅叶舌；叶片纵卷成线形，基生叶很长，下面平滑，上面具疏柔毛。圆锥花序基部常藏于叶鞘内，分枝细，直立上举；小穗灰绿色或紫竭色；颖尖披针形，先端细丝状，第一颖具 3 脉，第二颖具 5 脉；外稃先端关节处生 1 圈短毛，背部具贴生成纵行的短毛，基盘尖锐，密生柔毛，芒两回膝曲，光亮无毛，边缘微粗糙，第一芒柱扭转，第二

狼针草

芒柱稍扭转，芒针短于大针茅；内稃具 2 脉；花药黄色。花果期 6 ~ 10 月。

**| 生境分布 |** 生于山坡和草地。吉林各地均有分布。

**| 资源情况 |** 野生资源一般。药材主要来源于野生。

**| 采收加工 |** 春至秋季采收，除去杂质，晒干。

**| 功能主治 |** 祛风除湿。用于风湿痹证。

禾本科 Gramineae 针茅属 *Stipa*

# 大针茅 *Stipa grandis* P. Smirn.

| 药 材 名 | 大针茅（药用部位：全草）。

| 形态特征 | 多年生密丛草本。秆高 50 ~ 100cm，秆直立，具 3 ~ 4 节，基部宿存枯萎叶鞘。叶鞘粗糙或老时变平滑，下部者通常长于节间；基生叶叶舌钝圆，缘具睫毛，秆生者披针形，叶舌长于狼针草叶舌，叶片纵卷似针状，上面具微毛，下面光滑，基生叶很长。圆锥花序基部包藏于叶鞘内，分枝细弱，直立上举，小穗淡绿色或紫色；颖片尖披针形，先端丝状，第一颖具 3 ~ 4 脉，第二颖具 5 脉；外稃具 5 脉，先端关节处生 1 圈短毛，背部具贴生成纵行的短毛，基盘尖锐，具柔毛，芒两回膝曲扭转，微糙涩，第一芒柱长于第二芒柱，芒针卷曲，长于狼针草；内稃与外稃等长，具 2 脉；花药较短。花

大针茅

期 5 ~ 6 月，果期 7 ~ 8 月。

**| 生境分布 |** 生于广阔、平坦的波状高原、干燥草原山坡。分布于吉林白城（大安）、松原（长岭）等。

**| 资源情况 |** 野生资源较丰富。药材主要来源于野生。

**| 采收加工 |** 夏、秋季采收，除去杂质，晒干或鲜用。

**| 药材性状 |** 本品秆具 3 ~ 4 节，基部宿存枯萎叶鞘。叶鞘粗糙或老时变平滑，下部者通常长于节间，基生叶叶舌钝圆，缘具睫毛，秆生者披针形，叶舌长于狼针草叶舌，叶片纵卷似针状，上面具微毛，下面光滑，基生叶很长。圆锥花序基部包藏于叶鞘内，分枝细弱，小穗淡绿色或紫色。颖片尖披针形，先端丝状。气微，味淡。

**| 功能主治 |** 祛风湿。用于痹证。

禾本科 Gramineae 菅属 *Themeda*

# 黄背草 *Themeda japonica* (Willd.) Tanaka

| 药材名 | 黄背草（药用部位：全草）。

| 形态特征 | 多年生簇生草本。秆高 0.5 ~ 1.5m，圆形，压扁或具棱，下部直径可达 5mm，光滑无毛，具光泽，黄白色或褐色，实心，髓白色，有时节处被白粉。叶鞘紧裹秆，背部具脊，通常生疣基硬毛；叶舌坚纸质，长 1 ~ 2mm，先端钝圆，有睫毛；叶片线形，长 10 ~ 50cm，宽 4 ~ 8mm，基部通常近圆形，顶部渐尖，中脉显著，两面无毛或疏被柔毛，背面常粉白色，边缘略卷曲，粗糙。大型伪圆锥花序多回复出，由具佛焰苞的总状花序组成，长为全株的 1/3 ~ 1/2；佛焰苞长 2 ~ 3cm；总状花序长 15 ~ 17mm，具长 2 ~ 5mm 的花序梗，由 7 小穗组成；下部总苞状小穗对轮生于一平

黄背草

面，无柄，雄性，长圆状披针形，长 7 ~ 10mm；第一颖背面上部常生瘤基毛，具多数脉；无柄小穗两性，1 枚，纺锤状圆柱形，长 8 ~ 10mm，基盘被褐色髯毛，锐利；第一颖革质，背部圆形，先端钝，被短刚毛；第二颖与第一颖同质、等长，两边为第一颖所包卷；第一外稃短于颖；第二外稃退化为芒的基部，芒长 3 ~ 6cm，1 ~ 2 回膝曲。颖果长圆形，胚线形，长为颖果的 1/2。有柄小穗形似总苞状小穗，但较短，雄性或中性。花果期 6 ~ 12 月。

**| 生境分布 |** 生于海拔 80 ~ 2700m 的干燥山坡、草地、路旁、林缘等。分布于吉林延边、白山、通化等。

**| 资源情况 |** 野生资源较丰富。药材主要来源于野生。

**| 采收加工 |** 夏、秋季采收，除去杂质，晒干或鲜用。

**| 功能主治 |** 活血调经，祛风除湿。用于经闭，风湿疼痛。此外，根用于滑胎，幼苗用于高血压。

禾本科 Gramineae 荻属 *Triarrhena*

# 荻 *Triarrhena sacchariflora* (Maxim.) Nakai

**| 植物别名 |** 红毛公、荻芒。

**| 药 材 名 |** 巴茅根（药用部位：全草。别名：大茅根、野苇子、红紫）。

**| 形态特征 |** 多年生草本，高 100 ~ 150cm。具发达且被鳞片的长匍匐根茎，节处生有粗根与幼芽。秆直立，具多节，节生柔毛。叶鞘无毛；叶舌短，具纤毛；叶片扁平，宽线形，边缘锯齿状粗糙，基部常收缩成柄，中脉白色，粗壮。圆锥花序具 10 ~ 20 较细弱的分枝，总状花序轴节间具短柔毛，穗柄基部腋间常生有柔毛，短柄，小穗成熟后带褐色，基盘具长为小穗 2 倍的丝状柔毛；第一颖 2 脊间具 1 脉或无脉，先端膜质长渐尖，边缘和背部具长柔毛；第二颖与第一颖近

荻

等长，形似，但具纤毛，有 3 脉；第一外稃稍短于颖，先端尖，具纤毛；第二外稃狭窄披针形，短于颖片的 1/4，先端尖，具小纤毛，无脉或具 1 脉；第二内稃长约为外稃之半，具纤毛，雄蕊 3，柱头紫黑色。颖果长圆形。花期 7 ~ 8 月，果期 9 ~ 10 月。

**| 生境分布 |** 生于山坡草地、路旁、田边、平原岗地、河岸湿地等，常成片生长。吉林各地均有分布。

**| 资源情况 |** 野生资源较丰富。药材主要来源于野生。

**| 采收加工 |** 夏、秋季采收，除去杂质，晒干或鲜用。

**| 药材性状 |** 本品呈扁圆柱形，常弯曲，直径 2.5 ~ 5mm。表面黄白色，略具光泽及纵纹。节部常有极短的毛茸或鳞片，节距 0.5 ~ 1.9cm。质硬脆，断面皮部裂隙小，中心有一小孔，孔周围粉红色。气微，味淡。

**| 功能主治 |** 甘，凉。清热，活血。用于妇女干血痨，产妇失血口渴，牙痛。

**| 附　　注 |** 在 FOC 中，本种的拉丁学名被修订为 *Miscanthus sacchariflorus* (Maximowicz) Hackel。

禾本科 Gramineae 小麦属 *Triticum*

# 普通小麦 *Triticum aestivum* L.

**| 药 材 名 |** 浮小麦（药用部位：干燥、轻浮、瘪瘦的果实）。

**| 形态特征 |** 一年或越年生草本，高 60 ～ 100cm。秆直立，丛生，具 6 ～ 7 节；叶鞘松弛包茎，下部者长于上部者短于节间；叶舌膜质；叶片长披针形。穗状花序直立；小穗含 3 ～ 9 小花，上部者不发育；颖卵圆形，主脉于背面上部具脊，于先端延伸为齿，侧脉的背脊及顶齿均不明显；外稃长圆状披针形，先端具芒或无芒；内稃与外稃几等长。

**| 生境分布 |** 生于农田。吉林无野生分布。吉林西部平原有栽培。

**| 资源情况 |** 吉林有栽培。药材主要来源于栽培。

普通小麦

**| 采收加工 |** 果实成熟时采收，取瘪瘦、轻浮且未脱净皮的麦粒，去杂质，筛去灰屑，用水漂洗，晒干。

**| 药材性状 |** 本品干燥颖果呈长圆形，长 2 ~ 6mm，直径 1.5 ~ 2.5mm。表面浅黄棕色或黄色，略皱，腹面中央有较深的纵沟，背面基部有不明显的胚 1，先端有黄色柔毛。质坚硬，少数极瘪者质地较软。断面白色或淡黄棕色。少数带有颖及稃。无臭，味淡。

**| 功能主治 |** 甘，凉。归心经。除虚热，止汗。用于阴虚发热，盗汗，自汗。

**| 用法用量 |** 内服煎汤，15 ~ 30g；或研末。止汗宜微炒用。

禾本科 Gramineae 玉蜀黍属 *Zea*

# 玉蜀黍 *Zea mays* L.

**| 植物别名 |** 玉米。

**| 药 材 名 |** 玉米须（药用部位：花柱）、玉米（药用部位：种子。别名：苞米、苞芦、珍珠米）、玉蜀黍根（药用部位：根）、玉蜀黍叶（药用部位：叶）、玉米轴（药用部位：穗轴）。

**| 形态特征 |** 一年生高大草本，高 1 ~ 4m。秆直立，通常不分枝，基部各节具气生支柱根。叶鞘具横脉；叶舌膜质；叶片扁平宽大，线状披针形，基部圆形呈耳状，无毛或具疵柔毛；中脉粗壮，边缘微粗糙。顶生雄性圆锥花序大型，主轴与总状花序轴及其腋间均被细柔毛；雄性小穗孪生，小穗柄一长一短，被细柔毛；两颖近等长，膜质，约具 10 脉，被纤毛；外稃及内稃透明膜质，稍短于颖；花药橙黄色。雌花序被多数宽大的鞘状苞片所包藏；雌性小穗孪生，成 16 ~ 30

玉蜀黍

纵行排列于粗壮之序轴上；两颖等长，宽大，无脉，具纤毛；外稃及内稃透明膜质，雌蕊具极长而细弱的线形花柱。颖果球形或扁球形，成熟后露出颖片和稃片，其大小随生长条件不同而产生差异，宽略过于其长，胚长为颖果的1/2 ~ 2/3。花期7 ~ 8月，果期9 ~ 10月。

**| 生境分布 |** 生于农田。吉林无野生分布。吉林各地均有栽培。

**| 资源情况 |** 吉林各地广泛栽培。药材主要来源于栽培。

**| 采收加工 |** 玉米须：夏、秋季采收。
玉米：种子成熟时采收果穗，晒干，打下种子，除去杂质。
玉蜀黍根：秋季采挖，除净泥沙和杂质，干燥。
玉蜀黍叶：8 ~ 9月份采收，晒干。
玉米轴：穗轴切片，晒干。

**| 药材性状 |** 玉米须：本品常集结成疏松团簇，花柱线状或须状，完整者长至30cm，直径约0.5mm，淡黄色、黄绿色、黄棕色至黑褐色，有光泽，柱头短，2裂。质柔软。气微，味微甜。
玉米：本品呈近圆形或扁平形。一般长5 ~ 10mm，宽略过于其长。果皮多为黄、白两种。胚较大，长为颖果的1/2 ~ 2/3，位于子粒一侧。质坚硬，断面黄白色。无臭，味淡。

**| 功能主治 |** 玉米须：甘、淡，平。归膀胱、肝、胆经。利尿，泻热，平肝，利胆。用于肾炎水肿，脚气，黄疸性肝炎，高血压，胆囊炎，胆结石，糖尿病，吐血，衄血，鼻渊，乳痈。
玉米：甘，平。归胃、大肠经。调中开胃，益肺宁心，健胃。用于食欲不振，小便不利，水肿，尿路结石。
玉蜀黍根：甘，平。归心、肾、膀胱经。利尿，祛瘀。用于石淋，吐血。
玉蜀黍叶：微甘，凉。归心、肾经。利尿通淋。用于石淋。
玉米轴：甘，平。归脾、肾、膀胱经。健脾利湿。用于小便不利，脚气，泄泻。

**| 用法用量 |** 玉米须：内服煎汤，15 ~ 30g，大剂量可用60 ~ 0g；或烧存性，研末。外用适量，烧烟吸入。
玉米：内服煎汤，30 ~ 60g；或煮食；或磨成细粉做饼。
玉蜀黍根：内服煎汤，30 ~ 60g。
玉蜀黍叶：内服煎汤，9 ~ 15g。
玉米轴：内服煎汤，9 ~ 12g；或煅存性，研末冲。外用适量，烧灰调敷。

禾本科 Gramineae 菰属 *Zizania*

# 菰 *Zizania latifolia* (Griseb.) Stapf

**| 植物别名 |** 菰米、菰实、茭白。

**| 药 材 名 |** 茭白（药用部位：菰的嫩茎秆被菰黑粉刺激而形成的纺锤形肥大的部分。别名：高笋、菰笋、菰首）、菰根（药用部位：根茎）、菰米（药用部位：果实）。

**| 形态特征 |** 多年生草本，高 100 ~ 200cm。具匍匐根茎，须根粗壮。秆高大直立，具多数节，基部节上生不定根。叶鞘长于其节间，肥厚，有小横脉；叶舌膜质，先端尖；叶片扁平宽大。圆锥花序，分枝多数簇生，上升，果期开展；雄小穗两侧压扁，着生于花序下部或分枝之上部，带紫色，外稃具 5 脉，先端渐尖具小尖头，内稃具 3 脉，中脉成脊，具毛，雄蕊 6，花药稍短；雌小穗圆筒形，着生于花序上部和分枝

菰

下方与主轴贴生处，外稃具 5 脉，粗糙，内稃具 3 脉。颖果圆柱形。花期 7 ~ 8 月，果期 8 ~ 9 月。

**| 生境分布 |** 生于湖泊、沼泽、池塘、水沟边及湿地等。以长白山区为主要分布区域，分布于吉林延边、白山、通化、吉林、辽源（东丰）等。

**| 资源情况 |** 野生资源较少。药材主要来源于野生。

**| 采收加工 |** 茭白：秋季采收，鲜用或晒干。

菰根：秋季采挖，鲜用或晒干。

菰米：秋季果实成熟时采收，鲜用或晒干。

**| 药材性状 |** 菰米：本品呈圆柱形，长 1 ~ 1.5cm，直径 1 ~ 2mm，两端渐尖。表面棕褐色，有 1 条因稃脉挤压而形成的沟纹，腹面从基部至中部有一条弧形的因胚体突出而形成的脊纹，脊纹两侧微凹下，长至 0.6cm，折断面灰白色，富有油质，质坚硬而脆。气微弱，味微甘。

**| 功能主治 |** 茭白：甘，寒。解热毒，除烦渴，利二便。用于烦热，消渴，二便不通，黄疸，痢疾，热淋，目赤，乳汁不下，疮疡。

菰根：甘，寒。清热解毒。用于消渴，烫火伤。

菰米：清热除烦，生津止渴。用于心烦，口渴，大便不通，小便不利。

棕榈科 Palmae 槟榔属 *Areca*

# 槟榔 *Areca catechu* Linn.

**| 植物别名 |** 槟榔子、大腹子。

**| 药 材 名 |** 槟榔（药用部位：种子。别名：榔玉、宾门、青仔）。

**| 形态特征 |** 绿乔木，茎直立，乔木状，高 10 多米，最高可达 30m，有明显的环状叶痕。叶簇生于茎顶，长 1.3 ~ 2m，羽片多数，两面无毛，狭长披针形，长 30 ~ 60cm，宽 2.5 ~ 4cm，上部的羽片合生，先端有不规则齿裂。雌雄同株，花序多分枝，花序轴粗壮压扁，分枝曲折，长 25 ~ 30cm，上部纤细，着生 1 列或 2 列的雄花，而雌花单生于分枝的基部；雄花小，无梗，通常单生，很少成对着生，萼片卵形，长不到 1mm，花瓣长圆形，长 4 ~ 6mm，雄蕊 6，花丝短，退化雌

槟榔

蕊 3，线形；雌花较大，萼片卵形，花瓣近圆形，长 1.2 ~ 1.5cm，退化雄蕊 6，合生；子房长圆形。果实长圆形或卵球形，长 3 ~ 5cm，橙黄色，中果皮厚，纤维质。种子卵形，基部截平，胚乳嚼烂状，胚基生。花果期 3 ~ 4 月。

**| 生境分布 |** 生于植物园、公园、药园等。吉林无野生分布。

**| 资源情况 |** 吉林偶见栽培。药材主要来源于栽培。

**| 采收加工 |** 春末至秋初采收成熟果实，用水煮后干燥，除去果皮，取出种子，干燥。

**| 药材性状 |** 本品呈扁球形或圆锥形，高 1.5 ~ 3.5cm，底部直径 1.5 ~ 3cm。表面淡黄棕色或淡红棕色，具稍凹下的网状沟纹，底部中心有圆形凹陷的珠孔，其旁有 1 明显疤痕状种脐。质坚硬，不易破碎，断面可见棕色种皮与白色胚乳相间的大理石样花纹。气微，味涩、微苦。以果大体重、坚实、不破裂者为佳。

**| 功能主治 |** 苦、辛，温。归胃、大肠经。杀虫消积，降气，行水，截疟。用于绦虫、蛔虫、姜片虫病，积滞泻痢，里急后重，水肿脚气，疟疾。

**| 用法用量 |** 内服煎汤，3 ~ 9g；驱绦虫、蛔虫、姜片虫可用 30 ~ 60g。

棕榈科 Palmae 鱼尾葵属 *Caryota*

# 鱼尾葵 *Caryota ochlandra* Hance

鱼尾葵

## | 植物别名 |

青棕。

## | 药 材 名 |

鱼尾葵叶 [ 药用部位：叶鞘纤维（煅炭备用）]、鱼尾葵根（药用部位：根）。

## | 形态特征 |

常绿大乔木，高 10 ~ 15（ ~ 20）m，直径 15 ~ 35cm，茎绿色，被白色的毡状绒毛，具环状叶痕。叶长 3 ~ 4m，幼叶近革质，老叶厚革质；羽片长 15 ~ 60cm，宽 3 ~ 10cm，互生，罕见顶部的近对生，最上部的 1 羽片大，楔形，先端 2 ~ 3 裂，侧边的羽片小，菱形，外缘笔直，内缘上半部或 1/4 以上弧曲成不规则的齿缺，且延伸成短尖或尾尖。佛焰苞与花序无糠秕状的鳞秕；花序长 3 ~ 3.5（ ~ 5）m，具多数穗状的分枝花序，长 1.5 ~ 2.5m；雄花花萼与花瓣不被脱落性的毡状绒毛，萼片宽圆形，长约 5mm，宽约 6mm，盖萼片小于被盖的侧萼片，表面具疣状突起，边缘不具半圆齿，无毛，花瓣椭圆形，长约 2cm，宽约 8mm，黄色，雄蕊（31 ~ ）50 ~ 111，花药线形，长约 9mm，黄色，花丝近白色；雌花花萼长约

3mm，宽约 5mm，先端全缘，花瓣长约 5mm；退化雄蕊 3，钻状，为花冠长的 1/3；子房近卵状三棱形，柱头 2 裂。果实球形，成熟时红色，直径 1.5 ~ 2cm。种子 1，罕为 2，胚乳嚼烂状。花期 5 ~ 7 月，果期 8 ~ 11 月。

**| 生境分布 |** 生于海拔 450 ~ 700m 的山坡或沟谷林中。吉林无野生分布。吉林植物园、药园有栽培。

**| 资源情况 |** 吉林偶见栽培。药材主要来源于栽培。

**| 采收加工 |** 鱼尾葵叶：全年均可采收，切碎晒干。

鱼尾葵根：全年均可采收，洗净，晒干。

**| 功能主治 |** 鱼尾葵叶：微甘、涩，平。收敛止血。用于吐血，咯血，便血，血崩。

鱼尾葵根：微甘、涩，平。强筋壮骨。用于肝肾亏虚，筋骨痿软。

**| 用法用量 |** 鱼尾葵叶：内服煅炭，10 ~ 15g，煎汤服。

鱼尾葵根：内服煎汤，10 ~ 15g。

天南星科 Araceae 菖蒲属 *Acorus*

# 菖蒲 *Acorus calamus* L.

**| 植物别名 |** 水菖蒲、大叶菖、蒲臭草。

**| 药 材 名 |** 藏菖蒲（药用部位：根茎。别名：大叶菖、蒲臭草、臭蒲子）。

**| 形态特征 |** 多年生草本。根茎横走，稍扁，分枝，外皮黄褐色，芳香，肉质根多数，具毛发状须根。叶基生，基部两侧膜质叶鞘向上渐狭，至叶长 1/3 处渐行消失、脱落；叶片剑状线形，中部宽，基部宽、对褶，中部以上渐狭，草质，绿色，光亮，中肋在两面均明显隆起，侧脉 3 ~ 5 对，平行，纤弱，大都伸延至叶尖。花序柄三棱形，叶状佛焰苞剑状线形，肉穗花序斜向上或近直立，狭锥状圆柱形；花黄绿色，花被片极短，花丝极短，子房长圆柱形。浆果长圆形，红色。花期 6 ~ 7 月，果期 8 ~ 9 月。

菖蒲

**生境分布** 生于沼泽地、溪流、水田边、水甸子或湖边浅水中，常成片生长。吉林各地均有分布。

**资源情况** 野生资源较丰富。药材主要来源于野生。

**采收加工** 秋、冬季采挖根茎，以8～9月采挖者良，挖取根茎后洗净泥沙，去除须根，晒干。

**药材性状** 本品呈扁圆柱形，略弯曲，长4～20cm，直径0.8～2cm。表面灰棕色至棕褐色，节明显，节间长0.5～1.5cm，具纵皱纹，一面具密集圆点状根痕；叶痕呈斜三角形，左右交互排列，侧面茎基痕周围常残留有鳞片状叶基和毛发状须根。质硬，断面淡棕色，内皮层环明显，可见众多棕色油细胞小点。气浓烈而特异，味辛。

**功能主治** 苦、辛，温、燥、锐。温胃，消炎止痛。用于补胃阳，消化不良，食物积滞，白喉，炭疽等。

**用法用量** 内服煎汤，3～6g；或入丸、散。外用适量，煎汤洗或研末调敷。

**附　注** 菖蒲在吉林的药用历史较久，《东丰县志》（1917）、《辑安县志》（1931）、《通化县志》（1935）等多部地方志中均有关于菖蒲的记载。

天南星科 Araceae 天南星属 *Arisaema*

# 齿叶东北南星 *Arisaema amurense* Maxim. var. *serratum* Nakai

齿叶东北南星

## 植物别名

齿叶东北天南星。

## 药材名

齿叶东北南星（药用部位：块茎）。

## 形态特征

多年生草本，块茎，扁球形。鳞叶 2，线状披针形，膜质。叶 1，从下部紫色的鞘中抽出，叶柄很长，圆柱形，绿色或紫褐色，叶片鸟足状分裂，裂片 5（幼叶 3），倒卵形、倒卵状披针形或椭圆形，基部楔形，叶裂片边缘具不规则的粗锯齿，中裂片独自具柄，花序柄短于叶柄。肉穗花序，单性异株，稍伸出佛焰苞口部，佛焰苞绿色或紫色具白色条纹，管部漏斗状，白绿色，喉部边缘斜截形，外卷，檐部直立；雄花序花疏，具花柄，雌花序短圆锥形，附属器具短柄，棒状，基部截形，向上略细，先端钝圆；肉穗花序轴常于果期增大，果落后紫红色。浆果椭圆形，红色。花期 6 ~ 7 月，果期 8 ~ 9 月。

## 生境分布

生于林间、林缘、灌丛阴湿处、沟谷等。以长白山区为主要分布区域，分布于吉林延边、白山、通化、长春、吉林、辽源（东丰）等。

| **资源情况** | 野生资源较少。药材主要来源于野生。

| **采收加工** | 秋、冬季茎叶枯萎时采挖，除去须根及外皮，干燥。

| **功能主治** | 祛风定惊，化痰散结。用于中风痰壅，惊风癫痫，瘰疬痰核。

天南星科 Araceae 天南星属 *Arisaema*

# 朝鲜南星 *Arisaema angustatum* Franch. et Sav. var. *peninsulae* (Nakai) Nakai

朝鲜南星

## | 植物别名 |

细齿南星、天老星、山苞米。

## | 药 材 名 |

斑杖（药用部位：块茎。别名：天南星、大参、朝鲜南星）。

## | 形态特征 |

多年生草本。块茎扁球形，白色或褐色，鳞叶 3，淡紫色或紫色，有紫色斑块。叶 2，叶柄鞘很长，紫色，具暗紫色斑块，圆筒状，顶部几截平，叶柄不具鞘部分较短，圆柱形；叶片鸟足状分裂，裂片 5 ~ 13，长圆形或椭圆形，全缘或具细齿，中裂片长，侧裂片依次渐小。花序柄略短于叶柄，淡紫色至深紫色；佛焰苞圆柱形，管部稍长，紫色至深紫色，有白色条纹，边缘略外卷，檐部卵形，浓紫色，下弯，先端渐狭；肉穗花序单性，雄花序圆锥形，较短，基部粗，花药深紫色，附属器紫色，棒状，具纵条纹，上部粗，基部较狭，截形，具短柄。花期 6 ~ 7 月，果期 9 ~ 10 月。

## | 生境分布 |

生于林下湿地、林缘湿甸、灌丛阴湿处。以

长白山区为主要分布区域，分布于吉林延边、白山、通化、吉林、辽源（东丰）等。

| **资源情况** |

野生资源较少。药材主要来源于野生。

| **采收加工** |

秋、冬季茎叶枯萎时采挖，除去须根及外皮，干燥。

| **功能主治** |

辛，平。解毒。用于毒蛇咬伤。

| **用法用量** |

外用适量，捣敷伤口周围。

| **附　　注** |

在 FOC 中，本种的拉丁学名被修订为 *Arisaema peninsulae* Nakai。

天南星科 Araceae 天南星属 *Arisaema*

# 天南星 *Arisaema heterophyllum* Blume

天南星

## | 植物别名 |

南星、半边莲。

## | 药 材 名 |

天南星（药用部位：块茎。别名：双隆芋、蛇棒头、天凉伞）。

## | 形态特征 |

多年生草本。块茎扁球形，顶部扁平，周围生根，常有若干侧生芽眼。叶常单一；叶柄圆柱形，粉绿色，下部 3/4 鞘筒状，鞘端斜截形；叶片鸟足状分裂，裂片 13 ~ 19，有时更少或更多，倒披针形、长圆形、线状长圆形，基部楔形，先端骤狭渐尖，全缘，暗绿色，背面淡绿色，中裂片无柄或具短柄，比侧裂片几短 1/2，侧裂片向外渐小，排列成蝎尾状。花序柄长，从叶柄鞘筒内抽出；佛焰苞管部圆柱形，粉绿色，内面绿白色，喉部截形，背面深绿色、淡绿色至淡黄色，先端骤狭渐尖。肉穗花序两性，雄花序单性；两性花序下部雌花序，上部雄花序；各种花序附属器基部粗，苍白色，向上细狭，至佛焰苞喉部以外“之”字形上升；雌花球形，花柱明显，柱头小；雄花具柄，花药白色。浆果黄红色、红色，圆柱形，内有棒头状种子

1；种子黄色，具红色斑点。花期 6 ~ 7 月，果期 9 ~ 10 月。

| **生境分布** | 生长于山坡、林下湿地、林缘湿甸、灌丛阴湿处。分布于吉林延边（安图、敦化）、通化（集安、通化、辉南）、吉林（蛟河）等。

| **资源情况** | 野生资源较少。药材主要来源于野生。

| **采收加工** | 秋、冬季茎叶枯萎时采挖，除去须根及外皮，干燥。

| **药材性状** | 本品呈扁球形，高 1 ~ 2cm，直径 1.5 ~ 6.5cm。表面类白色或淡棕色，较光滑，先端有凹陷的茎痕，周围有麻点状根痕，有的块茎周边有小扁球状侧芽。质坚硬，不易破碎，断面不平坦，白色，粉性。气微辛，味麻、辣。

| **功能主治** | 苦、辛，温；有毒。归肺、肝、脾经。散结消肿。外用于痈肿，蛇虫咬伤。

| **用法用量** | 外用生品适量，研末以醋或酒调敷。

| **附　　注** | （1）在《吉林通志》（1891）的“本地物产”中有关于天南星的记载。

（2）《中国药典》收载的 3 种天南星在吉林虽有分布，但资源稀少，几乎无药材商品产出，所产天南星品种主要为朝鲜南星 *Arisaema angustatum* Franch. et Sav. var. *peninsulae* (Nakai) Nakai。吉林每年可产朝鲜南星商品约 50t，其价格稍低于市场均价，走销顺畅。

（3）本种为吉林省Ⅲ级重点保护野生植物。

天南星科 Araceae 水芋属 *Calla*

# 水芋 *Calla palustris* Linn.

**|植物别名|** 水葫芦、水浮莲。

**|药 材 名|** 水芋（药用部位：根茎。别名：水浮莲、水葫芦、紫杆水芋）。

**|形态特征|** 多年生水生草本。根茎匍匐，圆柱形，粗壮，节明显，节上具多数细长的纤维状根，鳞叶披针形，渐尖。成熟茎上叶柄呈圆柱形，下部具鞘；叶片心形或卵形，宽几与长相等，基部心形，先端锐尖，全缘，无毛，中脉明显，Ⅰ、Ⅱ级侧脉纤细，下部的平伸，上部的上升，全部至近边缘向上弧曲，其间细脉微弱。花序柄很长；佛焰苞宽卵形，外面绿色，内面白色，先端呈尾状尖头，果期宿存而不增大；肉穗花序短圆柱形，具梗；花两性，唯先端有不育雄蕊，无花被，雄蕊6，花丝扁，子房卵圆形。浆果橙红色，近球形；种子长圆状卵形。

水芋

花期 6 ~ 7 月，果期 8 ~ 9 月。

**| 生境分布 |**

生于水湿草甸、沼泽地、水塘，常成片生长。分布于吉林通化（通化、柳河）、白山（抚松、临江）、延边（安图、敦化、汪清）等。

**| 资源情况 |**

野生资源较少。药材主要来源于野生。

**| 采收加工 |**

夏末秋初采挖根茎，除去茎叶及须根，洗净，鲜用或晒干。

**| 药材性状 |**

本品呈椭圆形、卵圆形或圆锥形，大小不一。有的先端有顶芽，外表面黄褐色或黄棕色，有不规则的纵向沟纹，并可见点状环纹，环节上有许多毛须，或连成片状，外皮栓化，易撕裂。横切面白色或青白色，有黏性，质硬。气特异，味甘、微涩，嚼之有黏性。

**| 功能主治 |**

祛风利湿，解毒消肿。用于风湿痛，水肿，痈疽，骨髓炎，毒蛇咬伤。

**| 用法用量 |**

内服煎汤，6 ~ 9g。外用适量，捣敷；或煎汤洗。

**| 附　　注 |**

本种为吉林省Ⅲ级重点保护野生植物。

天南星科 Araceae 芋属 *Colocasia*

# 芋 *Colocasia esculenta* (L) . Schott

**| 植物别名 |** 芋头、毛芋、毛艿。

**| 药 材 名 |** 芋头（药用部位：块茎。别名：台芋、红芋）、芋叶（药用部位：叶。别名：独皮叶、接骨草、青皮叶）、芋梗（药用部位：梗）、芋头花（药用部位：花）。

**| 形态特征 |** 多年生高大湿生草本。块茎通常卵形，常生多数小球茎。叶 2 ~ 3 或更多；叶柄长于叶片，盾状着生；叶片卵状，绿色，先端短尖或短渐尖，侧脉 4 对，斜伸达叶缘，基部 2 裂，裂片浑圆，合生长度为裂片基部至叶柄着生处的 1/2 ~ 2/3。很少开花，花序柄常单生，短于叶柄；佛焰苞长短不一，管部绿色，长卵形，檐部披针形或椭圆形，展开成舟状，边缘内卷，淡黄色至绿白色；肉穗花序短于佛

芋

焰苞，肉穗花序下部为雌花序呈长圆锥状，中间为中性花序呈细圆柱状，上部为雄花序呈圆柱形，先端骤狭，附属器甚短，为雄花序的一半。花期 2 ~ 4 月（云南）或 8 ~ 9 月（秦岭）。

**| 生境分布 |** 生于农田。吉林无野生分布。吉林各地均有栽培。

**| 资源情况 |** 吉林各地广泛栽培。药材主要来源于栽培。

**| 采收加工 |** 芋头：夏、秋季采挖，除净泥沙和杂质，干燥。

芋叶：春、夏季采收，鲜用或晒干。

芋梗：春、夏季采收，鲜用或晒干。

芋头花：夏季花盛开时采摘，干燥。

**| 药材性状 |** 芋头：本品呈椭圆形、卵圆形或圆锥形，大小不一。有的先端有顶芽，外表面黄褐色或黄棕色，有不规则的纵向沟纹，并可见点状环纹，环节上有许多毛须，或连成片状，外皮栓化，易撕裂。横切面白色或青白色，有黏性，质硬。气特异，味甘、微涩，嚼之有黏性。

**| 功能主治 |** 芋头：辛，平；有小毒。归胃经。消肿散结，宽胃肠，破宿血，去死肌，调中补虚，行气消胀，壮筋骨，益气力，祛暑热，止痛消炎。用于血热烦渴，头上软疖，瘰疬，疮痈肿毒，腹中痞块，乳痈，口疮，牛皮癣，烫火伤。

芋叶：辛，平。归心、肺、脾经。止泻，敛汗，消肿解毒。用于瘾疹，疮疖，胎动不安，蛇虫咬伤，痈肿毒痛，蜂螫，黄水疮。

芋梗：辛，平。归心、脾经。除烦止泻。用于泻痢，疮痈肿毒。

芋头花：辛，平；有毒。归胃、大肠经。理气止痛，散瘀止血。用于气滞胃痛，噎膈，吐血，子宫脱垂，小儿脱肛，内外痔，鹤膝风。

**| 用法用量 |** 芋头：内服煎汤，60 ~ 120g；或入丸、散。外用适量，捣敷或醋磨涂。

芋叶：内服煎汤，15 ~ 30g，鲜品 30 ~ 60g。外用适量，捣汁涂或捣敷。

芋梗：内服煎汤，15 ~ 30g。外用适量，捣敷；或研末掺。

芋头花：内服煎汤，15 ~ 30g。外用适量，捣敷。

天南星科 Araceae 半夏属 *Pinellia*

# 半夏 *Pinellia ternata* (Thunb.) Breit.

半夏

## |植物别名|

三叶半夏、狗芋头、小天老星。

## |药 材 名|

半夏（药用部位：块茎。别名：小天南星、洋犁头、三棱草）。

## |形态特征|

多年生草本。块茎近球形，具须根。叶 2 ~ 5，有时 1，叶有长柄，基部具鞘；叶柄近基部内侧或叶片基部有 1 珠芽，珠芽在母株上萌发或落地后萌发；幼苗叶片卵状心形至戟形，为全缘单叶；老株叶片 3 全裂，裂片上面绿色，背面淡，长圆状椭圆形或披针形，两头锐尖，中裂片长，侧裂片稍短，全缘或具不明显的浅波状圆齿，侧脉 8 ~ 10 对，细弱，细脉网状，密集，集合脉 2 圈。花葶长，花序柄长于叶柄，花单性同株，佛焰苞绿色或绿白色，管部狭圆柱形，檐部长圆形；肉穗花序，雌花序长，雄花序短，二者之间为不育部分，间隔小，附属器绿色变青紫色，直立，有时呈“S”形弯曲；子房具短而明显的花柱。浆果卵圆形。花期 7 ~ 8 月，果期 8 ~ 9 月。

**| 生境分布 |** 生于草坡、荒地、田边或疏林下等。分布于吉林延边（珲春、安图）、通化（通化）、白山（长白）等。

**| 资源情况 |** 野生资源较少。药材主要来源于野生。

**| 采收加工 |** 夏、秋季采挖，洗去泥土，除去外皮和须根，晒干或烘干。

**| 药材性状 |** 本品呈类球形，有的稍偏斜，直径 1 ~ 1.5cm。表面白色或浅黄色，先端有凹陷的茎痕，周围密布麻点状根痕。下面钝圆，较光滑。质坚实，断面洁白，富粉性。气微，味辛辣、麻舌而刺喉。

**| 功能主治 |** 辛，温；有毒。归脾、胃、肺经。燥湿化痰，降逆止呕，消痞散结。用于咳喘痰多，风痰眩晕，痰厥头痛，呕吐反胃，胸脘痞闷，梅核气；外用于痈肿痰核。

**| 用法用量 |** 内服煎汤，3 ~ 9g。外用适量，磨汁涂；或研末，以酒调敷。不宜与乌头类药材同用。

**| 附　　注 |** （1）在《双山县乡土志略》（1930）的“本地物产”中有关于半夏的记载。
（2）半夏在我国已有 2000 多年的应用历史，是常用药材之一。目前半夏的市场需求量较大，每年约为 10000t。吉林野生半夏资源较少，无半夏药材商品产出。
（3）本种为吉林省Ⅱ级重点保护野生植物。

天南星科 Araceae 臭菘属 *Symplocarpus*

# 臭菘 *Symplocarpus foetidus* (L.) Salisb.

**| 植物别名 |** 黑瞎子白菜。

**| 药 材 名 |** 臭菘（药用部位：根茎、种子。别名：黑瞎子白菜）。

**| 形态特征 |** 多年生草本。根茎短，粗壮，密生许多绳索状须根。一年出基生叶，叶柄长，具长鞘，叶片宽大，卵形，先端渐狭或钝圆，另一年出鳞叶和花序。花序于展叶前长出，果实夏季成熟；花序柄外围有很长鳞叶，花序柄短；佛焰苞基部席卷，中部肿胀，半扩张成卵状球形，暗青紫色，外面带青紫色条纹，先端渐尖，弯曲成喙状；肉穗花序青紫色，圆球形，具短梗；花两性，有臭味，花被片 4，向上呈拱状扩张，先端凸尖，雄蕊 4，超出子房，子房伸出，下部陷于花序轴上。种子卵圆形。花期 5 ~ 6 月，果期 7 ~ 8 月。

臭菘

| 生境分布 | 生于潮湿混交林下、林缘、高山草地，常成片生长。分布于吉林延边（和龙、汪清）、白山（临江、长白）、通化（通化、柳河）、吉林（桦甸）、长春（九台）等。

| 资源情况 | 野生资源较少。药材主要来源于野生。

| 采收加工 | 秋、冬季采挖根茎，洗去泥沙，除去须根，晒干。秋季采收种子，除去杂质，干燥。

| 功能主治 | 根茎，辛、苦，凉。麻醉镇痛，解痉发汗，调经，祛痰催涎，止血。用于发热头痛，气管炎咳喘。种子，辛、苦，凉。镇咳，祛痰，平喘。用于气管炎咳喘。

| 用法用量 | 根茎，内服煎汤，9 ~ 15g。种子，内服煎汤，9 ~ 15g。

| 附　　注 | （1）在 FOC 中，本种的拉丁学名被修订为 *Symplocarpus renifolius* Schott ex Tzvelev。

（2）本种为吉林省Ⅲ级重点保护野生植物。

天南星科 Araceae 臭菘属 *Symplocarpus*

# 日本臭菘 *Symplocarpus nipponicus* Makino

**| 植物别名 |** 黑瞎子白菜。

**| 药 材 名 |** 日本臭菘（药用部位：根茎。别名：黑瞎子白菜、河叶白）。

**| 形态特征 |** 多年生宿根草本。全体肉质，无毛，有臭味，地下部分尤为明显。根茎粗壮，直径 5 ~ 15cm，上密生绳状不定根。基生 2 ~ 4 枚无叶叶鞘，叶鞘长 10 ~ 15cm，下端白色，上端至鞘尖淡褐色至暗紫褐色，早春随叶发出，完整，花期则磨损不齐或仅留残基；叶基生，由根茎先端发出，早春生出绿叶 4 ~ 9，叶柄长 5 ~ 25cm，叶片卵状椭圆形或长卵形，先端钝尖，基部心形或微心形，长 10 ~ 20cm，宽 7 ~ 14cm，叶于 7 ~ 8 月枯萎。肉穗花序 6 ~ 7 月由叶腋处生出；花梗长 6 ~ 11cm，外包被有暗紫褐色肉质佛焰苞，花后第一年脱落；

日本臭菘

花被片 4；雄蕊 4；子房 1 室，胚珠下部沉陷于花序轴内。果实于第三年花期成熟。

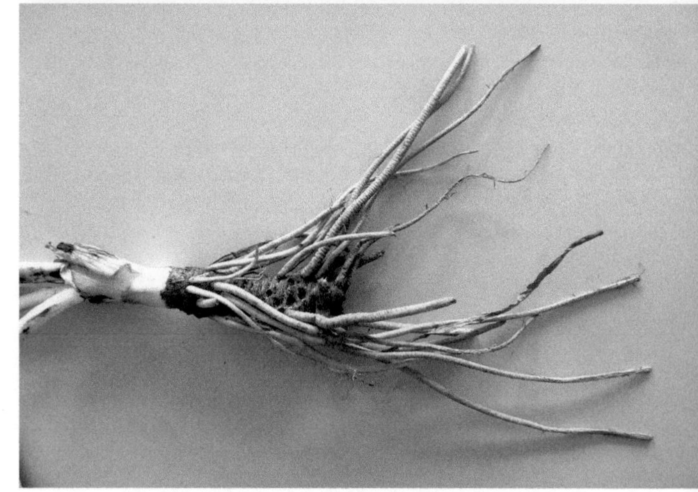

**| 生境分布 |**

生长于混交林下湿地、山坡湿甸。分布于吉林白山（抚松、靖宇）、通化（柳河）等。

**| 资源情况 |**

野生资源较少。药材主要来源于野生。

**| 采收加工 |**

秋、冬季采挖根茎，洗去泥沙，除去须根，晒干。

**| 功能主治 |**

苦、辛，凉。强心，消癥。用于心力衰竭，癥瘕积聚。

**| 附　　注 |**

本种为吉林省Ⅱ级重点保护野生植物。

天南星科 Araceae 犁头尖属 *Typhonium*

# 独角莲 *Typhonium giganteum* Engl.

独角莲

## | 植物别名 |

疔毒豆。

## | 药 材 名 |

白附子（药用部位：块茎。别名：禹白附、野芋、天南星）、独角莲（药用部位：全草）。

## | 形态特征 |

多年生草本。块茎倒卵形、卵球形或卵状椭圆形，大小不等，外被暗褐色小鳞片，有7～8条环状节，颈部周围生多条须根。通常1～2年生的只有1叶，3～4年生的有3～4叶；叶与花序同时抽出；叶柄长，圆柱形，密生紫色斑点，中部以下具膜质叶鞘；叶片幼时内卷如角状（因此得名），后即展开，箭形，先端渐尖，基部箭状，后裂片叉开成锐角或钝角，中肋背面隆起，一级侧脉7～8对，最下部的两条基部重叠。花序有长柄；佛焰苞紫色，管部圆筒形或长圆状卵形，檐部卵形，展开，先端渐尖，常弯曲；肉穗花序几无梗，雌花序圆柱形，中性花序比雄花序长，附属器紫色，圆柱形，直立，基部无柄，先端钝；雄花无柄，药室卵圆形，顶孔开裂；雌花子房圆柱形，顶部截平，柱头无柄，圆形。花期6～8月，果期7～9月。

**| 生境分布 |** 生于海拔 1500m 以下的荒地、山坡、水沟旁。分布于吉林延边、白山、通化等。吉林东部山区有农户进行小规模栽培。

**| 资源情况 |** 野生资源较少。药材主要来源于栽培。

**| 采收加工 |** 白附子：秋季采挖，除去须根及外皮，晒干。

独角莲：夏、秋季采收，除去杂质，晒干。

**| 药材性状 |** 白附子：本品呈椭圆形或卵圆形，长 2 ~ 5cm。表面白色或黄白色，有环纹及根痕，先端具茎痕或芽痕。质坚硬，难折断，断面类白色，富粉性。无臭，味淡，嚼之麻辣刺舌。

**| 功能主治 |** 白附子：辛，温；有毒。归胃、肝经。祛风痰，定惊搐，解毒散结，止痛。用于中风痰壅，口眼㖞斜，语言謇涩，惊风癫痫，破伤风，痰厥头痛，瘰疬痰核，毒蛇咬伤。

独角莲：用于毒蛇咬伤，瘰疬，跌打损伤。

**| 用法用量 |** 白附子：一般炮制后用，3 ~ 6g。外用生品适量，捣烂，熬膏；或研末，以酒调敷。

**| 附　　注 |** 在 FOC 中，本种的拉丁学名被修订为 *Sauromatum giganteum* (Engler) Cusimano & Hetterscheid。

天南星科 Araceae 马蹄莲属 *Zantedeschia*

# 马蹄莲 *Zantedeschia aethiopica* (L.) Spreng.

**| 药 材 名 |** 马蹄莲（药用部位：叶、根）。

**| 形态特征 |** 多年生粗壮草本，高 1m 以上。具块茎。叶基生，有长柄，下部具鞘；叶片较厚，绿色，心状箭形或箭形，先端锐尖、渐尖或具尾状尖头，基部心形或戟形，全缘，无斑块。总花梗与叶等长，佛焰苞花序，佛焰苞下部成短筒，上部开展，先端具略反转的骤尖，白色或乳白色；肉穗花序甚短于佛焰苞，下部具雌花，雌花具雌蕊和数个退化雄蕊，上部具雄花，比雌花部分长约 4 倍，雄花具 2 ~ 3 雄蕊，肉穗花序圆柱形，黄色，先端无附属体。浆果短卵圆形，淡黄色，有宿存花柱；种子倒卵状球形。花期 2 ~ 3 月，果实 8 ~ 9 月成熟。

马蹄莲

**| 生境分布 |** 生于农田、房前屋后等。吉林无野生分布。吉林部分地区庭院有栽培。

**| 资源情况 |** 吉林有栽培。药材主要来源于栽培。

**| 采收加工 |** 春、夏季采摘叶，鲜用或晒干。秋季采挖根，除去残茎、须根，洗去泥土，晒干。

**| 功能主治 |** 攻毒杀虫，蚀疮去腐。外用于虫疮恶癣。

浮萍科 Lemnaceae 浮萍属 *Lemna*

# 浮萍 *Lemna minor* L.

**| 植物别名 |** 水萍、青萍、水萍草。

**| 药 材 名 |** 浮萍（药用部位：全草。别名：青萍、水萍、水花）。

**| 形态特征 |** 浮水小草本。植物体呈叶片状，漂浮于水面。叶状体对称，两面平滑，不透明，近圆形、倒卵形或倒卵状椭圆形，全缘。上面绿色，有稍凸起或沿中线隆起不明显的 3 脉纹，背面浅黄色或绿白色，或常为紫色，具垂生丝状根 1，根白色，根冠钝头，根鞘无翅。叶状体背面一侧具囊，新叶状体于囊内形成浮出，以极短的细柄与母体相连，随后脱落。雌花具弯生胚珠 1，果实无翅，近陀螺状，种子具凸出的胚乳并具 12 ~ 15 纵肋。花期 7 ~ 8 月，果期 8 ~ 9 月。

浮萍

**| 生境分布 |** 生于沼泽、河流浅水处、稻田、沟渠或其他静水水域，常成片生长。吉林各地均有分布。

**| 资源情况 |** 野生资源较丰富。药材主要来源于野生。

**| 采收加工 |** 6 ~ 9 月采收，洗净，除去杂质，晒干。

**| 药材性状 |** 本品叶状体呈卵形、卵圆形或卵状椭圆形，直径 3 ~ 6mm。单个散生或 2 ~ 5 片集生，上表面淡绿色至灰绿色，下表面灰绿色至紫棕色，边缘整齐或微卷，上表面两侧有 1 小凹陷，下表面该处生有数条须根。质轻，易碎。气微，味淡。以色绿、背紫者为佳。

**| 功能主治 |** 辛，寒。归肺、膀胱经。宣散风热，发汗透疹，利尿消肿。用于麻疹不透，风疹瘙痒，水肿尿少。

**| 用法用量 |** 内服煎汤，3 ~ 9g，鲜品 15 ~ 30g；或捣汁饮；或入丸、散。外用适量，煎汤熏洗；或研末撒；或调敷。

浮萍科 Lemnaceae 紫萍属 *Spirodela*

# 紫萍 *Spirodela polyrrhiza* (L.) Schleid.

**| 植物别名 |** 紫背浮萍、水萍、浮萍。

**| 药 材 名 |** 浮萍（药用部位：全草。别名：水萍草、田萍、水萍）。

**| 形态特征 |** 多年生细小草本，漂浮在水面。根 5 ~ 11 条束生，纤细状，白绿色。在根的着生处一侧生新芽，新芽与母体分离之前由一细弱的柄相连接。叶状体阔倒卵形，扁平，表面绿色，掌状脉 5 ~ 11，背面（下面）紫色。一般 1 个或 2 ~ 5 个叶状体簇生。花单性，雌雄同株，生于叶状体边缘的缺刻内；佛焰苞袋装，内有 1 雌花和 2 雄花；雄花花药 2 室，花丝纤细；雌花子房 1 室，具 2 直立胚珠；花柱短。果实圆形，边缘有翅。花期 7 ~ 8 月，果期 8 ~ 9 月。

紫萍

**| 生境分布 |** 生于池塘、沼泽、水田、湖泊、水泡等静水中，常成片生长。吉林各地均有分布。

**| 资源情况 |** 野生资源较丰富。药材主要来源于野生。

**| 采收加工 |** 6 ~ 9 月采收，洗净，除去杂质，晒干。

**| 药材性状 |** 本品扁平叶状体呈卵形或卵圆形，长径 2 ~ 5mm。上表面淡绿色至灰绿色，偏侧有 1 小凹陷，边缘整齐或微卷曲，下表面紫绿色至紫棕色，着生数条须根。体轻，手捻易碎。气微，味淡。

**| 功能主治 |** 辛，寒。归肺、膀胱经。发汗，祛风，行水，清热，解毒。用于时行热病，斑疹不透，风热瘾疹，皮肤瘙痒，水肿，癃闭，疮癣，丹毒，烫火伤。

**| 用法用量 |** 内服煎汤，3 ~ 9g，鲜品 15 ~ 30g；或捣汁饮；或入丸、散。外用适量，煎汤熏洗；或研末撒；或调敷。

**| 附　　注 |** 浮萍在吉林的药用历史较久。在《安图县志》（1929）、《桦甸县志》（1931）、《辑安县志》（1931）等多部地方志中均有关于浮萍的记载。

露兜树科 Pandanaceae 露兜树属 *Pandanus*

# 露兜树 *Pandanus tectorius* Sol.

| 药材名 | 露兜竻蔃（药用部位：根）、橹罟子（药用部位：核果）。

| 形态特征 | 常绿分枝灌木或小乔木，常左右扭曲，具多分枝或不分枝的气根。叶簇生于枝顶，3 行紧密螺旋状排列，条形，长达 80cm，宽 4cm，先端渐狭成一长尾尖，叶缘和背面中脉均有粗壮的锐刺。雄花序由若干穗状花序组成，每一穗状花序长约 5cm；佛焰苞长披针形，长 10 ~ 26cm，宽 1.5 ~ 4cm，近白色，先端渐尖，边缘和背面隆起的中脉上具细锯齿；雄花芳香，雄蕊常为 10 余枚，多可达 25 枚，着生于长达 9mm 的花丝束上，呈总状排列，分离花丝长约 1mm，花药条形，长约 3mm，宽约 0.6mm，基着药，药基心形，药隔先

露兜树

端延长的小尖头长 1 ~ 1.5mm。雌花序头状，单生于枝顶，圆球形；佛焰苞多枚，乳白色，长 15 ~ 30cm，宽 1.4 ~ 2.5cm，边缘具疏密相间的细锯齿，心皮 5 ~ 12 枚合为一束，中下部联合，上部分离，子房上位，5 ~ 12 室，每室有 1 胚珠。聚花果大，向下悬垂，由 40 ~ 80 个核果束组成，圆球形或长圆形，长达 17cm，直径约 15cm，幼果绿色，成熟时橘红色；核果束倒圆锥形，高约 5cm，直径约 3cm，宿存柱头稍凸起，呈乳头状、耳状或马蹄状。花期 1 ~ 5 月。

**| 生境分布 |** 生于村旁、山谷、溪边等。吉林无野生分布。吉林部分地区庭院有栽培。

**| 资源情况 |** 吉林偶见栽培。药材主要来源于栽培。

**| 采收加工 |** 露兜笋蕴：全年均可采挖，洗净，切片，晒干。

橹罟子：秋季采摘成熟果实，将小核果分开，晒干。

**| 药材性状 |** 橹罟子：本品呈椭圆形或球状椭圆形，长达 20cm，外表黄红色，由 50 ~ 70 多个纤维状肉质核果组成。核果倒圆锥形，稍有棱角，长 4 ~ 6cm；先端钝圆，有花柱残迹；外果皮灰棕色，光滑，但多破碎或不存在；中果皮几乎全由木质纤维构成，质坚韧，黄白色或灰棕色；内果皮坚硬，木质，有 4 ~ 10 室，果室狭长，内面棕色，有扁而狭长之种子 1。气微，味淡。

**| 功能主治 |** 露兜笋蕴：淡、辛，凉。归肺、肝经。发汗解表，清热利湿，行气止痛。用于感冒，肝炎，肝硬化腹水，肾炎水肿，小便淋痛，结膜炎，风湿痹痛，疝气，跌打损伤。

橹罟子：辛、淡，凉。归肾、脾、肝、胃经。补脾益血，行气止痛，化痰利湿，明目。用于痢疾，胃痛，咳嗽，疝气，睾丸炎，痔疮，小便不利，目生翳障。

**| 用法用量 |** 露兜笋蕴：内服煎汤，15 ~ 30g；或烧存性，研末。

橹罟子：内服煎汤，10 ~ 30g；或浸酒；或浸蜜。外用适量，煎汤洗。

黑三棱科 Sparganiaceae 黑三棱属 *Sparganium*

# 短序黑三棱 *Sparganium glomeratum* Laest. ex Beurl.

短序黑三棱

## | 药材名 |

短序黑三棱（药用部位：块茎）。

## | 形态特征 |

多年生沼生或水生草本，高 20 ~ 50cm。块茎肥厚，有时短粗，近圆形；根茎粗壮，横走。植株挺水。叶片通常很长，超过茎，先端渐尖，中下部背面具龙骨状突起，或呈三棱形，基部鞘状，边缘膜质。花序总状；雄性头状花序 1 ~ 2，与雌性头状花序相连接；雌性头状花序 3 ~ 4，生于花序轴的两侧，相互靠近，下部 1 雌性头状花序具总花梗，生于叶状苞片腋内，或总花梗下部贴生于主轴；雄花花被片膜质，先端尖，具齿裂，花药极短，矩圆形，花丝稍长，丝状；雌花花被片膜质，先端齿裂，或不整齐，着生于子房柄基部或稍上，柱头极短，单侧，花柱短粗，子房纺锤形，具柄。果实宽纺锤形，黄褐色。花期 7 ~ 8 月，果期 8 ~ 9 月。

## | 生境分布 |

生于湖边、河湾处、山间沼泽、水泡子等水域中。以长白山区为主要分布区域，分布于吉林延边、白山、通化、吉林、辽源（东丰）、四平（双辽）、白城等。

**| 资源情况 |** 野生资源较少。药材主要来源于野生。

**| 采收加工 |** 冬季至翌年春季采挖，洗净，削去外皮，晒干。

**| 功能主治 |** 行气，消积，止痛。用于气滞疼痛，饮食积滞。

黑三棱科 Sparganiaceae 黑三棱属 *Sparganium*

# 小黑三棱 *Sparganium simplex* Huds.

小黑三棱

| 植物别名 |

单枝三棱、单头黑三棱。

| 药 材 名 |

小黑三棱（药用部位：块茎。别名：荸根、京三棱、红蒲根）。

| 形态特征 |

多年生沼生或水生草本，高 30 ~ 70cm。块茎较小，近圆形；根茎细长，横走。茎直立，通常较细弱。叶片直立，挺水或浮水，先端渐尖中下部背面呈龙骨状突起，基部多少鞘状。花序总状；雄性头状花序 4 ~ 8，排列稀疏；雌性头状花序 3 ~ 4，互不相接，下部 1 ~ 2 雌性头状花序具总花梗，生于叶状苞片腋内，有时总花梗下部多少贴生于主轴；雄花花被片短，条形或匙形，先端浅裂，花药矩圆形，花丝褐色；雌花花被片匙形，膜质，先端浅裂，柱头、花柱短，子房纺锤形。果实深褐色，中部略狭窄，基部具短柄，花被片生于果柄基部。花期 7 ~ 8 月，果期 8 ~ 9 月。

| 生境分布 |

生于湖边、河沟、沼泽地等。以长白山区为

主要分布区域，分布于吉林延边、白山、通化、吉林、辽源（东丰）等。

## | 资源情况 |

野生资源较少。药材主要来源于野生。

## | 采收加工 |

冬季至翌年春季采挖，洗净，削去外皮，晒干。

## | 功能主治 |

辛、涩，凉。归肝、脾经。破血行气，消积止痛。用于癥瘕痞块，瘀滞经闭，痛经，食积胀痛，长年伤痛。

## | 用法用量 |

内服煎汤，5 ~ 10g；或入丸、散。

## | 附　　注 |

在 FOC 中，本种的拉丁学名被修订为 *Sparganium emersum* Rehmann。

黑三棱科 Sparganiaceae 黑三棱属 *Sparganium*

# 黑三棱 *Sparganium stoloniferum* (Graebn.) Buch.-Ham. ex Juz.

黑三棱

## | 植物别名 |

红蒲根、光三棱、去皮三棱。

## | 药 材 名 |

三棱（药用部位：块茎。别名：红蒲根、光三棱、𬟁草）。

## | 形态特征 |

多年生水生或沼生草本，高 70 ~ 120cm。块茎膨大，比茎粗 2 ~ 3 倍，或更粗；根茎粗壮；茎直立，粗壮，挺水。叶片具中脉，上部扁平，下部背面呈龙骨状突起，或呈三棱形，基部鞘状。圆锥花序开展，具 3 ~ 7 侧枝，每个侧枝上着生 7 ~ 11 雄性头状花序和 1 ~ 2 雌性头状花序，主轴先端通常具 3 ~ 5 雄性头状花序，或更多，无雌性头状花序，花期雄性头状花序呈球形；雄花花被片匙形，膜质，先端浅裂，早落，花丝丝状，弯曲，褐色，花药近倒圆锥形；雌花花被着生于子房基部，宿存，柱头分叉或否，向上渐尖，花柱短，子房无柄。果实倒圆锥形，上部通常膨大，呈冠状，具棱，褐色。花期 7 ~ 8 月，果期 8 ~ 9 月。

| **生境分布** | 生于池塘、沼泽地等。吉林各地均有分布。

| **资源情况** | 野生资源一般。药材主要来源于野生。

| **采收加工** | 冬季至次年春季采挖，洗净，削去外皮，晒干。

| **药材性状** | 本品呈圆锥形，略扁，长 2 ~ 6cm，直径 2 ~ 4cm。表面黄白色或灰黄色，有刀削痕，须根痕小点状，略呈横向环状排列。体重，质坚实。气微，味淡，嚼之微有麻辣感。

| **功能主治** | 辛、苦，平。破血行气，消积止痛。用于癥瘕痞块，痛经，瘀血经闭，胸痹心痛，食积胀痛，肝脾肿大，跌打损伤，产后腹痛，落胎。

| **附　　注** | 黑三棱药材的用量较大，市场价格走势良好。吉林的黑三棱资源一般，难以组织货源，无药材商品产出。

香蒲科 Typhaceae 香蒲属 *Typha*

# 长苞香蒲 *Typha angustata* Bory et Chaubard

**| 药 材 名 |** 长苞香蒲（药用部位：全草。别名：蒲花、蒲棒花粉、蒲草黄）。

**| 形态特征 |** 多年生水生或沼生草本，高 0.7 ~ 2.5m。根茎粗壮，乳黄色，先端白色；地上茎直立，粗壮。叶片很长，上部扁平，中部以下背面逐渐隆起，下部横切面呈半圆形，细胞间隙大，海绵状；叶鞘很长，抱茎。雌雄花序远离；雄花序长，位于上部，柔毛较少，先端不分叉而有齿裂，叶状苞片 1 ~ 2，与雄花先后脱落；雌花序短，位于下部，叶状苞片比叶宽，花后脱落；雄花通常由 3 雄蕊组成；雌花具小苞片；孕性雌花柱头宽条形至披针形，比花柱宽，子房披针形，子房柄细弱；不孕雌花子房近倒圆锥形，具褐色斑点，先端呈凹形，

长苞香蒲

不发育柱头陷于凹处；白色丝状毛极多，生于子房柄基部或向上延伸，短于柱头，柱头比花柱宽。小坚果纺锤形，纵裂，无沟，果皮具褐色斑点；种子黄褐色。花期6～7月，果期7～8月。

**| 生境分布 |** 生于湖泊、河流、池塘浅水处，沼泽、沟渠亦常见。以长白山区为主要分布区域，分布于吉林延边、白山、通化、吉林、辽源（东丰）等。

**| 资源情况 |** 野生资源较少。药材主要来源于野生。

**| 采收加工 |** 夏季采收，除去杂质，晒干。

**| 功能主治 |** 甘、辛，凉。润燥凉血，去脾胃伏火。用于小便不利，乳痈。

**| 附　　注 |** 在 FOC 中，本种的拉丁学名被修订为 *Typha domingensis* Persoon。

香蒲科 Typhaceae 香蒲属 *Typha*

# 水烛 *Typha angustifolia* L.

水烛

## 植物别名

狭叶香蒲、香蒲、蒲草。

## 药材名

蒲黄（药用部位：花粉。别名：香蒲、水蜡烛、蒲草）。

## 形态特征

多年生水生或沼生草本，高 150 ～ 300cm。根茎乳黄色、灰黄色，先端白色。地上茎直立，粗壮。叶片上部扁平，中部以下腹面微凹，背面向下逐渐隆起呈凸形，下部横切面半圆形，呈海绵状，叶鞘抱茎。雌雄同株，雌雄花序不连接，雄花序在上，雄花序轴具密而褐色的扁柔毛，叶状苞片 1 ～ 3，花后脱落，雌花序具 1 叶状苞片，花后脱落；雄花有雄蕊 2 ～ 3，花药、花丝短，细弱；雌花序在下，雌花具小苞片，孕性雌花柱头窄条形或披针形，花柱短，子房短，纺锤形，具褐色斑点，子房柄纤细，不孕雌花子房倒圆锥形，具褐色斑点，先端黄褐色，不育柱头短尖，白色丝状毛着生于子房柄基部，并向上延伸，与小苞片近等长，均短于柱头。小坚果长椭圆形，纵裂，无沟，具褐色斑点；种子深褐色。花期 7 ～ 8 月，果期 8 ~ 9 月。

**| 生境分布 |** 生于河边、湖边、沟边草丛、溪边及沼泽地，西部地区有较大规模的野生群落。分布于吉林四平（双辽）、通化（通化、梅河口、辉南、柳河）、延边（汪清、珲春、敦化）等。

**| 资源情况 |** 野生资源较少。药材主要来源于野生。

**| 采收加工 |** 夏季采收蒲棒上部的黄色雄花序，晒干后碾轧，筛取花粉。

**| 药材性状 |** 本品为黄色粉末。体轻，放水中则漂浮于水面，手捻有滑腻感，易附着手指上。气微，味淡。

**| 功能主治 |** 甘，平。归肝、心包经。止血，化瘀，通淋。用于吐血，衄血，咯血，崩漏，外伤出血，经闭痛经，胸腹刺痛，跌仆肿痛，血淋涩痛。

**| 用法用量 |** 内服煎汤，5 ~ 10g，包煎；或入丸、散。外用适量，研末撒或调敷。散瘀止痛多生用，止血炒用，血瘀出血生熟各半。

香蒲科 Typhaceae 香蒲属 *Typha*

# 宽叶香蒲 *Typha latifolia* L.

**| 植物别名 |** 香蒲、阔叶香蒲、蒲草。

**| 药 材 名 |** 香蒲（药用部位：全草）、蒲黄（药用部位：花粉）。

**| 形态特征 |** 多年生水生或沼生草本，高 100 ~ 250cm。根茎乳黄色，先端白色；地上茎粗壮。叶条形，叶片光滑无毛，上部扁平，背面中部以下逐渐隆起，下部横切面近新月形，呈海绵状，叶鞘抱茎。雌雄花序紧密相接，花期时雄花序比雌花序粗壮，花序轴具灰白色弯曲柔毛，叶状苞片 1 ~ 3，上部短小，花后脱落；雌花序花后发育，雄花通常由 2 雄蕊组成，花药短，长矩圆形，花丝短于花药，基部合生成短柄，雌花无小苞片，孕性雌花柱头披针形，子房披针形，子房柄纤细，不孕雌花子房倒圆锥形，宿存，子房柄较粗壮，不等长，白

宽叶香蒲

色丝状毛明显短于花柱。小坚果披针形，褐色，果皮通常无斑点；种子褐色，椭圆形。花期 6 ~ 7 月，果期 7 ~ 8 月。

**| 生境分布 |** 生于沼泽地、江河湖泊、池塘边、溪边、水泡子边等浅水中，常成单优势的大面积群落。以长白山区为主要分布区域，分布于吉林延边、白山、通化、长春、吉林、辽源（东丰）等。

**| 资源情况 |** 野生资源丰富。药材主要来源于野生。

**| 采收加工 |** 香蒲：春、夏季采收，洗净，鲜用或晒干。

蒲黄：同“水烛”。

**| 药材性状 |** 蒲黄：同“水烛”。

**| 功能主治 |** 香蒲、蒲黄：甘，平。润燥凉血，去脾胃伏火。用于小便不利，乳痈。

香蒲科 Typhaceae 香蒲属 *Typha*

# 无苞香蒲 *Typha laxmannii* Lepech.

| **植物别名** | 短穗香蒲。

| **药 材 名** | 香蒲（药用部位：花粉。别名：短穗香蒲）。

| **形态特征** | 多年生沼生或水生草本，高 100 ~ 130cm。根茎乳黄色，或浅褐色，先端白色；地上茎直立，较细弱。叶片窄条形，光滑无毛，下部背面隆起，横切面半圆形，近叶鞘处明显海绵质；叶鞘抱茎较紧。雌雄花序远离；雄性穗状花序明显长于雌花序，花序轴具白色、灰白色、黄褐色柔毛，基部和中部具 1 ~ 2 纸质叶状苞片，花后脱落；雌花序基部具 1 叶状苞片，通常比叶片宽，花后脱落；雄花由 2 ~ 3 雄蕊合生，花药、花丝很短；雌花无小苞片；孕性雌花柱头匙形，褐色边缘不整齐，花柱短，子房针形，子房柄纤细；不孕雌花子房

无苞香蒲

倒圆锥形，先端平，不发育柱头很小，宿存；白色丝状毛与花柱近等长。果实椭圆形；种子褐色，具小凸起。花期 6 ~ 7 月，果期 8 ~ 9 月。

**| 生境分布 |** 生于湖泊、池塘、河流的浅滩。分布于吉林白山（浑江、靖宇）等。

**| 资源情况 |** 野生资源较少。药材主要来源于野生。

**| 采收加工 |** 同“水烛”。

**| 药材性状 |** 同“水烛”。

**| 功能主治 |** 同“水烛”。

**| 用法用量 |** 同“水烛”。

香蒲科 Typhaceae 香蒲属 *Typha*

# 小香蒲 *Typha minima* Funk.

**| 植物别名 |** 水香、细叶香蒲、蒲草。

**| 药 材 名 |** 香蒲（药用部位：全草）。

**| 形态特征 |** 多年生沼生或水生草本，高 16 ~ 65cm。根茎姜黄色或黄褐色，先端乳白色；地上茎直立，细弱，矮小。叶通常基生，鞘状，多无叶片，如叶片存在，则短于花葶，叶鞘边缘膜质，叶耳向上伸展。雌雄花序远离；雄花序轴无毛，基部具 1 叶状苞片，花后脱落；雌花序叶状苞片明显宽于叶片；雄花无被，雄蕊通常 1 枚单生，有时 2 ~ 3 枚合生，基部具短柄，向下渐宽，花药短，花粉粒成四合体，纹饰颗粒状；雌花具小苞片，孕性雌花柱头条形，花柱短于子房，子房纺锤形，子房柄纤细，不孕雌花子房倒圆锥形，白色丝状毛先端膨

小香蒲

大，呈圆形，着生于子房柄基部，或向上延伸，与不孕雌花及小苞片近等长，均短于柱头。小坚果椭圆形，纵裂，果皮膜质；种子黄褐色，椭圆形。花期 6 ～ 7 月，果期 7 ～ 8 月。

**｜生境分布｜** 生于沼泽、池塘、水泡子、水沟边浅水处，亦常生于一些水体干枯后的低洼处，常成片生长。以长白山区为主要分布区域，分布于吉林延边、白山、通化、吉林、辽源（东丰）、白城（通榆、镇赉、洮南、大安）、松原（前郭尔罗斯、长岭）等。

**｜资源情况｜** 野生资源较丰富。药材主要来源于野生。

**｜采收加工｜** 春、夏季采收，洗净，鲜用或晒干。

**｜药材性状｜** 本品根茎呈姜黄色或黄褐色，先端乳白色。地上茎细弱，较小。叶基生，鞘状，无叶片，叶鞘边缘膜质。子房柄纤细，不孕雌花子房倒圆锥形，白色丝状毛先端膨大，呈圆形，着生于子房柄基部。小坚果椭圆形，纵裂，果皮膜质；种子黄褐色，椭圆形。气微，味淡。

**｜功能主治｜** 润燥凉血，去脾胃伏火。用于小便不利，乳痈。

香蒲科 Typhaceae 香蒲属 *Typha*

# 香蒲 *Typha orientalis* Presl.

**| 植物别名 |** 东方香蒲、蒲草。

**| 药 材 名 |** 蒲黄（药用部位：花粉。别名：东方香蒲）。

**| 形态特征 |** 多年生水生或沼生草本，高达200cm。根茎乳白色，粗壮。叶片条形，二列，光滑无毛，上部扁平，下部腹面微凹，背面逐渐隆起，呈凸形，横切面呈半圆形，海绵状，叶鞘抱茎。雌雄花序紧密连接；雄花序较短，花序轴具白色弯曲柔毛，自基部向上具1～3叶状苞片，花后脱落；雌花序较长，基部具1叶状苞片，花后脱落；雄花通常3雄蕊；雌花无小苞片，孕性雌花柱头匙形，外弯，子房纺锤形至披针形，不孕雌花子房近圆锥形。小坚果椭圆形至长椭圆形；果皮具长形褐色斑点；种子褐色，微弯。花期6～7月，果期7～8月。

香蒲

**| 生境分布 |** 生于江河湖泊、池塘、沟渠、沼泽、水泡子边等，常成单优势的大面积群落。分布于吉林吉林（蛟河）、延边（安图、珲春）等。

**| 资源情况 |** 野生资源较少。药材主要来源于野生。

**| 采收加工 |** 同“水烛”。

**| 药材性状 |** 同“水烛”。

**| 功能主治 |** 同“水烛”。

**| 用法用量 |** 同“水烛”。

**| 附　　注 |** 香蒲在吉林的药用历史较久。在《吉林通志》（1891）、《吉林分巡道造送会典馆、国史馆清册》（1902）、《农邑乡土志》（1905）等10余部地方志中均有关于香蒲的记载。

莎草科 Cyperaceae 苔草属 *Carex*

# 皱果苔草 *Carex dispalata* Boott ex A. Gray

**| 植物别名 |** 弯囊苔草。

**| 药 材 名 |** 皱果苔草（药用部位：全草。别名：弯囊苔草）。

**| 形态特征 |** 多年生草本，秆高 40 ~ 80cm。根茎粗，木质，具地下匍匐茎，锐三棱形，基部常具红棕色、无叶片的鞘，鞘的一侧常撕裂成网状。叶几等长于秆，平张、平滑，具两条明显的侧脉，上端边缘粗糙，近基部的叶具较长的鞘，上面的叶近无鞘。苞片叶状，下面的苞片稍长于小穗，上面的苞片常短于小穗，通常近无鞘。小穗常集中生于秆的上端，顶生小穗为雄小穗，圆柱形，具柄，侧生小穗为雌小穗，圆柱形，密生多数雌花。雄花鳞片狭披针形，中间具 1 中脉，麦秆黄色；雌花鳞片卵状披针形或披针形，中间黄绿色，具 3 脉。果囊

皱果苔草

稍长于鳞片，卵形，稍鼓胀，呈三棱形，厚纸质，淡褐绿色，具明显的横皱纹，无毛，基部钝圆，具很短的柄，先端急狭成中等长的喙，喙稍弯曲，上端常呈红褐色，喙口斜截形。小坚果稍松地包于果囊内，倒卵形或椭圆状倒卵形，三棱形，先端具小短尖，柱头3。

**| 生境分布 |** 生于沟边或沼泽地。吉林各地均有分布。

**| 资源情况 |** 野生资源丰富。药材主要来源于野生。

**| 采收加工 |** 夏、秋季采收，除去杂质，晒干。

**| 药材性状 |** 本品根茎粗，木质，具长而较粗的地下茎。秆锐三棱形，较粗，上部棱上稍粗糙，基部常具红棕色、无叶片的鞘，鞘的一侧常撕裂成网状。叶具两条明显的侧脉，两面平滑，上端边缘粗糙，近基部的叶具较长的鞘，上面的叶近无鞘。苞片叶状，下面的苞片稍长于小穗，上面的苞片常短于小穗，通常近无鞘。小坚果包于果囊内，倒卵形或椭圆状倒卵形，三棱形，长约2mm，先端具小短尖。气微，味淡。

**| 功能主治 |** 利水消肿。用于水肿。

莎草科 Cyperaceae 苔草属 *Carex*

# 大披针苔草 *Carex lanceolata* Boott

| 药 材 名 | 羊胡髭草（药用部位：全草）。

| 形态特征 | 多年生草本，高 10 ~ 35cm。根茎粗壮，斜生。秆密，从生，纤细，扁三棱形，上部稍粗糙。叶初时短于秆，后渐延伸，与秆近等长或超出，平张，质软，边缘稍粗糙，基部具紫褐色分裂且呈纤维状的宿存叶鞘。苞片佛焰苞状，苞鞘背部淡褐色，其余绿色，且具淡褐色线纹，腹面及鞘口边缘白色膜质，下部的在先端具刚毛状的短苞叶，上部的呈突尖状；小穗 3 ~ 6，彼此疏远，顶生的 1 个雄性，低于其下的雌小穗或与之等高，侧生的 2 ~ 5 小穗雌性，有 5 ~ 10 朵疏生或稍密生的花，小穗柄通常不伸出苞鞘外，仅下部的 1 个稍外露。雄花鳞片有 1 中脉，雌花鳞片有 3 脉。果囊明显短于鳞片，钝三棱

大披针苔草

形，密被短柔毛，基部骤缩成长柄，具短喙，喙口截形。小坚果有三棱，棱面凹，先端具短喙。花柱短，柱头 3。花期 6 月，果期 7 月。

**| 生境分布 |** 生于林下、林缘草地等。分布于吉林白山（抚松）、吉林（蛟河、桦甸、磐石、舒兰）、延边（安图、和龙、敦化、汪清）、通化（通化、辉南、集安）、辽源（东丰）、长春（九台）等。

**| 资源情况 |** 野生资源较丰富。药材主要来源于野生。

**| 采收加工 |** 夏、秋季采收，洗净，切段，晒干。

**| 功能主治 |** 苦，凉。归肺经。理气止痛，祛风除湿，收敛止痒。用于湿疹，催生，表证，黄水疮，小儿羊须疮。

**| 用法用量 |** 外用适量，烧灰，油调搽。

莎草科 Cyperaceae 苔草属 *Carex*

# 翼果苔草 *Carex neurocarpa* Maxim.

翼果苔草

## |植物别名|

脉果苔草。

## |药 材 名|

翼果苔草（药用部位：全草）。

## |形态特征|

多年生草本，高 15 ~ 100cm。根茎短，木质。秆丛生，全株密生锈色点线，粗壮，扁钝三棱形，平滑，基部叶鞘无叶片，淡黄锈色。叶短于或长于秆，平张，边缘粗糙，先端渐尖，基部具鞘，鞘腹面膜质，锈色。苞片下部的叶状，显著长于花序，无鞘，上部的刚毛状；小穗多数，卵形，穗状花序紧密，呈尖塔状圆柱形；雄花鳞片长圆形，锈黄色，密生锈色点线；雌花鳞片卵形至长圆状椭圆形，先端急尖，具芒尖，基部近圆形，锈黄色，密生锈色点线。果囊长于鳞片，卵形或宽卵形，稍扁，膜质，密生锈色点线，两面具多条细脉，无毛，中部以上边缘具宽而微波状不整齐的翅，锈黄色，上部通常具锈色点线，基部近圆形，里面具海绵状组织，有短柄，先端急缩成喙，喙口 2 齿裂。小坚果疏松地包于果囊中，卵形或椭圆形，平凸状，淡棕色，平滑，有光泽，具短柄，先端具小尖头。花期 6 ~ 7 月，果期 7 ~ 8 月。

| 生境分布 |

生于草甸、草丛及水边湿地等。以长白山区为主要分布区域，分布于吉林延边、白山、通化、吉林、辽源（东丰）、四平（双辽）、长春（德惠）等。

| 资源情况 |

野生资源丰富。药材主要来源于野生。

| 采收加工 |

夏、秋季采收，除去杂质，晒干。

| 药材性状 |

本品根茎短，粗壮，木质，圆锥形。秆簇生，三棱形。叶鞘长，叶线形。苞片短，筒状，具锈色脉纹。花单性，雌雄同株，花序具小穗。小坚果三棱形，褐色，柱头 3 裂。气微，味淡。

| 功能主治 |

发表透疹，健胃消食，止痢。用于痢疾，麻疹不透，消化不良。

莎草科 Cyperaceae 苔草属 *Carex*

# 直穗苔草 *Carex orthostachys* C. A. Mey.

直穗苔草

## | 药 材 名 |

直穗苔草（药用部位：全草）。

## | 形态特征 |

多年生草本，高 40 ~ 70cm。根茎具地下匍匐枝。秆疏，丛生，锐三棱形，较粗壮，平滑，基部具红褐色无叶片的鞘，老叶鞘常撕裂成纤维状或网状。叶短于秆，平张，边缘稍外卷，叶背面无毛，具小横隔脉，具鞘，下面的鞘较长。苞片叶状，稍长或近等长于花序，具短鞘，雄小穗基部的苞片呈刚毛状，常短于小穗；小穗 5 ~ 7，上部的间距短，最下面的小穗较远离，顶部 2 ~ 3 小穗为雄小穗，近无柄，其余的小穗为雌小穗，具柄，下面的柄较长，上面的柄短；雄花鳞片先端渐尖成芒，膜质，淡锈色，具 3 脉；雌花鳞片先端渐尖成芒，芒边缘粗糙，膜质，淡锈色，中间色淡，具 3 脉。果囊长于鳞片，鼓胀，呈三棱形，薄革质，麦秆黄色，具多条明显的脉，柄极短，先端具喙，喙口深裂成直的两齿。小坚果，三棱形，疏松地包于果囊内，基部具短柄，先端具小短尖，花柱基部不增粗，柱头 3。花期 8 ~ 9 月，果期 9 ~ 10 月。

**| 生境分布 |** 生于沼泽地、河边潮湿地。分布于吉林延边、白山、通化等。

**| 资源情况 |** 野生资源较少。药材主要来源于野生。

**| 采收加工 |** 夏、秋季采收，除去杂质，晒干。

**| 功能主治 |** 驱虫止痒。用于蚊虫咬伤。

莎草科 Cyperaceae 苔草属 *Carex*

# 大穗苔草 *Carex rhynchophysa* C. A. Mey.

大穗苔草

## | 药材名 |

大穗苔草（药用部位：全草）。

## | 形态特征 |

多年生草本，高 60 ~ 100cm。具匍匐根茎。秆粗壮，有 3 锐棱，下部平滑，上端稍粗糙，基部包以棕色或稍带红棕色的叶鞘。叶生中部以上，叶片长于秆，具短的横隔节。苞片叶状，长于花序，最下面的苞片具短鞘，上面的苞片无鞘；小穗 7 ~ 11，上端的 3 ~ 7 为雄小穗，间距短，较密集，狭圆柱形，有时基部具少数几朵雌花，近无柄，其余为雌小穗，长圆柱形，密生多数花，有时先端具少数雄花，具很短的柄；雄花鳞片膜质，淡黄褐色，具 1 中脉；雌花鳞片先端急尖，无短尖，膜质，淡棕色或淡黄褐色，上部边缘为白色半透明，具 1 中脉。果囊成熟时水平张开，长于鳞片，圆卵形或宽卵形，鼓胀，膜质，黄绿色，稍具光泽，无毛，具多条脉，基部急缩成近圆形，具短柄，先端急狭成稍长的喙，喙口具两齿。小坚果很松地包于果囊内，倒卵形或三棱形，基部具短柄。花柱细长，常多回扭曲，柱头 3。花期 6 月，果期 7 月。

**| 生境分布 |** 生长在沼泽地、河边、湖边潮湿地。以长白山区为主要分布区域，分布于吉林延边、白山、通化、吉林、辽源（东丰）等。

**| 资源情况 |** 野生资源较少。药材主要来源于野生。

**| 采收加工 |** 夏、秋季采收，除去杂质，晒干。

**| 药材性状 |** 本品根茎短，粗壮，木质，圆锥形。秆簇生，三棱形。叶鞘长，叶线形。苞片短，筒状，具锈色脉纹。花单性，雌雄同株，花序具小穗。小坚果三棱形，褐色，柱头 3 裂。气微，味淡。

**| 功能主治 |** 止痛。用于头痛。

莎草科 Cyperaceae 苔草属 *Carex*

# 宽叶苔草 *Carex siderosticta* Hance

| **植物别名** | 崖棕宽叶草、大叶草。

| **药 材 名** | 崖棕根（药用部位：全草。别名：宽叶苔草）。

| **形态特征** | 多年生草本，高约 30cm。具匍匐状根茎。秆侧生，花葶状。营养茎和花茎有间距，营养茎的叶片宽大，短于秆；花茎基部叶鞘淡棕褐色，先端无叶片，花茎上部苞片膨大似佛焰苞状，基部以上生小穗。小穗单生或孪生于各节，雄雌同序，线状圆柱形，具疏生的花，小穗柄多伸出鞘外；雄花鳞片披针状长圆形，先端尖，两侧透明膜质，中间绿色，具 3 脉；雌花鳞片椭圆状长圆形至披针状长圆形，先端钝，两侧透明膜质，中间绿色，具 3 脉，遍生稀疏锈点。果囊倒卵形或椭圆形、三棱形，平滑，具多条明显凸起的细脉，基部渐狭，具很

宽叶苔草

短的柄，先端骤狭成短喙或近无喙，喙口平截。小坚果紧包于果囊中，椭圆形或三棱形。花柱宿存，基部不膨大，先端稍伸出果囊之外，柱头 3。花期 5 月，果期 6 月。

**| 生境分布 |** 生于针阔叶混交林、阔叶林下或林缘等，常成片生长。以长白山区为主要分布区域，分布于吉林延边、白山、通化、吉林、辽源（东丰）等。

**| 资源情况 |** 野生资源较丰富。药材主要来源于野生。

**| 采收加工 |** 夏、秋季采收，洗净，切段，晒干。

**| 功能主治 |** 甘、辛，温。归肺、肝、肾经。活血化瘀，通经活络，补血养血，清热凉血，利尿止血。用于五劳七伤，月经不调，经闭。

**| 用法用量 |** 内服煎汤，9 ~ 12g。

莎草科 Cyperaceae 莎草属 *Cyperus*

# 异型莎草 *Cyperus difformis* L.

**| 植物别名 |** 球穗莎草。

**| 药 材 名 |** 王母钗（药用部位：全草。别名：球穗莎草、咸草）。

**| 形态特征 |** 一年生草本，高 2 ~ 65cm。根为须根。秆丛生，稍粗或细弱，扁三棱形，平滑。叶短于秆，平张或折合，叶鞘稍长，褐色。苞片 2，少 3，叶状，长于花序，长侧枝聚伞花序简单，具 3 ~ 9 辐射枝，辐射枝长短不等或有时近无花梗；头状花序球形，具极多数小穗，小穗密聚，披针形或线形，具 8 ~ 28 花，小穗轴无翅，鳞片排列稍松，膜质，近扁圆形，先端圆，中间淡黄色，两侧深紫色或栗色边缘具白色透明的边，具 3 条不很明显的脉，雄蕊 2，有时 1；花药椭圆形，花柱极短，柱头 3，短。小坚果倒卵状椭圆形，三棱形，几与鳞片等长，

异型莎草

淡黄色。花期 7 ~ 8 月，果期 8 ~ 9 月。

**| 生境分布 |** 生于稻田或水边潮湿处。分布于吉林延边（延吉、珲春）、长春（九台）、白山（靖宇、抚松）、通化（通化、集安、辉南）、吉林（蛟河、磐石、舒兰）、松原（前郭尔罗斯）等。

**| 资源情况 |** 野生资源较丰富。药材主要来源于野生。

**| 采收加工 |** 7 ~ 8 月采收。连根拔起，洗净，鲜用或晒干。

**| 药材性状 |** 本品须根细长。秆丛生，扁三棱形。叶线形，短于秆，叶鞘褐色。苞片叶状，短于花序。头状花序球形，具极多数小穗，小穗披针形或线形。鳞片排列稍松，膜质，近扁圆形，先端圆，中间淡黄色，两侧深紫色或栗色，边缘白色。小坚果倒卵状椭圆形、三棱形，淡黄色。气微，味微苦、咸。

**| 功能主治 |** 咸、微苦，凉。行气活血，利尿通淋，止血。用于热淋，跌打损伤，吐血，衄血，胁痛，胸痛，浮肿。

**| 用法用量 |** 内服煎汤，9 ~ 15g，鲜品 30 ~ 60g；或烧存性，研末。

莎草科 Cyperaceae 莎草属 *Cyperus*

# 褐穗莎草 *Cyperus fuscus* L.

| **植物别名** | 密穗莎草。

| **药 材 名** | 褐穗莎草（药用部位：全草。别名：密穗莎草）。

| **形态特征** | 一年生草本，高 6 ~ 30cm。具须根。秆丛生，细弱，扁锐三棱形，平滑，基部具少数叶。叶短于秆或几与秆等长，平张或有时向内折合，边缘不粗糙。苞片 2 ~ 3，叶状，长于花序；长侧枝聚伞花序复出或有时简单，具 3 ~ 5 第一次辐射枝；小穗 5 ~ 10 密聚成近头状花序，线状披针形或线形，稍扁平，具 8 ~ 24 花；小穗轴无翅；鳞片覆瓦状排列，膜质，宽卵形，先端钝，背面中间较宽的一条为黄绿色，两侧深紫褐色或褐色，具 3 条不十分明显的脉；雄蕊 2，花药短，椭圆形；花柱短，柱头 3。小坚果椭圆形或三棱形，长约为鳞片的

褐穗莎草

2/3，淡黄色。花期 7 ~ 8 月，果期 9 ~ 10 月。

| **生境分布** | 生于稻田中、沟边等。以长白山区为主要分布区域，分布于吉林延边、白山、通化、吉林、辽源（东丰）等。

| **资源情况** | 野生资源较少。药材主要来源于野生。

| **采收加工** | 夏、秋季采收，洗净，切段，晒干。

| **功能主治** | 发散风寒，退热止咳。用于风寒感冒，咳嗽。

莎草科 Cyperaceae 莎草属 *Cyperus*

# 头状穗莎草 *Cyperus glomeratus* L.

头状穗莎草

## | 植物别名 |

球穗莎草。

## | 药 材 名 |

水莎草（药用部位：全草。别名：状元花、三轮草、聚穗莎草）。

## | 形态特征 |

一年生草本，高 50 ~ 95cm。具须根。秆散生，粗壮，钝三棱形，平滑，基部稍膨大，具少数叶。叶短于秆，边缘不粗糙，叶鞘长，红棕色。叶状苞片 3 ~ 4，较花序长，边缘粗糙，复出长侧枝聚伞花序具 3 ~ 8 辐射枝，辐射枝长短不等；穗状花序无总花梗，近圆形、椭圆形或长圆形，具极多数小穗，小穗多列，排列极密，线状披针形或线形，稍扁平，具 8 ~ 16 花，小穗轴具白色透明的翅；鳞片排列疏松，膜质，近长圆形，先端钝，棕红色，背面无龙骨状突起，脉极不明显，边缘内卷；雄蕊 3，花药短，长圆形，暗血红色，药隔突出于花药先端；花柱长，柱头 3，较短。小坚果长圆形或三棱形，长为鳞片的 1/2，灰色，具明显的网纹。花期 6 ~ 8 月，果期 8 ~ 9 月。

|生境分布| 生于水边砂土或路旁阴湿的草丛中。吉林各地均有分布。

|资源情况| 野生资源较丰富。药材主要来源于野生。

|采收加工| 夏、秋季采收，除去杂质，切段，晒干。

|功能主治| 辛、微苦，平。归肺经。止咳化痰。用于咳嗽痰喘。

|用法用量| 内服煎汤，15 ~ 30g。

莎草科 Cyperaceae 莎草属 *Cyperus*

# 具芒碎米莎草 *Cyperus microiria* Steud.

具芒碎米莎草

## | 植物别名 |

黄颖莎草。

## | 药 材 名 |

具芒碎米莎草（药用部位：全草。别名：黄颖莎草）。

## | 形态特征 |

一年生草本，高 20 ~ 50cm。具须根。秆丛生，稍细，锐三棱形，平滑，基部具叶。叶短于秆，平张，叶鞘红棕色，表面稍带白色。叶状苞片 3 ~ 4，长于花序，长侧枝聚伞花序复出，稍密或疏展，具 5 ~ 7 辐射枝，辐射枝长短不等；穗状花序卵形，或宽卵形或近三角形，具多数小穗；小穗排列稍稀，斜展，线形或线状披针形，具 8 ~ 24 花，小穗轴直，具白色透明的狭边；鳞片排列疏松，膜质，宽倒卵形，先端圆，麦秆黄色或白色，背面具龙骨状突起，脉 3 ~ 5，绿色，中脉延伸出先端，呈短尖状；雄蕊 3，花药长圆形；花柱极短，柱头 3。小坚果倒卵形或三棱形，几与鳞片等长，深褐色，具密的微突起细点。花期 8 ~ 9 月，果期 9 ~ 10 月。

**| 生境分布 |** 生于山坡、田间、河岸旁、路旁、草原湿处等。以长白山区为主要分布区域，分布于吉林延边、白山、通化、吉林、辽源（东丰）等。

**| 资源情况 |** 野生资源较丰富。药材主要来源于野生。

**| 采收加工 |** 夏、秋季采收，除去杂质，切段，晒干。

**| 功能主治 |** 利湿通淋，行气活血。用于水肿，淋证。

莎草科 Cyperaceae 莎草属 *Cyperus*

# 三轮草 *Cyperus orthostachyus* Franch. et Savat.

三轮草

## | 植物别名 |

毛笠莎草。

## | 药 材 名 |

三轮草（药用部位：全草）。

## | 形态特征 |

一年生草本，无根茎，根为须根。秆细弱，高 8 ~ 65cm，扁三棱形，平滑。叶少，短于秆，宽 3 ~ 5mm，平张，边缘具密刺，粗糙；叶鞘较长，褐色。苞片多 3 枚，少 4 枚，下面 1 ~ 2 枚常长于花序；长侧枝聚伞花序简单，极少复出，具 4 ~ 9 辐射枝，辐射枝长短不等，最长达 20cm；穗状花序宽卵形或卵状长圆形，长 1 ~ 3.5cm，宽 1 ~ 4cm，具 5 ~ 32 小穗；小穗排列稍疏松，初为斜展开，后期为平展，披针形或线形，稍肿胀，长 4 ~ 25mm，宽 1.5 ~ 2mm，具 6 ~ 46 花，小穗轴具白色透明的狭边；鳞片排列稍疏，膜质，宽卵形或椭圆形，先端圆形，有时微凹，无短尖，长约 1.5mm，背面稍呈龙骨状突起，绿色，具 5 ~ 7 条不明显的脉，两侧紫红色，上端具白色透明的边；雄蕊 3，着生于环形的胼胝体上，花药短，椭圆形，药隔突出于花药先端；

花柱短，柱头 3，稍短。小坚果倒卵形，先端具短尖，三棱形，几与鳞片等长，棕色，具密的小点。花果期 8 ~ 10 月。

**| 生境分布 |** 生于水边。以长白山区为主要分布区域，分布于吉林延边、白山、通化、吉林、辽源（东丰）等。

**| 资源情况 |** 野生资源较少。药材主要来源于野生。

**| 采收加工 |** 秋季采收，燎去毛须，晒干。

**| 功能主治 |** 清热泻火，消炎。用于感冒，咳嗽，疟疾，妇科病。

莎草科 Cyperaceae 莎草属 *Cyperus*

# 香附子 *Cyperus rotundus* L.

**| 植物别名 |** 莎草。

**| 药 材 名 |** 香附（药用部位：根茎。别名：莎草、莎随、薃侯）。

**| 形态特征 |** 多年生草本，高 15 ~ 95cm。匍匐根茎长，具椭圆形块茎。秆散生，锐三棱形，平滑。叶较多，短于秆，平张；鞘棕色，常裂成纤维状。叶状苞片 2 ~ 3，常长于花序，或有时短于花序；长侧枝聚伞花序简单或复出，具 3 ~ 10 辐射枝，辐射枝较长；穗状花序轮廓为陀螺形，稍疏松，具 3 ~ 10 小穗；小穗斜展开，线形，具 8 ~ 28 花，小穗轴具较宽的、白色透明的翅；鳞片稍密，覆瓦状排列，膜质，卵形或长圆状卵形，先端急尖或钝，无短尖，中间绿色，两侧紫红色或红棕色，具 5 ~ 7 脉；雄蕊 3，花药长，线形，暗血红色，药

香附子

隔突出于花药先端；花柱长，柱头 3，细长，伸出鳞片外。小坚果长圆状倒卵形或三棱形，长为鳞片的 1/3 ~ 2/5，具细点。花期 5 ~ 6 月，果期 9 ~ 10 月。

**| 生境分布 |** 生于山坡、荒地、草丛中或水边潮湿处。分布于吉林吉林（丰满）、通化（柳河）、白山（江源）等。

**| 资源情况 |** 野生资源较少。药材主要来源于野生。

**| 采收加工 |** 秋季采挖，去毛须，置沸水中略煮或蒸透后晒干，或直接晒干。

**| 药材性状 |** 本品多呈纺锤形，有的略弯曲，长 2 ~ 3.5cm，直径 0.5 ~ 1cm。表面棕褐色或黑褐色，有纵皱纹，并有 6 ~ 10 个略隆起的环节，节上有未除净的棕色毛须及须根断痕。去净毛须者较光滑，环节不明显。质硬。经蒸煮者断面黄棕色或红棕色，角质样；生晒者断面色白而显粉性，内皮层环纹明显，中柱色较深，点状维管束散在。气香，味微苦。以个大、色棕褐、质坚实、香气浓者为佳。

**| 功能主治 |** 苦、辛，凉。归肝、脾、三焦经。疏肝解郁，理气宽中，调经止痛。用于胸胁胀痛，疝气疼痛，乳房胀痛，脘腹痞闷，月经不调，经闭痛经。

**| 用法用量 |** 内服煎汤，6 ~ 9g；或入丸、散。外用适量，研末撒或调敷。

莎草科 Cyperaceae 羊胡子草属 *Eriophorum*

# 宽叶羊胡子草 *Eriophorum latifolium* Hoppe

| 植物别名 | 东方羊胡子草。

| 药 材 名 | 宽叶羊胡子草（药用部位：全草）。

| 形态特征 | 多年生草本，高 30 ~ 100cm。具短而细的匍匐根茎。秆圆柱状或三棱形，光滑，散生。具条形、平张的基生叶，短于秆，边缘粗糙，渐向先端渐狭，近先端三棱形；秆生叶 1 ~ 3，具叶片，近先端三棱形，先端圆钝，具长鞘，鞘管状，上部稍膨大，黑紫色。苞片 2 ~ 3，直立，下部呈鞘状，深褐色，上部呈叶状，近先端三棱形，先端钝，长侧枝聚伞花序，有 4 ~ 10 小穗；小穗有的稍下垂，卵形或长椭圆形，小穗柄长短不等，扁三棱形或圆柱状，粗糙。鳞片卵披针形、卵形或披针形，先端钝，膜质，灰黑色，边缘近干膜

宽叶羊胡子草

质，具1脉；下位刚毛极多，药隔不突出于花药先端。小坚果长椭圆形或三棱形，紫黑色或深褐色，下部稍狭。花期6～7月，果期7～8月。

**| 生境分布 |** 生于潮湿草甸、沙丘间湿地、江岸边或山脚下。分布于吉林白山（靖宇）、延边（安图、和龙、敦化、汪清）、通化（柳河）等。

**| 资源情况 |** 野生资源较丰富。药材主要来源于野生。

**| 采收加工 |** 春、夏季采收，除去杂质，鲜用或晒干。

**| 药材性状 |** 本品根茎细长。秆圆柱状或三棱形，光滑，散生。叶片近先端三棱形，先端圆钝，具长鞘，鞘管状，上部稍膨大，黑紫色。苞片直立，呈鞘状，深褐色。聚伞花序，有小穗，卵形或长椭圆形，小穗柄长短不等，扁三棱形或圆柱状，粗糙。鳞片披针形或卵形，先端钝，膜质，灰黑色。小坚果长椭圆形或三棱形，紫黑色或深褐色，下部稍狭。气微，味淡。

**| 功能主治 |** 祛风止痒。用于皮肤瘙痒。

莎草科 Cyperaceae 羊胡子草属 *Eriophorum*

# 白毛羊胡子草 *Eriophorum vaginatum* L.

白毛羊胡子草

## | 植物别名 |

羊胡子草。

## | 药 材 名 |

白毛羊胡子草（药用部位：根。别名：羊胡子草）。

## | 形态特征 |

多年生草本，高 40 ~ 80cm。无匍匐根茎。秆密，丛生，并常成大丛，圆柱状，无毛，且不粗糙，靠近花序部分钝三角形，有时稍粗糙，基部叶鞘褐色，稍分裂成纤维状。基生叶线形，三棱状，粗糙，渐向先端渐狭，先端钝或急尖；秆生叶 1 ~ 2，只有鞘而无叶片，鞘具小横脉，上部膨大，常黑色，膜质。苞片呈鳞片状，薄膜质，灰黑色，边缘干膜质，卵形，先端急尖，具 3 ~ 7 脉；小穗单个顶生，具多数花，花开后连刚毛呈倒卵球形；鳞片卵状披针形，上部渐狭，先端急尖，薄膜质，灰黑色，边缘干膜质，灰白色，有一条脉，下部多个鳞片内无花；下位刚毛极多，白色。小坚果三棱状倒卵形，棱上平滑，褐色。花果期 6 月。

**| 生境分布 |** 生于湿草丛、湖边、湿润的旷野和水中。分布于吉林延边（和龙、安图）、白山（抚松、长白）等。

**| 资源情况 |** 野生资源较少。药材主要来源于野生。

**| 采收加工 |** 秋季采挖，洗去泥沙，晒干。

**| 功能主治 |** 祛湿敛疮。用于黄水疮。

莎草科 Cyperaceae 荸荠属 *Heleocharis*

# 牛毛毡 *Heleocharis yokoscensis* (Franch. et Savat.) Tang et Wang

**| 植物别名 |** 松毛蔺、油麻毡、猪毛草。

**| 药 材 名 |** 牛毛毡（药用部位：全草。别名：松毛蔺）。

**| 形态特征 |** 多年生矮小草本，高 2 ～ 12cm。具极纤细匍匐根茎。秆密，丛生如毛发。叶鳞片状，具鞘，鞘微红色，膜质，管状。小穗卵形，先端钝，淡紫色，只有几朵花，所有鳞片全有花；鳞片膜质，在下部的少数鳞片近 2 列，在基部的一片长圆形，先端钝，背部淡绿色，有 3 脉，两侧微紫色，边缘无色，抱小穗基部一周，其余鳞片卵形，先端急尖，背部微绿色，有 1 脉，两侧紫色，边缘无色，全部膜质；下位刚毛 1 ～ 4，长为小坚果的 2 倍，有倒刺；柱头 3。小坚果狭长圆形，无棱，呈浑圆状，先端缢缩，微黄玉白色，表面细胞呈横

牛毛毡

矩形网纹，网纹隆起，细密，整齐，因而呈现出 15 纵纹和约 50 横纹；花柱基稍膨大，呈短尖状，直径约为小坚果宽的 1/3。花期 6 ~ 7 月，果期 8 ~ 9 月。

**| 生境分布 |** 生于水田中、池塘边等。分布于吉林长春、四平、延边（珲春）、通化（通化）、白山（靖宇）等。

**| 资源情况 |** 野生资源较少。药材主要来源于野生。

**| 采收加工 |** 6 ~ 9 月开花时采收，洗净，晒干。

**| 功能主治 |** 辛，温。归肺经。发表散寒，祛痰平喘，活血消肿。用于外感风寒身痛，咳嗽痰喘，喉哑失音，跌打损伤。

**| 用法用量 |** 内服煎汤，15 ~ 30g；或研末，3 ~ 9g。

莎草科 Cyperaceae 藨草属 *Scirpus*

# 茸球藨草 *Scirpus asiaticus* Beetle

**| 植物别名 |** 庐山藨草。

**| 药 材 名 |** 茸球藨草（药用部位：根、种子）。

**| 形态特征 |** 多年生草本，高 100 ~ 150cm。散生，根茎粗短，无匍匐根茎。秆粗壮或较粗壮，坚硬，钝三棱形，有 5 ~ 8 节，节间长，具秆生叶和基生叶。叶短于秆，质稍坚硬，叶鞘通常红棕色。叶状苞片 2 ~ 4，通常短于花序，少有长于花序者，多次复出长侧枝聚伞花序大型，具很多辐射枝，第一次辐射枝细长且疏展，各次辐射枝及小穗柄均很粗糙；小穗常单生，少见 2 ~ 4 个成簇状着生于辐射枝先端，椭圆形或近球形，先端钝圆，具多数密生的花；鳞片三角状卵形、卵形或长圆状卵形，先端急尖，膜质，锈色，背部有 1 条淡绿色的脉；

茸球藨草

下位刚毛 6，下部卷曲，较小坚果长得多，上端疏生顺刺；花药线状长圆形，花柱中等长，柱头 3。小坚果倒卵形，扁三棱形，淡黄色，先端具喙。花期 6 ~ 7 月，果期 8 ~ 9 月。

**| 生境分布 |** 生于山路旁、阴湿草丛中、沼泽地、溪旁及山脚空旷处。分布于吉林延边（珲春、安图、龙井）等。

**| 资源情况 |** 野生资源较少。药材主要来源于野生。

**| 采收加工 |** 秋季采挖根，洗去泥沙，晒干。秋季采收种子，晒干，除去杂质。

**| 功能主治 |** 活血化瘀，清热利尿，止血。用于血瘀疼痛，小便不利，出血。

莎草科 Cyperaceae 藨草属 *Scirpus*

# 吉林藨草 *Scirpus komarovii* Roshev.

**| 植物别名 |** 吉林水葱。

**| 药 材 名 |** 吉林藨草（药用部位：全草）。

**| 形态特征 |** 多年生草本，密丛生，高 10 ~ 50cm。根茎短缩，无匍匐根茎，具须根。秆稍细，圆柱状，平滑；基部具 2 ~ 3 鞘，绿色，有时基部为淡棕色，上端开口处为斜截形，边缘干膜质，不具叶片。苞片 1，为秆的延长，基部稍扩大；小穗无柄，数个聚成头状，假侧生，卵形或长圆状卵形，具多数花；鳞片长圆形，先端钝圆，具短尖，膜质，背面绿色，两侧淡棕色，稍有深棕色条纹，脉不明显；下位刚毛 4，生有倒刺。雄蕊 3，花药披针形，短，药隔稍突出；花柱长，柱头 2。小坚果宽倒卵形，扁双凸状，黑褐色，有不明显的横皱纹，具光泽。

吉林藨草

花期6～7月，果期8～9月。

**|生境分布|** 生于水田或沼泽地。分布于吉林延边、白山、通化、长春、吉林、辽源等。

**|资源情况|** 野生资源较少。药材主要来源于野生。

**|采收加工|** 6～9月采收，除去杂质，晒干。

**|功能主治|** 祛风止痒。用于皮肤瘙痒。

莎草科 Cyperaceae 藨草属 *Scirpus*

# 扁秆藨草 *Scirpus planiculmis* Fr. Schmidt

| 植物别名 | 扁秆荆三棱、扁秆荆、紧穗。

| 药 材 名 | 扁秆藨草（药用部位：全草。别名：水莎草、三棱草）。

| 形态特征 | 多年生草本，高 60 ~ 100cm。具匍匐根茎和块茎。秆一般较细，三棱形，平滑，靠近花序部分粗糙，基部膨大，具秆生叶。叶扁平，向顶部渐狭，具长叶鞘。叶状苞片 1 ~ 3，常长于花序，边缘粗糙，长侧枝聚伞花序短缩成头状，或有时具少数辐射枝，通常具 1 ~ 6 小穗；小穗卵形或长圆状卵形，锈褐色，具多数花；鳞片膜质，长圆形或椭圆形，褐色或深褐色，外面被稀少的柔毛，背面具一条稍宽的中肋，先端或多或少缺刻状撕裂，具芒；下位刚毛 4 ~ 6，上生倒刺，长为小坚果的 1/2 ~ 2/3；雄蕊 3，花药线形，药隔稍突

扁秆藨草

出于花药先端；花柱长，柱头 2。小坚果宽倒卵形或倒卵形，扁，两面稍凹或稍凸。花期 6 ~ 7 月，果期 8 ~ 9 月。

**| 生境分布 |** 生于河岸、沟渠、稻田、沼泽等。分布于吉林白城（大安）、松原（乾安、前郭尔罗斯、长岭、扶余）、白山（抚松、临江、长白、靖宇）等。

**| 资源情况 |** 野生资源较丰富。药材主要来源于野生。

**| 采收加工 |** 夏、秋季采收，洗净，晒干。

**| 药材性状 |** 本品秆较细，三棱形，平滑，基部膨大。叶基生或秆生，叶片线形，扁平。叶状苞片长于花序，边缘粗糙。聚伞花序头状，小穗卵形或长圆状卵形，褐锈色，具多数花。鳞片长圆形或椭圆形，膜质，褐色或深褐色，疏被柔毛，有脉。小坚果倒卵形或宽倒卵形，两面稍凹或稍凸，长 3 ~ 3.5mm。气微，味苦。

**| 功能主治 |** 苦，平。归肺经。破血通经，行气消积，止咳，补气，止痛。用于咳嗽，癥瘕积聚，产后瘀阻腹痛，消化不良，经闭。

**| 用法用量 |** 内服煎汤，15 ~ 30g。

莎草科 Cyperaceae 藨草属 *Scirpus*

# 水毛花 *Scirpus triangulatus* Roxb.

水毛花

## | 植物别名 |

星穗藨草。

## | 药 材 名 |

蒲草根（药用部位：根）。

## | 形态特征 |

多年生草本，根茎粗短，无匍匐根茎，具细长须根。秆丛生，稍粗壮，高 50 ~ 120cm，锐三棱形，基部具 2 叶鞘，鞘棕色，长 7 ~ 23cm，先端呈斜截形，无叶片。苞片 1，为秆的延长，直立或稍展开，长 2 ~ 9cm；小穗（2 ~ ）5 ~ 9（ ~ 20）聚集成头状，假侧生，卵形、长圆状卵形、圆筒形或披针形，先端钝圆或近急尖，长 8 ~ 16mm，宽 4 ~ 6mm，具多数花；鳞片卵形或长圆状卵形，先端急缩成短尖，近革质，长 4 ~ 4.5mm，淡棕色，具红棕色短条纹，背面具 1 脉；下位刚毛 6，有倒刺，较小坚果长一半或与之等长，或较小坚果稍短；雄蕊 3，花药线形，长 2mm 或更长，药隔稍突出；花柱长，柱头 3。小坚果倒卵形、宽倒卵形或扁三棱形，长 2 ~ 2.5mm，成熟时暗棕色，具光泽，稍有皱纹。花果期 5 ~ 8 月。

| 生境分布 |

生于沟、塘、湖边及溪边牧草地。分布于吉林延边、白山、通化、长春、吉林、辽源等。

| 资源情况 |

野生资源较少。药材主要来源于野生。

| 采收加工 |

秋季采挖，洗净，鲜用或晒干。

| 功能主治 |

淡、微苦，凉。归胃、膀胱、肾经。清热利尿，解毒。用于热淋，带下，牙龈肿痛。

| 用法用量 |

内服煎汤，9 ~ 15g，鲜品 30 ~ 60g。

莎草科 Cyperaceae 藨草属 *Scirpus*

# 藨草 *Scirpus triqueter* L.

藨草

## |植物别名|

野荸荠、光棍草、三棱藨草。

## |药 材 名|

藨草（药用部位：全草。别名：野荸荠、光棍草、光棍子）。

## |形态特征|

多年生草本，高 20 ~ 90cm。匍匐根茎长，干时呈红棕色。秆散生，粗壮，三棱形，基部具 2 ~ 3 鞘，鞘膜质，横脉明显隆起，最上一个鞘先端具叶片。叶片扁平。苞片 1，为秆的延长，三棱形；简单长侧枝聚伞花序假侧生，有 1 ~ 8 辐射枝，辐射枝三棱形，棱上粗糙，每个辐射枝先端有 1 ~ 8 个簇生的小穗；小穗卵形或长圆形，密生许多花；鳞片长圆形、椭圆形或宽卵形，先端微凹或圆形，膜质，黄棕色，背面具 1 中肋，稍延伸出先端呈短尖，边缘疏生缘毛；下位刚毛 3 ~ 5，几等长或稍长于小坚果，全长都生有倒刺，雄蕊 3，花药线形，药隔暗褐色，稍突出；花柱短，柱头 2，细长。小坚果倒卵形，平凸状，成熟时褐色，具光泽。花期 7 ~ 8 月，果期 8 ~ 9 月。

| **生境分布** | 生于水沟、水塘、山溪边等。分布于吉林通化（通化、集安）、白山（临江、抚松）、延边（和龙、珲春、汪清）、长春（九台、榆树）、白城（洮南）等。

| **资源情况** | 野生资源较少。药材主要来源于野生。

| **采收加工** | 夏、秋季采收，洗净，切段，晒干。

| **功能主治** | 甘、涩，平。开胃。用于食积。

莎草科 Cyperaceae 藨草属 *Scirpus*

# 水葱 *Scirpus validus* Vahl

| **植物别名** | 水葱、藨草、莞葱。

| **药 材 名** | 水葱（药用部位：茎。别名：南水葱）。

| **形态特征** | 多年生草本，高 100 ~ 200cm。匍匐根茎粗壮，具许多须根。秆高大，圆柱状，平滑，基部具 3 ~ 4 叶鞘，管状，膜质，最上面一个叶鞘具叶片。叶片线形。苞片 1，为秆的延长，直立，钻状，常短于花序；极少数稍长于花序；长侧枝聚散花序简单或复出，假侧生，具多个辐射枝，一面凸，一面凹，边缘有锯齿；小穗单生或 2 ~ 3 个簇生于辐射枝先端，卵形或长圆形，先端急尖或钝圆，具多数花；鳞片椭圆形或宽卵形，先端稍凹，具短尖，膜质，棕色或紫褐色，有时基部色淡，背面有铁锈色突起小点，具 1 脉，边缘具缘毛；下位刚

水葱

毛6，等长于小坚果，红棕色，有倒刺；雄蕊3，花药线形，药隔突出；花柱中等长，柱头2，长于花柱。小坚果倒卵形或椭圆形，双凸状，少有三棱形。花期7～8月，果期8～9月。

**| 生境分布 |** 生于沼泽、湖边、池塘中，常成单优势的大面积群落。吉林各地均有分布。

**| 资源情况 |** 野生资源一般。药材主要来源于野生。

**| 采收加工 |** 夏、秋季采收，洗净，切段，晒干。

**| 药材性状 |** 本品茎呈扁圆柱形或扁平长条形，长60～100cm，直径4～9cm，或更粗。表面淡黄棕色或枯绿色，有光泽，具纵沟纹，节少，稍隆起，可见膜质叶鞘。质轻而韧，不易折断，切断面类白色，有许多细孔，似海绵状。有的可见淡黄色的花序。气微，味淡。

**| 功能主治 |** 淡，平。归膀胱经。通利小便。用于小便不通。

**| 用法用量 |** 内服煎汤，5～10g。

**| 附　　注 |** 在FOC中，本种的拉丁学名被修订为 *Schoenoplectus tabernaemontani* (C. C. Gmelin) Palla。

莎草科 Cyperaceae 藨草属 *Scirpus*

# 荆三棱 *Scirpus yagara* Ohwi

**| 植物别名 |** 泡三棱、三棱草、棱草。

**| 药 材 名 |** 荆三棱（药用部位：块茎。别名：京三棱、泡三棱、三棱草）。

**| 形态特征 |** 多年生高大草本，高 70 ~ 150cm。根茎粗而长，呈匍匐状，先端生球状块茎，常从块茎又生匍匐根茎。秆粗壮，锐三棱形，平滑，基部膨大，具秆生叶。叶扁平，线形，稍坚挺，上部叶片边缘粗糙，叶鞘很长。叶状苞片 3 ~ 4，通常长于花序；长侧枝聚伞花序简单，具 3 ~ 8 辐射枝，每辐射枝具 1 ~ 3 小穗；小穗卵形或长圆形，绣褐色，具多数花；鳞片密覆瓦状排列，膜盾，长圆形，外面被短柔毛，面具 1 中肋，先端具芒；下位刚毛 6，几与小坚果等长，上有倒刺；雄蕊 3，花药线形；花柱细长，柱头 3。小坚果倒卵形或三棱形，黄

荆三棱

白色。花期6～7月，果期7～8月。

**| 生境分布 |** 生于沼泽、河岸及稻田等。吉林各地均有分布。

**| 资源情况 |** 野生资源较少。药材主要来源于野生。

**| 采收加工 |** 秋季采挖根，除去残茎、须根，洗去泥土，晒干。

**| 功能主治 |** 辛、苦，平。归肝、脾经。破血行气，消积止痛。用于癥瘕积聚，经闭，产后瘀血腹痛，跌打损伤，疮肿坚硬。

**| 用法用量 |** 内服煎汤，4.5～9g。

**| 附　　注 |** 在FOC中，本种的拉丁学名被修订为 *Bolboschoenus yagara* (Ohwi) Y. C. Yang & M. Zhan。

芭蕉科 Musaceae 芭蕉属 *Musa*

# 芭蕉 *Musa basjoo* Sieb. & Zucc.

芭蕉

## |植物别名|

天苴、板蕉、牙蕉。

## |药 材 名|

芭蕉根（药用部位：根茎）、芭蕉头（药用部位：茎）、芭蕉油（药材来源：茎汁）、芭蕉叶（药用部位：叶）、芭蕉花（药用部位：花）、芭蕉子（药用部位：种子）。

## |形态特征|

多年生草本植物，植株高 2.5 ~ 4m。叶片长圆形，长 2 ~ 3m，宽 25 ~ 30cm，先端钝，基部圆形或不对称，叶面鲜绿色，有光泽；叶柄粗壮，长达 30cm。花序顶生，下垂；苞片红褐色或紫色；雄花生于花序上部，雌花生于花序下部；雌花在每一苞片内有 10 ~ 16，排成 2 列；合生花被片长 4 ~ 4.5cm，具 5（3+2）齿裂，离生花被片几与合生花被片等长，先端具小尖头。浆果三棱状，长圆形，长 5 ~ 7cm，具 3 ~ 5 棱，近无柄，肉质，内具多数种子；种子黑色，具疣突及不规则棱角，宽 6 ~ 8mm。

**| 生境分布 |** 生于庭园、植物园及农舍附近等。吉林无野生分布。

**| 资源情况 |** 吉林偶见栽培。药材主要来源于栽培。

**| 采收加工 |** 芭蕉根：全年均可采挖，晒干或鲜用。

芭蕉头：全年均可采收，洗净，鲜用或晒干。

芭蕉油：夏、秋季于近茎根部刺破，取流出汁液，用瓶子装好，密封备用。或以嫩茎捣烂，绞汁亦可。

芭蕉叶：全年均可采收，切碎，鲜用或晒干。

芭蕉花：花开时采收，鲜用或阴干。

芭蕉子：夏、秋季果实熟时采收，鲜用。

**| 功能主治 |** 芭蕉根：甘，寒。归胃、脾、肝经。清热解毒，止渴，利尿。用于热病，烦闷消渴，痈肿疔毒，丹毒，崩漏，淋浊，水肿，脚气。

芭蕉头：淡，凉。清热解毒，利尿消肿，凉血，止痛。用于感冒咳嗽，头痛，高血压，胃痛，肝炎，痢疾，崩漏，胎动不安，尿路感染，水肿；外用于中耳炎，创伤出血，痈疖肿毒。

芭蕉油：甘，寒。归心、肝、胃经。清热，止渴，解毒。用于热病烦渴，惊风，癫痫，高血压头痛，疔疮痈疽，中耳炎，烫火伤。

芭蕉叶：甘、淡，寒。归心、肝经。清热，利尿，解毒。用于热病，中暑，水肿，脚气，痈肿，烫火伤。

芭蕉花：甘、微辛，凉。归心、肝、胃、大肠经。化痰消痞，散瘀，止痛。用于脘腹痞闷，吞酸反胃，呕吐痰涎，头目昏眩，心痛怔忡，风湿疼痛。

芭蕉子：甘，寒。归肺、心、肾经。止渴润肺，通血脉，填骨髓。

**| 用法用量 |** 芭蕉根：内服煎汤，15 ~ 30g，鲜品 30 ~ 620g；或捣汁。外用适量，捣敷；或捣汁涂；或煎汤含漱。

芭蕉油：内服，50 ~ 250ml。外用适量，搽涂；或滴耳；或含漱。

芭蕉叶：内服煎汤，6 ~ 9g；或烧存性，研末，每次 0.5 ~ 1g。外用适量，捣敷；或烧存性，研末调敷。

芭蕉花：内服煎汤，5 ~ 10g；或烧存性，研末，6g。

芭蕉子：内服适量，生食或蒸熟取仁。

芭蕉科 Musaceae 芭蕉属 *Musa*

# 香蕉 *Musa nana* Lour.

**| 植物别名 |** 龙溪蕉、天宝蕉。

**| 药 材 名 |** 香蕉（药用部位：果实。别名：蕉子、蕉果）、香蕉根（药用部位：根。别名：甘蕉根、大蕉根）、大蕉皮（药用部位：果皮）。

**| 形态特征 |** 多年生草本植物，植株丛生，具匍匐茎，矮型的高 3.5m 以下，一般高不及 2m，高型的高 4 ～ 5m。假茎均浓绿而带黑斑，被白粉，尤以上部为多。叶片长圆形，长（1.5 ～）2 ～ 2.2（～ 2.5）m，宽 60 ～ 70（～ 85）cm，先端钝圆，基部近圆形，两侧对称，叶面深绿色，无白粉，叶背浅绿色，被白粉；叶柄短粗，通常长在 30cm 以下，叶翼显著，张开，边缘褐红色或鲜红色。穗状花序下垂，花序轴密

香蕉

被褐色绒毛；苞片外面紫红色，被白粉，内面深红色，但基部略淡，具光泽，雄花苞片不脱落，每苞片内有花 2 列；花乳白色或略带浅紫色，离生花被片近圆形，全缘，先端有锥状急尖，合生花被片的中间两侧生小裂片，长约为中央裂片的 1/2。最大的果丛有果实 360 个之多，重可达 32kg，一般的果丛有果实 8 ~ 10 段，有果 150 ~ 200；果身弯曲，略为浅弓形，幼果向上，直立，成熟后逐渐趋于平伸，长（10 ~ ）12 ~ 30cm，直径 3.4 ~ 3.8cm，果棱明显，有 4 ~ 5 棱，先端渐狭，非显著缩小，果柄短，果皮青绿色，在高温下催熟，果皮呈绿色带黄，在低温下催熟，果皮则由青变为黄色，并且生麻黑点（即"梅花点"），果肉松软，黄白色，味甜，无种子，香味特浓。剑头芽（即慈姑芽或竹笋芽）假茎高约 50cm，基部粗壮，肉红色，上部细小，呈带灰绿的紫红色，黑斑大而显著，叶片狭长上举，叶背被有厚层的白粉。

**| 生境分布 |** 生于庭院、植物园等。吉林无野生分布。吉林部分庭院、植物园有栽培。

**| 资源情况 |** 吉林偶见栽培。药材主要来源于栽培。

**| 采收加工 |** 香蕉：果实将熟时采收，鲜用或晒干。

香蕉根：全年均可采收，除去茎生叶，洗净，切碎，鲜用或晒干。

大蕉皮：果实将熟时采收，剥取果皮，鲜用或晒干。

**| 药材性状 |** 大蕉皮：本品呈不规则条块状，表面黑褐色，具有较长的果柄，纤维性较强，长 4 ~ 5cm。质软而韧，纤维众多。以干燥、洁净者为佳。

**| 功能主治 |** 香蕉：甘，寒。归肺、脾经。清热，润肺，滑肠，解毒。用于热病烦渴，肺燥咳嗽，便秘，痔疮。

香蕉根：甘，寒。归胃经。清热凉血，解毒。用于热病烦渴，血淋，痈肿。

大蕉皮：甘、涩，寒。清热解毒，降血压。用于痢疾，霍乱，皮肤瘙痒，高血压。

**| 用法用量 |** 香蕉：内服生食或炖熟，1 ~ 4 枚。

香蕉根：内服煎汤，30 ~ 60g；或捣汁。外用适量，捣敷；或绞汁涂。

大蕉皮：内服煎汤，30 ~ 60g。外用适量，煎汤洗；或研末调敷。

芭蕉科 Musaceae 地涌金莲属 *Musella*

# 地涌金莲 *Musella lasiocarpa* (Fr.) C. Y. Wu ex H. W. Li

**| 植物别名 |** 地金莲、地涌莲、地母金莲。

**| 药 材 名 |** 地涌金莲（药用部位：花）。

**| 形态特征 |** 多年生草本植物，植株丛生，具水平向根茎。假茎矮小，高不及60cm，基径约15cm，基部有宿存的叶鞘。叶片长椭圆形，长约5cm，宽约20cm，先端锐尖，基部近圆形，两侧对称，有白粉。花序直立，直接生于假茎上，密集如球穗状，长20 ~ 25cm；苞片干膜质，黄色或淡黄色，有花2列，每列4 ~ 5花；合生花被片卵状长圆形，先端具5（3 + 2）齿裂，离生花被片先端微凹，凹陷处具短尖头。浆果三棱状卵形，长约3cm，直径约2.5cm，

地涌金莲

外面密被硬毛，果内具多数种子；种子大，扁球形，宽 6 ~ 7mm，黑褐色或褐色，光滑，腹面有大而白色的种脐。

**｜生境分布｜**

生于海拔 1500 ~ 2500m 的山坡。吉林无野生分布。吉林部分庭院、植物园有栽培。

**｜资源情况｜**

吉林偶见栽培。药材主要来源于栽培。

**｜采收加工｜**

夏、秋季花期采收，晒干或鲜用。

**｜功能主治｜**

苦、涩，寒。归大肠经。止带，止血。用于带下，崩漏，便血。

**｜用法用量｜**

内服煎汤，10 ~ 15g。

美人蕉科 Cannaceae 美人蕉属 *Canna*

# 美人蕉 *Canna indica* L.

美人蕉

## | 药 材 名 |

美人蕉（药用部位：根茎）。

## | 形态特征 |

多年生草本植物，植株全部绿色，高可达1.5m。叶片卵状长圆形，长10 ~ 30cm，宽10cm。总状花序疏花，略超出于叶片之上；花红色，单生；苞片卵形，绿色，长约1.2cm；萼片3，披针形，长约1cm，绿色而有时染红；花冠管长不及1cm，花冠裂片披针形，长3 ~ 3.5cm，绿色或红色；外轮退化雄蕊2 ~ 3，鲜红色，其中2枚倒披针形，长3.5 ~ 4cm，宽5 ~ 7mm，另1枚如存在则特别小，长1.5cm，宽仅1mm；唇瓣披针形，长3cm，弯曲；发育雄蕊长2.5cm，花药室长6mm；花柱扁平，长3cm，一半和发育雄蕊的花丝连合。蒴果绿色，长卵形，有软刺，长1.2 ~ 1.8cm。花果期3 ~ 12月。

## | 生境分布 |

生于路旁、公园、植物园等。吉林无野生分布。吉林部分庭院、植物园、绿化带等有栽培。

### |资源情况|

吉林有栽培。药材主要来源于栽培。

### |采收加工|

全年均可采挖，去除茎生叶，晒干或鲜用。

### |功能主治|

甘、微苦、涩，凉。归心、小肠、肝经。清热解毒，调经利水。用于月经不调，带下，黄疸，痢疾，疮疡肿毒。

### |用法用量|

内服煎汤，6 ~ 15g，鲜品 30 ~ 120g。外用适量，捣敷。

兰科 Orchidaceae 凹舌兰属 *Coeloglossum*

# 凹舌兰 *Coeloglossum viride* (L.) Hartm.

凹舌兰

## |植物别名|

绿花凹舌兰、长苞凹舌兰。

## |药 材 名|

凹舌兰（药用部位：块茎。别名：台湾裂唇兰、绿花凹舌兰）。

## |形态特征|

多年生草本植物，陆生兰，高 14 ~ 45cm。块茎肉质，近掌状分裂。茎直立，基部具 2 ~ 3 筒状鞘，鞘之上具叶，叶之上常具 1 至数枚苞片状小叶。叶常 3 ~ 4，叶片狭倒卵状长圆形，直立伸展，基部收狭成抱茎的鞘。总状花序，有花数朵；花苞片线形或狭披针形，直立伸展，常明显较花长；子房纺锤形，扭转，花绿黄色或绿棕色，直立伸展；萼片基部常稍合生，几等长，中萼片直立，凹陷成舟状，卵状椭圆形，先端钝，具 3 脉，侧萼片偏斜，卵状椭圆形，较中萼片稍长，先端钝，具 4 ~ 5 脉；花瓣直立，线状披针形，较中萼片稍短，具 1 脉，与中萼片靠合，呈兜状；唇瓣下垂，肉质，倒披针形，较萼片长，基部具囊状距，上面在近部的中央有 1 短的纵褶片，前部 3 裂，侧裂片较中裂片长，中裂片小，距卵球形。

蒴果直立，椭圆形，无毛。花期 7 ~ 8 月，果期 8 ~ 9 月。

| **生境分布** | 生于林下、林缘、草甸、山坡、亚高山草地及高山苔原带上。分布于吉林白山（长白、抚松、临江）、延边（安图）等。

| **资源情况** | 野生资源稀少。药材主要来源于野生。

| **采收加工** | 秋季采挖，除去杂质，晒干。

| **功能主治** | 甘、苦，平。补血益气，生津止渴，行血止痛。用于久病肺弱，肺虚咳喘，虚劳消瘦，腰痛，神经衰弱，带下，小儿遗尿，久泻，慢性出血，乳汁稀少，跌打损伤，疮疖。

| **附　　注** | 本种为吉林省Ⅲ级重点保护野生植物。

兰科 Orchidaceae 杓兰属 *Cypripedium*

# 杓兰 *Cypripedium calceolus* L.

| **植物别名** | 黄囊杓兰、欧洲杓兰。

| **药 材 名** | 杓兰（药用部位：根）。

| **形态特征** | 多年生草本植物，陆生兰，高 20 ~ 45cm，具较粗壮的根茎。茎直立，被腺毛，基部具数枚鞘，近中部以上具 3 ~ 4 叶。叶片椭圆形或卵状椭圆形，较少卵状披针形，先端急尖或短渐尖，背面疏被短柔毛，毛以脉上与近基部处为多，边缘具细缘毛。花序顶生，通常具 1 ~ 2 花；花苞片叶状，椭圆状披针形或卵状披针形；花梗和子房具短腺毛；花具栗色或紫红色萼片和花瓣，但唇瓣黄色；中萼片卵形或卵状披针形，先端渐尖或尾状渐尖，背面中脉疏被短柔毛；合萼片与

杓兰

中萼片相似，先端 2 浅裂；花瓣线形或线状披针形，扭转，内表面基部与背面脉上被短柔毛；唇瓣深囊状，椭圆形，囊底具毛，囊外无毛；内折侧裂片；退化雄蕊近长圆状椭圆形，先端钝，基部柄极短，下面有龙骨状突起。花期 6 ~ 7 月，果期 8 ~ 9 月。

**| 生境分布 |** 生于林下、林缘、灌丛中及林间草地上。分布于吉林延边（安图、汪清、和龙、敦化、龙井）、通化（通化、柳河）、白山（抚松）等。

**| 资源情况 |** 野生资源较少。药材主要来源于野生。

**| 采收加工 |** 秋季采挖，除去残茎，洗去泥土，晒干。

**| 功能主治 |** 清热镇静，强心利尿，活血调经。用于心力衰竭，月经不调。

兰科 Orchidaceae 杓兰属 *Cypripedium*

# 紫点杓兰 *Cypripedium guttatum* Sw.

| **植物别名** | 斑点杓兰、小囊兰、小口袋花。

| **药 材 名** | 斑花杓兰（药用部位：花。别名：小口袋花）。

| **形态特征** | 多年生草本植物，陆生兰，高 15 ~ 25cm，具细长而横走的根茎。茎直立，被短柔毛和腺毛，基部具数枚鞘，先端具叶。叶 2，常对生或近对生，偶见互生，叶片椭圆形、卵形或卵状披针形，先端急尖或渐尖，背面脉上疏被短柔毛或近无毛，干后常变黑色或浅黑色。花序顶生，具 1 花，花序柄密被短柔毛和腺毛，花苞片叶状，卵状披针形，边缘具细缘毛，花梗和子房短，被腺毛，花白色，具淡紫红色或淡褐红色斑；中萼片卵状椭圆形，背面基部常疏被微柔毛，

紫点杓兰

合萼片狭椭圆形，先端 2 浅裂；花瓣常近匙形或提琴形，先端常略扩大并近浑圆，内表面基部具毛；唇瓣深囊状，多少近球形，具宽阔的囊口，囊口前方几乎不具内折的边缘，囊底有毛；退化雄蕊卵状椭圆形，先端微凹或近截形，背面有较宽的龙骨状突起。蒴果近狭椭圆形，下垂，被微柔毛。花期 6 ~ 7 月，果期 8 ~ 9 月。

**| 生境分布 |** 生于林下、林缘、林间草甸、高山冻原带上。分布于吉林白山（长白、临江、抚松）、延边（安图、汪清）、吉林（蛟河）、通化（通化）等。

**| 资源情况 |** 野生资源稀少。药材主要来源于野生。

**| 采收加工 |** 夏季花盛开时采摘，干燥。

**| 药材性状 |** 本品花序柄密被短柔毛，花苞片叶状或卵状披针形，边缘具细缘毛，花梗和子房短，花白色，具淡紫红色或淡褐红色斑。中萼片卵状椭圆形，背面基部常疏被微柔毛，合萼片狭椭圆形，先端 2 浅裂。花瓣常近匙形或提琴形，先端常略扩大并近浑圆，内表面基部具毛。唇瓣深囊状，具宽阔的囊口，囊底有毛。气微，味微苦。

**| 功能主治 |** 苦、辛，温。镇静解痉，解热止痛，利尿，抗癌。用于头痛，上腹痛，癫痫，儿童发热所致惊厥。

**| 用法用量 |** 内服煎汤，3 ~ 9g；或浸酒。

**| 附　　注 |** 本种为吉林省Ⅲ级重点保护野生植物。

兰科 Orchidaceae 杓兰属 *Cypripedium*

# 大花杓兰 *Cypripedium macranthum* Sw.

**| 植物别名 |** 杓兰、大花囊兰、大口袋兰。

**| 药 材 名 |** 蜈蚣七（药用部位：根茎、花。别名：狗匏子、黑驴蛋、牌楼七）。

**| 形态特征 |** 多年生草本植物，陆生兰，高 25 ～ 50cm，具粗短的根茎。茎直立，稍被短柔毛或变无毛，基部具数枚鞘，鞘上方具 3 ～ 4 叶。叶片椭圆形，平行脉清晰，在上表面凹陷，在下表面凸出，两面脉上略被短柔毛或变无毛，边缘有细缘毛。花序顶生，具 1 花，花序柄被短柔毛或变无毛，花苞片叶状，通常椭圆形，较少椭圆状披针形，先端短渐尖，两面脉上通常被微柔毛，花梗和子房无毛，花大，紫色、红色或粉红色，通常有暗色脉纹，极罕白色；中萼片宽卵状椭圆形，

大花杓兰

无毛，合萼片卵形，先端2浅裂；花瓣披针形，先端渐尖，不扭转，内表面基部具长柔毛，唇瓣深囊状，较大，近球形或椭圆形，囊口较小，囊底有毛；退化雄蕊卵状长圆形，基部无柄，背面无龙骨状突起。蒴果狭椭圆形，直立，有纵棱，无毛。花期5～6月，果期8～9月。

**| 生境分布 |** 生于林下、林缘、草甸、山坡、灌丛及亚高山草地上。分布于吉林白山（长白、抚松、临江）、延边（安图、汪清、敦化）、吉林（蛟河、桦甸）、通化（通化）等。

**| 资源情况 |** 野生资源稀少。药材主要来源于野生。

**| 采收加工 |** 秋季采挖根茎，洗净，晒干。春、夏季花开时采摘花，干燥。

**| 功能主治 |** 根茎，苦、辛，温；有小毒。归膀胱、肾经。利尿消肿，活血祛瘀，祛风镇痛。用于全身水肿，小便不利，带下，风湿腰腿痛，跌打损伤，劳伤过度，痢疾。花，用于外伤出血。

**| 用法用量 |** 内服煎汤，6～9g。

**| 附　　注 |** 本种为吉林省Ⅲ级重点保护野生植物。

兰科 Orchidaceae 火烧兰属 *Epipactis*

# 火烧兰 *Epipactis helleborine* (L.) Crantz

火烧兰

## | 植物别名 |

台湾铃兰、小花火烧兰、台湾火烧兰。

## | 药 材 名 |

野竹兰（药用部位：根。别名：台湾铃兰、小花火烧兰、台湾火烧兰）。

## | 形态特征 |

非腐生植物，为地生草本植物，高 20 ~ 70cm。根茎粗短。茎上部被短柔毛，下部无毛，具 2 ~ 3 鳞片状鞘。叶 4 ~ 7，互生；叶片卵圆形、卵形至椭圆状披针形，罕有披针形，先端通常渐尖至长渐尖，向上叶逐渐变窄而成披针形或线状披针形。总状花序，通常具 3 ~ 40 花；花苞片叶状，线状披针形，下部的比花长 2 ~ 3 倍或更多，向上逐渐变短；花梗和子房具黄褐色绒毛，花绿色或淡紫色，下垂，较小；中萼片卵状披针形，较少椭圆形，舟状，先端渐尖；侧萼片斜卵状披针形，先端渐尖。花瓣椭圆形，先端急尖或钝，唇瓣较短，中部明显缢缩，下唇兜状，上唇近三角形或近扁圆形，先端锐尖，在近基部两侧各有 1 半圆形褶片，近先端有时脉稍呈龙骨状；蕊柱短。蒴果倒卵状椭圆状，具极疏的短柔毛。花期 7 月，果期 9 月。

**| 生境分布 |**

生于山坡林下、草丛及沟边等。分布于吉林白山、延边（安图、和龙）等。

**| 资源情况 |**

野生资源较少。药材主要来源于野生。

**| 采收加工 |**

秋季采挖，除去茎叶，洗净，晒干。

**| 功能主治 |**

苦，寒。归肺经。清热解毒，化痰止咳，活血。用于肺热咳嗽咳痰，咽喉肿痛，声音嘶哑，牙痛，目赤，病后虚弱，霍乱吐泻，疝气，跌打损伤，毒蛇咬伤。

**| 用法用量 |**

内服煎汤，9 ~ 15g。

兰科 Orchidaceae 火烧兰属 *Epipactis*

# 细毛火烧兰 *Epipactis papillosa* Franch et Sav.

**| 植物别名 |** 牛舌片、鸡嗉子花。

**| 药 材 名 |** 鸡嗉子花（药用部位：全草。别名：牛舌片）。

**| 形态特征 |** 非腐生植物，为地生草本植物，高 30 ~ 70cm。根茎短。茎明显具柔毛和棕色乳头状突起，基部具几枚鞘。叶 5 ~ 7，叶片椭圆状卵圆形至宽椭圆形，先端短渐尖，上面及边缘具白色的毛状乳突。总状花序长，具多花；花苞片通常较花长，花平展或下垂，青绿色；萼片窄卵圆形，先端急尖；花瓣卵圆形，与萼片近等长，先端急尖，唇瓣淡绿色，与花瓣等长，近中部明显缢缩，下唇圆形，呈兜状，上唇窄心形或三角形，先端急尖，蕊柱与唇瓣下唇近等长。蒴果椭

细毛火烧兰

圆状。花期 8 月，果期 9 月。

**| 生境分布 |** 生于山坡草甸及林下潮湿地等。分布于吉林白山（长白、抚松、临江）、延边（安图）、通化（通化）等。

**| 资源情况 |** 野生资源稀少。药材主要来源于野生。

**| 采收加工 |** 夏、秋季茎叶茂盛时采收，除去杂质，晒干。

**| 药材性状 |** 本品根茎短。茎全体具细毛。叶互生，椭圆形或卵状椭圆形，先端尖锐，基部抱茎，平行脉，脉上有短毛。总状花序顶生，有花 10 余朵，紫色，苞片叶状，花有梗，绿色，外面紫色，微向下弯，花盖片内曲。气微，味甜。

**| 功能主治 |** 甘，平。补中益气，舒中和中。用于病后虚弱，吐泻，疝气。

**| 附　　注 |** 本种与火烧兰 *Epipactis helleborine* (L.) Crantz 十分相似，但本种叶片上面脉上及边缘具白色毛状乳突，唇瓣上唇较窄。

兰科 Orchidaceae 虎舌兰属 *Epipogium*

# 裂唇虎舌兰 *Epipogium aphyllum* (F. W. Schmidt) Sw.

**| 植物别名 |** 小虎舌兰。

**| 药 材 名 |** 裂唇虎舌兰（药用部位：全草）。

**| 形态特征 |** 多年生草本植物，植株高 10 ~ 30cm，地下具分枝的、珊瑚状的根茎。茎直立，淡褐色，肉质，无绿叶，具数枚膜质鞘；鞘抱茎，长 5 ~ 9mm。总状花序顶生，具 2 ~ 6 花；花苞片狭卵状长圆形，长 6 ~ 8mm；花梗纤细，长 3 ~ 5mm；子房膨大，长 3 ~ 5mm；花黄色而带粉红色或淡紫色晕，多少下垂；萼片披针形或狭长圆状披针形，长 1.2 ~ 1.8cm，宽 2 ~ 3mm，先端钝；花瓣与萼片相似，常略宽于萼片；唇瓣近基部 3 裂；侧裂片直立，近长圆形或卵状长

裂唇虎舌兰

圆形，长 3 ~ 3.5mm，宽约 3mm；中裂片卵状椭圆形，凹陷，长 8 ~ 10mm，宽 6 ~ 7mm，先端急尖，边缘近全缘并多少内卷，内面常有 4 ~ 6 条紫红色的纵脊，纵脊皱波状；距粗大，长 5 ~ 8mm，宽 4 ~ 5mm，末端浑圆；蕊柱粗短，长 6 ~ 7mm。花期 8 ~ 9 月。

**| 生境分布 |** 生于海拔 1200 ~ 3600m 的林下、岩隙或苔藓丛生之地。分布于吉林延边、白山、通化等。

**| 资源情况 |** 野生资源稀少。药材主要来源于野生。

**| 采收加工 |** 夏、秋季采收，洗净，晒干。

**| 功能主治 |** 活血散瘀，止痛，补虚。用于血瘀疼痛，崩漏，带下。

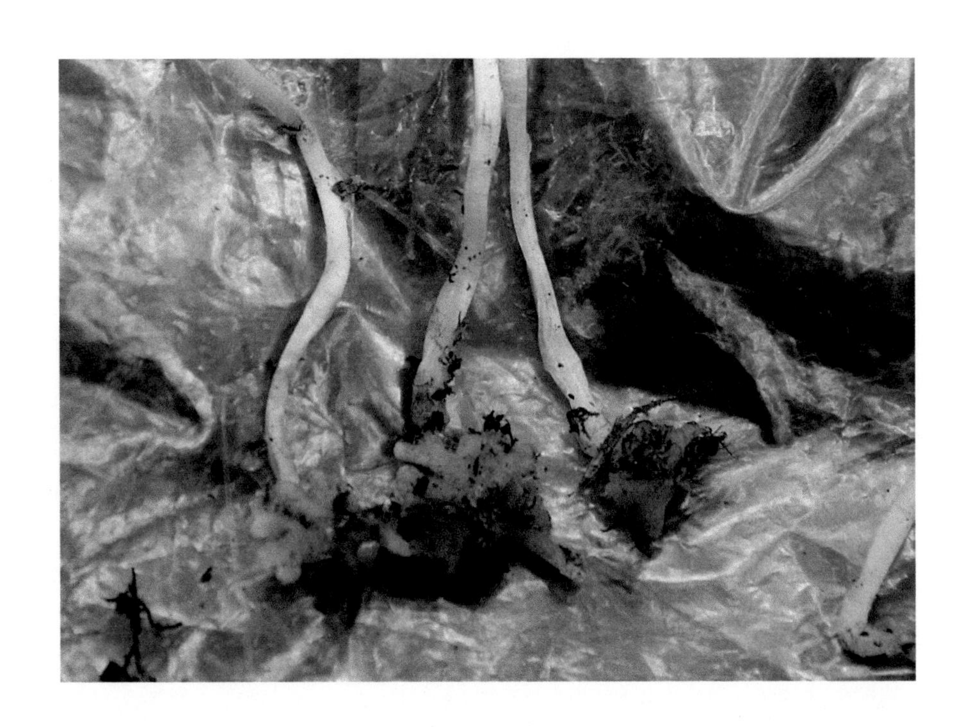

兰科 Orchidaceae 斑叶兰属 *Goodyera*

# 小斑叶兰 *Goodyera repens* (L.) R. Br.

| **植物别名** | 匍根斑叶兰、斑叶兰。

| **药 材 名** | 斑叶兰（药用部位：全草。别名：银线盆、九层盖、野洋参）。

| **形态特征** | 多年生草本植物，植株高 10 ~ 25cm。根茎伸长，茎状，匍匐，具节。茎直立，绿色，具 5 ~ 6 叶。叶片卵形或卵状椭圆形，长 1 ~ 2cm，宽 5 ~ 15mm，上面深绿色，具白色斑纹，背面淡绿色，先端急尖，基部钝或宽楔形，具柄，叶柄长 5 ~ 10mm，基部扩大成抱茎的鞘。花茎直立或近直立，被白色腺状柔毛，具 3 ~ 5 鞘状苞片；总状花序具几朵至 10 余朵密生、多少偏向一侧的花，长 4 ~ 15cm；花苞片披针形，长 5mm，先端渐尖；子房圆柱状纺锤形，连花梗

小斑叶兰

长 4mm，被疏的腺状柔毛；花小，白色或带绿色或带粉红色，半张开；萼片背面被或多或少腺状柔毛，具 1 脉，中萼片卵形或卵状长圆形，长 3 ~ 4mm，宽 1.2 ~ 1.5mm，先端钝，与花瓣黏合，呈兜状，侧萼片斜卵形、卵状椭圆形，长 3 ~ 4mm，宽 1.5 ~ 2.5mm，先端钝；花瓣斜匙形，无毛，长 3 ~ 4mm，宽 1 ~ 1.5mm，先端钝，具 1 脉；唇瓣卵形，长 3 ~ 3.5mm，基部凹陷，呈囊状，宽 2 ~ 2.5mm，内面无毛，前部短的呈舌状，略外弯；蕊柱短，长 1 ~ 1.5mm，蕊喙直立，长约 1.5mm，叉状 2 裂；柱头 1，较大，位于蕊喙之下。花期 7 ~ 8 月。

**| 生境分布 |** 生于山谷林下阴湿处。分布于吉林延边、白山、通化等。

**| 资源情况 |** 野生资源稀少。药材主要来源于野生。

**| 采收加工 |** 夏、秋季采收，洗净，鲜用或晒干。

**| 功能主治 |** 甘、辛，平。润肺止咳，补肾益气，行气活血，消肿解毒。用于肺痨咳嗽，气管炎，头晕乏力，神经衰弱，阳痿，跌打损伤，骨节疼痛，咽喉肿痛，乳痈，疮疖，瘰疬，毒蛇咬伤。

**| 用法用量 |** 内服煎汤，9 ~ 15g；或捣汁；或浸酒。外用适量，捣敷。

**| 附　　注 |** 本种为吉林省Ⅲ级重点保护野生植物。

兰科 Orchidaceae 手参属 *Gymnadenia*

# 手参 *Gymnadenia conopsea* (L.) R. Br.

| 植物别名 | 手掌参、虎掌参。

| 药 材 名 | 手参（药用部位：块茎。别名：手掌参、掌参、阴阳参）。

| 形态特征 | 陆生草本植物，高 20 ~ 60cm。块茎，肉质，下部掌状分裂，似手掌。茎直立，圆柱形，基部具 2 ~ 3 筒状鞘，其上具 4 ~ 5 叶。叶片线状披针形，基部收狭成抱茎的鞘。总状花序，具多数密生的白色、带绿色或带粉红色的小花。花苞片披针形，直立伸展，先端尾状，长于或等长于花；子房顶部稍弧曲，连花梗较短，花粉红色；中萼片宽椭圆形，略呈兜状，具 3 脉，侧萼片斜卵形，反折，边缘向外卷，较中萼片稍长或与中萼片几等长，具 3 脉，前面的 1 脉常具支脉；花瓣直立，与中萼片等长，与侧萼片近等宽，边

手参

缘具细锯齿，具3脉，前面的1脉常具支脉，与中萼片相靠；唇瓣向前伸展，前部3裂，中裂片较侧裂片大，三角形，距细而长，狭圆筒形，下垂，稍向前弯，长于子房；花粉团卵球形，具细长的柄和黏盘，黏盘线状披针形。花期7～8月，果期8～9月。

**| 生境分布 |** 生于草原、草甸、山坡灌丛及高山冻原带上。分布于吉林白山（长白、抚松、临江）、延边（安图、汪清）、吉林（桦甸）、通化（通化）等。

**| 资源情况 |** 野生资源稀少。药材主要来源于野生。

**| 采收加工 |** 8～9月开花后采挖，除去茎生叶、须根，洗净，用沸水烫后晒干。

**| 药材性状 |** 本品呈手掌状，长1～4.5cm，直径1～3cm。表面浅黄色、褐色，有细皱纹，先端有茎的残基痕，周围有点状痕。下部有3～12个指状分枝，分枝长0.3～2.5cm，直径2～8mm。质坚硬，不易折断，断面黄白色，角质样。无臭，味淡，嚼之发黏。

**| 功能主治 |** 甘，平。归肺、脾、胃经。收敛解毒，补益气血，生津止渴，祛瘀，止血。用于久病体虚，虚劳消瘦，神经衰弱，血证，久泻，阳痿，带下，淋证，跌打损伤。

**| 用法用量 |** 内服煎汤，9～15g；或研末；或浸酒。

**| 附　　注 |** （1）在《洮南县志》（1930）的“本地物产”中有关于手参的记载。

（2）本种为吉林省Ⅲ级重点保护野生植物。

兰科 Orchidaceae 角盘兰属 *Herminium*

# 角盘兰 *Herminium monorchis* (L.) R. Br.

角盘兰

## 植物别名

人参果。

## 药材名

角盘兰（药用部位：全草）。

## 形态特征

陆生草本植物，高 5.5 ~ 35cm。块茎球形，肉质。茎直立，无毛，基部具 2 筒状鞘，下部具 2 ~ 3 叶，在叶之上具 1 ~ 2 苞片状小叶。叶片狭椭圆状披针形，直立伸展，基部渐狭并略抱茎。总状花序圆柱状，具花多数；花苞片线状披针形，先端长渐尖，尾状，直立伸展；子房圆柱状纺锤形，扭转，短，顶部明显钩曲，无毛；花小，黄绿色，垂头；萼片近等长，具 1 脉，中萼片椭圆形，侧萼片较中萼片稍狭；花瓣近菱形，上部肉质增厚，较萼片稍长，具 1 脉；唇瓣与花瓣等长，肉质增厚，基部凹陷，呈浅囊状，近中部 3 裂，中裂片线形，侧裂片三角形，较中裂片短很多；蕊柱粗短；花粉团具极短的柄和黏盘，卷成角状；蕊喙矮而阔；柱头 2，隆起，叉开；退化雄蕊 2，显著。花期 6 ~ 7 月，果期 7 ~ 8 月。

| 生境分布 | 生于山坡阔叶林至针叶林下、灌丛下、山坡草地及河滩沼泽草地中等。分布于吉林延边（安图、汪清、和龙）、白山（靖宇）等。

| 资源情况 | 野生资源较少。药材主要来源于野生。

| 采收加工 | 秋季采收，除去杂质，晒干。

| 功能主治 | 滋阴补肾，健脾胃，调经。用于头晕失眠，烦躁口渴，食欲不振，须发早白，月经不调。

兰科 Orchidaceae 羊耳蒜属 *Liparis*

# 曲唇羊耳蒜 *Liparis kumokiri* F. Maek.

曲唇羊耳蒜

## | 植物别名 |

羊耳蒜。

## | 药 材 名 |

羊耳蒜（药用部位：全草。别名：珍珠七、算盘七、珍珠七）。

## | 形态特征 |

地生草本植物。假鳞茎卵形，外被白色的薄膜质鞘。叶 2，卵形、卵状长圆形或近椭圆形，膜质或草质，先端急尖或钝，边缘皱波状或近全缘，基部收狭成鞘状柄，无关节，鞘状柄较长，初时抱花葶，果期则多少分离。花序柄圆柱形，两侧在花期可见狭翅，果期则翅不明显；总状花序具数朵至 10 余朵花，花苞片狭卵形，花梗和子房短，花通常淡绿色，有时可变为粉红色或带紫红色；萼片线状披针形，先端略钝，具 3 脉，侧萼片稍歪斜；花瓣丝状，具 1 脉，唇瓣近倒卵形，先端具短尖，边缘有不明显的细齿或近全缘，基部逐渐变狭；蕊柱很短，上端略有翅，基部扩大。蒴果倒卵状长圆形，果梗短。花期 6 ~ 8 月，果期 9 ~ 10 月。

**| 生境分布 |** 生于针叶林下、林缘、灌丛中及草地荫蔽处。以长白山区为主要分布区域，分布于吉林延边、白山、通化、吉林、辽源（东丰）等。

**| 资源情况 |** 野生资源较少。药材主要来源于野生。

**| 采收加工 |** 夏、秋季采挖，除去杂质及泥沙，鲜用或切段晒干。

**| 功能主治 |** 涩，平。止血止痛，活血调经，强心，镇静。用于带下，崩漏，产后腹痛，外伤出血、疼痛。

兰科 Orchidaceae 羊耳蒜属 *Liparis*

# 北方羊耳蒜 *Liparis makinoana* Schltr.

北方羊耳蒜

## | 植物别名 |

羊耳蒜。

## | 药 材 名 |

北方羊耳蒜（药用部位：全草）。

## | 形态特征 |

地生草本植物。叶 2，倒卵形，膜质或草质，先端急尖或钝，基部楔形，近无柄，无关节。花葶稍长；总状花序，具花 5；花苞片小，卵状三角形；花梗连同子房较短；花暗紫色；萼片线状披针形，先端渐尖，具 3 脉，边缘外卷，侧萼片稍斜歪；花瓣线形，唇瓣圆的倒卵形，先端浑圆并具短尾，边缘具缘毛，近基部有 1 胼胝体。蕊柱向前弯曲，两侧有宽的翅。花期 5 月。

## | 生境分布 |

生于林下、林缘、林间草地。以长白山区为主要分布区域，分布于吉林延边、白山、通化、吉林、辽源（东丰）等。

## | 资源情况 |

野生资源较丰富。药材主要来源于野生。

| **采收加工** | 夏、秋季采挖，除去杂质及泥沙，鲜用或切段晒干。

| **功能主治** | 止血调经。用于月经不调。

兰科 Orchidaceae 对叶兰属 *Listera*

# 对叶兰 *Listera puberula* Maxim.

对叶兰

## | 植物别名 |

大二叶兰、华北对叶兰。

## | 药 材 名 |

对叶兰（药用部位：全草）。

## | 形态特征 |

地生草本植物，高 10 ~ 20cm，具细长的根茎。茎纤细，近基部处具 2 膜质鞘，近中部处具 2 对生叶，叶以上部分被短柔毛。叶片心形、宽卵形或宽卵状三角形，宽度通常稍超过长度，先端急尖或钝，基部宽楔形或近心形，边缘常多少呈皱波状。总状花序，被短柔毛；花疏生；花苞片披针形，先端急尖，无毛；花梗极短，具短柔毛；子房短；花绿色，很小；中萼片卵状披针形，先端近急尖，具 1 脉，侧萼片斜卵状披针形，与中萼片近等长；花瓣线形，具 1 脉；唇瓣窄倒卵状楔形或长圆状楔形，中脉较粗，外侧边缘多少具乳突状细缘毛，先端 2 裂，裂片长圆形，两裂片叉开或几平行；蕊柱极短，稍向前倾；花药向前俯倾；蕊喙大，宽卵形，短于花药。蒴果倒卵形，果梗短。花期 7 ~ 8 月，果期 8 ~ 9 月。

**| 生境分布 |** 生于密林下、林缘等阴湿处。分布于吉林白山（临江、长白、抚松）、延边（安图、和龙）等。

**| 资源情况 |** 野生资源稀少。药材主要来源于野生。

**| 采收加工 |** 夏、秋季采收，除去杂质，晒干。

**| 药材性状 |** 本品根茎细长。茎纤细，近基部具膜质鞘。叶片心形、宽卵形或宽卵状三角形。总状花序，被短柔毛，花苞片披针形，花梗具短柔毛，花绿色，中萼片卵状披针形。蒴果倒卵形，长约 6mm，粗约 3.5mm，果梗长约 5mm，气清香，味微苦。

**| 功能主治 |** 补肾滋阴，化痰止咳。用于腰膝酸软，咳嗽咳痰。

**| 附　　注 |** 本种为吉林省Ⅲ级重点保护野生植物。

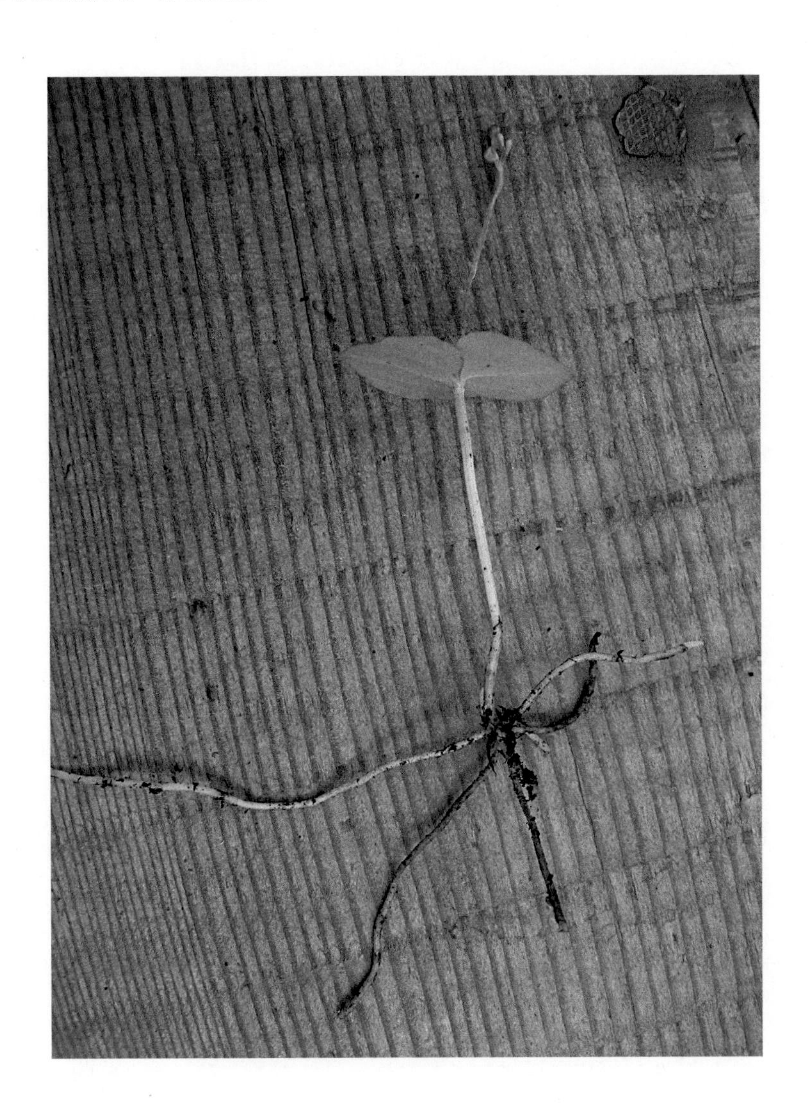

兰科 Orchidaceae 沼兰属 *Malaxis*

# 沼兰 *Malaxis monophyllos* (L.) Sw.

沼兰

## | 植物别名 |

小柱兰、一叶兰。

## | 药 材 名 |

沼兰（药用部位：全草）。

## | 形态特征 |

地生草本植物，高 9 ~ 35cm。假鳞茎卵形或椭圆形，较小，外被白色的薄膜质鞘。叶通常 1，较少 2，斜立，卵形、长圆形或近椭圆形，先端钝或近急尖，基部收狭成柄，叶柄多少鞘状，抱茎或上部离生。花葶直立，除花序轴外近无翅；总状花序长，具数十朵或更多的花；花苞片披针形；花梗和子房短；花小，较密集，淡黄绿色至淡绿色；中萼片披针形或狭卵状披针形，先端长渐尖，具 1 脉；侧萼片线状披针形，略狭于中萼片，亦具 1 脉。花瓣近丝状或极狭的披针形；唇瓣短，先端骤然收狭而成线状披针形的尾（中裂片）；唇盘近圆形、宽卵形或扁圆形，中央略凹陷，两侧边缘变为肥厚并具疣状突起，基部两侧有一对钝圆的短耳；蕊柱粗短。蒴果倒卵形或倒卵状椭圆形；果梗短。花期 7 ~ 8 月，果期 8 ~ 9 月。

**生境分布** 生于草原、湿草甸、林下、林缘及稍湿草地等。分布于吉林白山（长白、抚松、临江）、延边（安图、敦化、和龙）、通化（通化）等。

**资源情况** 野生资源稀少。药材主要来源于野生。

**采收加工** 夏季采收,除去杂质,晒干。

**药材性状** 本品假鳞茎呈卵形或椭圆形，较小，外被白色的薄膜质鞘。叶1，卵形、长圆形或近椭圆形，叶柄有鞘状。总状花序长，具数十朵或更多的花，花苞片披针形，花小，较密集，淡黄绿色至淡绿色。蒴果倒卵形或倒卵状椭圆形，果梗短。气微，味甘。

**功能主治** 甘，平。清热解毒，补肾壮阳,调经活血,利尿祛瘀，消肿止痛。用于虚劳咳嗽，崩漏，带下，产后腹痛。

**附　　注** 本种为吉林省Ⅲ级重点保护野生植物。

兰科 Orchidaceae 鸟巢兰属 *Neottia*

# 凹唇鸟巢兰 *Neottia papilligera* Schltr.

| 药材名 | 凹唇鸟巢兰（药用部位：全草）。

| 形态特征 | 地生草本植物，植株高 27 ~ 30cm。茎直立，无毛或上部稍有乳突状短柔毛，中部以下具数枚鞘，无绿叶；鞘膜质，长达 4.5cm，多少抱茎。总状花序顶生，长 10 ~ 12cm，上半部密生多朵花，下半部疏生 2 ~ 3 花；花序轴无毛或具乳突状短柔毛；花苞片钻形，长 5 ~ 6mm；花梗长约 5mm，通常无毛；子房近椭圆形，长 4 ~ 5mm，无毛或稍被毛；花肉色；萼片倒卵状匙形，长约 3.5mm，宽约 1.8mm，先端钝或近截形，具 1 脉；花瓣近长圆形，与萼片近等长，宽约 1.5mm，亦具 1 脉；唇瓣近倒卵形，长 5 ~ 5.5mm，基部明显凹陷，先端 2 深裂；裂片向左右两侧伸

凹唇鸟巢兰

展，彼此交成钝角或几乎成为 180° 的直线，近长圆形，长 2.5 ~ 3mm，宽约 1.2mm，先端钝，常稍扭转；蕊柱长 2 ~ 2.5mm，直立或稍向前倾斜；花药近长圆形，长约 1.2mm；柱头唇形，水平伸展，长约 1mm，先端 2 浅裂；蕊喙大，直立，近长圆形，长约 1.2mm。蒴果卵状椭圆形，长 7 ~ 8mm，宽 4 ~ 5mm。花果期 7 ~ 8 月。

| **生境分布** | 生于林下。以长白山区为主要分布区域，分布于吉林延边、白山、通化、吉林、辽源（东丰）等。

| **资源情况** | 野生资源较少。药材主要来源于野生。

| **采收加工** | 夏季采收，除去杂质，晒干。

| **功能主治** | 祛风湿，止痹痛。用于风湿痹证。

兰科 Orchidaceae 兜被兰属 *Neottianthe*

# 二叶兜被兰 *Neottianthe cucullata* (L.) Schltr.

二叶兜被兰

## | 植物别名 |

百步还阳丹、鸟巢兰、佛手参。

## | 药 材 名 |

百步还阳丹（药用部位：全草。别名：兜被兰、二狭叶兜被兰、鸟巢兰）。

## | 形态特征 |

地生草本植物，陆生兰，高 4 ~ 24cm。块茎圆球形或卵形。茎纤细，直立，基部具 2 枚近对生的叶。叶近平展或直立伸展，叶片卵形、卵状披针形或椭圆形，先端急尖或渐尖，基部骤狭成抱茎的短鞘，叶面有时具紫红色斑点。总状花序，常偏向一侧；花苞片披针形，直立伸展，先端渐尖，最下面的长于子房或长于花；子房圆柱状纺锤形，扭转，稍弧曲，无毛；花紫红色或粉红色；萼片彼此紧密靠合成兜，中萼片先端急尖，具 1 脉，侧萼片斜镰状披针形，先端急尖，具 1 脉；花瓣披针状线形，先端急尖，具 1 脉，与萼片贴生；唇瓣向前伸展，上面和边缘具细乳突，基部楔形，中部 3 裂，侧裂片线形，先端急尖，具 1 脉，中裂片较侧裂片长而稍宽，向先端渐狭，端钝，具 3 脉；距细圆筒状圆锥形，向前弯曲，近呈“U”形；子房纺锤形，无毛。花期 7 ~ 8 月，果期 8 ~ 9 月。

**| 生境分布 |** 生于林下、林缘及草地等。分布于吉林白山（临江、长白、抚松）、延边（安图、延吉）等。

**| 资源情况 |** 野生资源稀少。药材主要来源于野生。

**| 采收加工 |** 夏、秋季采收，除去杂质和泥沙，晒干。

**| 药材性状 |** 本品块茎呈近球形或阔椭圆形。茎纤细。叶片卵形、披针形或狭椭圆形。总状花序，具苞片，花紫红色或淡紫色，常偏向一侧。气微，味甘。

**| 功能主治 |** 甘，平。归心、肝经。活血散瘀，接骨生肌，强心兴奋，醒脑回阳。用于外伤疼痛性休克，外伤性昏迷，跌打损伤。

**| 用法用量 |** 内服研末，1.5 ~ 3g。外用适量，研末调敷；或捣敷。

**| 附　　注 |** 本种为吉林省Ⅲ级重点保护野生植物。

兰科 Orchidaceae 红门兰属 *Orchis*

# 广布红门兰 *Orchis chusua* D. Don

| **植物别名** | 千鸟兰、红门兰、高山红门兰。

| **药 材 名** | 广布红门兰（药用部位：块茎）。

| **形态特征** | 多年生草本植物，植株高 5 ～ 45cm。块茎长圆形或圆球形，长 1 ～ 1.5cm，直径约 1cm，肉质，不裂。茎直立，圆柱状，纤细或粗壮，基部具 1 ～ 3 筒状鞘，鞘之上具 1 ～ 5 叶，多为 2 ～ 3 叶，叶之上不具或具 1 ～ 3 枚小的披针形苞片状叶。叶片长圆状披针形、披针形或线状披针形至线形，长 3 ～ 15cm，宽 0.2 ～ 3cm，上面无紫色斑点，先端急尖或渐尖，基部收狭成抱茎的鞘。花序具 1 ～ 20 花，多偏向一侧；花苞片披针形或卵状披针形，先端渐

广布红门兰

尖或长渐尖，基部稍收狭，最下部的花苞片长于、等长于或短于子房；子房圆柱形，扭转，无毛，连花梗长 7 ~ 15mm；花紫红色或粉红色；中萼片长圆形或卵状长圆形，直立，凹陷成舟状，长 5 ~ 7（~ 8）mm，宽 2.5 ~ 4（~ 5）mm，先端稍钝或急尖；具 3 脉，与花瓣靠合，呈兜状；侧萼片向后反折，偏斜，卵状披针形，长 6 ~ 8（~ 9）mm，宽 3 ~ 5mm，先端稍钝或渐尖，具 3 脉；花瓣直立，斜狭卵形、宽卵形或狭卵状长圆形，长 5 ~ 6（~ 7）mm，宽 3 ~ 4mm，先端钝，边缘无睫毛，前侧近基部边缘稍鼓出或明显鼓出，具 3 脉；唇瓣向前伸展，较萼片长和宽多，边缘无睫毛，3 裂，中裂片长圆形、四方形或卵形，较侧裂片稍狭、等宽或较宽，全缘或边缘稍具波状，先端中部具短凸尖或稍钝圆，少数中部稍微凹陷，侧裂片扩展，镰状长圆形或近三角形，较宽或较狭，与中裂片等长或较中裂片短，全缘或边缘稍具波状，先端稍尖，钝或急尖；距圆筒状或圆筒状锥形，常向后斜展或近平展，向末端常稍渐狭，口部稍增大，末端钝或稍尖，通常长于子房。花期 6 ~ 8 月。

**| 生境分布 |** 生于山坡林下及林缘。分布于吉林白山（长白、抚松、靖宇）、延边（安图、和龙）等。

**| 资源情况 |** 野生资源稀少。药材主要来源于野生。

**| 采收加工 |** 春、秋季采挖，除去泥沙，洗净，晒干。

**| 功能主治 |** 清热解毒，补肾益气，滋补安神。用于白浊。

兰科 Orchidaceae 红门兰属 *Orchis*

# 宽叶红门兰 *Orchis latifolia* L.

宽叶红门兰

## | 植物别名 |

蒙古红门兰、阔叶红门兰、红门兰。

## | 药 材 名 |

红门兰（药用部位：全草）。

## | 形态特征 |

多年生草本植物，陆生兰，高 12 ~ 40cm，粗壮。块茎下部 3 ~ 5 裂，呈掌状，肉质。茎直立，粗壮，中空，基部具 2 ~ 3 筒状鞘，鞘之上具叶。叶 4 ~ 6，互生；叶片长圆状椭圆形至线状披针形，上面无紫色斑点，先端钝，基部收狭成抱茎的鞘，向上逐渐变小，最上部的叶变小，呈苞片状。花序具密生的花，圆柱状；花苞片直立伸展，披针形，先端渐尖或长渐尖，最下部的常长于花；子房圆柱状纺锤形，扭转，无毛；花蓝紫色、紫红色或玫瑰红色，不偏向一侧；中萼片卵状长圆形，直立，凹陷成舟状，先端钝，具 3 脉，与花瓣靠合，呈兜状，侧萼片张开，偏斜，具 3 ~ 5 脉；花瓣直立，卵状披针形，稍偏斜，与中萼片近等长，先端钝，具 2 ~ 3 脉；唇瓣向前伸展，常稍长于萼片，基部具距，先端钝，似 3 浅裂，边缘略具细圆齿，在基部至中部之上有蓝紫色的斑纹，斑纹内淡紫色或带白色，其外的色较深，为蓝紫的紫红色，而其顶部为浅3裂或2裂，或呈“W”形，距圆筒形，下垂，较子房短或与子房近等长。花期6～7月，果期7～8月。

**| 生境分布 |** 生于山坡、沟边灌丛、草地等。分布于吉林白城、松原、四平等。

**| 资源情况 |** 野生资源稀少。药材主要来源于野生。

**| 采收加工 |** 秋季采收，晒干。

**| 功能主治 |** 全草，甘，平。归胃、心、肾经。强心，补肾，生津，止渴，健脾胃。用于烦躁口渴，食欲不振，月经不调，虚劳，贫血，头晕。块茎，补血益气，生津，止血。用于久病体虚，虚劳消瘦，乳少，慢性肝炎，肺虚咳嗽，血证，久泻，阳痿。

**| 用法用量 |** 内服煎汤，9～12g。

兰科 Orchidaceae 山兰属 *Oreorchis*

# 山兰 *Oreorchis patens* (Lindl.) Lindl.

山兰

## |植物别名|

小鸡兰、唇花山兰、冰球子。

## |药 材 名|

兰草（药用部位：全草。别名：山慈菇、毛慈菇）、冰球子（药用部位：假鳞茎。别名：泥宾子）。

## |形态特征|

多年生草本植物，陆生兰，高 20 ~ 50cm。假鳞茎卵球形，具 2 ~ 3 节，常以短的根茎相连接，外被撕裂成纤维状的鞘。叶通常 1，少有 2，生于假鳞茎先端，线形或狭披针形，先端渐尖，基部收狭为柄；叶柄较长；叶片不平整，脉纹清晰，犹如瓦楞状。花葶从假鳞茎侧面发出，直立，中下部有 2 ~ 3 筒状鞘；总状花序较长，疏生数朵至 10 余朵花；花苞片狭披针形，花梗和子房花黄褐色至淡黄色；唇瓣白色并有紫斑；萼片狭长圆形，先端略钝，侧萼片稍镰曲；花瓣狭长圆形，稍镰曲；唇瓣 3 裂，基部有短爪，侧裂片线形，稍内弯，先端钝，中裂片近倒卵形，边缘有不规则缺刻；唇盘上有 2 条肥厚纵褶片，从近基部处延伸至中部，亦即到达中裂片的下

2/5 处；蕊柱基部肥厚并多少扩大。蒴果长圆形。花期 6 ~ 7 月，果期 7 ~ 8 月。

**| 生境分布 |** 生于林下、林缘、灌丛及沟谷等，常成片生长。分布于吉林延边（珲春、安图）、白山（抚松、临江、江源、靖宇）、通化（柳河、通化、集安）等。

**| 资源情况 |** 野生资源较少。药材主要来源于野生。

**| 采收加工 |** 兰草：夏季采收，除去杂质，鲜用或晒干。

冰球子：春季采收，鲜用或晒干。

**| 药材性状 |** 兰草：本品假鳞茎卵球形，具 2 ~ 3 节，外被撕裂成纤维状的鞘。叶通常 1，生于假鳞茎先端，线形或狭披针形，先端渐尖，基部收狭为柄，叶柄较长，叶片不平整，脉纹清晰，犹如瓦楞状。花葶中下部有 2 ~ 3 筒状鞘。总状花序较长，疏生数朵至 10 余朵花，花苞片狭披针形。蒴果长圆形。气微，味甘。

**| 功能主治 |** 兰草：滋阴清肺，化痰止咳。用于阴虚肺燥，咳嗽咳痰。

冰球子：甘、辛，寒；有小毒。解毒行瘀，杀虫消痈。用于痈疽疮肿，瘰疬，无名肿毒。

**| 用法用量 |** 冰球子：内服入丸、散，1.5 ~ 3g。

**| 附　　注 |** 本种为吉林省Ⅲ 级重点保护野生植物。

兰科 Orchidaceae 舌唇兰属 *Platanthera*

# 二叶舌唇兰 *Platanthera chlorantha* Cust. ex Rchb.

二叶舌唇兰

## | 植物别名 |

大叶长距兰、土白及。

## | 药 材 名 |

二叶舌唇兰（药用部位：块茎。别名：土白及）。

## | 形态特征 |

多年生草本植物，陆生兰，高 30 ~ 50cm。块茎卵状纺锤形，肉质，细长。茎直立，无毛，基生叶 2，近对生；基生大叶片椭圆形，叶基收狭成抱茎的鞘状柄，大叶之上具 2 ~ 4 枚变小的披针形苞片状小叶。总状花序；花苞片披针形，最下部的长于子房；子房圆柱状，上部钩曲；花较大，绿白色或白色；中萼片直立，舟状，基部具 5 脉，侧萼片张开，斜卵形，具 5 脉；花瓣直立，偏斜，不等侧，弯曲，逐渐收狭成线形，具 1 ~ 3 脉，与中萼片相靠合，呈兜状；唇瓣向前伸，舌状，肉质，先端钝；距棒状圆筒形，水平或斜向下伸展，稍微钩曲或弯曲，向末端明显增粗，末端钝，明显长于子房；蕊柱粗；药室明显叉开，药隔颇宽；花粉团椭圆形，具细长的柄和近圆形的黏盘；退化雄蕊显著，蕊喙宽，带状，柱头 1，凹陷，位于蕊喙之下穴内。

花期 6 ～ 7 月，果期 8 ～ 9 月。

## | 生境分布 |

生于林下潮湿地、林缘湿草地、灌丛中。分布于吉林白山（临江、长白、抚松）、延边（安图、珲春）、通化（通化）等。

## | 资源情况 |

野生资源稀少。药材主要来源于野生。

## | 采收加工 |

8 ～ 10 月采挖，鲜用或切片晒干。

## | 药材性状 |

本品呈椭圆形、卵圆形或类圆形，大小不等，长 1 ～ 3.5cm，宽 0.8 ～ 5cm，厚 0.5 ～ 1.8cm。表面灰白色至淡黄白色，微显半透明，有凹凸不平的皱缩纹，有时为强皱缩。质坚硬，不易破碎。破碎面角质样。略具光泽，浅黄白色。湿润时呈黏液性。气微，味淡。

## | 功能主治 |

苦，平。补肺生肌，化瘀止血。用于肺痨咳嗽，吐血，衄血；外用于创伤出血，痈肿，烫火伤。

## | 用法用量 |

内服煎汤，3 ～ 9g。

兰科 Orchidaceae 舌唇兰属 *Platanthera*

# 密花舌唇兰 *Platanthera hologlottis* Maxim.

密花舌唇兰

## | 植物别名 |

狭叶舌唇兰、沼兰。

## | 药 材 名 |

密花舌唇兰（药用部位：全草）。

## | 形态特征 |

多年生草本植物，植株高 35 ~ 85cm。根茎匍匐，圆柱形，肉质。茎细长，直立，下部具 4 ~ 6 大叶，向上渐小，呈苞片状。叶片线状披针形或宽线形，下部叶长 7 ~ 20cm，宽 0.8 ~ 2cm，上部叶长 1.5 ~ 3cm，宽 2 ~ 3mm，先端渐尖，基部成短鞘抱茎。总状花序具多数密生的花，长 5 ~ 20cm；花苞片披针形或线状披针形，长 10 ~ 15mm，宽 2 ~ 3mm，先端渐尖；子房圆柱形，先端变狭，稍弓曲，连花梗长 10 ~ 13mm；花白色，芳香；萼片先端钝，具 5 ~ 7 脉，边缘全缘，中萼片直立，舟状，卵形或椭圆形，长 4 ~ 5mm，宽 3 ~ 3.5mm，侧萼片反折，偏斜，椭圆状卵形，长 5 ~ 6（ ~ 7）mm，宽 1.5 ~ 2.5（ ~ 3）mm；花瓣直立，斜的卵形，长 4 ~ 5mm，宽 1.5 ~ 2mm，先端钝，具 5 脉，与中萼片靠合，呈兜状；唇瓣舌形或舌状披针形，稍肉质，长 6 ~ 7mm，宽 2.5 ~ 3mm，先端圆钝；距下垂，纤细，圆筒状，长 1 ~ 2cm，长于子房，距口的突起物显著；蕊柱短；药室平行，药隔宽，顶部近截平；花粉团倒卵形，具长柄和披针形且大的黏盘；退化雄蕊显著，近半圆形；蕊喙矮，直立；柱头 1，大，凹陷，位于蕊喙之下穴内。花期 6 ~ 7 月。

**| 生境分布 |** 生于海拔 260 ~ 3200m 的山坡林下或山沟潮湿草地。分布于吉林吉林（蛟河）、延边（珲春、敦化、安图）、白山（抚松、长白）等。

**| 资源情况 |** 野生资源稀少。药材主要来源于野生。

**| 采收加工 |** 夏季采收，除去杂质，晒干。

**| 功能主治 |** 润肺止咳。用于肺燥咳嗽咳痰。

兰科 Orchidaceae 舌唇兰属 *Platanthera*

# 尾瓣舌唇兰 *Platanthera mandarinorum* Rchb. f.

尾瓣舌唇兰

## | 植物别名 |

长白舌唇兰、东北舌唇兰。

## | 药 材 名 |

尾瓣舌唇兰（药用部位：全草或块茎）。

## | 形态特征 |

多年生草本植物，陆生兰，高 18 ~ 45cm。根茎指状或膨大成纺锤形，肉质。茎直立，细长，下部具 1（~ 2）大叶，大叶之上具 2 ~ 4 小的苞片状披针形的小叶。大叶片椭圆形、长圆形，少为线状披针形，向上伸展，先端急尖，基部成抱茎的鞘。总状花序，有花 7 ~ 20，疏生；花苞片披针形，最下部的与子房等长或较子房长；子房圆柱状纺锤形，扭转，稍弓曲，无毛；花黄绿色；中萼片宽卵形至心形，凹陷，先端钝或圆钝，基部具 3 脉，有时中部具 5 脉，侧萼片反折，偏斜，长圆状披针形至宽披针形，先端钝，具 3 脉；花瓣淡黄色，下半部为斜卵形，上半部骤狭成线形，尾状，增厚，向外张开，不与中萼片靠合，基部具 3 脉，有时中部具 4 脉，唇瓣淡黄色，下垂，披针形至舌状披针形，先端钝；距细圆筒状，向后斜伸，有时多少向上举；花粉团椭圆形，具长柄和近圆形的黏盘；退化雄蕊 2，显著，蕊喙宽正三角形；柱头 1，凹陷，位于蕊喙之下穴内。花期 4 ~ 6 月。

**| 生境分布 |** 生于山坡林下湿地、林间草地。分布于吉林延边、白山、通化等。

**| 资源情况 |** 野生资源稀少。药材主要来源于野生。

**| 采收加工 |** 夏季采收全草，除去杂质，晒干。秋季采挖块茎，洗净，晒干。

**| 药材性状 |** 本品根茎呈指状或膨大成纺锤形，肉质。茎细长，下部具 1（~ 2）大叶，大叶之上具 2 ~ 4 小的苞片状披针形的小叶。大叶片椭圆形、长圆形，先端急尖，基部成抱茎的鞘。总状花序，有花 7 ~ 20，疏生。气微，味甘。

**| 功能主治 |** 全草，理气止痛，补肾止咳。用于带下，崩漏，遗尿，肺热咳嗽。块茎，镇静解痉，益肾安神，利尿降压，发汗。用于流产，避孕，神经功能障碍。

**| 附　　注 |** 本种为吉林省Ⅲ级重点保护野生植物。

兰科 Orchidaceae 朱兰属 *Pogonia*

# 朱兰 *Pogonia japonica* Rchb. f.

朱兰

## 药材名

朱兰（药用部位：全草。别名：斩龙剑、双肾草、祖师箭）。

## 形态特征

多年生草本植物，陆生兰，高 10 ~ 20cm。根茎直生，具细长、稍肉质的根。茎直立，纤细，在中部或中部以上具 1 叶。叶稍肉质，通常近长圆形或长圆状披针形，先端急尖或钝，基部收狭，抱茎。花苞片叶状，狭长圆形、线状披针形或披针形；花梗和子房明显短于花苞片；花单朵顶生，向上斜展，常为紫红色或淡紫红色；萼片狭长圆状倒披针形，先端钝或渐尖，中脉两侧不对称；花瓣与萼片近等长，但明显较宽；唇瓣近狭长圆形，向基部略收狭，中部以上 3 裂，侧裂片先端有不规则缺刻或流苏，中裂片舌状或倒卵形，占唇瓣全长的 1/3 ~ 2/5，边缘具流苏状齿缺，自唇瓣基部有 2 ~ 3 纵褶片延伸至中裂片上，褶片常互相靠合而形成肥厚的脊，在中裂片上变为鸡冠状流苏或流苏状毛；蕊柱细长，上部具狭翅。蒴果长圆形。花期 6 ~ 7 月，果期 8 ~ 9 月。

| **生境分布** | 生于湿草地、林下等。分布于吉林吉林（蛟河）、延边（安图、和龙）、通化（柳河）、白山（靖宇）等。

| **资源情况** | 野生资源稀少。药材主要来源于野生。

| **采收加工** | 夏、秋季采收，除去杂质，晒干。

| **功能主治** | 甘，平。清热解毒，润肺止咳，消肿止血。用于肝炎，胆囊炎，毒蛇咬伤，痈疮肿毒。

| **附　　注** | 本种为吉林省Ⅲ级重点保护野生植物。

兰科 Orchidaceae 绶草属 *Spiranthes*

# 绶草 *Spiranthes sinensis* (Pers.) Ames

| **植物别名** | 盘龙参、东北盘龙参、龙抱柱。

| **药 材 名** | 盘龙参（药用部位：全草。别名：龙抱柱、盘龙草、双瑚草）。

| **形态特征** | 多年生草本。陆生兰，高 13 ~ 30cm。根数条，指状，肉质，簇生于茎基部。茎较短，近基部生 2 ~ 5 叶。叶片宽线形或宽线状披针形，直立伸展，先端急尖或渐尖，基部收狭，具柄状抱茎的鞘。花茎直立，上部被腺状柔毛至无毛；总状花序具多数密生的花，呈螺旋状扭转；花苞片卵状披针形，先端长渐尖，下部的长于子房；子房纺锤形，扭转，被腺状柔毛；花小，紫红色、粉红色或白色，在花序轴上呈螺旋状排生；萼片的下部靠合，中萼片狭长圆形，舟状，先端稍尖，

绶草

与花瓣靠合，呈兜状，侧萼片偏斜，披针形，先端稍尖；花瓣斜棱状长圆形，先端钝，与中萼片等长，但较薄；唇瓣宽长圆形，凹陷，先端极钝，前半部上面具长硬毛且边缘具强烈皱波状啮齿，唇瓣基部凹陷，呈浅囊状，囊内具 2 胼胝体。花期 7 ~ 8 月，果期 8 ~ 9 月。

| **生境分布** | 生于湿草地、山坡林下、林缘灌丛及河滩沼泽草甸中等。吉林各地均有分布。

| **资源情况** | 野生资源较丰富。药材主要来源于野生。

| **采收加工** | 春、夏季采收，洗净，晒干。

| **药材性状** | 本品茎呈圆柱形，具纵条纹。基部簇生数条小纺锤形块根，具纵皱纹，表面灰白色。叶条形，数枚基生，展平后呈条状披针形。有的可见穗状花序，呈螺旋状扭转。气微，味淡、微甘。

| **功能主治** | 甘、苦，平。归心、肺经。清热解毒，滋阴益气，润肺止咳。用于病后体虚，阴虚内热，神经衰弱，肺结核，扁桃体炎，牙痛，指头炎，肺炎，肾炎，肝炎，头晕，遗精，阳痿，带下，淋浊，疮疡痈肿，带状疱疹，小儿急惊风，糖尿病，毒蛇咬伤。

| **用法用量** | 内服煎汤，9 ~ 15g，鲜品 15 ~ 30g。外用适量，鲜品捣敷。

| **附　　注** | 本种为吉林省Ⅲ级重点保护野生植物。

兰科 Orchidaceae 蜻蜓兰属 *Tulotis*

# 蜻蜓兰 *Tulotis fuscescens* (L.) Czer. Addit. et Collig.

蜻蜓兰

## | 植物别名 |

竹叶兰、蜻蛉兰。

## | 药 材 名 |

蜻蜓兰（药用部位：全草。别名：竹叶兰）。

## | 形态特征 |

多年生草本，陆生兰，高 20 ~ 60cm。根茎指状，肉质，细长。茎粗壮，直立，茎部具 1 ~ 2 筒状鞘，鞘之上具叶，茎下部的 2 ~ 3 叶较大，大叶片直立伸展，基部收狭成抱茎的鞘，在大叶之上具 1 至几枚苞片状小叶。总状花序具多数密生的花，花苞片狭披针形，直立伸展，常长于子房；子房扭转，稍弧曲；花小，黄绿色；中萼片直立，凹陷成舟状，卵形，具 3 脉，侧萼片斜椭圆形，张开，较中萼片稍长而狭，两侧边缘多少向后反折，具 3 脉，花瓣直立，与中萼片相靠合且较窄，稍肉质，具 1 脉；唇瓣向前伸展，舌状披针形，肉质，基部两侧各具 1 枚小的侧裂片，侧裂片三角状镰形，中裂片舌状披针形，较侧裂片长多；距细长，细圆筒状，下垂，稍弧曲，几乎与子房等长或较子房稍长。花期 7 ~ 8 月，果期 8 ~ 9 月。

**|生境分布|**

生于林间草地、林缘及灌丛等。分布于吉林白山（长白、抚松、临江、靖宇）、延边（安图、汪清、和龙、珲春）、吉林（桦甸、磐石、蛟河）等。

**|资源情况|**

野生资源稀少。药材主要来源于野生。

**|采收加工|**

夏、秋季采收，除去杂质，晒干。

**|功能主治|**

解毒利湿。用于烫火伤。

**|附　　注|**

本种为吉林省Ⅲ级重点保护野生植物。

兰科 Orchidaceae 蜻蜓兰属 *Tulotis*

# 小花蜻蜓兰 *Tulotis ussuriensis* (Reg. et Maack) H. Hara

小花蜻蜓兰

## | 药材名 |

半春莲（药用部位：根茎。别名：半层莲、野苞芦、蜻蜓兰）。

## | 形态特征 |

多年生草本，陆生兰，高 20 ~ 55cm。根茎指状，肉质，弓曲。茎较纤细，直立，基部具 1 ~ 2 筒状鞘，鞘之上具叶，下部的 2 ~ 3 叶较大，中部至上部具 1 至几枚苞片状小叶。大叶片匙形或狭长圆形，直立伸展，基部收狭成抱茎的鞘。总状花序具较疏生的花，花苞片直立伸展，最下部的稍长于子房；子房扭转，稍弧曲；花较小，淡黄绿色；中萼片直立，凹陷成舟状，具 3 脉，侧萼片张开或反折，偏斜，狭椭圆形，较中萼片略长且狭，具 3 脉；花瓣直立，与中萼片相靠合且与其近等长，狭，稍肉质，具 1 脉；唇瓣向前伸展，舌状披针形，肉质，基部两侧各具 1 枚近半圆形、前面截平、先端钝的小侧裂片，中裂片舌状披针形或舌状，前后等宽或向先端稍渐狭，先端钝；距纤细，细圆筒状，下垂，与子房近等长，向末端几乎不增粗。花期 7 ~ 8 月，果期 8 ~ 9 月。

| **生境分布** | 生于林间草地、林缘及灌丛等。分布于吉林白山（临江、靖宇、长白、抚松）、延边（安图、汪清、和龙、珲春）、吉林（桦甸）等。

| **资源情况** | 野生资源稀少。药材主要来源于野生。

| **采收加工** | 春、夏季采收，除去杂质和泥沙，鲜用或晒干。

| **功能主治** | 苦、辛，凉。归心、脾经。消肿解毒，祛风除湿，散瘀消肿。用于鹅口疮，跌打损伤，虚火牙痛，痈疖肿毒，风湿病等。

| **用法用量** | 内服煎汤，9 ~ 15g。外用适量，鲜品捣敷。

| **附　　注** | 本种为吉林省Ⅲ级重点保护野生植物。

# 附篇

# 吉林省动物药资源

正蚓科 Lumbricidae 异唇蚓属 *Allolobophora*

# 背暗异唇蚓 *Allolobophora caliginosa trapezoids* Duges

背暗异唇蚓

## | 动物别名 |

缟蚯蚓、蛐蛇。

## | 药 材 名 |

土地龙（药用部位：全体）。

## | 形态特征 |

身体背腹端扁平，长 10 ~ 17cm，宽 0.3 ~ 0.6cm，体节数 118 ~ 170。背孔自第 8/9 节开始，灰褐色。环带棕红色，马鞍形，在第 26 ~ 34 节上（第 30 ~ 33 节腹面两侧各有 1 纵隆起）。每节 4 对刚毛。雄性生殖孔 1 对，较大，横列状，在第 15 节；雌性生殖孔在第 14 节，受精囊孔 2 对，小而圆，其管极短，位于第 9/10 或 10/11 节间。

## | 生境分布 |

栖息于潮湿而富含有机质的泥土中。吉林各地均有分布。

## | 资源情况 |

野生资源较丰富。药材主要来源于野生。

**| 采收加工 |** 春、秋季捕捉（夏季体内蚯蚓毒素含量较高），捕后洗去黏液，放在热灰里，拌后晾干。

**| 药材性状 |** 本品呈弯曲的圆柱形，长 5 ～ 10cm，宽 0.3 ～ 0.6cm。外皮灰褐色或土灰色，多皱缩不平，环节明显，生殖环带不明显。体轻脆，易折断。断面肉薄，体腔内充满泥土。气腥，味微咸。

**| 功能主治 |** 咸，寒。清热，利水，通经，平喘，定惊，降血压。用于热结尿闭，高热烦躁，抽搐，经闭，半身不遂，咳嗽喘急，小儿急、慢惊风，癫痫，高血压，痹病。

**| 用法用量 |** 内服煎汤，3 ～ 12g； 或研末，1 ～ 2g；或入丸、散；或鲜品拌糖或盐水服。外用适量，鲜品捣敷；或取汁涂敷；或研末撒；或调涂。

医蛭科 Hirudinidae 医蛭属 *Hirudo*

# 日本医蛭 *Hirudo nipponica* Whitman

**| 动物别名 |** 稻田医蛭、蚂蝗、线蚂蝗。

**| 药 材 名 |** 水蛭（药用部位：全体。别名：蚂蝗、马鳖、肉钻子）。

**| 形态特征 |** 体长 30 ~ 50mm，宽 4 ~ 6mm。背面呈黄绿色或黄褐色，有 5 黄白色纵纹，但背部和纵纹的色泽变化很大。背中线的 1 纵纹延伸至后吸盘上。腹面暗灰色，无斑纹。体环数 103。雄性和雌性的生殖孔分别位于第 31/32、36/37 环沟，两孔相间 5 环。阴茎露出时呈细线状。眼 5 对，排列成马蹄形。口内有 3 颚，颚背上有 1 列细齿，后吸盘呈碗状，朝向腹面。

**| 生境分布 |** 多栖息于水田、沟渠中。分布于吉林延边、白山、通化等。

日本医蛭

**| 资源情况 |** 野生资源较丰富。药材主要来源于野生。

**| 采收加工 |** 9 ~ 10 月捕捉，将丝瓜络或草束浸上动物血，晾干后放入水中诱捕，2 ~ 3 天后提出，将其抖下，拣大去小，反复多次即可将池中大部分成年水蛭捕尽，将其洗净，用石灰或白酒将其闷死，或用沸水烫死，晒干或低温干燥。

**| 药材性状 |** 本品呈扁长圆柱形，多弯曲扭转，长 2 ~ 5cm，宽 2 ~ 3mm。全体由许多环节构成，黑棕色。质脆，易折断，断面角质样。气微腥。

**| 功能主治 |** 咸、苦，平；有毒。归肝经。破血逐瘀，通经消癥。用于血瘀经闭，癥瘕痞块，跌打损伤。

**| 用法用量 |** 内服煎汤，3 ~ 9g；或入丸、散，一般 0.5 ~ 1.5g，大剂量可用至 3g。

**| 附　　注 |** 2020 年版《中国药典》记载本种的中文名称为水蛭。

黄蛭科 Haemopidae 金线蛭属 *Whitmania*

# 宽体金线蛭 *Whitmania pigra* Whitman

**| 动物别名 |** 水蛭、蚂蝗。

**| 药 材 名 |** 水蛭（药用部位：全体。别名：蚂蝗、马鳖、肉钻子）。

**| 形态特征 |** 体形大，长 60 ~ 120mm，宽 13 ~ 14mm。背面暗绿色，有 5 纵纹，纵纹由黑色和淡黄色 2 种斑纹间杂排列组成。腹面两侧各有 1 淡黄色纵纹，其余部分为灰白色，杂有褐色斑点。体环数 107，前吸盘小。颚齿不发达，不吸血。雄、雌性生殖孔各位于第 33/34、38/39 环沟。

**| 生境分布 |** 栖息于水田、湖沼中，吸食浮游生物、小型昆虫、软体动物及腐殖质，冬季蛰伏土中。分布于吉林延边、白山、通化等。

**| 资源情况 |** 野生资源稀少。药材主要来源于养殖。

宽体金线蛭

**| 采收加工 |** 同“日本医蛭”。

**| 药材性状 |** 本品为扁平纺锤形，长 4 ~ 10cm，宽 0.5 ~ 2cm。背部稍隆起，腹面平坦，前端稍尖，后端钝圆，两端各具 1 吸盘。全体由许多环节构成，前吸盘不显著，后吸盘较大。背部黑褐色或黑棕色，用水浸后可见许多黑色斑点排成 5 纵线。质脆，易折断，断面角质样。气微腥。

**| 功能主治 |** 同“日本医蛭”。

**| 用法用量 |** 同“日本医蛭”。

**| 附　　注 |** 2020 年版《中国药典》记载本种的中文名称为蚂蟥。

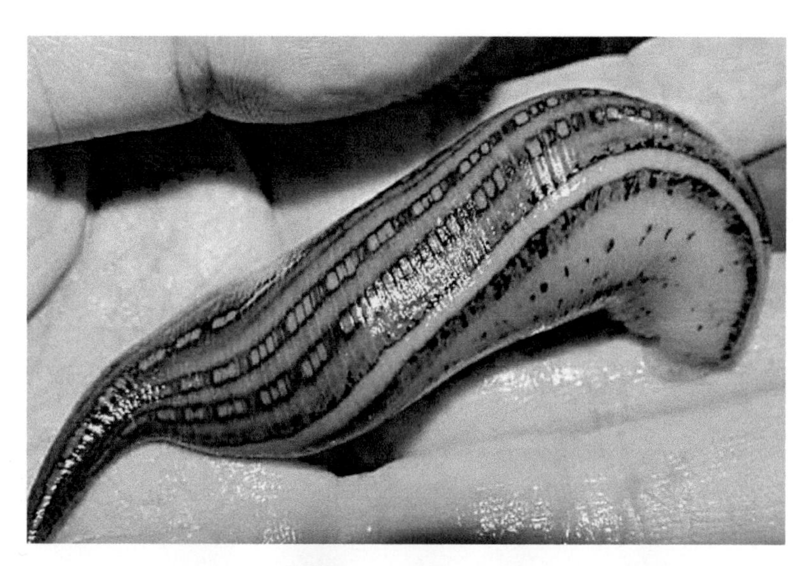

潮虫科 Porcelliodae 鼠妇属 *Porcellio*

# 鼠妇 *Porcellio scaber* Latreille

| **动物别名** | 潮虫。

| **药 材 名** | 北鼠妇虫（药用部位：虫体。别名：鼠妇虫、潮虫、地虱婆）。

| **形态特征** | 全体呈长椭圆形，稍扁，长 5 ~ 12mm，表面灰色，有光泽。头部前缘中央及其左右侧角突起显著，有 1 对眼，2 对触角，第 1 对触角微小，共 3 节；第 2 对触角呈鞭状，各 6 节。胸部分为 7 环节，每节有 1 对同形等长的足；第 1 胸节前缘延向头部前边，胸部各节后侧锐尖。腹部小，分为 5 环节，第 1、2 腹节狭，第 3 ~ 5 腹节侧缘整齐而圆。尾肢呈棒状，长于尾节。

| **生境分布** | 栖息于朽木、腐叶或石缝下，喜阴暗潮湿的环境，有时也出现在房

鼠妇

屋、庭院内。水边及海边石下也较多。吉林各地均有分布。

**| 资源情况 |** 野生资源较丰富。药材主要来源于野生。

**| 采收加工 |** 春至秋季捕捉，用铁锅炒干或沸水烫死，晒干或焙干。

**| 药材性状 |** 本品呈扁椭圆形，卷曲时呈球形，长 5 ~ 12mm，宽 3 ~ 6mm。表面灰白色至灰色，具光泽。头部椭圆形，有 1 对眼，可见 2 条触角，各 6 节，多已脱落。背部隆起，腹面内陷。由许多近于平行的环节构成。胸部 7 环节，每节有同形足 1 对，向前、向后逐渐变长。腹部较短，分 5 节，尾节呈三角形，尾肢呈棒状，长于尾节。质脆，易碎。气腥臭。

**| 功能主治 |** 酸，温。归肝、肾经。破瘀通经，解毒止痛，利尿平喘。用于癥瘕积聚，闭经，疮痈肿毒，水肿，小便不利，喘咳。

**| 用法用量 |** 内服煎汤，0.5 ~ 3g；或研末服。

**| 附　　注 |** 北鼠妇虫已被列入 2019 年版《吉林省中药材标准》第一册。

卷甲虫科 Armadillidiumdae 卷甲虫属 *Armadillidium*

# 普通卷甲虫 *Armadillidium vulgare* Latreille

**|动物别名|** 平甲虫。

**|药 材 名|** 北鼠妇虫（药用部位：虫体。别名：潮湿虫、潮虫、地虱婆）。

**|形态特征|** 体呈长椭圆形，长超过 10mm，长为宽的 2 倍，体背呈弓形。头前缘中央及左右角没有显著的突起。胸节 7，第 1、2 胸节的后侧板较第 3 ~ 7 节的尖锐。腹节 5，第 1、2 腹节窄，第 3 ~ 5 腹节的侧缘与尾节后缘联成半圆形。体节上有多少不等的弯曲条纹。第 2 触角短。胸肢 7 对，腹肢 5 对。尾肢扁平，外肢与尾节嵌合齐平，内肢细小，被尾节掩盖。雄性第 1 腹肢的外肢如鳃盖状，内肢较细长，末端弯曲成微钩状。体色有时为灰色或暗褐色，有时局部带黄色，并具有光亮的斑点。

普通卷甲虫

**| 生境分布 |** 栖息于朽木、枯叶、石块下等。吉林各地均有分布。

**| 资源情况 |** 野生资源较丰富。药材主要来源于野生。

**| 采收加工 |** 同“鼠妇”。

**| 药材性状 |** 本品呈椭圆形而稍扁，多卷曲成球形或半球形，长 7 ~ 12mm，宽 4 ~ 6mm。头部长方形，腹部较短，宽圆形。尾肢扁平，外肢与第 5 腹节嵌合齐平。质脆，易碎。气腥臭。

**| 功能主治 |** 同“鼠妇”。

**| 用法用量 |** 同“鼠妇”。

钳蝎科 Buthidae 正钳蝎属 *Buthus*

# 东亚钳蝎 *Buthus martensii* Karsch

**| 药 材 名 |** 全蝎（药用部位：全体。别名：全虫、茯背虫、蝎子）。

**| 形态特征 |** 体长约60mm，躯干（头胸部和前腹部）为绿褐色，后腹部为土黄色。头胸部背甲梯形。侧眼3对。胸板三角形，螯肢的钳状上肢有2齿。触肢钳状，上、下肢内侧有12行颗粒斜列。第3、4对步足胫节有距，各步足跗节末端有2爪和1距。前腹部前背板上有5隆脊线。生殖厣由2半圆形甲片组成。栉状器有16～25齿。后腹部前4节各有10隆脊线，第5节仅有5隆脊线，第6节毒针下方无距。

**| 生境分布 |** 栖息于石底及石缝的潮湿阴暗处。吉林无野生分布。吉林长春、吉林有少量养殖。

**| 资源情况 |** 养殖资源较少。药材主要来源于养殖。

东亚钳蝎

**| 采收加工 |** 立秋后捕捉，如果是小规模养殖，可直接用竹筷或镊子夹入容器中，如果采用房养或内部设置较复杂、难以拆卸的蝎窝，可向蝎房或窝内喷白酒或乙醇，使其受乙醇刺激而跑出，再进行捕捉。捕捉后，洗净，放入盐水中浸泡 6 ~ 12h（盐水浓度为 4% ~ 5%）捞出，然后放入沸盐水中煮 10 ~ 20min，再捞出，摊放通风处阴干，此称为“咸全蝎”；或捕捉后，放入清水中浸泡约 1h，同时轻轻搅动，洗掉污物，并使其排出粪便，捞出后放入沸水中，用武火煮约 30min，锅内的水以浸没蝎子为度，捞出后放在席上或盆内晾干，此称为“淡全蝎”，又称为“清水蝎”。应注意煮蝎子的时间不可过长，以免破坏蝎子体内的有效成分。

**| 药材性状 |** 本品头胸部与前腹部呈扁平长椭圆形，后腹部呈尾状，皱缩弯曲，完整者长约 6cm。头胸部呈绿褐色，前面有 1 对短小的螯肢和 1 对较长大的钳状脚须，形似蟹螯，背面覆有梯形背甲，腹面有足 4 对，均为 7 节，末端各具 2 爪钩；前腹部有 7 节，第 7 节色深，前背板上有 5 隆脊线，绿褐色；后腹部棕黄色，有 6 节，节上均有纵沟，末节有锐钩状毒刺，毒刺下方无距。气微腥，味咸。

**| 功能主治 |** 甘、辛，平；有毒。归肝经。息风镇痉，攻毒散结，通络止痛。用于小儿惊风，抽搐痉挛，中风口㖞，半身不遂，破伤风，风湿顽痹，偏、正头痛，疮疡，瘰疬。

**| 用法用量 |** 内服煎汤，2 ~ 5g；或研末入丸、散，0.5 ~ 1g。外用适量，研末掺、熬膏或油浸涂敷。

鳖蠊科 Corydiidae 地鳖属 *Eupolyphaga*

# 地鳖 *Eupolyphaga sinensis* Walker

**| 动物别名 |** 土元、地鳖虫、土鳖。

**| 药 材 名 |** 土鳖虫（药用部位：雌虫全体）。

**| 形态特征 |** 体呈扁圆形，盖状，黑色，带光泽，雌雄异型，雄虫有翅，雌虫无翅。雌虫长约 3cm。头小，触角丝状。腹部有 9 横环节，腹面深棕色，胸足具细毛，生刺颇多。

**| 生境分布 |** 栖息于野外树根及石块下。吉林各地均有分布。

**| 资源情况 |** 野生资源一般。药材主要来源于养殖。

**| 采收加工 |** 夏季捕捉，置沸水中烫死，晒干；或先用清水洗净，再用盐水煮后晒干或微火烘干。

地鳖

**| 药材性状 |** 本品呈扁平卵形，长 1.3 ~ 3cm，宽 1.2 ~ 2.4cm。前端较窄，后端较宽，背部紫褐色，具光泽，无翅。前胸背板较发达，盖住头部；腹背板 9 节，呈覆瓦状排列。腹面红棕色。头部较小，有 1 对丝状触角，常脱落。胸部有 3 对足，具细毛和刺。腹部有横环节。质松脆，易碎。气腥臭，味微咸。

**| 功能主治 |** 咸，寒；有小毒。归肝经。破瘀血，续筋骨。用于筋骨折伤，瘀血经闭，癥瘕痞块。

**| 用法用量 |** 内服煎汤，3 ~ 9g。

螳螂科 Mantidae 大刀螳属 *Tenodera*

# 中华大刀螳 *Tenodera sinensis* Saussure

**|动物别名|** 刀螂。

**|药 材 名|** 桑螵蛸（药用部位：卵鞘。别名：团螵蛸）。

**|形态特征|** 体形较大，呈黄褐色或绿色，长约7cm。头部三角形。前胸背板、肩部较发达，后部至前肢基部稍宽。前胸细长，侧缘排列有细齿。中纵沟两旁有细小的疣状突起，其后方有细齿，但不甚清晰。前翅革质，前缘带绿色，末端有较明显的褐色翅脉；后翅比前翅稍长，向后略微伸出，有深浅不等的黑褐色斑点散布其间。雌性腹部特别膨大。足3对，细长。前胸足粗大，镰状，基部外缘短棘16或更多，腿节下外缘短棘4，第2个最大。

**|生境分布|** 栖息于菜园、荒地、草丛及树枝上。吉林各地均有分布。

中华大刀螳

**| 资源情况 |** 野生资源较丰富。药材主要来源于野生。

**| 采收加工 |** 秋季至翌年春季采集卵鞘，蒸 30 ~ 40min 以杀死其中的虫卵，晒干或烘干。

**| 药材性状 |** 本品略呈圆柱形或半球形，由多数膜状薄层叠成，长 2.5 ~ 4cm，宽 2 ~ 3cm，厚 1.5 ~ 3.1cm。表面浅黄褐色，上面带状隆起不明显，底面平坦或有凹沟。体轻，质松而韧，横断面可见外层呈海绵状，内层为许多放射状排列的小室，室内各有一细小、椭圆形、深棕色、有光泽的卵。气微腥，味淡或微咸。

**| 功能主治 |** 甘、咸，平。归肝、肾、膀胱经。固精缩尿，补肾助阳。用于遗精，早泄，阳痿，遗尿，尿频，小便失禁，白浊，带下。

**| 用法用量 |** 内服煎汤，5 ~ 10g；或研末，3 ~ 5g；或入丸剂。外用适量，研末撒；或油调敷。

**| 附　　注 |** 2020 年版《中国药典》记载本种的中文名称为大刀螂。

蟋蟀科 Gryllidae 蟋蟀属 *Scapsipedus*

# 蟋蟀 *Scapsipedus aspersus* Walker

**| 动物别名 |** 蛐蛐、夜鸣虫、将军虫。

**| 药 材 名 |** 蟋蟀（药用部位：成虫全体。别名：将军、蛐蛐、夜鸣虫）。

**| 形态特征 |** 全体黑色，有光泽。头棕褐色，头顶短圆，头后有6短而不规则的纵沟。复眼大，半球形，黑褐色。单眼3，位于头顶两端的较小，位于头顶中间的较大。触角细长，淡褐色。前翅棕褐色，后翅灰黄色。足3对，淡黄色，并有黑褐色斑及弯曲的斜线，后足发达，背面有单行排列的棘，腿节膨大。腹部近圆筒形，背面黑褐色，腹面灰黄色。

**| 生境分布 |** 栖息于地表、砖石下、土穴中、草丛间等，成熟前期喜隐居于田埂、

蟋蟀

屋角及砖块堆下的缝隙中和杂草丛生处，昼伏夜出。吉林各地均有分布。

**| 资源情况 |** 野生资源较丰富。药材主要来源于野生。

**| 采收加工 |** 夏、秋季于田间杂草堆下捕捉，用沸水烫死，晒干或烘干。

**| 药材性状 |** 本品呈长圆形，长 15 ~ 30mm，宽 4 ~ 8mm。全体呈黑褐色，有光泽。头短圆，复眼凸出，椭圆形，长径约 1mm。背部棕褐色，腹部淡黄褐色，翅 2 对，前翅棕褐色，后翅灰黄色。触角 1 对，细长，多脱落。足 3 对，尾须 1 对。刚毛棕褐色，后胸末端有 1 对尾毛，长 1 ~ 3mm，雌虫在尾毛之间有 1 产卵管，长约 10mm。质轻而脆，易破碎。气腥，味辛、咸。

**| 功能主治 |** 辛、咸，温；有小毒。归膀胱、小肠经。利水消肿，清热解毒。用于水肿，小便不利；外用于痈疮肿毒。

**| 用法用量 |** 内服煎汤，4 ~ 6 只；或研末，1 ~ 3 只。外用适量，研末敷。

**| 附　　注 |** 蟋蟀已被列入 2019 年版《吉林省中药材标准》第一册。

蝼蛄科 Gryllotalpidae 蝼蛄属 *Gryllotalpa*

# 非洲蝼蛄 *Gryllotalpa africana* Palisot et Beauvois

**| 动物别名 |** 小蝼蛄、地拉蛄。

**| 药 材 名 |** 蝼蛄（药用部位：成虫全体。别名：蝼蝈、拉拉古、地牯牛）。

**| 形态特征 |** 成虫全体呈淡黄褐色或暗褐色，密被短小软毛，长 2.8 ~ 3.3cm。头部圆锥形，暗褐色。触角丝状。复眼卵形，黄褐色。咀嚼式口器。前胸背板坚硬，膨大，卵形，背部中央有一下陷的纵沟。前翅革质，软、短，黄褐色。后翅大，膜质透明，淡黄色。前足发达，扁铲状；中足较小；后足长、大，腿节发达，在胫节中部背侧内缘有 3 ~ 4 能活动的刺。腹部纺锤形，柔软，尾毛 1 对。

**| 生境分布 |** 栖息于庭院、田园及潮湿处，尤其在富含有机肥料的地方，多而密集。吉林各地均有分布。

非洲蝼蛄

**| 资源情况 |** 野生资源较丰富。药材主要来源于野生。

**| 采收加工 |** 夏、秋季在夜晚用灯光诱捕或翻地时捕捉，用沸水烫死，晒干或烘干。

**| 药材性状 |** 本品多碎断。完整者长约 3cm，宽约 0.4cm。全体被毛，背面茶褐色，腹面淡黄色。头部圆锥形。复眼卵形，凸出，黑色，具光泽。触角丝状，多节。前胸背板较宽，后缘凸起。前翅长达腹部长的一半，后翅膜质，超出腹部末端 0.5 ~ 0.7cm。足 3 对，前足胫节边缘有锯齿，呈铲状；后足长、大，胫节中部背侧内缘有 3 ~ 4 能活动的刺。腹部皱缩。气腥臭，味微咸。

**| 功能主治 |** 咸，寒；有小毒。归膀胱、小肠、大肠经。利水通淋，消肿解毒。用于小便不利，水肿，石淋，瘰疬，恶疮。

**| 用法用量 |** 内服煎汤，3 ~ 4.5g；研末，1 ~ 2g。外用适量，研末调涂。

蝼蛄科 Gryllotalpidae 蝼蛄属 *Gryllotalpa*

# 单刺蝼蛄 *Gryllotalpa unispina* Saussure

**| 动物别名 |** 华北蝼蛄、土狗、蝼蝈。

**| 药 材 名 |** 蝼蛄（药用部位：成虫全体。别名：蝼蝈、拉拉古、地牯牛）。

**| 形态特征 |** 体型较非洲蝼蛄大，长 3.9 ~ 4.5cm，体色略浅，腹部呈圆筒形，后足胫节中部背侧内缘有一活动的刺，有时消失。

**| 生境分布 |** 栖息于庭院、田园及潮湿处。吉林各地均有分布。

**| 资源情况 |** 野生资源较丰富。药材主要来源于野生。

**| 采收加工 |** 同“非洲蝼蛄”。

单刺蝼蛄

**| 药材性状 |** 本品长约 4cm，宽约 0.5cm，灰黄褐色。前胸背板坚硬，呈盾形。前翅长不及腹部的一半，后翅超出腹部末端 0.3 ～ 0.4cm。后足胫节中部背侧内缘有一活动的刺。腹部呈圆筒形。

**| 功能主治 |** 同“非洲蝼蛄”。

**| 用法用量 |** 同“非洲蝼蛄”。

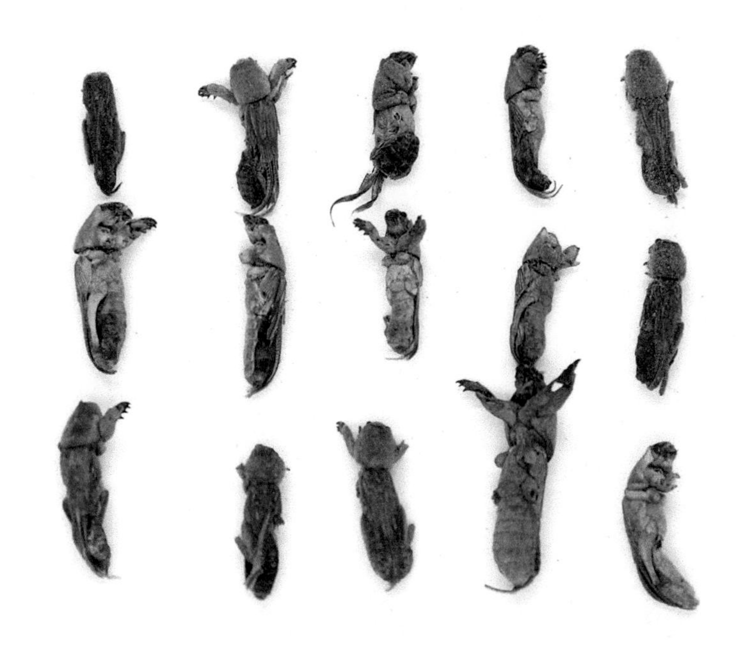

蚕蛾科 Bombycidae 蚕蛾属 *Bombyx*

# 家蚕 *Bombyx mori* Linnaeus

**| 药 材 名 |** 僵蚕（药用部位：幼虫感染白僵菌而致死的虫体。别名：白僵蚕、僵虫、天虫）、蚕砂（药用部位：粪便。别名：原蚕屎、晚蚕沙、马鸣肝）、蚕茧（药用部位：茧壳。别名：蚕衣、茧黄、蚕茧壳）、蚕蛹（药用部位：蛹。别名：茧蛹）。

**| 形态特征 |** 雌、雄蛾全身均密被白色鳞片。体长 1.6 ~ 2.3cm，展翅宽 3.9 ~ 4.3cm。体翅黄白色至灰白色。前翅外缘顶角后方向内凹切，各横线色稍暗，不甚明显，端线与翅脉灰褐色，后翅较前翅色淡，边缘有鳞毛稍长。雌蛾腹部肥硕，末端钝圆；雄蛾腹部狭窄，末端稍尖。幼虫灰白色至白色，胸部第 2、3 节稍见膨大，有皱纹。腹部第 8 节背面有 1 尾角。

家蚕

**| 生境分布 |** 吉林省无野生分布。吉林长春、吉林、四平、辽源、延边、白城等有养殖。

**| 资源情况 |** 养殖资源一般。药材主要来源于养殖。

**| 采收加工 |** 僵蚕：春、秋季将感染白僵菌致死的幼虫晒干或微火烘干。

蚕砂：夏季收集二眠至三眠时排出的粪便，除去杂质，晒干。

蚕茧：夏季收集孵化出蚕蛾的茧壳，晒干。

蚕蛹：由缫丝后的蚕茧中取出蛹，晒干或烘干。

**| 药材性状 |** 僵蚕：本品略呈圆柱形，多弯曲皱缩，长 2 ~ 5cm，直径 0.5 ~ 0.7cm。表面灰黄色，被白色粉霜状的气生菌丝和分生孢子。头部较圆，足 8 对，体节明显，尾部略呈二分歧状。质硬而脆，易折断，断面平坦，外层白色，中间有 4 亮棕色或亮黑色的丝腺环。气微腥，味微咸。

蚕砂：本品为短圆柱状颗粒，长 2 ~ 5mm，直径 1.5 ~ 3mm。表面灰黑色或灰棕色，粗糙，有 6 明显的纵棱及横向浅纹，两端略平坦，呈六棱形。质坚而脆，加压能散碎，微有青草气。

蚕茧：本品呈长椭圆形，或中部稍缢缩，长 3 ~ 4cm，直径 1.7 ~ 2.1cm。表面白色，有不规则皱纹，并有附着的蚕丝，呈绒毛状。内壁的丝纹规律。质轻而韧，不易撕破。微有腥气，味淡。

蚕蛹：本品略呈纺锤形，长 2.2 ~ 2.5cm，宽 1.1 ~ 1.4cm。表面棕黄色至棕褐色，有不规则皱纹。雄蛹略小于雌蛹，色略深。气微腥，味咸。

**| 功能主治 |** 僵蚕：咸、辛，平。归肝、肺、胃经。祛风定惊，化痰散结。用于惊风抽搐，咽喉肿痛，皮肤瘙痒，颌下淋巴结炎，面神经麻痹。

蚕砂：甘、辛，温。祛风除湿，活血定痛，和胃化浊。用于风湿痹痛，皮肤瘙痒，瘾疹，头风，头痛，腰脚冷痛，腹痛，腹泻转筋。

蚕茧：甘，温。归脾经。止血，止渴，解毒疗疮。用于肠风便血，淋痛尿血，妇女血崩，消渴引饮，痈疽脓成不溃，疳疮。

蚕蛹：甘、咸，平。归脾、胃经。杀虫疗疳，生津止渴。用于肺痨，小儿疳积，发热，蛔虫病，消渴。

**| 用法用量 |** 僵蚕：内服煎汤，5 ~ 9g。

蚕砂：内服煎汤，9 ~ 15g，包煎。外用炒熨；或煎汤洗；或研末调敷。

蚕茧：内服煎汤，3 ~ 10g 。外用适量，烧存性，研末撒或调敷。

蚕蛹：内服煎汤，适量；或炒食；或研末，3 ~ 6g。

大蚕蛾科 Saturniidae 柞蚕属 *Antheraea*

# 柞蚕 *Antheraea pernyi* Guerin-Meneville

**|药材名|** 雄柞蚕蛹（药用部位：雄蛹。别名：柞蚕蛹、茧蛹）。

**|形态特征|** 大型蛾类，翅展达 11 ~ 13cm，体、翅黄褐色。头部小，两侧有 1 对复眼。复眼之间有 1 对触角，胸部由 3 环节组成，各节有 1 对胸足。肩板及前胸前缘紫褐色，前翅较大，呈三角形，前缘紫褐色，杂有白色鳞片，顶角外伸、较尖，后翅较小，略呈圆形，前、后翅中央各有 1 眼状纹，纹周有白色、红色、黑色、黄色等线条，腹部呈圆球形隆起，密被毛。

**|生境分布|** 栖息于朽木、枯叶下等。分布于吉林延边、白山、通化、吉林等。

**|资源情况|** 野生资源较少。药材主要来源于养殖。

柞蚕

**| 采收加工 |** 秋季采收，除去杂质，鲜用。

**| 药材性状 |** 本品近纺锤形，长 2.5 ~ 4.8cm，直径 1.2 ~ 2.2cm，表面棕色至棕褐色或黑褐色至黑色。蛹体由头、胸及腹组成。头部很小，头端较钝，颅顶板为近白色至黄白色，半透明，类长方形，尾端较尖。触角大而隆起，位于头的两侧，呈栉齿状。胸部由 3 节组成，以中胸最大，后胸最小。腹部 10 节，前 3 个腹节腹面被翅遮住，仅背部可见。第 1 ~ 7 腹节两侧各有 1 对椭圆形气门，第 4 ~ 7 腹节之间能自由伸缩。生殖孔位于第 9 腹节中央，呈点状或脐状陷入。

**| 功能主治 |** 咸、涩，温。归脾、肾经。生津止渴，止痉。用于消渴尿多，癫痫抽搐。

**| 用法用量 |** 内服煎汤，10 ~ 15g；或入丸、散。

**| 附　　注 |** 雄柞蚕蛹已被列入 2019 年版《吉林省中药材标准》第二册。

蜜蜂科 Apidae 蜜蜂属 *Apis*

# 东方蜜蜂中华亚种 *Apis* (*Sigmatapis*) *cerana cerana* Fabricius

**| 动物别名 |** 中华蜜蜂。

**| 药 材 名 |** 蜂蜜（药材来源：蜜蜂所酿的蜜。别名：蜂糖、蜜糖）、蜂蜡（药材来源：蜜蜂分泌的蜡。别名：蜜蜡）、蜂胶（药材来源：蜜蜂分泌的黄褐色或黑褐色的黏性物质）、雄蜂蛹（药用部位：雄蛹）、蜂花粉（药材来源：蜜蜂采集显花植物雄蕊或裸子植物孢子囊内的花粉，加入采集的花蜜和自身分泌物形成的颗粒）、巢脾（药用部位：蜂巢。别名：蜂巢、野蜂窝）。

**| 形态特征 |** 分为母蜂、工蜂和雄蜂 3 种。工蜂形小，体暗褐色，头、胸、背密生灰黄色细毛。头部略呈三角形，有 1 对复眼、3 单眼；触角 1 对，

东方蜜蜂中华亚种

膝状弯曲；口器发达，适于咀嚼及吮吸。胸部 3 节，中胸最大；翅 2 对，膜质，透明，后翅中脉分叉。足 9 对，股节、胫节及跗节等处均有采集花粉的构造。腹部圆锥状，背面黄褐色，第 1 ～ 4 节有黑色环带，末端尖锐，有毒腺和螫针；腹下有 4 对蜡板，内有蜡腺，分泌蜡质。母蜂又称为蜂王，体最大，翅短小，腹部特长，生殖器发达。雄蜂较工蜂稍大，头呈球状，复眼很大；尾端圆形，无毒腺和螫针。母蜂和雄蜂的口器均退化，足上无采集花粉的构造，腹下无蜡板和蜡腺。

**| 生境分布 |** 栖息于以杂木树为主的森林群或传统农业区。吉林各地均有分布。吉林各地均有养殖。

**| 资源情况 |** 野生资源稀少，养殖资源丰富。药材主要来源于养殖。

**| 采收加工 |** 蜂蜜：春、夏、秋季采集，取蜜时先将蜂巢割下，置于布袋中将蜜挤出，或将人工蜂巢取出，置于离心机内，把蜜摇出，过滤，除去蜂蜡、碎片和其他杂质。

蜂蜡：将蜂巢置水中加热，过滤，冷凝取蜡或再精制而成。

蜂胶：春季至秋季每隔 10 天左右开箱检查蜂群时刮取，刮取后紧捏成球形，包上一层蜡纸，放入袋内，置凉爽处收藏。

雄蜂蛹：在蜂产卵后 20 ～ 22 天采收，冷冻干燥。

蜂花粉：春、夏、秋季采集，除去杂质，晒干。

巢脾：全年均可采收，采收饲养蜜蜂两年半以上的蜂巢，除去死蜂、死蛹等杂质，晾干。

**｜药材性状｜** 蜂蜜：本品为稠厚的液体，白色至淡黄色（白蜜），或橘黄色至琥珀色（黄蜜）。夏季如清油状，半透明，有光泽；冬季则易变为不透明，并有葡萄糖结晶析出，状如鱼子。气芳香，味极甜。

蜂蜡：本品为不规则的团块，大小不一，呈黄色、淡黄棕色或黄白色，不透明或微透明，表面光滑。体较轻，蜡质，断面沙砾状，用手搓捏能软化。有蜂蜜样香气，味微甘。

蜂胶：本品为树脂状团块，黄褐色或灰褐色。具芳香气味，有黏性，低温下变硬、变脆，加热可熔化。

雄蜂蛹：本品呈长椭圆形，长 1 ~ 1.7cm，直径 0.3 ~ 0.6cm。表面乳白色至淡黄色，蛹体饱满完整者头部正面呈圆形，眼部呈浅红色至紫红色；胸、腹部呈白色至淡黄色，有光泽。胸部 3 对足已形成，翅未分化，腹部有横环节，几丁质皮壳未硬化。体轻，易破碎。气微腥，味甘。

蜂花粉：本品为扁圆形、扁椭圆形或不规则的颗粒。表面黄色、黄绿色、黄棕色或呈蜂花粉各自固有的颜色。气香，味微甜或微苦、涩。

巢脾：本品多呈长方形，长 41.5 ~ 42.5cm，宽 18.5 ~ 19.5cm，或破碎为不规则形。呈棕色或深褐色，由呈双面连续排列的正六棱柱形与正六棱锥形组成的几何体（即蜜蜂的巢）排列组成，六棱柱边长 4.3 ~ 5.3mm，柱高 12 ~ 16mm，柱底为正六棱锥，锥体底边与柱体相连，锥体底边与柱体夹角为 155°。体较轻，质韧，略有弹性。气微，味微甘、辛、淡。

**｜功能主治｜** 蜂蜜：甘，平。归脾、胃、肺、大肠经。调补脾胃，缓急止痛，润肺止咳，润肠通便，润肤生肌，解毒。用于脘腹虚痛，肺燥咳嗽，肠燥便秘，目赤，口疮，溃疡不敛，风疹瘙痒，烫火伤，手足皲裂。

蜂蜡：甘，微温。归脾经。解毒，敛疮，生肌，止痛。外用于溃疡不敛，臁疮糜烂，外伤破溃，烫火伤。

蜂胶：微甘，平。归肝、脾经。润肤生肌，解毒止痛。用于胃溃疡，口腔溃疡，宫颈糜烂，带状疱疹，牛皮癣，银屑病，皮肤裂痛，鸡眼，烫火伤。

雄蜂蛹：甘，微寒。归脾、肝、肾经。滋补强壮，止痛解毒，杀虫。用于体虚面黄，丹毒，虫积腹痛。

蜂花粉：辛、甘，平。归肺、肾、心经。疏肝养血，滋阴润肺，补肾益精。用于血虚精少，神疲乏力，失眠健忘，肺燥咳嗽，小便淋沥。

巢脾：微甘，凉。清热解毒，消肿，祛风杀虫。用于风邪瘰疬，喉舌肿痈，痈疽恶疮，瘙痒顽癣等。

**| 用法用量 |** 蜂蜜：内服冲调，15 ~ 30g；或入丸、膏。外用适量，涂敷。

蜂蜡：外用适量，熔化敷患处。

蜂胶：内服制成片剂或醇浸液，1 ~ 2g。外用适量，制成酊或软膏剂涂敷。

雄蜂蛹：内服入散剂，1 ~ 2g，一日 3 次。

蜂花粉：内服煎汤，3 ~ 5g。

巢脾：3 ~ 9g，多入制剂。

**| 附　　注 |** （1）2020 年版《中国药典》记载本种为中华蜜蜂 *Apis cerana* Fabricius。

（2）雄蜂蛹已被列入 2019 年版《吉林省中药材标准》第一册。蜂花粉已被列入 2019 年版《吉林省中药材标准》第二册。

（3）2006 年，东方蜜蜂中华亚种（中蜂）被列入《中国国家级畜禽遗传资源保护名录》。2011 年，中华人民共和国农业部批准长白山为国家级中蜂保护区。

蜜蜂科 Apidae 蜜蜂属 *Apis*

# 西方蜜蜂意大利亚种 *Apis mellifera ligustica* Linnaeus

**| 动物别名 |** 意大利蜂。

**| 药 材 名 |** 蜂蜜（药材来源：蜜蜂所酿的蜜。别名：蜂糖、蜜糖）、蜂蜡（药材来源：蜜蜂分泌的蜡。别名：蜜蜡）、蜂胶（药材来源：蜜蜂采集的植物树脂与其上颚腺、蜡腺等分泌物混合形成的黏性固体胶状物）、雄蜂蛹（药用部位：雄蛹）、蜂花粉（药材来源：蜜蜂采集显花植物雄蕊或裸子植物孢子囊内的花粉，加入采集的花蜜和自身分泌物形成的颗粒）、巢脾（药用部位：蜂巢。别名：蜂巢、野蜂窝）。

**| 形态特征 |** 个体比欧洲黑蜂略小。腹部细长，腹板几丁质为黄色。工蜂腹部第 2 ~ 4 背板的前缘有黄色环带，在原产地，黄色环带的宽窄及颜色的深浅变化很大；体色较浅者常具有黄色小盾片，色特浅者仅在腹

西方蜜蜂意大利亚种

部末端有1棕色斑，称为“黄金种蜜蜂”。绒毛为淡黄色。工蜂的喙较长，平均为6.5mm；腹部第4背板上绒毛带宽度中等，平均为0.9mm；腹部第5背板上覆毛短，平均为0.3mm；肘脉指数中等，平均为2.3。

**| 生境分布 |** 吉林无野生分布。吉林各地均有养殖。

**| 资源情况 |** 养殖资源丰富。药材来源于养殖。

**| 采收加工 |** 蜂蜜、蜂蜡、雄蜂蛹、蜂花粉、巢脾：同“东方蜜蜂中华亚种”。

蜂胶：多为夏、秋季自蜂箱中收集，除去杂质。

**| 药材性状 |** 蜂蜜：本品所含的花粉浓度较低，其黏稠度偏低，其余性状特征与东方蜜蜂中华亚种所产蜂蜜相似。

蜂胶：本品为团块状或不规则碎块状，呈深褐色或黑褐色，表面或断面有光泽。20℃以下逐渐变硬、变脆，20 ~ 40℃逐渐变软，有黏性和可塑性。气芳香，味微苦、略涩，有微麻感和辛辣感。

蜂蜡、雄蜂蛹、蜂花粉、巢脾：同“东方蜜蜂中华亚种”。

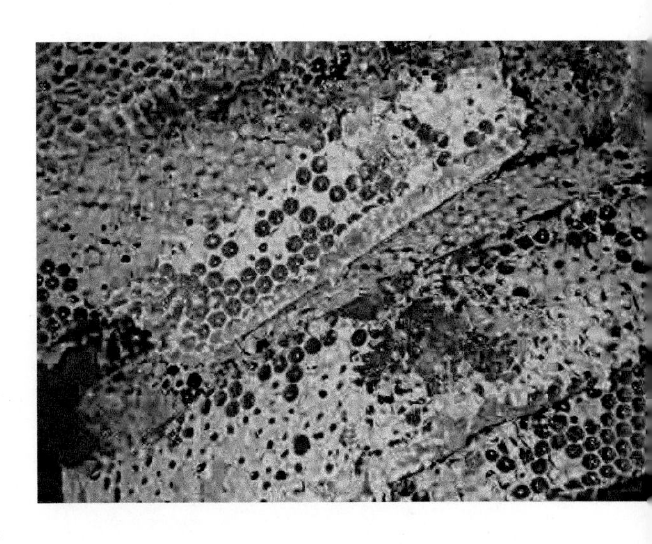

**| 功能主治 |** 蜂蜜、蜂蜡、雄蜂蛹、蜂花粉、巢脾：同“东方蜜蜂中华亚种”。

蜂胶：补虚弱，化浊脂，止消渴；外用解毒消肿，收敛生肌。用于体虚早衰，高脂血症，消渴；外用于皮肤皲裂，烫火伤。

**| 用法用量 |** 蜂蜜、蜂蜡、雄蜂蛹、蜂花粉、巢脾：同“东方蜜蜂中华亚种”。

蜂胶：内服入丸、散，0.2 ~ 0.6g；或加适量蜂蜜，冲服。外用适量。

**| 附 注 |** 2020年版《中国药典》记载本种为意大利蜂 *Apis mellifera* L.

马蜂科 Polistidae 马蜂属 *Polistes*

# 柑马蜂 *Polistes mandarinus* Saussure

**| 动物别名 |** 大黄蜂。

**| 药 材 名 |** 露蜂房（药用部位：蜂巢。别名：蜂房、马蜂窝、野蜂房）。

**| 形态特征 |** 雌性黑色，长 20 ~ 25mm。头三角形，复眼 1 对，单眼 3。触角 1 对。颜面、头顶、后头、唇基、上颚及颊部均有黄褐色斑纹，胸部有刻点，前胸背板后缘及中胸背板中有 2 黄色纵线。翅 2 对，前翅较后翅大。胸腹节呈黑色，有 4 黄褐色纵线。腹部呈纺锤形，各腹节中央有黑色纵线，尾端有毒针。足 3 对，细长，褐色。飞行时常伸长 6 足，呈下垂状。

**| 生境分布 |** 栖息于树木上或屋檐下等处。吉林各地均有分布。

柑马蜂

**| 资源情况 |** 野生资源较丰富。药材主要来源于野生。

**| 采收加工 |** 10 ~ 12 月采收，采后晒干，倒出死蜂，除去杂质，剪成块状。

**| 药材性状 |** 本品完整者呈盘状、莲蓬状或重叠成宝塔状，商品多破碎成不规则的扁块状，大小不一，表面灰白色或灰褐色。腹面有多数整齐的六角形房孔，孔径 3 ~ 4mm 或 6 ~ 8mm；背面有 1 或数个黑色凸出的柄。体轻，质韧，略有弹性。气微，味辛、淡。

**| 功能主治 |** 微甘，平；有小毒。归肝、胃、肾经。祛风止痛，攻毒消肿，杀虫止痒。用于风湿痹痛，风虫牙痛，痈疽恶疮，瘰疬，喉舌肿痛，痔漏，风疹瘙痒，皮肤顽癣。

**| 用法用量 |** 内服煎汤，5 ~ 10g；或研末，2 ~ 5g。外用适量，煎汤洗；或研末掺；或调敷。

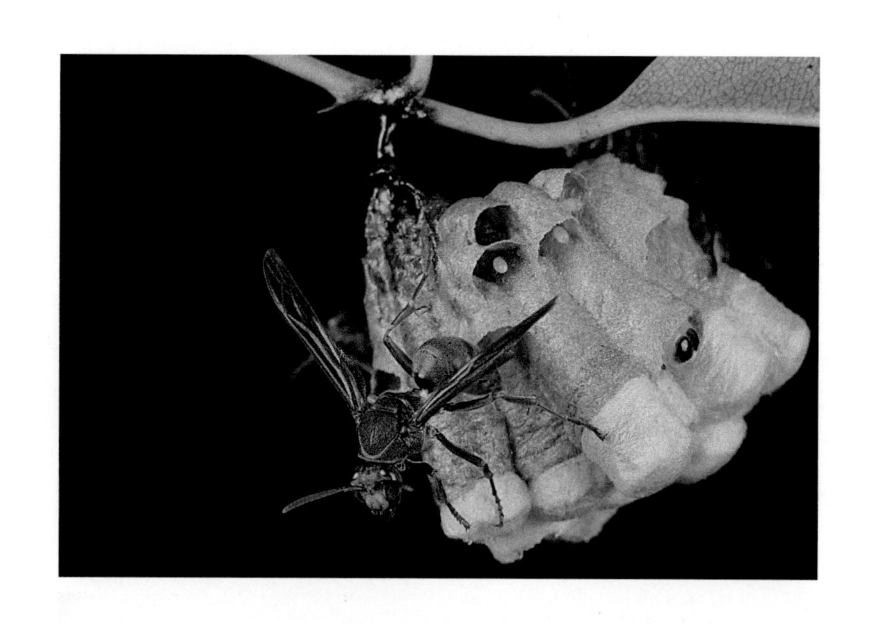

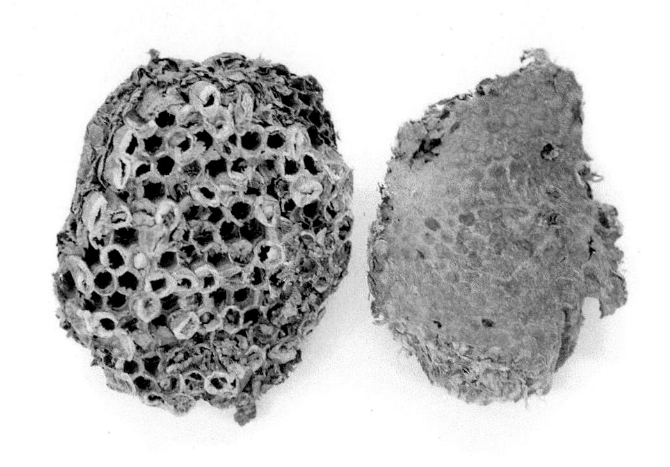

蚁科 Formicidae 蚁属 *Formica*

# 丝光褐林蚁 *Formica fusca* Linnaeus

**| 动物别名 |** 拟黑多刺蚁、大黑蚁、日本黑褐蚁。

**| 药 材 名 |** 蚂蚁（药用部位：全体。别名：黑蚂蚁）。

**| 形态特征 |** 工蚁体长 4 ~ 7 mm，暗褐红色。头部两复眼下方的颊、触角柄节、胸部及足色较其他部位浅，稍呈淡栗褐色。体表被丝状闪光茸毛，腹部自第 1 腹节后缘起有稀疏的直立短毛，毛短于毛间距。复眼大而凸，位于头侧中线偏上方处；触角长，柄节的 1/3 超过头顶；额隆脊短、锐；额三角形；唇基中央凸，中纵脊明显，后缘平，前缘凸、圆；上颚咀嚼缘具 8 齿；前、中胸背板缝处收缢；腹柄结呈厚鳞片状，前凸后平，上缘圆弧形，仅中央稍凸；腹部粗大，背观可见 5 节。

丝光褐林蚁

**| 生境分布 |** 栖息于地表植被稀疏、近水源、土壤疏松的林地，蚁冢由杂草碎屑、土粒、石粒、虫粪等组成。分布于吉林延边、白山、通化、吉林等。

**| 资源情况 |** 野生资源较丰富。药材主要来源于野生。

**| 采收加工 |** 婚飞前，选择阴雨天，在蚁群大部分归巢、数量集中时，连蚂蚁带土放入布袋中，然后过筛而取成蚁，置于 60℃水中迅速处死，晾干。

**| 药材性状 |** 本品长 4 ~ 5mm，黑色，平滑，有光泽。足胫节下方有刺。质脆，易碎，常有头足缺损。舔之有酸味。

**| 功能主治 |** 咸，平；有小毒。归肝、肾经。补益肝肾，舒筋通络。用于类风湿性关节炎，风湿性关节炎，肩周炎，阳痿，慢性肝炎，以及某些癌症的辅助治疗。

**| 用法用量 |** 内服研末，2 ~ 6g。

蚁科 Formicidae 蚁属 *Formica*

# 红褐林蚁 *Formica rufa* Linnaeus

**| 动物别名 |** 红林蚁。

**| 药 材 名 |** 蚂蚁（药用部位：全体。别名：红林蚁）。

**| 形态特征 |** 工蚁体长 4.5 ~ 9mm。红色或淡褐黑色，头背面和前胸背板上黑斑的深浅和大小多变。复眼通常具少量微毛，外咽片、唇基、头背面、胸部、结节和腹部上的直立长毛丰富，但触角柄节和后头后缘上无毛，后足胫节和腿节上偶有少量半直立毛。额三角形，有光泽，但通常具微细的刻点。复眼大而凸出，位于头前侧方的中线偏上方，单眼 3，触角鞭节丝形，第 2 节和第 3 节的总长度不超过其宽的 2 倍，鞭节棒不明显，柄节长的 1/3 伸过头顶。唇基凸出，具中纵脊，前缘弧形，上颚三角形，具纵深刻纹，咀嚼缘具 8 齿，端齿弯而尖。腹柄节直立鳞片状，前凸后平，上缘圆弧形，腹部较短，长卵形，第 1 腹节

红褐林蚁

背面的中域上粗细刻点的间距宽。

**|生境分布|** 营群体生活，常筑巢于地下。分布于吉林延边、白山、通化、吉林等。

**|资源情况|** 野生资源一般。药材主要来源于野生。

**|采收加工|** 同“丝光褐林蚁”。

**|药材性状|** 本品长 4 ~ 6mm，头、胸、腹柄、腹基部表面暗红色，腹部其余部分黑褐色。头略呈三角形，前方较狭，后部近方形；复眼卵圆形，黑色，两颊暗红色，微透明；头后有黑褐色带。胸部有 3 对足，足发育相等，较平直。腹部较头部大 1.5 ~ 2 倍，腹节近等长，疏生长绒毛。油性大，有光泽，置纸上显油痕。质轻，易碎。气特异，味酸。

**|功能主治|** 同“丝光褐林蚁”。

**|用法用量|** 同“丝光褐林蚁”。

虻科 Tabanidae 黄虻属 *Atylotus*

# 双斑黄虻 *Atylotus bivittateinus* Takahasi

**| 动物别名 |** 复带虻。

**| 药 材 名 |** 虻虫（药用部位：雌虫全体。别名：蜚虻、牛虻、牛蚊子）。

**| 形态特征 |** 雌虫体长 13 ~ 17mm，黄绿色。眼大型，中部有一细窄的黑色横带。前额黄色或略带淡灰色。触角橙黄色，第 3 节有明显的钝角突。翅透明，翅脉黄色。腹部暗黄灰色，多金黄色毛及少数黑色毛。背板两侧具大块黄色斑，腹板灰色。雄虫与雌虫相似，但体较小。

**| 生境分布 |** 栖息于草丛及树林中，喜阳光，多在白昼活动。吉林各地均有分布。

**| 资源情况 |** 野生资源较丰富。药材主要来源于野生。

**| 采收加工 |** 夏、秋季捕捉，用沸水烫死，洗净，晒干。

双斑黄虻

**| 药材性状 |** 本品黄绿色，眼大型，中央有一细窄的黑色横带；翅透明，翅脉黄色；腹部暗灰黄色，有较多的金黄色毛及少数黑色毛。

**| 功能主治 |** 苦、微咸，凉；有毒。归肝经。破血通经，逐瘀消肿。用于血瘀经闭，产后恶露不尽，干血痨，少腹蓄血，癥瘕积块，跌打伤痛，痈肿，喉痹。

**| 用法用量 |** 内服煎汤，1.5 ~ 3g；或研末，0.3 ~ 0.6g；或入丸剂。外用适量，研末敷；或调搽。

蟾蜍科 Bufonidae 蟾蜍属 *Bufo*

# 中华蟾蜍 *Bufo gargarizans* Cantor

**| 动物别名 |** 癞蛤蟆。

**| 药 材 名 |** 蟾酥（药材来源：分泌物。别名：蛤蟆酥、蛤蟆浆、癞蛤蟆酥）、蟾蜍（药用部位：全体。别名：干蟾、癞蛤蟆、癞格宝）、蟾蜍肝（药用部位：肝脏）、蟾蜍胆（药用部位：胆囊）、蟾皮（药用部位：皮。别名：蛤蟆皮、癞蛤蟆皮）、蟾头（药用部位：头）、蟾舌（药用部位：舌）、蟾衣（药用部位：角质衣膜。别名：蟾蜕、蟾壳、蟾王衣）。

**| 形态特征 |** 体长一般超过 10cm，粗壮，头宽大于头长，吻端圆，吻棱显著；鼻孔近吻端；眼间距大于鼻间距；鼓膜明显，无犁骨齿，上、下颌亦无齿。前肢长而粗壮，指、趾略扁，指侧微有缘膜而无蹼，指长

中华蟾蜍

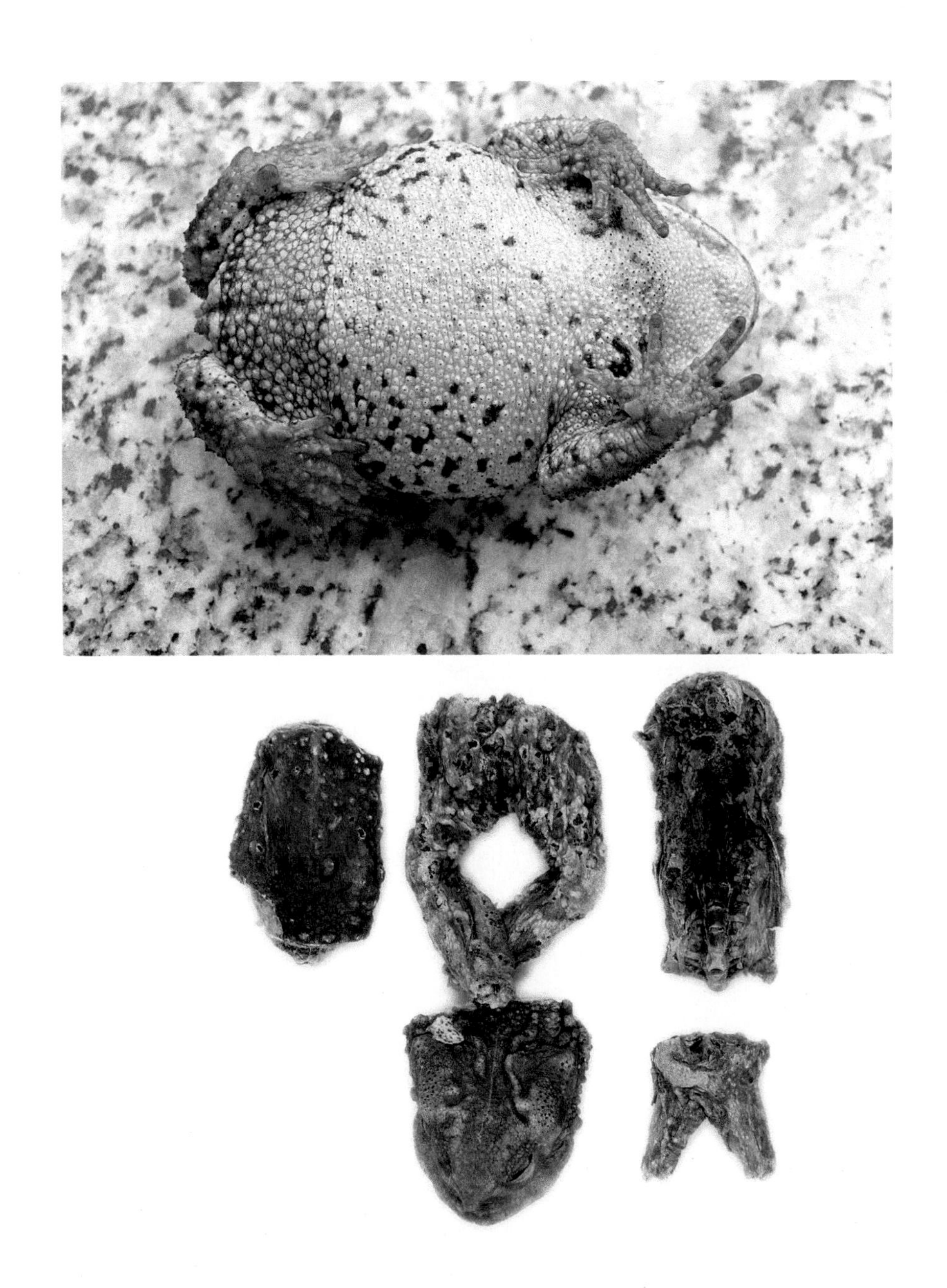

顺序 3、1、4、2，指关节下瘤多成对，掌突 2，外侧者大。后肢粗壮而短，胫跗关节前达肩部，左右跟部不相遇，趾侧有缘膜，蹼常发达，内跖突长而大，外跖突小而圆。皮肤极粗糙，头顶部较平滑，两侧有大而长的耳后膜，其余部分满布大小不等的圆形瘰疣，头部瘰疣排列较规则，斜行排列几与耳后腺平行。此外，沿体侧的瘰疣排列亦较规则，胫部瘰疣较大，个别标本有不明显跗褶，腹面皮肤不光滑，有小疣。颜色变异颇大，生殖季节雄性背面多为黑绿色，体侧有浅色的斑纹；雌性背面色较浅，瘰疣乳黄色，有时自眼后沿体侧有斜行的黑色纵斑，腹面乳黄色，有棕色或黑色细花纹。雄性个体较小，内侧 3 指有黑色婚垫，无声囊。

**| 生境分布 |** 栖息于泥土中、石下或草间，夜出觅食。吉林大部分地区有分布。吉林有少量养殖。

**| 资源情况 |** 野生资源一般。药材主要来源于养殖。

**| 采收加工 |** 蟾酥：夏、秋季捕捉，用水洗净体表，晾干，用金属夹从耳后腺及身体上的疣粒挤取白色浆液，晒干或低温干燥。每只可取 0.05 ~ 0.06g 鲜浆。

蟾蜍：夏、秋季捕捉，先采取蟾酥，然后将蟾蜍杀死，直接晒干。

蟾蜍肝：夏、秋季捕捉，剖腹取肝，洗净，鲜用或冷藏。

蟾蜍胆：夏、秋季捕捉，剖腹取胆，洗净，鲜用。

蟾皮：夏、秋季捕捉，先采取蟾酥，将蟾蜍杀死，然后除去骨与内脏，将体腔撑开，晒干。

蟾头：夏、秋季捕捉，剁取头，用细绳拴起阴干。

蟾舌：夏、秋季捕捉，剁头取舌，洗净，鲜用。

蟾衣：秋季收集野生蟾蜍自然蜕下的角质衣膜。

**| 药材性状 |** 蟾酥：本品呈扁圆形团块状或薄片状。棕褐色，薄片状者对光透视呈红棕色。团块状者质坚，不易折断，断面棕褐色，角质样，微有光泽；薄片状者质脆，易碎，断面红棕色，半透明。气微腥，味初甜而后有持久的麻辣感，粉末嗅之作嚏。

蟾蜍：本品拘挛抽皱，纵向有棱角，四足伸缩不一，表面灰绿色或绿棕色。除去内脏者腹腔内面呈灰黄色，可见骨骼及皮膜。气微腥，味辛。以个大、身干、完整者为佳。

蟾皮：本品呈扁平板状，厚约 0.5mm，头部略呈钝三角形。四肢屈曲向外伸出。外表面粗糙，背部灰褐色，布有大小不等的疣状突起，色较深；腹部黄白色，疣点较细小。头部较平滑，耳后腺明显，呈长卵圆形，“八”字状排列。内表面灰白色，与疣点相对应处有同样大小的浅凹点。较完整者四肢展平后，前肢趾间无蹼；后肢长而粗壮，趾间有蹼。质韧，不易折断。气微腥，味微麻。

蟾头：本品近三角形，宽大于长或长、宽近相等。吻端圆，口大，近半圆形，闭合或略开 1 缝隙。口内无犁骨齿，上、下颌亦无齿。吻棱显著，近吻端有小的圆形鼻孔 1 对。眼隆起或内陷，闭合或成窄缝。两侧眼后有 1 圆形鼓膜，棕褐色。背面灰褐色、绿褐色或黑褐色，较平滑；腹面色浅，呈黄绿色、棕黄色或棕红色，有凸起的点状棕褐色或黑褐色斑点。质坚韧，不易破碎。气腥臭，味微咸而有麻舌感。

**| 功能主治 |** 蟾酥：辛，温；有毒。归心经。消肿止痛，解毒辟秽。用于痈疽疔疮，咽喉肿痛，风虫牙痛，牙龈肿烂，痧证腹痛。

蟾蜍：辛，凉；有毒。归心、肝、脾、肺经。解毒散结，消积利水，杀虫消疳。用于痈疽，疔疮，发背，瘰疬，恶疮，癥瘕癖积，臌胀，水肿，小儿疳积，破伤风，慢性咳喘。

蟾蜍肝：辛、苦、甘，凉。归心、肝经。解毒散结，拔疔消肿。用于痈疽，疔毒，疮肿，蛇咬伤，麻疹。

蟾蜍胆：苦，寒。归肝经。镇咳祛痰，解毒散结。用于气管炎，小儿失音，早期淋巴结结核，鼻疔。

蟾皮：苦，凉；有毒。归心、肺、脾、大肠经。清热解毒，利水消肿。用于痈疽，肿毒，瘰疬，疳积腹胀，慢性支气管炎。

蟾头：辛、苦，凉；有毒。归脾、胃经。消疳散积。用于小儿疳积。

蟾舌：辛、苦、甘，凉。归心经。解毒拔疔。用于疔疮。

蟾衣：清热解毒，利水消肿，消癥除积。用于慢性肝病，消渴，腹水，疔毒，疮痈，癥瘕聚积。

**| 用法用量 |** 蟾酥：外用适量，研末调敷；或掺膏药内贴。

蟾蜍：内服煎汤，1只；或入丸、散，1 ~ 3g。外用适量，烧存性，研末敷；或调涂；或活体捣敷。

蟾蜍肝：内服煎汤，1 ~ 2个。外用适量，捣敷。

蟾蜍胆：内服冲服，3 ~ 6个。外用适量，捣烂搽；或鲜品取汁滴。

蟾皮：内服煎汤，3 ~ 9g；或研末。外用适量，鲜品敷贴；或干品研末调敷。

蟾头：内服适量，入丸、散。

蟾舌：外用适量，研烂摊贴。

蟾衣：内服研末，2 ~ 4张；或入胶囊剂。

蛙科 Ranidae 林蛙属 *Rana*

# 黑龙江林蛙 *Rana amurensis* Boulenger

**| 动物别名 |** 山狗子、红肚囊。

**| 药 材 名 |** 林蛙油（药用部位：雌蛙的输卵管。别名：小油、田鸡油、哈什蟆油）、哈士蟆（药用部位：除去内脏的全体。别名：雪蛤、红肚田鸡、蛤蟆）。

**| 形态特征 |** 雄性体长 63 ~ 66mm，雌性比雄性略大；头较扁平。头长、宽几相等；吻端尖圆，稍凸出于下颌；吻棱较明显，颊部向外侧倾斜，鼻孔位于眼、吻之间，眼间距小于鼻间距，而与上眼睑等宽；鼓膜显著，大于眼径之半；犁骨齿椭圆形，位于内鼻孔内后方。前肢短而粗壮，指端圆；指较细长，指长顺序 3、1、4、2；关节下瘤显著，内、外掌突均显著。后肢短，胫跗关节前达肩部，胫短，左右跟部稍重叠，足长于胫，趾端钝圆而略尖；蹼发达，除第 5 趾外，其余各趾的蹼未达指端，蹼缘的缺刻不深；外侧趾间蹼几达基部，第 5 趾外侧无缘膜；关节下瘤显著而小，内跖突较细长；外趾突圆、小

黑龙江林蛙

或无。雌性皮肤粗糙；背侧褶不平直；两侧褶间有分散的或长或圆的疣，成行排列；后部的疣多而小，一般不成行；体侧、腹部两侧及后肢背面有许多小疣。雄性皮肤较光滑；口角后端有一显著的颌腺；跗褶 2，颇显著。腹面一般光滑，仅腹侧及腹后端有刺粒。颜色变异颇大。腹面有红色与深灰色花斑。

**| 生境分布 |** 栖息于阴湿的山坡树丛中，离水体较远，9 月底至翌年 3 月营水栖生活。在冬季成群地聚集于河水深处的大石块下冬眠。分布于吉林延边、白山、通化、吉林等。

**| 资源情况 |** 野生资源较少。药材主要来源于野生。

**| 采收加工 |** 林蛙油：白露前后捕捉，选肥大的雌蛙，用麻绳从口部穿起，悬挂，露天风干，干燥后用热水浸润，立即捞起，放麻袋中闷 1 夜，次日剖开腹皮，将输卵管轻轻取出，除去卵子及其他内脏，置通风处阴干。

哈士蟆：于白露前后捕捉，将捕得的雄蛙剖腹，除去内脏，洗净，挂起风干或晒干；将捕得的雌蛙先取出输卵管，再除去其他内脏，晒干。

**| 药材性状 |** 林蛙油：本品大者呈不规则的扭曲管形、结带形或块状、片状，长 1.5 ~ 2cm，厚 1.5 ~ 3mm，小者呈片状豌豆形。表面土黄色，微透明，呈脂肪样光泽，可见明显的毛细管，偶带灰白色薄膜状干皮。质硬而脆，摸之有滑腻感。用指甲轻轻掐之则出现白色裂痕，折断面整齐，多棱角（在温水中浸泡，体积可膨大约 15 倍）。气腥，味微甘，嚼之有滑腻感。

哈士蟆：本品全体僵直，有紫褐色斑点，腹部黄白色，微带红色，腹中空虚，后肢腹面常呈淡红色。肉质干枯，体轻。气腥。以体大、腹面色泽黄红、身干者为佳。

**| 功能主治 |** 林蛙油：甘、咸，平。归肺、肾经。补肾益精，润肺养阴。用于病后、产后虚弱，肺痨咳嗽吐血，盗汗。

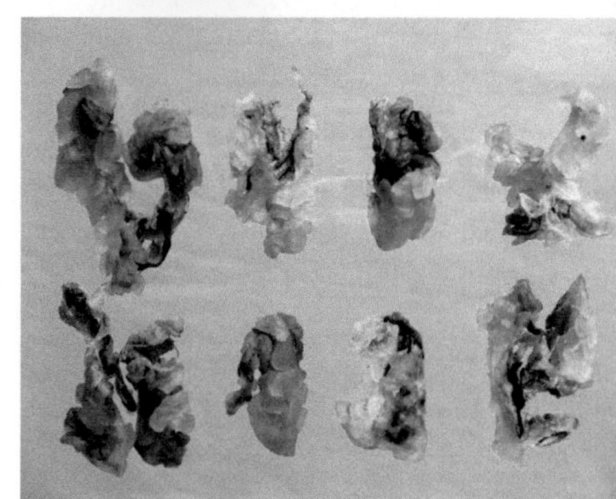

哈士蟆：甘、咸，凉。归肺、肾经。补肺滋肾，利水消肿。用于虚劳咳嗽，小儿疳积，水肿腹胀，疮痈肿毒。

**| 用法用量 |** 林蛙油：内服煎汤，3 ~ 9g；或入丸剂。

哈士蟆：内服炖食，1 ~ 3 个。外用适量，捣敷。

鳖科 Trionychidae 鳖属 *Pelodiscus*

# 鳖 *Pelodiscus sinensis* Wiegmann

**| 动物别名 |** 中华鳖、甲鱼。

**| 药 材 名 |** 鳖甲（药用部位：背甲。别名：团鱼盖、脚鱼壳、上甲）。

**| 形态特征 |** 体呈椭圆形或近卵圆形，长 30 ~ 40cm。头尖，吻长，吻突呈短管状；鼻孔位于吻突前端，上下颌缘覆角质硬鞘，无齿，眼小；瞳孔圆形，鼓膜不明显，颈部长可超过 70mm，颈基部无颗粒状疣，头、颈可完全缩入甲内。背甲、腹甲均无角质板而被革质软皮，边缘具柔软、较厚的结缔组织，俗称“裙边”。背面皮肤有凸起小疣，成纵行隆起，背部中央稍凸起，椎板 8 对，肋板 8 对，无臀板，边缘无缘板相连。背部骨片没有完全骨质化，肋骨与肋板愈合，其末端凸出于肋板外侧。四肢较扁平，前肢 5 指；内侧 3 指有外露的爪；外侧 2 指的爪

鳖

全被皮肤包裹而不外露，后肢趾、爪生长情况亦同，指、趾间具蹼且发达。雄性体较扁而尾较长，末端露出裙边；雌性尾粗短，不露出裙边。泄殖肛孔纵裂。头颈部上面橄绿色，下面黄色，下颌至喉部有黄色斑纹，两眼前后有黑纹，眼后头顶部有10黑点或更多。体背橄绿色或黑棕色，具黑色斑，腹部肉黄色，两侧裙边处有绿色大斑纹，近尾部有2团豌豆大的绿色斑纹。前肢上面橄绿色，下面淡黄色，后肢上面色较浅。尾部中央为橄绿色，其余皆呈淡黄色。

**| 生境分布 |** 栖息于湖泊、河流、池塘及水库等水域。吉林大部分地区有分布。吉林有少量养殖。

**| 资源情况 |** 野生资源一般。药材主要来源于养殖。

**| 采收加工 |** 春、夏、秋季捕捉，用刀割下头，割取背甲，除去残肉，晒干；或置于沸水中煮1～2h，至背甲上的皮能剥落时取出，剥下背甲，除去残肉，洗净，晒干。

**| 药材性状 |** 本品呈椭圆形或卵圆形，背面隆起，长10～15cm，宽9～14cm。外表面黑褐色或黑绿色，略有光泽，具细网状皱纹及灰黄色或灰白色斑点，中间有1纹棱，两侧各有左右对称的8横凹纹，外皮脱落后，可见锯齿状嵌接缝。内表面类白色，中部有凸起的脊椎骨，颈骨向内卷曲，两侧各有8肋骨，伸出边缘。质坚硬。气微腥，味淡。

**| 功能主治 |** 咸，微寒。归肝、肾经。滋阴清热，潜阳息风，软坚散结。用于阴虚发热，劳热骨蒸，热病伤阴，虚风内动，小儿惊痫，久疟，疟母，癥瘕，经闭。

**| 用法用量 |** 内服煎汤，10～30g，先煎；或熬膏；或入丸、散。外用适量，烧存性，研末掺；或调敷。

雉科 Phasianidae 原鸡属 *Gallus*

# 家鸡 *Gallus gallus* domesticus Brisson

家鸡

## | 动物别名 |

鸡。

## | 药 材 名 |

鸡内金（药用部位：沙囊内壁。别名：鸡肫皮、鸡黄皮、鸡食皮）、鸡嗉（药用部位：嗉囊。别名：鸡喉咙）、鸡头（药用部位：头）、凤凰衣（药用部位：孵鸡后蛋壳内的卵膜。别名：凤凰退、鸡蛋膜衣、鸡蛋衣）、雄鸡口涎（药材来源：雄性的口涎）、鸡子壳（药用部位：蛋壳。别名：鸡卵壳、鸡子蜕、鸡蛋壳）、鸡血（药用部位：血）、鸡胆（药用部位：胆囊）、鸡肉（药用部位：肉）、鸡子黄（药用部位：蛋黄。别名：鸡卵黄、鸡蛋黄）、鸡子（药用部位：卵。别名：鸡卵、鸡蛋）、鸡子白（药用部位：蛋白。别名：鸡卵白、鸡子清、鸡蛋白）、鸡脑（药用部位：脑髓）。

## | 形态特征 |

嘴短而尖，略呈圆锥状，上嘴稍弯曲。鼻孔裂状，被鳞状瓣。眼有瞬膜。头上有肉冠，喉部两侧有肉垂，通常呈褐红色；雄性肉冠高大，雌性肉冠低小；肉垂亦以雄性为大。翼短；羽色雌、雄不同，雄性羽色较美，有

长而鲜丽的尾羽，雌性尾羽甚短。足健壮，跗、跖及趾均被鳞板；趾 4，前 3 趾，后 1 趾，后趾短小，位略高，雄性跗跖部后方有距。

**| 生境分布 |** 吉林无野生分布。吉林各地均有养殖。

**| 资源情况 |** 养殖资源丰富。药材来源于养殖。

**| 采收加工 |** 鸡内金：全年均可采收，将鸡杀死后，立即取出沙囊，剥下内膜，洗净，晒干。

鸡嗉：宰杀时，取下嗉囊，洗净，鲜用或烘干。

鸡头：宰杀时，取头部，除去毛，洗净，烘干。

凤凰衣：收集孵鸡后留下的蛋壳，取内部的卵膜。

雄鸡口涎：将少许生姜塞入雄鸡口中，倒提，即有口涎流出，收集鲜用。

鸡子壳：食用鸡蛋时，收集蛋壳，洗净，烘干。

鸡血：宰杀时，收集血液，鲜用。

鸡胆：宰杀时，剖腹取出内脏，摘下胆囊，烘干或取胆汁鲜用。

鸡肉：宰杀后，除去羽毛及内脏，取肉鲜用。

鸡子黄：敲破蛋壳的一端，使蛋清流出，取蛋黄用。

鸡子：平日母鸡下蛋时，收集。

鸡子白：敲破蛋壳的一端，使蛋清流出，收集生用；或将蛋煮熟，取蛋白用。

鸡脑：宰杀时，除去头部羽毛，取脑髓鲜用或烘干。

**| 药材性状 |** 鸡内金：本品为不规则卷片，厚约 2mm。表面黄色、黄绿色或黄褐色，薄而半透明，具明显的条状皱纹。质脆，易碎，断面角质样，有光泽。气微腥，味微苦。

凤凰衣：本品为卷缩纹折状的薄膜，碎片大小不等，边缘不整齐，一面白色，无光泽；另一面淡黄色，略有光泽，并附有棕色线状血丝。质轻松，略有韧性，易破碎。气微，味淡。以身干、色白、完整、无碎壳及杂质者为佳。

鸡子壳：本品为坚硬薄片，大小不等。外表面微红色或类白色，内表面纯白色。质坚而脆。气微腥，味微甘。

**| 功能主治 |** 鸡内金：甘，平。归脾、胃、肾、膀胱经。健脾消食，涩精止遗，消癥化石。用于消化不良，饮食积滞，呕吐反胃，泄泻下痢，小儿疳积，遗精，遗尿，小便频数，泌尿系结石，胆结石，癥瘕经闭，喉痹乳蛾，牙疳口疮。

鸡嗉：甘，平。归肺、肾、膀胱经。调气，解毒。用于噎膈，小便不禁，发背肿毒。

鸡头：甘，温。归肝、肾经。补肝肾，宣阳通络。用于小儿痘浆不起，时疹疮毒，蛊毒。

凤凰衣：甘、淡，平。归脾、胃、肺经。养阴清肺，敛疮，消翳，接骨。用于久咳气喘，咽痛失音，淋巴结结核，溃疡不敛，目生翳障，头目眩晕，创伤骨折。

雄鸡口涎：咸，寒。归心、肾经。解虫毒。用于蜈蚣咬伤，蝎螫伤。

鸡子壳：淡，平。归胃、肾经。收敛，制酸，壮骨，止血，明目。用于胃脘痛，反胃，吐酸，小儿佝偻病，各种出血，目生翳膜，疳疮痘毒。

鸡血：咸，平。归肝、心经。祛风，活血，通络，解毒。用于小儿惊风，口面㖞斜，目赤流泪，中恶腹痛，痿痹，跌打骨折，痘疮不起，妇女下血不止，痈疽疮癣，毒虫咬伤。

鸡胆：苦，寒。归肝经。清热解毒，祛痰止咳，明目。用于百日咳，慢性支气管炎，中耳炎，小儿细菌性痢疾，石淋，目赤流泪，白内障，耳后湿疮，痔疮。

鸡肉：甘，温。归脾、胃经。温中益气，补精，填髓。用于虚劳羸瘦，病后体虚，食少纳呆，反胃，腹泻下痢，消渴，水肿，小便频数，崩漏带下，产后乳少。

鸡子黄：甘，平。归心、肾、脾经。滋阴润燥，养血息风。用于心烦不得眠，热病痉厥，虚劳吐血，呕逆，下痢，烫伤，热疮，肝炎，小儿消化不良。

鸡子：甘，平。归肺、脾、胃经。滋阴润燥，养血安胎。用于热病烦闷，燥咳声哑，目赤咽痛，胎动不安，产后口渴，下痢，疟疾，烫伤，皮炎，虚人羸弱。

鸡子白：甘，凉。归肺、脾经。润肺利咽，清热解毒。用于伏热咽痛，失音，目赤，烦满咳逆，下痢，黄疸，疮痈肿毒，烫火伤。

鸡脑：甘，平。归心、肝经。止痉息风。用于惊痫，夜啼，妇人难产。

**| 用法用量 |** 鸡内金：内服煎汤，3 ~ 10g；或研末，1.5 ~ 3g；或入丸、散。外用适量，研末调敷；或生贴。

鸡嗉：内服煮食，适量；或研末。外用适量，焙研撒；或调搽。

鸡头：内服烧灰，酒下，适量。

凤凰衣：内服煎汤，3 ~ 9g；或入散剂。外用适量，敷贴；或研末撒。

雄鸡口涎：外用适量，涂抹。

鸡子壳：内服焙研，1 ~ 9g。外用适量，煅研，撒敷；或油调敷。

鸡血：内服生血热饮，每次 20ml，每日 2 次。外用适量，涂敷；或点眼、滴耳。

鸡胆：内服鲜胆取汁加糖，1 ~ 3 个；或烘干研粉。外用适量，取鲜胆汁点眼。

鸡肉：内服煮食或炖汁，适量。

鸡子黄：内服煮食，1 ~ 3 枚；或生服。外用适量，涂敷。

鸡子：内服煮、炒，1 ~ 3 枚；或生服；或沸水冲；或入丸剂。外用适量，调敷。

鸡子白：内服煮食，1 ~ 3 枚；或生服。外用适量，冻敷。

鸡脑：内服烧灰，酒下，适量。

文鸟科 Ploceidae 麻雀属 *Passer*

# 树麻雀 *Passer montanus* Linnaeus

**动物别名** 家雀。

**药 材 名** 麻雀（药用部位：全体）、麻雀肉（药用部位：肉。别名：家雀肉）、麻雀脑（药用部位：头）、麻雀血（药用部位：血）。

**形态特征** 小型鸟类。体长约12cm。嘴粗短，圆锥状，黑色。虹膜暗红褐色。额、后颈纯栗褐色。眼下缘、眼睑、颏和喉的中部均为黑色；颊、耳羽和颈侧白色，耳羽后部有黑色斑块。上体沙褐色，两肩密布黑色粗纹，并缀以棕褐色。两翅的小覆羽纯栗色，中覆羽和大覆羽黑褐色而具白端，大覆羽更具棕褐色外缘；小翼羽、初级覆羽及全部飞羽均为黑褐色，各羽具有狭细的淡棕褐色边缘；除第1枚外侧初级飞羽外，其余外侧初级飞羽羽基和近羽端处的缘纹，形稍扩大，呈2道横斑

树麻雀

状；内侧次级飞羽的缘纹较宽，棕色也较浓。尾暗褐色，羽缘较淡。胸和腹淡灰色，近白色，略带褐色，两胁转为淡黄色，尾下覆羽较胁羽色更淡。脚和趾均为黄褐色。

**| 生境分布 |** 栖息于有人类活动的地方。吉林各地均有分布。

**| 资源情况 |** 野生资源较丰富。药材主要来源于野生。

**| 采收加工 |** 麻雀：全年均可捕捉，除去羽毛、内脏，焙干。

麻雀肉：随用随捕，捕杀时，取肉，鲜用。

麻雀脑：全年均可捕捉，取头，除去皮、嘴、眼及残肉，干燥。

麻雀血：随用随捕，捕杀时，取头部的血，鲜用。

**| 药材性状 |** 麻雀：本品完整者具头、躯干及腿，全体黄棕色至棕褐色，躯干长约 6cm。头呈三角状卵形，头顶钝圆形，显露骨骼，灰白色，两侧眼窝凹陷，嘴三角状，短粗，黑褐色，喙部尖。躯干略呈扁三棱状，背部宽而钝圆。胸部渐变至薄棱状，胸部两侧各具 1 翅，弯曲，后端两侧各具 1 腿，平直或弯曲，爪卷曲。

麻雀脑：本品顶面观呈类圆锥形或近菱形，底面观略呈菱形，侧面观略呈半圆球形，长 1.5 ~ 2cm，宽 1.4 ~ 1.5cm。额顶呈圆形，灰白色，光滑；沿鼻骨中心至额骨中心有 1 凹槽，长 1 ~ 1.5cm，眶间距约 0.5cm，眶孔类圆形，直径约 0.9cm，枕骨后方可见枕骨大孔或残存颈椎 1 ~ 2 节，上颌骨残留或缺。额骨薄而脆，易剖开，剖开后可见浅棕色薄片状脑髓。气微腥，味微咸。

**| 功能主治 |** 麻雀：甘，温。壮阳益精，用于阳虚羸瘦，阳痿，疝气。

麻雀肉：补精益肾，滋补强壮。用于小儿疳积，神经衰弱，失眠，感冒，夜盲症，精力不足。

麻雀脑：咸，平。归肾经。补肾兴阳，润肤生肌。用于肾虚阳痿，耳聋，聤耳，冻疮。

麻雀血：咸，平。归肝经。明目。用于夜盲症。

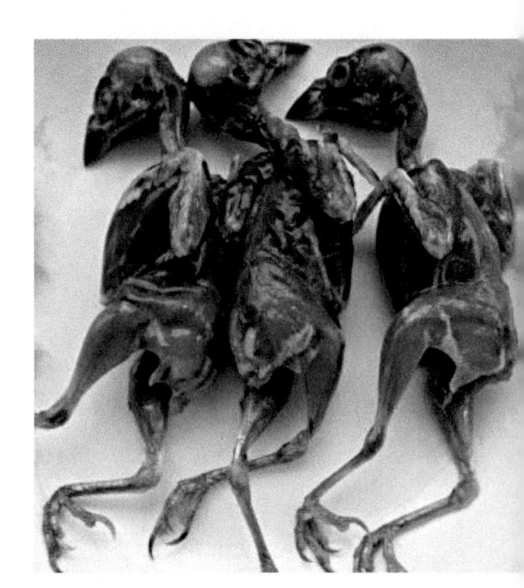

**| 用法用量 |** 麻雀：内服蒸、煨，适量；或熬膏；或浸酒；或煅存性，研成粉末制丸，3 ~ 5 只。

麻雀肉：成人每日可食至 8 只，小儿酌减。

麻雀脑：外用适量，塞耳；或外涂；或烧研调敷。

麻雀血：外用适量，点眼。

猬科 Erinaceidae 刺猬属 *Erinaceus*

# 东北刺猬 *Erinaceus amurensis* Schrenk

| 动物别名 | 远东刺猬、黑龙江刺猬、刺球。

| 药 材 名 | 刺猬皮（药用部位：皮。别名：猬皮、仙人衣）。

| 形态特征 | 体形较大，粗壮、肥满，重 360 ~ 750g，长 215 ~ 275mm，尾长 20 ~ 26mm，后足长 36 ~ 54mm，耳长 20 ~ 26mm。体背及体侧被粗而硬的棘刺，头顶棘刺或多或少分为 2 簇，在头顶中央形成一狭窄的裸露区域。身体余部除吻端和四肢足垫裸露外，均被细而硬的毛。头宽，吻尖，眼小，耳短且长不超过周围棘刺。四肢短健，各具 5 趾，爪发达。尾甚短，不及后足长。乳头 5 对，胸部 3 对，腹部 2 对。睾丸不下垂，但在皮肤中凸出、膨大、明显。

东北刺猬

**| 生境分布 |** 栖息于农田、瓜地、果园、灌丛、树根、石隙、草丛、荒地、森林等处。分布于吉林延边、白山、通化等。

**| 资源情况 |** 野生资源稀少。药材主要来源于野生。

**| 采收加工 |** 全年均可捕捉，冬季更易捕捉，捕得后，用刀纵剖腹部，将皮剥下，翻开，撒上一层石灰，于通风处阴干。

**| 药材性状 |** 本品呈多角形板刷状或直条状，有的边缘卷曲成筒状或盘状，长3 ~ 4cm。外表面密生错综交叉的棘刺，棘刺长1.5 ~ 2cm，坚硬如针，灰白色、黄色或灰褐色。腹部的皮上多灰褐色软毛。皮内面灰白色或棕褐色，残留筋肉。具特殊腥臭气。以张大、肉脂刮净、刺毛整洁者为佳。

**| 功能主治 |** 苦、涩，平。归胃、大肠、肾经。化瘀止痛，收敛止血，涩精缩尿。用于胃脘疼痛，反胃吐食，便血，肠风下血，痔漏，脱肛，遗精，遗尿。

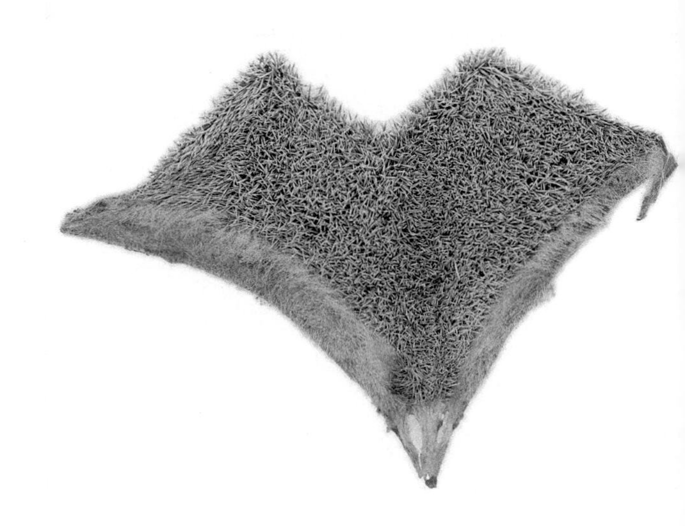

**| 用法用量 |** 内服煎汤，3 ~ 10g；或研末，1.5 ~ 3g；或入丸剂。外用适量，研末调敷。

人科 Hominidae 人属 *Homo*

# 智人 *Homo sapiens* Linnaeus

**| 药材名 |** 紫河车（药用部位：胎盘。别名：胎盘、衣胞、胎衣）、血余炭（药用部位：人发制成的炭化物）、人中白（药用部位：人尿自然沉结的固体物。别名：白秋霜、粪霜、尿壶垢）、人指甲（药用部位：指甲。别名：手爪甲、人退、筋退）、人尿（药用部位：小便。别名：小便、轮回酒、还元汤）、人乳汁（药材来源：乳汁。别名：奶汁）。

**| 采收加工 |** 紫河车：将新鲜胎盘除去羊膜及脐带，反复冲洗至去净血液，蒸或置沸水中略煮后，干燥。

血余炭：取头发，除去杂质，碱水洗去油垢，清水漂净，晒干，焖煅成炭，放凉。

人中白：铲取年久的尿壶、便桶等内面沉结的尿垢，除去杂质，晒干。

人指甲：剪取健康人的指甲，收集，晒干。

血余炭

人尿：接取健康人的小便，去头尾，留取中间段。一般以 10 岁以下健康儿童的小便为佳，称“童便”。

人乳汁：取健康产妇的乳汁，以乳色洁白而稠者为佳。

**| 药材性状 |** 紫河车：本品呈圆形或碟状椭圆形，直径 9 ~ 15cm，厚薄不一。黄色或黄棕色，一面凹凸不平，有不规则沟纹，另一面较平滑，常附有残余的脐带，四周有细血管。质硬脆，有腥气。

血余炭：本品呈不规则的块状，大小不一。色乌黑而光亮，表面有多数小孔，呈海绵状。质轻而脆，易碎，断面呈蜂窝状，互碰有清脆声。用火烧有焦发气，味苦。

人中白：本品呈不规则的块片状，大小、厚薄不等，一般厚 3 ~ 6mm。外表灰白色，光滑或有瘤状突起；有时一面平滑，另一面松泡而凹凸不平。质坚硬而脆，易碎断，断面起层。有尿臊气。以干燥、色灰白、质坚、无杂质者为佳。色灰黑、有砖屑杂质者不堪入药。

人指甲：本品呈不规则的月牙状，大小、宽窄不等。表面黄白色或牙白色，半透明，光滑。有细纵纹。角质，坚硬而韧，富弹性，难折断。气微，味甘、咸。

人尿：本品为淡黄色溶液。有尿臭，味咸。

人乳汁：本品呈乳状，洁白而稠。味甘、咸。

**| 功能主治 |** 紫河车：甘、咸，温。归心、肺、肾经。温肾补精，益气养血。用于虚劳羸瘦，骨蒸盗汗，咳嗽气喘，食少气短，阳痿遗精，不孕少乳。

血余炭：苦，平。归肝、胃经。止血，化瘀。用于吐血，咯血，衄血，尿血，崩漏下血，外伤出血。

人中白：咸，凉。归肺、心、膀胱经。清热降火，止血化瘀。用于肺痿劳热，吐血，衄血，喉痹，牙疳，口舌生疮，诸湿溃烂，烫火伤。

人指甲：甘、咸，平。止血，利尿，去翳。用于鼻衄，尿血，咽喉肿痛，小便不利，目生翳障，中耳炎。

人尿：咸，寒。归心、肺、膀胱、肾经。滋阴降火，止血散瘀。用于虚劳咯血，骨蒸发热，吐血，衄血，产后血晕，跌打损伤，血瘀作痛。

人乳汁：甘、咸，平。归心、肺、胃经。补阴养血，润燥止渴。用于虚劳羸瘦，虚风瘫痪，噎膈，消渴，血虚经闭，大便燥结，目赤昏暗。

**｜用法用量｜** 紫河车：内服研末，每次 1.5 ~ 3g，重症加倍；或入丸剂；或煎汤，新鲜胎盘半个或 1 个。

血余炭：内服煎汤，5 ~ 10g；研末，每次 1.5 ~ 3g。外用适量，研末掺麻油调和，熬膏涂敷。

人中白：内服研末，3 ~ 6g。外用适量，研末吹、掺或调敷。

人指甲：内服入丸、散，1 ~ 2g。外用适量，研末，点眼、搐鼻或吹耳。

人尿：内服，鲜品温饮，30 ~ 50ml；或煎汤。

人乳汁：内服，鲜品趁热饮，适量。外用适量，点眼。

兔科 Leporidae 穴兔属 *Oryctolagus*

# 家兔 *Oryctolagus cuniculus domesticus* Gmelin

**| 药 材 名 |** 望月砂（药用部位：粪便）、兔皮毛（药用部位：体毛）、兔肉（药用部位：肉）、兔骨（药用部位：骨）、兔脑（药用部位：脑）、家兔心（药用部位：心）、兔肝（药用部位：肝）、兔血（药用部位：血）。

**| 形态特征 |** 体长 35 ~ 55cm。体毛为白色、褐色、黑色等。耳朵较长。眼睛大，位于头的两侧。尾短，略呈圆形，长约 5cm。腿肌发达而有力，前腿较短，具 5 趾，后腿较长，具 4 趾，脚下的毛多而蓬松。

**| 生境分布 |** 吉林无野生分布。吉林各地均有养殖。

**| 资源情况 |** 养殖资源一般。药材主要来源于养殖。

**| 采收加工 |** 望月砂：扫取兔粪，除去杂质，晒干。
兔皮毛：全年均可捕捉，将兔杀死，取皮毛，晒干。
兔肉：全年均可捕捉，将兔杀死，取肉，洗净，鲜用。
兔骨：全年均可捕捉，将兔杀死，取骨，洗净，晒干或晾干。放在

家兔

干燥处保存，注意防止受潮、发霉和虫蛀。

兔脑：全年均可捕捉，将兔杀死，取出兔脑，随用随取。

家兔心：全年均可捕捉，将兔杀死，取心，洗净，晒干或晾干。

兔肝：全年均可捕捉，将兔杀死，取出肝脏，随用随取。

兔血：冬季捕捉，取血，随用随取。

**｜药材性状｜** 望月砂：本品呈圆球形而略扁，长 9 ～ 12mm，直径 6 ～ 9mm。表面粗糙、有草质纤维，内、外均呈浅棕色或灰黄色。质疏松，易破碎，手搓之即碎成乱草状。鲜时有恶臭，干燥后无臭。味微苦而辛。

家兔心：本品呈心形，大小不等。表面棕黑色或暗红色，皱缩，偶有黄白色的脂肪残留。中空，质轻。气微腥，味咸。

**｜功能主治｜** 望月砂：辛，寒。归肝、肺经。去翳明目，解毒杀虫。用于目暗生翳，疳积，痔瘘。

兔皮毛：辛，温。归肝经。活血通利，敛疮止带。用于产后胞衣不下，小便不利，带下，疮疡不敛，烫伤。

兔肉：甘，寒。归肝、大肠经。健脾补中，凉血解毒。用于胃热消渴，反胃吐食，肠热便秘，肠风便血，湿热痹，丹毒。

兔骨：甘、酸，平。归心、肝、胃经。清热止渴，平肝祛风。用于消渴，头昏眩晕，霍乱吐利。

兔脑：甘，温。归肺、肝经。润肤疗疮。用于冻疮，烫火伤，皮肤皲裂。

家兔心：咸、甘，温。归心经。补气养血，解郁安神。用于心悸，失眠，多梦，健忘，癫狂，神志不清。

兔肝：甘、苦、咸，寒。归肝经。养肝明目，清热退翳。用于肝虚眩晕，目暗昏花，目翳，目痛。

兔血：咸，寒。归心、肝经。凉血活血，解毒。用于小儿痘疹，产后胎衣不下，心腹气痛。

**｜用法用量｜** 望月砂：内服煎汤，5 ～ 10g；或入丸、散。外用适量，烧灰调敷。

兔皮毛：内服烧灰，3 ～ 9g。外用适量，烧灰涂敷。

兔肉：内服煎汤，50 ～ 150g；或煮食。

兔骨：内服煎汤，6 ～ 15g；或浸酒。外用适量，醋磨涂敷。

兔脑：内服入丸剂，适量。外用适量，捣敷。

家兔心：内服煎汤，10 ～ 20g。

兔肝：内服煮食，30 ～ 60g；或入丸剂。

兔血：内服多入丸剂，适量。

**｜附　　注｜** 家兔心已被列入 2019 年版《吉林省中药材标准》第二册。

犬科 Canidae 犬属 *Canis*

# 狗 *Canis familiaris* Linnaeus

**| 药 材 名 |** 狗骨（药用部位：骨）、狗肉（药用部位：肉）、狗肝（药用部位：肝）、狗乳汁（药材来源：乳汁）、狗宝（药材来源：胃中结石）、狗肾（药用部位：阴茎、睾丸）。

**| 形态特征 |** 体形大小、毛色因品种不同而异，一般的狗体格匀称。鼻吻部较长，眼呈卵圆形，两耳或竖或垂。四肢矫健，前肢5趾，后肢4趾。具爪，但爪不能伸缩。尾呈环形或镰形。

**| 生境分布 |** 吉林无野生分布。吉林各地均有养殖。

**| 资源情况 |** 养殖资源丰富。药材来源于养殖。

**| 采收加工 |** 狗骨：取健康狗宰杀后，剖开，剔去骨骼上的筋膜，将骨挂于通风

狗

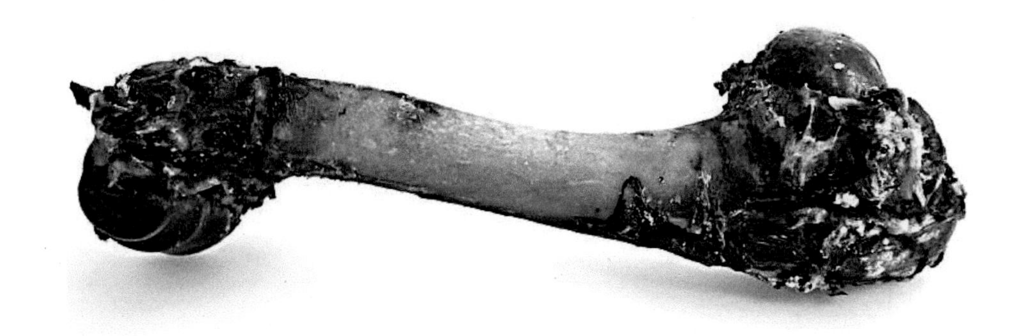

处晾干，不可暴晒。

狗肉：取健康狗宰杀后，剥去皮，取肉，水漂洗后，鲜用。

狗肝：取健康狗宰杀后，剥去皮，剖腹，取其肝脏，鲜用。

狗乳汁：在雌狗哺乳期间，将乳汁挤出，鲜用。

狗宝：将狗杀死后，剖腹开胃，如发现有结石，即用刀割取，除去皮膜及肉等，洗净，阴干。

狗肾：取健康狗宰杀后，取阴茎、睾丸，除去附着的毛、皮、肌肉及脂肪，拉直，干燥。

**|药材性状|** 狗骨：本品骨骼约 300 块，其中头骨 46 块，脊柱 50 ～ 53 块，肋骨和胸骨 27 块，附肢骨骼 176 块。头骨近卵圆形，枕脊显著，顶骨上面有 1 脊棱，前额上部有

1浅槽，颧骨扁平、细长，颧骨突明显，颌骨向前凸出，第3臼齿槽的上方有眶下孔，孔面向前，上颌骨有切齿3对，犬齿1对，前臼齿4对，臼齿2对，下颌骨有切齿3对，犬齿1对，前臼齿4对，臼齿3对，共有42牙齿。颈椎7节，呈蝶形、马鞍形。胸椎13节，每节上面有一较长的棘状突起。肋骨13对，两端向内弯曲，呈弓背状与胸骨相连接。腰椎7节，上面及两侧有较长的棘状突起。荐椎3节，相互愈合成荐骨，上面有棘状突起，后段两侧有2较长的突起。尾椎20 ~ 23节，前6节带翅状棘突，以下渐呈圆柱形，逐节渐细小，连排成鞭状。髂骨与坐骨相连接，呈长方形，左右对称。肩胛骨2块，呈长椭圆形，外面有一斜向的棘状突起。前肢上节为肱骨，稍呈螺旋状扭转的独骨，下节由桡骨和尺骨构成，略扁，稍呈扭曲状，尺骨较桡骨长，自上向下逐渐变细。后肢上节为股骨，骨体稍向前隆起，股骨头明显，膑骨狭而较长，下节由胫骨和腓骨构成，胫骨粗大，略弯曲，腓骨细长，两端粗。前足5趾，后足4趾，趾端均具短爪钩。表面类白色至淡黄棕色。质坚实，断面不平坦，骨腔内网状髓质不明显。气腥，味淡。

狗肉：本品为深红色。有光泽，富有弹性，具有狗肉腥膻味。

狗宝：本品呈类圆球形，大小不一；一般直径1.5 ~ 5cm。表面黄白色，略有光泽，有多数类圆形突起。质重，坚实而细腻，指甲划之留有痕迹，断面有同心环状层纹，近中心较疏松。气微腥，味微苦，嚼之有粉性而无砂性。以色白、细腻、指甲划之留有痕迹、断面有层纹者为佳。

狗肾：本品阴茎棒状，长9 ~ 15cm，直径1 ~ 2cm；表面较光滑，具1不规则纵沟，先端龟头（腺阴茎）色稍深，长2 ~ 3cm，微隆起，与后部界限明显，剖开阴茎，内有1根阴茎骨，略呈扁长条形，长约10cm，腹面有1沟槽，端部圆钝尖，常残连结缔组织，阴茎后端由韧带连结2睾丸。睾丸呈扁椭圆形，长3～5cm，宽2～3cm，表面干皱；附睾紧密地附着于睾丸外侧面的背侧方，与1淡黄色输精管连结。全体淡棕色或棕褐色。质硬，不易折断，气腥臭。

**|功能主治|** 狗骨：甘、咸，温。归肝、肾经。补肾壮骨，祛风止痛，止血止痢，敛疮生肌。用于风湿关节痛，腰腿无力，四肢麻木，崩漏带下，久痢不止，外伤出血，小儿解颅，痈肿疮瘘，冻疮。

狗肉：咸、酸，温。归脾、胃、肾经。补脾暖胃，温肾壮阳，填精。用于脘腹胀满，浮肿，腰痛膝软，阳痿，寒疟，久败疮。

狗肝：甘、苦、咸，温。归脾、胃经。降逆气，止泻痢，祛风止痉。用于脚气冲心，下痢腹痛，心风发狂，狂犬咬伤。

狗乳汁：甘，平。归肝、肾经。明目，生发。用于青盲，脱发。

狗宝：甘、咸，平。降逆气，开郁结，解毒。用于噎膈反胃，痈疽，疔疮。

狗肾：咸、温。归肾经。暖肾壮阳，益精补髓。用于肾阳衰弱，阳痿遗精，腰膝痿弱无力，带下。

**|用法用量|** 狗骨：内服烧存性，研末，每次1.5～3g；或浸酒。外用适量，煅至酥脆，研末调敷。

狗肉：内服煮食，适量。

狗肝：内服煮食，适量。外用适量，捣涂。

狗乳汁：内服酒冲，适量。外用适量，涂敷。

狗宝：内服研末，0.9～1.5g；或入丸、散。

狗肾：内服入丸、散、酒剂，1条。

**|附　　注|** 狗骨已被列入2019年版《吉林省中药材标准》第二册。

引鼬科 Mustelidae 鼬属 *Mustela*

# 水貂 *Mustela vison* Sehreber.

**|药 材 名|** 貂心（药用部位：心）、貂肾（药用部位：雄性的外生殖器）。

**|形态特征|** 身躯细长，长约 40cm，头小，眼圆，约有 20 发达触须，四肢粗壮，前肢比后肢略短，指、趾间具蹼，后趾间的蹼较明显，足底有肉垫，尾巴粗大，蓬松时长约 20cm。

**|生境分布|** 栖息于河边及湖边的天然洞穴等地。吉林无野生分布。吉林长春、吉林、松原、白城、辽源、四平、白山有少量养殖。

**|资源情况|** 养殖资源较少。药材来源于养殖。

**|采收加工|** 貂心：11 月至翌年 3 月采收，以 3 月为佳，屠宰后，取心，除去残肉及脂肪，洗净，鲜用或干燥。

貂肾：11 月份至翌年 3 月采收，以 3 月为最佳，屠宰后，割取阴茎

水貂

及睾丸，除去残肉及油脂，风干。

**|药材性状|** 貂心：本品鲜品略呈钝圆锥状，长 2.5 ~ 5cm，宽 1.6 ~ 3cm。表面呈卤红色至棕红色，平滑光亮，隐现网状脉纹。心尖较钝圆，冠状沟覆盖少量脂肪，不凸出于表面，呈暗黄白色，前、后纵沟的走向恰好是左、右心室的分界位置，基部可见残留的部分左右心房、心耳和脉管组织。气腥，味咸、甘。干品呈略扁卵圆形，长 1.5 ~ 3.5cm，宽 1.2 ~ 2.5cm。表面棕褐色至黑褐色，稍光滑，具不规则皱褶，顶端残留部分脉管组织。质坚硬，断面角质样，中间角质纵膈膜隔成左、右 2 室。气腥，味咸、甘。

貂肾：本品呈长条形，长 3.5 ~ 7cm。表面黄棕色至棕红色，前端呈钩状。质坚硬，不易折断，基部有 2 个睾丸。气腥，味咸。

**|功能主治|** 貂心：咸、甘。归心经。养心安神。用于心悸，怔忡，失眠多梦，心衰，心痹。

貂肾：咸，温。归肝、肾、膀胱经。补肾壮阳，祛寒。用于肾虚精冷，腰膝酸痛，耳聋耳鸣，阳痿早泄。

**|用法用量|** 貂心：内服研末，0.5 ~ 1g；或入丸、散；或炖服；鲜品加倍。

貂肾：内服炖服，10 ~ 25g；或熬膏；或入丸、散。

**|附　　注|** 貂心已被列入 2019 年版《吉林省中药材标准》第二册。貂肾已被列入 2019 年版《吉林省中药材标准》第一册。

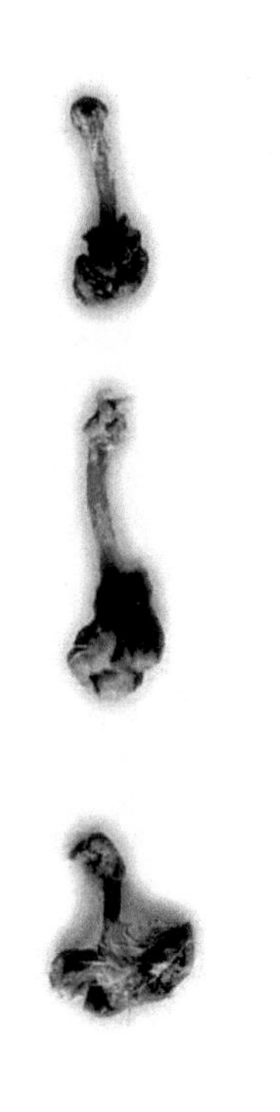

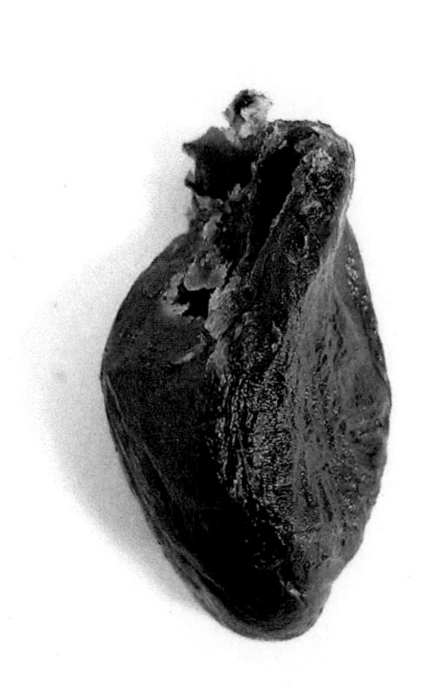

引鼬科 Mustelidae 狗獾属 *Meles*

# 狗獾 *Meles meles* Linnaeus

**| 动物别名 |** 天狗。

**| 药 材 名 |** 獾油（药用部位：脂肪油。别名：獾子油）、獾肉（药用部位：肉。别名：狗獾、天狗、山獭）。

**| 形态特征 |** 鼬类中较大种，长 45 ~ 55cm，重 10 ~ 12kg。体肥大，颈部粗短。鼻端尖，鼻垫与上唇间被毛。耳短，眼小，四肢粗短，前、后足趾具利爪，尾较短。头部毛短，有 3 白色纵纹，在其中隔以 2 黑棕色纹。耳背黑棕色，耳缘白色。下颌、喉部黑棕色。体背有长而粗的针毛，整个背部黑棕色与白色混杂；体侧白色居多；腹面、四肢黑棕色，爪棕黑色。尾端黄白色。

狗獾

**| 生境分布 |** 栖息于森林、山坡灌丛、田野或湖泊、河流旁边，洞居，昼伏夜出。分布于吉林延边、白山、通化、吉林等。

**| 资源情况 |** 野生资源较少。药材主要来源于养殖。

**| 采收加工 |** 獾油：冬季捕捉，捕杀后，剥皮，剖腹，取皮下脂肪及肠网膜上的脂肪，炼油。

獾肉：冬季捕捉，捕杀后，剥皮，剖腹，除去内脏，剔骨取肉。

**| 药材性状 |** 獾油：本品呈浅黄色凝固的油膏状，微有香气。

**| 功能主治 |** 獾油：甘，平。归脾、大肠经。补中益气，润肤生肌，解毒消肿。用于中气不足，子宫脱垂，贫血，胃溃疡，半身不遂，关节疼痛，皮肤皲裂，痔疮，疳疮，疥癣，白秃，烫火伤，冻疮。

獾肉：甘、酸，平。归肺经。补中益气，祛风除湿，杀虫。用于小儿疳瘦，风湿性关节炎，腰腿痛，蛔虫病，酒渣鼻。

**| 用法用量 |** 獾油：内服煎汤，5 ~ 15g。外用适量，涂搽。

獾肉：内服煮食，适量。

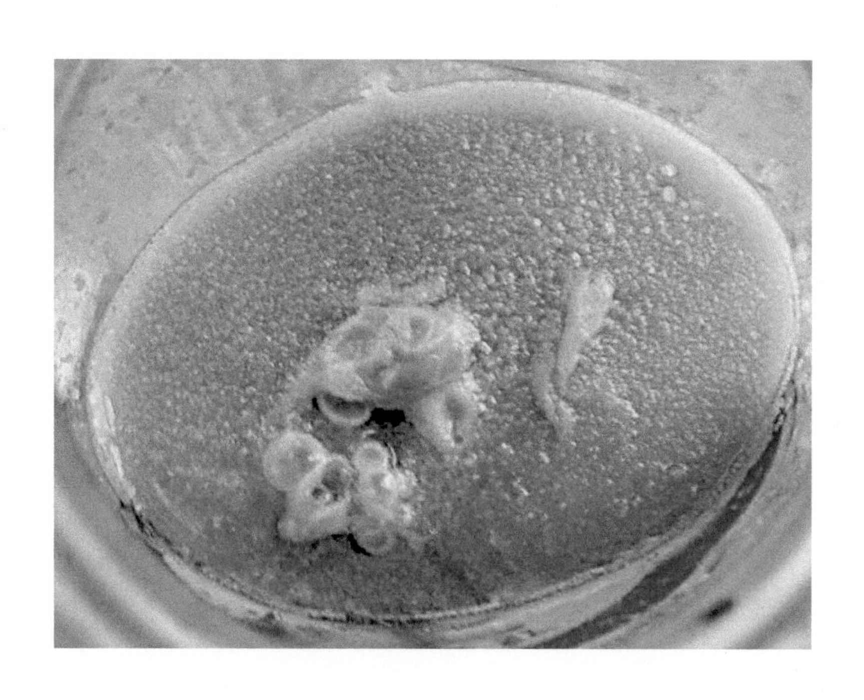

马科 Equidae 马属 *Equus*

# 马 *Equus caballus orientalis* Noack

| 药 材 名 | 马肾（药用部位：阴茎及睾丸）、马鬐膏（药用部位：项上的皮下脂肪）、马齿（药用部位：牙齿）、马骨（药用部位：骨）、马乳（药材来源：乳汁）、马宝（药用部位：胃肠道中所生的结石）、马心（药用部位：心）。

| 形态特征 | 体高，健壮，头和颈长，头上有额毛和鬃毛，自头后沿颈背向下垂。耳壳长而大，直立能动，四肢细长，第 3 趾特别发达，第 2、4 趾只有残存的掌骨。蹄硬实。公马有犬齿，尾毛很长。有栗色、青色、白色等毛色。品种繁多。

| 生境分布 | 吉林无野生分布。吉林各地均有养殖。

马

**| 资源情况 |** 养殖资源较少。药材来源于养殖。

**| 采收加工 |** 马肾：全年均可采收，宰杀后，割取阴茎及睾丸，剔净残肉，拉直，风干或低温干燥。

马鬐膏：宰杀后，取项上的皮下脂肪，炼油，冷却。

马齿：宰杀后，敲取牙齿，洗净，晒干。

马骨：宰杀后，剥去皮，除去内脏及肉，留下骨骼，晾干。

马乳：收集哺乳雌马的乳汁，鲜用或冷藏。

马宝：宰杀后，取出胃肠道结石或在结石发病率较高的地区，从马排出的粪便中寻找结石，或在结石性疝痛的手术时寻找结石。将结石用清水洗净，或用沸水煮数分钟（沸水煮后，容易干燥），晾干或晒干。

马心：宰杀后，剖开胸腔，取心脏，鲜用或晒干。

| 药材性状 | 马肾：本品呈类长圆柱形，长 25 ~ 50cm，直径 2 ~ 4cm，前端近圆锥形；包皮纵皱纹明显，黑色，其余皆为黄白色至棕红色；阴茎基部两侧各具 1 睾丸，形似茄苞状。阴茎质坚硬，不易折断。气腥，味微咸。

马宝：本品呈球形、卵圆形或扁圆形，大小不等，一般直径 6 ~ 20cm，重 250 ~ 2500g，但也有小如豆粒者。表面淡青色、灰白色至褐色，光滑，有光泽，或附有杂乱的细草纹，亦有凹凸不平者。体重，质坚，断面可见明显的同心层纹，中心部位常有金属或其他粒状异物，无气味或微有臊臭，剖面灰白色而有同心层纹，俗称"涡纹"，且微具玻璃样光泽。其粉末在显微镜下可看到碎草的纤维。气微，味淡，嚼之可成细末。

| 功能主治 | 马肾：甘、咸，温。归肝、肾经。补益肝肾，助阳祛寒。用于肾阳虚，阳痿，早泄，遗精，倦怠乏力，虚弱羸瘦，畏寒肢冷。

马鬐膏：甘，平。归脾、肾经。生发，润肤，祛风。用于脱发，白秃疮，皮肤皲裂，中风口僻。

马齿：甘，平。归心、脾经。镇惊息风，解毒止痛。用于小儿惊痫，疔疮痈疽，龋齿疼痛。

马骨：甘，微寒。归脾、肾经。醒神，解毒敛疮。用于嗜睡，头疮，耳疮，臁疮，阴疮，化脓性指尖炎。

马乳：甘，凉。归心、脾经。养血润燥，清热止渴。用于血虚烦热，虚劳骨蒸，消渴，牙疳。

马宝：甘、咸、微苦，凉；有小毒。归心、肝经。镇惊化痰，清热解毒。用于惊痫癫狂，痰热神昏，吐血衄血，痰热咳嗽，恶疮肿毒。

马心：甘，平。归心、肝经。养心安神。用于健忘。

| 用法用量 | 马肾：内服炖服，10 ~ 25g；或入丸、散，每次 2 ~ 3g。

马鬐膏：外用适量，涂搽。

马齿：内服煅存性研末，1 ~ 3g；或以水磨汁。外用适量，烧灰研末，调敷。

马骨：内服烧灰，入丸、散，每次 1 ~ 2g。外用适量，烧灰研末，调敷。

马乳：内服，煮沸，125 ~ 250g。

马宝：内服研末，0.3 ~ 3g。

马心：内服煮食，适量；或研末。

| 附　　注 | 马肾已被列入 2019 年版《吉林省中药材标准》第二册。

马科 Equidae 马属 *Equus*

# 驴 *Equus asinus* Linnaeus

**| 药 材 名 |** 阿胶（药用部位：皮经煎煮、浓缩制成的固体胶。别名：驴皮胶、傅致胶、盆覆胶）、驴肉（药用部位：肉）、驴宝（药用部位：胃结石）、驴乳（药材来源：乳汁）、驴脂（药用部位：脂肪）、驴蹄（药用部位：蹄）、驴骨（药用部位：骨）、驴毛（药用部位：毛）、驴肾（药用部位：雄性生殖器）、驴头（药用部位：头）、驴血（药用部位：血）。

**| 形态特征 |** 体型比马小，体重一般约 200kg。体形较长，眼圆，其上有 1 对显眼的长耳。颈部长而宽厚，颈背鬃毛短而稀少。躯体匀称，四肢短粗，蹄质坚硬。尾尖端处有长毛。体色主要以黑色、栗色、灰色 3 种为主。

**| 生境分布 |** 吉林无野生分布。吉林各地均有养殖。

驴

**| 资源情况 |** 养殖资源较少。药材来源于养殖。

**| 采收加工 |** 阿胶：全年均可采收驴皮，一般在 10 月至翌年 5 月采收。先将驴皮放入容器中用水浸泡软化，除去驴毛，剁成小块，再用水浸泡至白净，放入沸水中煮至皮皱缩时捞出，再放入熬胶锅内进行熬炼，熬好后倾入容器内，待胶凝固后取出，切成小块，晾干。

驴肉：将驴宰杀后，剥去皮，取肉，鲜用或冷藏。

驴宝：将驴宰杀后，如发现胃中有结石，即取出，洗净，晒干。

驴乳：雌驴生产后，挤出乳汁，鲜用或冷藏。

驴脂：将驴宰杀后，剖腹，取出脂肪，生用或熬成脂肪油。

驴蹄：将驴宰杀后，剁下蹄，洗净，晾干或烘干。

驴骨：将驴宰杀后，剖开，剔取骨骼，洗净，晾干。

驴毛：取驴毛，洗净，晾干。

驴肾：将驴宰杀后，剖开，剔取雄性生殖器，洗净，晾干。

驴头：将驴宰杀后，割下头颅，洗净去毛，鲜用。

驴血：取健康驴的血，晾干或低温烘干。

**| 药材性状 |** 阿胶：本品呈整齐的长方形或方形，长约 8.5cm，宽约 3.7cm，厚约 0.7cm 或 1.5cm。表面棕褐色或黑褐色，有光泽。质硬而脆，断面光亮，碎片对光照视呈半透明的棕色。气微，味微甘。

驴肾：本品阴茎呈长类圆柱形，长 30 ~ 50cm，直径 2 ~ 4cm。前端呈圆形，较大，包皮有纵横交错的皱缩纹理，黑色，其余皆为黄白色至棕红色，基部有 2 睾丸。睾丸类圆形，扁平状。阴茎质坚硬，不易折断。气特异，味腥、咸。

驴血：本品呈不规则块状或颗粒状，表面暗红棕色或黑褐色。质松脆。气微腥，味咸。

**| 功能主治 |** 阿胶：甘，平。归肝、肺、肾经。补血，止血，滋阴，润燥。用于血虚证，虚劳咯血，吐血，尿血，便血，血痢，妊娠下血，崩漏，阴虚心烦，失眠，肺虚燥咳，虚风内动之痉厥抽搐。

驴肉：甘、酸，平。归心、肝经。补血益气。用于劳损，风眩，心烦。

驴宝：甘、微咸，平。归心、肺、脾经。清热解毒，化痰定惊。用于小儿急惊风，癫狂谵语，吐血，衄血，痈疮。

驴乳：甘，寒。归心、肝、脾、肾经。清热解毒，润燥止渴。用于黄疸，小儿惊痫，风热赤眼，消渴。

驴脂：甘，平。归肺、肝、脾、肾经。润肺止咳，解毒消肿。用于咳嗽，疟疾，耳聋，疮癣。

驴蹄：甘，平。归肝、脾、肾经。解毒消肿。用于痈疽疮疡。

驴骨：甘，平。归肝、脾、肾经。补肾滋阴，强筋壮骨。用于小儿解颅，消渴，历节风。

驴毛：辛、涩，平。归肝经。祛风。用于头风，小儿中风。

驴肾：补肾壮阳，滋阴补虚，强筋壮骨。用于阳痿，血虚气弱，骨结核，骨髓炎，妇女乳汁不足等。

驴头：甘，平。归心、脾、肝、肾经。祛风止痉，解毒生津。用于中风头眩，风瘫，消渴，黄疸。

驴血：甘，平。活血通络，通痹止痛。用于痹证引起的疼痛，关节黄水，风湿，痛风等。

**| 用法用量 |** 阿胶：内服，烊化兑服，5 ~ 10g；炒阿胶煎汤或入丸、散。

驴肉：内服煮食，适量。

驴宝：内服研末，0.9 ~ 3g；或泡酒。外用适量，研末调涂。

驴乳：内服，煮沸，200 ~ 600ml。外用适量，点眼；或浸泡；或涂搽。

驴脂：内服酒调，3 ~ 6g；或入丸剂。外用适量，涂敷。

驴蹄：内服煎汤，15 ~ 30g；或入丸剂。外用适量，烧灰调敷；或干掺。

驴骨：内服煎汤，适量。外用适量，烧灰调涂；或煎汤洗。

驴毛：内服炒焦研末，每次 3 ~ 6g；或浸酒。

驴肾：内服煎汤，9 ~ 15g。

驴头：内服煮食，适量。

驴血：内服，20 ~ 50g。

**| 附　　注 |** 驴肾已被列入 2019 年版《吉林省中药材标准》第一册。

猪科 Suidae 猪属 *Sus*

# 猪 *Sus scrofa domestica* Brisson

| 药 材 名 | 猪胆汁（药用部位：胆汁）、猪胆粉（药用部位：胆汁的干燥品）、猪毛（药用部位：毛）、猪脾（药用部位：脾）、猪肝（药用部位：肝）、猪蹄甲（药用部位：蹄甲。别名：猪悬蹄甲、猪蹄合子、猪爪甲）、猪肺（药用部位：肺）、猪肚（药用部位：胃）、猪骨（药用部位：骨）、火腿（药用部位：腿的腌制品）。

| 形态特征 | 躯体肥胖，头大。鼻与口吻皆长且略向上屈。眼小。耳壳有的大而下垂，有的较小而前挺。四肢短小，4 趾，前 2 趾有蹄，后 2 趾有悬蹄。颈粗，项背疏生鬃毛。尾短小，末端有毛丛。毛色有纯黑色、纯白色或黑白混杂等。

| 生境分布 | 吉林无野生分布。吉林各地均有养殖。

猪

**| 资源情况 |** 养殖资源丰富。药材主要来源于养殖。

**| 采收加工 |** 猪胆汁：宰杀后，剖腹，取胆汁。

猪胆粉：取猪胆汁，滤过，干燥，粉碎。

猪毛：宰杀后，刮下毛，洗净，晾干。

猪脾：宰杀后，剖腹，取脾，洗净，鲜用或烘干。

猪肝：宰杀后，剖腹，取肝，鲜用或冷藏。

猪蹄甲：宰杀后，刮去毛，剁下蹄甲，洗净，晾干。

猪肺：宰杀后，剖腹，取肺，洗净，鲜用或冷藏。

猪肚：宰杀后，剖腹，取胃，洗净，鲜用或冷藏。

猪骨：宰杀后，除去毛及内脏，剔去肉，留取骨骼，洗净，晾干。

火腿：宰杀后，刮去毛，取腿，腌制。

**| 药材性状 |** 猪胆汁：本品为黄棕色至棕色的半透明液体。气略腥，味极苦。

猪胆粉：本品为黄色或灰黄色粉末。易吸潮。气微腥，味苦。

猪脾：本品呈扁长条形，两端钝圆，中间略宽，长 22 ~ 38cm，宽 2 ~ 6cm，厚 0.1 ~ 0.6cm。表面棕褐色或黑褐色，皱缩，边缘薄而光滑，有向中心收缩的皱褶，有的具灰白色附着物。一面光滑，另一面有与胃部切割开的条状痕迹。有的带有少量脂肪。断面黄棕色、棕褐色或红褐色，呈颗粒状或角质样。气腥，味微咸。

猪蹄甲：本品呈三角锥形，前端呈鞋头状，有时 2 个相连，长 2.5 ~ 10cm，宽 1.2 ~ 4cm。外表面平滑或粗糙，有光泽，半透明状，呈黄白色至黄褐色、黑褐色至黑色，有的为黑黄相间。蹄壁薄厚不一，蹄缘处最薄，呈薄膜状。内表面具细密纵条线纹，向上逐渐稀疏，变薄。周边蹄缘外翻或内卷。蹄底部较平坦，前端为三角形的角质底，后端为半椭圆形的角质球。质坚韧，不易折断，断面不整齐。气腥，味淡。

猪骨：本品表面呈灰白色至黄白色。头骨上颌骨侧面观呈直角三角形，吻部长而尖，眼眶倒卵形；颈椎环状，棘突较发达；胸椎横突短，棘突较长；腰椎横突长，棘突较短；肋骨长条状，呈弓形；肩胛骨短而宽，呈三角形；髋骨为不规则骨，与荐骨和 3 尾椎骨组成骨盆，骨盆底壁的后部较低而平，左右对称；肱骨呈弯曲状，略扭曲，肱骨头膨大，弯向内侧；尺骨与桡骨略扁，稍弯曲，尺骨比桡骨长，尺骨鹰嘴发达；股骨呈圆柱形，近端股骨头较小，呈半圆球形，股骨头明显外凸；髌骨窄而厚；腓骨与胫骨等长，胫骨呈三菱形，略扭曲，两端较粗；腓骨较扁，一端扭曲；距骨不规则，两侧呈人耳状；跟骨圆柱形，一侧具关节窝，膨出。断面不平坦，骨腔内具网状髓质。气微腥，味淡。

**| 功能主治 |** 猪胆汁：苦，寒。归肝、胆、肺、大肠经。清热解毒，止咳平喘。用于咳喘，热病烦渴，目赤肿痛，湿热黄疸，湿热泻痢，热结便秘，喉痹，疮痈肿毒。

猪胆粉：苦、涩，平。归胃、大肠、肾经。化瘀止痛，收敛止血，涩精缩尿。用于胃脘疼痛，反胃吐食，便血，肠风下血，痔漏，脱肛，遗精，遗尿。

猪毛：涩，平。归肺、脾、肝经。止血，敛疮。用于崩漏，烫火伤。

猪脾：甘，平。归脾、胃经。健脾胃，消积滞。用于脾胃虚热，脾积痞块。

猪肝：甘、苦，温。归脾、胃、肝经。养肝明目，补气健脾。用于肝虚目昏，夜盲症，疳眼，脾胃虚弱，小儿疳积，脚气浮肿，水肿，久痢脱肛，带下。

猪蹄甲：咸，微寒。归胃、大肠经。化痰定喘，解毒生肌。用于咳嗽喘息，肠痈，痔漏，疝气偏坠，白秃疮，冻疮。

猪肺：甘，平。归肺经。补肺止咳，止血。用于肺虚咳嗽，咯血。

猪肚：甘，温。归脾、胃经。补虚损，健脾胃。用于虚劳羸瘦，劳瘵咳嗽，脾虚食少，消渴便数，泄泻，水肿脚气，妇人赤白带下，小儿疳积。

猪骨：涩，平。归肺、肾、大肠经。解毒，杀虫止痢。用于消渴，肺结核，下痢，疮癣。

火腿：甘、咸，温。归脾、胃经。健脾开胃，滋肾益精，补气养血。用于虚劳，怔忡，虚痢，泄泻，腰脚软弱，肛漏。

**| 用法用量 |** 猪胆汁：内服冲服，3 ~ 6g；或入丸、散。外用适量，涂敷；或点眼；或灌肠。

猪胆粉：内服煎汤，3 ~ 10g；或研末，1.5 ~ 3g；或入丸剂。外用适量，研末调敷。

猪毛：内服，煅炭研末，酒冲，3 ~ 9g。外用适量，煅炭，油调涂。

猪脾：内服煮食，适量；或入散剂。

猪肝：内服煮食或煎汤，60 ~ 150g；或入丸、散。外用适量，敷贴。

猪蹄甲：内服，烧灰研末，每次 3 ~ 9g；或入丸、散。外用适量，研末调敷。

猪肺：内服煮食或煎汤，适量；或入丸剂。

猪肚：内服煮食，适量；或入丸剂。

猪骨：内服煎汤，60 ~ 180g；或烧灰研末，6 ~ 9g。外用适量，烧灰调敷；或馏油涂。

火腿：内服煮食或煎汤，适量。

**|附　　注|** 猪胆汁已被列入2019年版《吉林省中药材标准》第一册。猪脾、猪蹄甲、猪骨已被列入2019年版《吉林省中药材标准》第二册。

麝科 Moschidae 麝属 *Moschus*

# 原麝 *Moschus moschiferus* Linnaeus

**| 动物别名 |** 香獐、獐子、林獐。

**| 药 材 名 |** 麝香（药用部位：成熟雄性香囊中的干燥分泌物。别名：原麝香、香脐子、麝脐香）、麝香壳（药用部位：成熟雄性香囊的外皮。别名：臭子壳、麝壳）、麝肉（药用部位：肉）。

**| 形态特征 |** 体长约 85cm，重约 12kg。耳长，直立，上部圆形。鼻端裸露无毛。雄性上犬齿发达，露出唇外，向后弯曲成獠牙；雌性上犬齿小，不露出唇外。四肢细长，后肢比前肢长，所以臀部比背部高。主蹄狭长，侧蹄长能及地面。尾短，隐于臀毛内。雄性脐部与阴囊之间有麝腺，呈囊状，即香囊，外部略隆起，香囊外及中骨有 2 小口，

原麝

前为麝香囊口，后为尿道口。体呈棕黄褐色、黑褐色等，嘴、面颊灰褐色，两颊有白毛形成的 2 白纹直连颔下。耳背、耳尖棕褐色或黑褐色，耳内白色。从颈下两侧各有白毛延至腋下成 2 白色宽带纹，颈背、体背有土黄色或肉桂黄色斑点，排成 4 ~ 6 纵行。腹面毛色较淡，多为黄白色或黄棕色。四肢内侧呈浅棕灰色，外侧深棕色或棕褐色。尾浅棕色。

**| 生境分布 |** 栖息于多岩石的针叶林、针阔叶混交林林中，常独居，多于晨昏活动。分布于吉林延边、白山、通化等。

**| 资源情况 |** 野生资源稀少。药材主要来源于野生。

**| 采收加工 |** 麝香：麝在3岁以后产香最多，每年8～9月为泌香盛期，10月至翌年2月泌香较少。取香方式分为猎麝取香和活麝取香2种。猎麝取香是在野生条件下进行的；将香囊连皮割下，将毛剪短，阴干，习称"毛壳麝香""毛香"；剖开香囊，除去囊壳，习称"麝香仁"。活麝取香是在养殖条件下进行的；将麝直接固定在腿上，略剪去香囊口的毛，用酒精消毒，将挖勺伸入香囊内徐徐转动，再向外抽出，挖出麝香，取香后，除去杂质，放在干燥器内，干后，置棕色密闭的玻璃容器内保存。

麝香壳：将香囊对剖，除去麝香仁，干燥。

麝肉：宰麝时，取肉，洗净，鲜用或烘干。

**| 药材性状 |** 麝香：本品毛壳麝香为扁圆形或类椭圆形的囊状体，直径3～7cm，厚2～4cm。开口面皮革质，棕褐色，略平，密生白色或灰棕色短毛，从两侧围绕中心排列，中间有1小囊孔。另一面为棕褐色、略带紫色的皮膜，微皱缩，偶显肌肉纤维，略有弹性，剖开后可见中层皮膜呈棕褐色或灰褐色，半透明，内层皮膜（习称"银皮"）呈棕色，内含颗粒状、粉末状的麝香仁和少量细毛及脱落的皮膜组织。麝香仁野生品质软，油润，疏松。其中，颗粒状者习称"当门子"，表面多呈紫黑色，油润，光亮，微有麻纹，断面深棕色或黄棕色；粉末状者多呈棕褐色或黄棕色，并有少量脱落的内层皮膜和细毛。养殖品为颗粒状、短条形或不规则的团块；表面不平，紫黑色或深棕色，显油性，微有光泽，并有少量细毛和脱落的内层皮膜。气香浓烈而特异，味微辣、微苦带咸。

麝香壳：本品多顺剖成2瓣或4瓣，基部相连；厚3～5mm，起层，内表面有1层棕色薄膜，称"油皮"，内层称"银皮"。质坚韧，有浓厚的麝香气味。

**| 功能主治 |** 麝香：辛，温。归心、肝、脾经。开窍醒神，活血散结，止痛消肿。用于热病神昏，中风痰厥，气郁暴厥，中恶昏迷，血瘀经闭，癥瘕积聚，心腹急痛，跌打损伤，痹痛麻木，痈疽恶疮，喉痹，口疮，牙疳，脓耳。

麝香壳：辛，温。归脾经。通经活络，解毒消肿。用于痈疽，疔疮，无名肿毒。

麝肉：甘，温。归肝经。补虚消积。用于腹癥腹块，小儿疳积。

**| 用法用量 |** 麝香：内服入丸、散，0.03～0.1g，一般不入汤剂。外用适量，研末掺；或调敷；或入膏药敷贴。

麝香壳：内服入散剂，1.5～2.5g。外用适量，研末调敷；或入膏药敷贴。

麝肉：内服入丸剂，适量。

牛科 Bovidae 牛属 *Bos*

# 牛 *Bos taurus domesticus* Gmelin

**动物别名** 黄牛。

**药 材 名** 牛黄（药用部位：胆结石。别名：丑宝、天然牛黄）、牛角（药用部位：角）、牛角腮（药用部位：牛角内部坚硬的骨心。别名：牛角胎、牛角笋）、牛肝（药用部位：肝）、牛胆（药用部位：胆囊或胆汁）、牛皮（药用部位：皮）、牛脂（药用部位：脂肪）、牛蹄（药用部位：蹄）、明胶（药用部位：皮提制的胶质物。别名：黄明胶）、牛肾（药用部位：肾）、牛肠（药用部位：肠）、霞天膏（药用部位：肉熬炼而成的膏）、牛血（药用部位：血）、肾精子（药用部位：膀胱结石）、牛草结（药用部位：胃内的草结块。别名：草结、羊胲子）、牛鼻（药用部位：鼻）、牛髓（药用部位：脊髓、骨髓）、鲜牛鞭（药用部位：阴茎、睾丸）。

牛

**| 形态特征 |** 体长1.5 ~ 2m，一般重约280kg。体格强壮结实，头大额广，鼻阔口大，上唇上部有2大鼻孔，其间皮肤硬而光滑，无毛，称为“鼻镜”。眼、耳都较大。头上有1对角，左右分开，角之长短、大小因品种而异，弯曲、无分枝，中空，内有骨质角髓。四肢匀称，4趾均有蹄甲，后方2趾不着地，称为“悬蹄”。尾较长，尾端具丛毛，毛色大部分为黄色，无杂毛掺混。

**| 生境分布 |** 吉林无野生分布。吉林各地均有养殖。

**| 资源情况 |** 养殖资源丰富。药材来源于养殖。

**| 采收加工 |** 牛黄：宰牛时，如发现胆结石，即滤去胆汁，将胆结石取出，除去外部薄膜，阴干。

牛角：宰牛后，取角，除去基部，洗净，晾干。

牛角腮：从牛角中取得后，用清水浸泡数天，刮去残肉，再洗净，晒干。

牛肝：宰牛后，剖腹，取肝，洗净，鲜用或烘干。

牛胆：宰牛后，剖腹，取胆，挂起阴干；或自胆管处剪开，将胆汁倾入容器内，密封冷藏，或加热使之干燥。

牛皮：宰牛后，取皮，刮洗干净，鲜用或烘干。

牛脂：宰牛后，取脂肪，鲜用或熬后去滓用。

牛蹄：宰牛后，取蹄，洗净，鲜用。

明胶：通过对牛皮分类、洗浸、脱脂、中和、水解、过滤、浓缩、凝胶、烘干、粉碎等十几道工序制成。

牛肾：宰牛后，剖腹，取肾，洗净，鲜用或冷藏。

牛肠：宰牛后，剖腹，取肠，漂洗干净，鲜用或冷藏。

霞天膏：取精牛肉，除去筋膜，洗净，放入锅内加清水淹没，煎熬24h，过滤，得肉汁，将渣再煎1次，然后合并滤液，加黄酒收膏，膏成，倒入盘内，待冷，切成小块，放通风处晾干。

牛血：宰牛后，收集血液，鲜用。

肾精子：宰牛时，检查膀胱，若发现内有结石，取出洗净，阴干。

牛草结：宰牛时，检查胃部，如有草结块，取出晾干。

牛鼻：宰牛后，取鼻，鲜用，亦可冷藏或烘干。

牛髓：宰牛时，收集脊髓、骨髓，除去骨屑等杂质，鲜用。

鲜牛鞭：宰牛后，取完整的阴茎、睾丸，除去残肉及油脂，鲜用。

**| 药材性状 |** 牛黄：本品多呈卵形、类球形、三角形或四方形，大小不一，直径 0.6 ~ 3（~ 4.5）cm，少数呈管状或碎片状。表面黄红色至棕黄色，有的表面挂有一层黑色光亮的薄膜，习称“乌金衣”，有的粗糙，具疣状突起，有的具龟裂纹。体轻，质酥脆，易分层剥落，断面金黄色，可见细密的同心层纹，有的夹有白心。气清香，味苦而后甘，有清凉感，嚼之易碎，不粘牙。

牛角：本品略呈弯曲的长圆锥形，长 10 ~ 30cm，下部直径 3 ~ 6cm，上部渐细，钝尖。表面灰黑色、黑色、暗黄褐色或多种颜色相间，较光滑，有细纵纹。下部多环形层纹，角腮骨质，淡黄色，取出角腮可见鞘内面光滑，角尖部实心，可见黑白相间的纹理。气无，在燃烧、热水泡或剧烈摩擦时可产生特异的焦糊味，味淡。

牛角腮：本品呈圆锥形，微弯，中空，基部较粗，上部渐尖，长约 15cm，底部直径约 5cm。外表面粗糙，灰白色或灰黄色，满布骨质细孔，并有少数浅纵沟。质坚硬。横切面中空，外壁厚约 6mm，灰白色，较细致，内层有粗大的髓样组织。气微腥，味淡。以干净、无头骨、粗短者为佳。

牛胆：本品新鲜胆囊呈长圆形或椭圆形囊状，长 18 ~ 20cm，直径 5 ~ 6cm，表面有纵皱纹。新鲜胆汁为绿褐色、微透明的液体，略有黏性，稍干则变为浓稠状。完全干燥者为绿褐色固体，揉之成粉末。气腥臭，味苦。

明胶：本品为长方形或较薄的长方形片块，褐绿色，近半透明。气微，味微甘、咸。

牛草结：本品呈圆球形、椭圆形或不规则扁圆形，直径 4 ~ 6cm。表面略光滑，褐色、黄绿色或灰色。体轻，质坚。断面具众多纤维状毛绒。气微臭。

牛髓：本品脊髓呈圆柱形，长短不一，直径 5 ~ 12mm；白色、类白色或微黄色，表面有半透明筋膜，略带血丝；质软，稍有韧性，不易折断，断面类圆形，中间有红色血丝；气腥，味涩。骨髓呈圆柱形，长短不一，直径 2 ~ 8cm；白色、类白色或微黄色，表面及内部均有血丝；质软，易碎，断面类圆形，有细小血滴散在。气腥，味微涩。

鲜牛鞭：本品阴茎呈长圆柱形，略扁，有的稍扭曲或卷曲，长 20 ~ 50cm，直径 1.5 ~ 4cm，表面浅红色至深红色。背、腹各有 1 条明显或不明显的凹沟。龟头呈类圆锥形，长 7 ~ 15cm，腹面光滑或有凹陷，背面光滑或有疏密不等的环形皱缩，龟头顶端渐尖；阴茎茎体呈软组织纤维。阴茎近基部带 2 椭圆形睾丸。睾丸长 5 ~ 20cm，中部直径 3 ~ 10cm，表面浅红色至红棕色。气腥，味淡。

**| 功能主治 |** 牛黄：甘，凉。归心、肝经。清心，豁痰，开窍，凉肝，息风，解毒。用于热病神昏，中风痰迷，惊痫抽搐，癫痫发狂，咽喉肿痛，口舌生疮，痈肿疔疮。

牛角：苦，寒。归心、肝经。清热，凉血，解毒。用于伤寒时疫，血热妄行，热毒疮肿。

牛角腮：苦，温。止血，止痢。用于便血，衄血，妇女崩漏，带下，赤白痢，水泻。

牛肝：甘，平。补肝，养血，明目。用于虚劳羸瘦，血虚萎黄，青盲，夜盲症，惊痫。

牛胆：苦，寒。归肝、胆、肺经。清肝明目，利胆通肠，解毒消肿。用于风热目疾，心腹热渴，黄疸，咳嗽痰多，小儿惊风，便秘，痈肿，痔疮。

牛皮：咸，平。归肺、膀胱经。利水消肿，解毒。用于水肿，腹水，尿少，痈疽疮毒。

牛脂：甘，温。归肺、胃、肾经。润燥止渴，止血，解毒。用于消渴，黄疸，七窍出血，疮疡疥癣。

牛蹄：甘，凉。归肾、大肠经。清热止血，利水消肿。用于风热，崩漏，水肿，小便涩少。

明胶：止血。用于吐血，衄血，便血，血崩等。

牛肾：甘、咸，平。归肾经。补肾益精，强腰膝，止痹痛。用于虚劳肾亏，阳痿气乏，腰膝酸软，湿痹疼痛。

牛肠：甘，平。归大肠、小肠经。厚肠。用于肠风痔漏。

霞天膏：甘，温。归脾经。健脾胃，补气血，润燥化痰。用于虚劳羸瘦，中风偏废，痰饮痞积，皮肤痰核。

牛血：咸，平。归脾经。健脾补中，养血活血。用于脾虚羸瘦，经闭，血痢，便血，金疮折伤。

肾精子：甘、咸，寒。归膀胱经。化石通淋。用于尿路结石。

牛草结：淡，微温。归心、胃经。降逆止呕。用于噎膈反胃，呕吐。

牛鼻：甘，平。归肺、胃、肝经。生津，下乳，止咳。用于消渴，妇人无乳，咳嗽，口眼㖞斜。

牛髓：甘，温。归肾、心、脾经。益肾填髓，润肺，止血，止带。用于精血亏虚，虚劳羸瘦，消渴，吐血，衄血，便血，崩漏，带下，皮肤皲裂。

鲜牛鞭：咸，温。归肾、胃经。补肾壮阳，暖胃。用于肾虚腰疼，胃脘冷痛，阳痿早泄。

**｜用法用量｜** 牛黄：内服多入丸、散，0.15 ~ 0.35g。外用适量，研末敷患处。

牛角：内服煎汤，15g。

牛肝：内服煮食，适量；或入丸、散。

牛角腮：内服煎汤，3 ~ 9g；或入散剂。

牛胆：内服研末，0.3 ~ 0.9g；或入丸剂。外用适量，取汁调涂；或点眼。

牛皮：内服煮食，适量；或烧灰研末冲，每次 15g。外用适量，烧灰调涂。

牛脂：内服煎汤，9 ~ 30g；或熬膏。外用适量，熬膏涂贴。

牛蹄：内服煮食，适量。

明胶：内服煎汤，3 ~ 9g。

牛肾：内服煮食，适量。

牛肠：内服煮食，适量。

霞天膏：内服化冲，9 ~ 15g；或入丸剂。

牛血：内服煮食，适量。

肾精子：内服煎汤，1 ~ 3g。

牛草结：内服研末，3 ~ 6g。

牛鼻：内服煮食，适量；或研末冲服，3g。外用适量，炙热涂。

牛髓：内服煎汤，适量；或熬膏。外用适量。补虚宜制成酒剂，止血、止带宜烧灰。

鲜牛鞭：内服煮食，60 ~ 120g。

**｜附　　注｜** 牛角、鲜牛鞭已被列入 2019 年版《吉林省中药材标准》第二册。牛髓已被列入 2019 年版《吉林省中药材标准》第一册。

牛科 Bovidae 绵羊属 *Ovis*

# 绵羊 *Ovis aries* L.

绵羊

## |药材名|

羊角（药用部位：角）、羊肝（药用部位：肝）、绵羊血（药用部位：血）、羊乳（药材来源：乳汁）、羊胰（药用部位：胰）、羊皮（药用部位：皮）、羊外肾（药用部位：睾丸）、羊肾（药用部位：肾）、羊肺（药用部位：肺）、羊肉（药用部位：肉）、羊须（药用部位：胡须）、羊脬（药用部位：膀胱）、羊脑（药用部位：脑髓）。

## |形态特征|

体重因品种而不同，最小不过 20kg，最大可达 150 ~ 200kg。外形特征亦多种多样。有的雌性、雄性均有角；有的二者皆无角；有的仅雄性有角。角形与羊尾也因品种而有差异，被毛接近原始品种者有 2 层毛，外层为粗毛，可蔽雨水，内层为纤细的绒毛，藉以保温。但改良品种仅存内层的绒毛。前、后肢两趾间具有 1 腺体，开口于前部。具有泪腺。

## |生境分布|

吉林无野生分布。吉林各地均有养殖。

**| 资源情况 |** 养殖资源丰富。药材来源于养殖。

**| 采收加工 |** 羊角：宰羊后，收集羊角，除去杂质，洗净，风干。

羊肝：宰羊后，剖腹，取肝，洗净，鲜用；或切片晒干、烘干。

绵羊血：宰羊后，收集血液，鲜用或干燥。

羊乳：取母羊的乳汁，消毒后鲜用。

羊胰：宰羊后，剖腹，取胰，鲜用或冷藏。

羊皮：宰羊后，剥取皮，鲜用或烘干。

羊外肾：宰杀公羊后，割取睾丸，洗净，悬通风处晾干。

羊肾：宰羊后，剖腹，取肾，鲜用或冷藏。

羊肺：宰羊后，剖开胸腔，取肺，鲜用或冷藏。

羊肉：宰羊后，取肉，洗净，鲜用。

羊须：剪取山羊的胡须，晒干。

羊脬：宰羊后，剖腹，取膀胱，洗净，鲜用或冷藏。

羊脑：宰羊后，剖开盖骨，取脑髓，鲜用或冷藏。

**| 药材性状 |** 羊角：本品大而弯曲，有的呈螺旋状，长 10 ~ 50cm，角基直径 5 ~ 10cm。表面呈黄白色、蜡黄色或灰黑色。基部至角尖具多数纵线纹或裂纹，可见波状环脊。多数具有骨塞，骨塞管腔中间被一骨质薄片分割成 2 个腔。质坚硬。有羊膻味。

羊肝：本品呈片状，大小不一。表面皱缩不平，紫黑色，具光泽。质脆，易折断，断面紫黑色，无光泽。气腥，味膻。

绵羊血：本品干品呈块状，黑褐色或深紫色，稍有光泽。体轻。气腥。

**| 功能主治 |** 羊角：苦、咸，寒。归肝、心经。清热解毒，镇惊止痛。用于小儿发热惊痫，风热头痛，烦躁失眠，肿毒。

羊肝：甘、苦，凉。归肝经。养血，补肝，明目。用于血虚萎黄，羸瘦乏力，肝虚目暗，夜盲症，青盲，障翳。

绵羊血：补血。用于精血亏损，虚劳羸瘦，消渴，吐衄，便血。

羊乳：甘，微温。补虚，润燥，和胃，解毒。用于虚劳羸瘦，消渴，心痛，反胃呕逆，口疮，漆疮，蜘蛛咬伤。

羊胰：甘，平。归肺、肾经。润肺止咳，泽肌肤，止带。用于肺燥久咳，皮肤皯黯，带下。

羊皮：甘，温。归肺、脾、大肠经。补虚，祛瘀，消肿。用于虚劳羸弱，肺脾气虚，跌打肿痛，蛊毒下血。

羊外肾：甘、咸，温。归肾经。补肾，益精，助阳。用于肾虚精亏，腰背疼痛，阳痿阴冷，遗精，滑精，淋浊，带下，消渴，尿频，疝气，睾丸肿痛。

羊肾：甘，温。归肾经。补肾，益精。用于肾虚劳损，腰脊冷痛，足膝痿弱，耳鸣，耳聋，消渴，阳痿，滑精，尿频，遗尿。

羊肺：甘，平。归肺经。补肺，止咳，利水。用于肺痿，咳嗽气喘，消渴，水肿，小便不利、频数。

羊肉：甘，热。归脾、胃、肾经。温中健脾，补肾壮阳，益气养血。用于脾胃虚寒，食少反胃，泻痢，肾阳不足，气血亏虚，虚劳羸瘦，腰膝酸软，阳痿，寒疝，产后虚弱少气，缺乳。

羊须：甘，平。归脾、胃经。收涩敛疮。用于小儿疳疮，小儿口疮。

羊脬：甘，温。归肾经。缩尿。用于下焦气虚，尿频遗尿。

羊脑：甘，温。归心、肝、肾经。补虚健脑，润肤。用于体虚头昏，皮肤皲裂，筋伤骨折。

**| 用法用量 |** 羊角：内服煎汤，9 ~ 30g；或入丸、散。

羊肝：内服煮食，30 ~ 60g；或入丸、散。

绵羊血：内服鲜品热饮或煮食，30 ~ 50g；干品烊化冲，15 ~ 30g。外用适量，涂敷。

羊乳：内服煮沸或生饮，250 ~ 500ml。外用适量，涂敷。

羊胰：内服煮食，1 个；或浸酒。外用适量，捣敷。

羊皮：内服作羹，适量；或烧存性，研末，每次 6 ~ 9g。

羊外肾：内服煮食，1 对；或入丸、散。

羊肾：内服煎汤，1 ~ 2 个；或煮食；或入丸、散。

羊肺：内服煎汤，1 个；或入丸、散。

羊肉：内服煎汤，125 ~ 250g；或煮食；或入丸剂。

羊须：外用适量，烧灰，油调敷。

羊脬：内服炙食，1 个；或焙干，研末酒冲，9 ~ 15g。

羊脑：内服煮食，适量；或入丸剂。外用适量，研涂；或入脂膏。

**| 附　　注 |** 羊角已被列入 2019 年版《吉林省中药材标准》第二册。

牛科 Bovidae 山羊属 *Capra*

# 山羊 *Capra hircus* L.

**|药 材 名|** 羊角（药用部位：角）、羊肝（药用部位：肝）、山羊血（药用部位：血）、羊乳（药材来源：乳汁）、羊胰（药用部位：胰）、羊皮（药用部位：皮）、羊外肾（药用部位：睾丸）、羊肾（药用部位：肾）、羊肺（药用部位：肺）、羊肉（药用部位：肉）、羊须（药用部位：胡须）、羊脬（药用部位：膀胱）、羊脑（药用部位：脑髓）。

**|形态特征|** 体长 1 ~ 1.2m，重 10 ~ 35kg。头长，颈短，耳大，吻狭长。雌性、雄性额部均有 1 对角，雄性角大；角基部略呈三角形，尖端略向后弯，角中空，表面有环纹或前面呈瘤状。雄性颌下有总状长须。四肢细，尾短，不甚下垂。全体被粗直短毛，毛色有白色、黑色、灰色和黑白相间等多种。

山羊

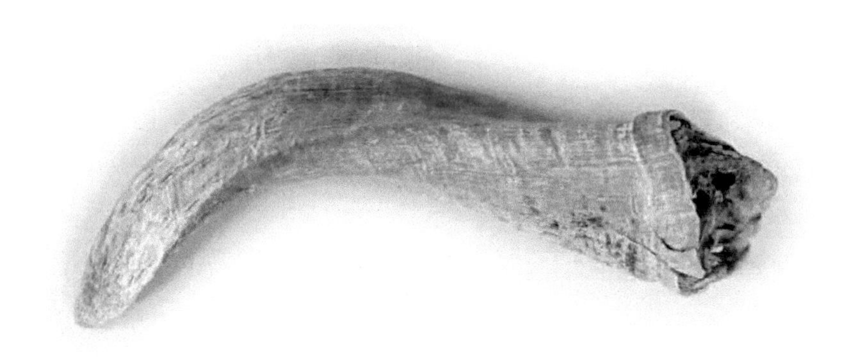

| **生境分布** | 吉林无野生分布。吉林各地均有养殖。

| **资源情况** | 养殖资源一般。药材来源于养殖。

| **采收加工** | 羊角、羊肝、羊乳、羊胰、羊皮、羊外肾、羊肾、羊肺、羊肉、羊须、羊脬、羊脑：同“绵羊”。

山羊血：宰羊时，收集血液，干燥。

| **药材性状** | 羊角：本品小而直，呈扭曲的长圆锥形而偏扁，长 7 ~ 25cm，角基直径 2 ~

4cm。表面淡棕色、黄棕色、棕色或棕黑色。自基部向上有较密集的波状环脊，骨塞中部呈空洞状。质坚硬。气微，味淡。

羊肝：同“绵羊”。

山羊血：本品呈不规则的块状、片状，大小不等。表面黑褐色或紫褐色，有的微有光泽。体轻，质坚脆，易折断，断面常夹有羊毛。气微腥，味微咸。

**| 功能主治 |** 羊角、羊肝、羊乳、羊胰、羊皮、羊外肾、羊肾、羊肺、羊肉、羊须、羊脬、羊脑：同“绵羊”。

山羊血：咸、甘，温。归心、肝经。活血散瘀，止痛接骨。用于跌打损伤，骨折，筋骨疼痛，吐血，衄血，咯血，便血，尿血，崩漏下血，月经不调，难产，痈肿疮疖。

**| 用法用量 |** 羊角、羊肝、羊乳、羊胰、羊皮、羊外肾、羊肾、羊肺、羊肉、羊须、羊脬、羊脑：同“绵羊”。

山羊血：内服研粉，冲服，3 ~ 6g；或入丸、散。

**| 附　　注 |** 山羊血已被列入 2019 年版《吉林省中药材标准》第二册。

# 中文拼音索引

《中国中药资源大典·吉林卷》1 ~ 6 册共用同一索引，为方便读者检索，该索引在每个药用植物名后均标注了其所在册数（如“[1]”）及页码。

D

## J

## K



## L

# 拉丁学名索引

《中国中药资源大典·吉林卷》1 ~ 6 册共用同一索引，为方便读者检索，该索引在每个药用植物名后均标注了其所在册数（如“[1]”）及页码。

## A

## D

## E

## H

I



J



K



L

## M

## Q



## R

## S

W



X



Z

# 附录 I　吉林省植、动物药资源名录

本名录中所列植、动物药资源在《中国中药资源大典·吉林卷》正文中未收载

| 科名 | 中文学名 | 拉丁学名 | 药用部位 |
| --- | --- | --- | --- |
| 小球藻科 | 蛋白核小球藻 | *Chlorella pyrenoidosa* Chick. | 藻体 |
| 小球藻科 | 小球藻 | *Chlorella vulgaris* Beij. | 藻体 |
| 粉褶菌科 | 臭粉褶菌 | *Entoloma nidorosum* Quél. | 菌体 |
| 霜霉科 | 禾生指梗霜霉 | *Sclerospora graminicola* (Sacc.) Schroeter | 病穗 |
| 酵母科 | 酿酒酵母 | *Saccharomyces cerevisiae* Hansen | 菌体 |
| 麦角菌科 | 麦角菌 | *Claviceps purpurea* (Fr.) Tul. | 菌核 |
| 麦角菌科 | 香棒虫草 | *Cordyceps barnesii* Thwaites | 虫体及子座 |
| 麦角菌科 | 椿象虫草 | *Cordyceps nutans* Pat. | 菌核及子座 |
| 麦角菌科 | 稻绿核菌 | *Ustilaginoidea virens* (Cooke) Takah. | 菌核及孢子 |
| 黑粉菌科 | 高粱坚轴黑粉菌 | *Sphacelotheca sorghi* (Link) Clint. | 孢子 |
| 黑粉菌科 | 粟黑粉菌 | *Ustilago crameri* Koern. | 孢子 |
| 黑粉菌科 | 裸黑粉菌 | *Ustilago nuda* (Jens.) Rostr. | 孢子 |
| 木耳科 | 皱木耳 | *Auricularia delicata* (Fr.) Henn. | 子实体 |
| 木耳科 | 毡盖木耳 | *Auricularia mesenterica* (Dicks) Pers. | 子实体 |
| 银耳科 | 胶质刺银耳 | *Pseudohydnum gelatinosum* (Scop.) P. Karst. | 子实体 |
| 银耳科 | 金耳 | *Tremella aurantialba* Bandoni et Zang | 子实体 |
| 银耳科 | 黄金银耳 | *Tremella mesenterica* Retz. et Fr. | 子实体 |
| 花耳科 | 桂花耳 | *Guepinia spathularia* (Schw.) Fr. | 子实体 |
| 革菌科 | 丛片韧革菌 | *Stereum frustulosum* (Pers.) Fr. | 子实体 |
| 珊瑚菌科 | 紫珊瑚菌 | *Clavaria purpurea* Muell. Fr. | 子实体 |
| 枝瑚菌科 | 尖枝瑚菌 | *Ramaria apiculata* (Fr.) Donk | 子实体 |
| 枝瑚菌科 | 葡萄状枝瑚菌 | *Ramaria botrytis* (Pers.) Ricken | 子实体 |
| 枝瑚菌科 | 黄枝瑚菌 | *Ramaria flava* (Schaeff. ex Fr.) Quél. | 子实体 |
| 枝瑚菌科 | 美丽枝瑚菌 | *Ramaria formosa* (Pers. ex Fr.) Quél. | 子实体 |
| 鸡油菌科 | 小鸡油菌 | *Cantharellus minor* Peck | 子实体 |
| 鸡油菌科 | 喇叭菌 | *Craterellus cornucopioides* (L. Fr.) Pers. | 子实体 |
| 齿菌科 | 翘鳞肉齿菌 | *Sarcodon imbricatum* (L. ex Fr.) Karst. | 子实体 |
| 猴头菌科 | 针猴头菌 | *Hericium caput-medusae* (Bull. Fr.) Pers. | 子实体 |
| 皱孔菌科 | 胶质干朽菌 | *Merulius tremellosus* Schrad. ex Fr. | 子实体 |
| 皱孔菌科 | 伏果圆柱菌 | *Serpula lacrymans* (Wulfen) J. Schröt. | 子实体 |
| 灵芝科 | 安氏灵芝 | *Ganoderma amboinense* (Lam. ex Fr.) Pat. | 子实体 |
| 多孔菌科 | 烟管菌 | *Bjerkandera adusta* (Willd. ex Fr.) Karst. | 子实体 |
| 多孔菌科 | 烟色烟管菌 | *Bjerkandera fumosa* (Pers. ex Fr.) Karst. | 子实体 |
| 多孔菌科 | 单色云芝 | *Coriolus unicolor* (Bull. ex Fr.) Pat. | 子实体 |
| 多孔菌科 | 隐孔菌 | *Cryptoporus volvatus* (PK.) Hubb. | 子实体 |
| 多孔菌科 | 粉迷孔菌 | *Daedalea biennis* (Bull.) Fr. | 子实体 |
| 多孔菌科 | 粗糙拟迷孔菌 | *Daedaleopsis confragosa* (Bolt. ex Fr.) Schroet. | 子实体 |

续表

| 科名 | 中文学名 | 拉丁学名 | 药用部位 |
|---|---|---|---|
| 多孔菌科 | 三色拟迷孔菌 | *Daedaleopsis tricolor* (Bull. ex Fr.) Bond. et Sing. | 子实体 |
| 多孔菌科 | 棱孔菌 | *Favolus alveolaris* (DC. ex Fr.) Quél. | 子实体 |
| 多孔菌科 | 药用拟层孔菌 | *Fomitopsis officinalis* (Vill. ex Fr.) Bond. et Sing. | 子实体 |
| 多孔菌科 | 松生拟层孔菌 | *Fomitopsis pinicola* (Sw. ex Fr.) Karst. | 子实体 |
| 多孔菌科 | 榆拟层孔菌 | *Fomitopsis ulmarius* (Sow. ex Fr.) Bond. et Sing. | 子实体 |
| 多孔菌科 | 斜褐孔菌 | *Fuscoporia oblique* Aoshima | 子实体 |
| 多孔菌科 | 斑褐孔菌 | *Fuscoporia punctata* (Fr.) Cunning. | 子实体 |
| 多孔菌科 | 褐褶菌 | *Gloeophyllum saepiarium* (Walf.) Karst. | 子实体 |
| 多孔菌科 | 亚绣褐褶菌 | *Gloeophyllum subferrugineum* (Berk.) Bond. et Sing. | 子实体 |
| 多孔菌科 | 密粘褶菌 | *Gloeophyllum trabeum* (Pers.) Murr. | 子实体 |
| 多孔菌科 | 毛蜂窝菌 | *Hexagonia apiaria* (Pers.) Fr. | 子实体 |
| 多孔菌科 | 冷杉囊孔菌 | *Hirschioporus abietinus* (Dicks. Fr.) Donk | 子实体 |
| 多孔菌科 | 紫褐囊孔菌 | *Hirschioporus fusco-violaceus* (Schrad. Fr.) Donk | 子实体 |
| 多孔菌科 | 稀针孔菌 | *Inonotus cuticularis* (Bull. ex Fr.) Karst. | 子实体 |
| 多孔菌科 | 烟草色针孔菌 | *Inonotus tabacinus* (Mont.) Karst. | 子实体 |
| 多孔菌科 | 鲑贝耙齿菌 | *Irpex consors* Berk. | 子实体 |
| 多孔菌科 | 桦褶孔菌 | *Lenzites betulina* (L.) Fr. | 子实体 |
| 多孔菌科 | 鲍姆木层孔菌 | *Phellinus baumii* Pilát | 子实体 |
| 多孔菌科 | 淡黄木层孔菌 | *Phellinus gilvus* (Schw.) Pat. | 子实体 |
| 多孔菌科 | 哈尔蒂木层孔菌 | *Phellinus hartigii* (Allesch. et Schnabl) Imaz. | 子实体 |
| 多孔菌科 | 针层孔菌 | *Phellinus igniarius* (L. ex Fr.) Quél. | 子实体 |
| 多孔菌科 | 裂蹄木层孔菌 | *Phellinus linteus* (Berk. et Curt.) Teng | 子实体 |
| 多孔菌科 | 黑盖木层孔菌 | *Phellinus nigricans* (Fr.) Karst. | 子实体 |
| 多孔菌科 | 稀硬木层孔菌 | *Phellinus robustus* (Karst.) Bourd. et Galz. | 子实体 |
| 多孔菌科 | 白木层孔菌 | *Phellinus setulosus* (Lloyd) Imaz. | 子实体 |
| 多孔菌科 | 簇毛木层孔菌 | *Phellinus torulosus* (Pers.) Bourd. et Galz. | 子实体 |
| 多孔菌科 | 桦滴孔菌 | *Piptoporus betulinus* (Bull. ex Fr.) Karst. | 子实体 |
| 多孔菌科 | 雅致多孔菌 | *Polyporus elegans* (Bull.) Fr. | 子实体 |
| 多孔菌科 | 贝叶多孔菌 | *Polyporus frondosus* (Dicks.) Fr. | 子实体 |
| 多孔菌科 | 巨多孔菌 | *Polyporus giganteus* (Pers. ) Fr. | 子实体 |
| 多孔菌科 | 黑柄多孔菌 | *Polyporus melanopus* (Sw.) Fr. | 子实体 |
| 多孔菌科 | 青柄多孔菌 | *Polyporus picipes* Fr. | 子实体 |
| 多孔菌科 | 树皮生卧孔菌 | *Poria corticola* (Fr.) Cooke | 子实体 |
| 多孔菌科 | 黄白卧孔菌 | *Poria subacida* (Peck.) Sacc. | 子实体 |
| 多孔菌科 | 黄卧孔菌 | *Poria xantha* (Fr.) Lind. | 子实体 |
| 多孔菌科 | 肉色栓菌 | *Trametes dickinsii* Berk. | 子实体 |
| 多孔菌科 | 东方栓菌 | *Trametes orientalis* (Yasuda) Imaz. | 子实体 |
| 多孔菌科 | 血红栓菌 | *Trametes sanguinea* (L. ex Fr.) Lloyd | 子实体 |
| 多孔菌科 | 朱红栓菌 | *Trametes cinnabarina* (Jacq.) Fr. | 子实体 |
| 多孔菌科 | 皱褶栓菌 | *Trametes corrugata* (Pers.) Bres. | 子实体 |
| 多孔菌科 | 偏肿栓菌 | *Trametes gibbosa* Pers. | 子实体 |
| 多孔菌科 | 粗毛黄褐孔菌 | *Xanthochrous hispidus* (Bull. ex Fr.) Pat. | 子实体 |

续表

| 科名 | 中文学名 | 拉丁学名 | 药用部位 |
|---|---|---|---|
| 多孔菌科 | 环棱黄褐孔菌 | *Xanthochrous nilgheriensis* (Mont.) Teng | 子实体 |
| 多孔菌科 | 团核黄褐孔菌 | *Xanthochrous rheades* (Pers.) Pat. | 子实体 |
| 多孔菌科 | 歪蹄 | *Pyropolyporus caryophylli* (Racib.) Teng | 子实体 |
| 多孔菌科 | 裂蹄 | *Pyropolyporus rimosus* (Berk.) Teng | 子实体 |
| 侧耳科 | 红柄香菇 | *Lentinus haematopus* Berk. | 子实体 |
| 侧耳科 | 洁丽香菇 | *Lentinus lepideus* Fr. | 子实体 |
| 侧耳科 | 硬毛香菇 | *Lentinus strigosus* (Schw.) Fr. | 子实体 |
| 侧耳科 | 紫革耳 | *Panus torulosus* (Pers.) Fr. | 子实体 |
| 侧耳科 | 美味侧耳 | *Pleurotus sapidus* (Schulz.) Sacc. | 子实体 |
| 裂褶菌科 | 裂褶菌 | *Schizophyllum commune* Fr. | 子实体 |
| 鹅膏科 | 平缘托柄菇 | *Amanitopsis volvata* (Berk.) Sacc. | 子实体 |
| 白蘑科 | 棒柄杯伞 | *Clitocybe clavipes* (Pers. ex Fr.) Quél. | 子实体 |
| 白蘑科 | 芳香杯伞 | *Clitocybe fragrans* (Sow. ex Fr.) Quél. | 子实体 |
| 白蘑科 | 栎金钱菌 | *Collybia dryophila* (Bull. Fr.) Quél. | 子实体 |
| 白蘑科 | 冬菇 | *Flammulina velutipes* (Curt. ex Fr.) Sing. | 子实体 |
| 白蘑科 | 紫蜡蘑 | *Laccaria amethystea* (Bull. ex Fr.) Murr. | 子实体 |
| 白蘑科 | 漆蜡蘑 | *Laccaria laccata* (Scop. ex Fr.) Brek. et Br. | 子实体 |
| 白蘑科 | 柄条蜡蘑 | *Laccaria proxima* (Boud.) Pat. | 子实体 |
| 白蘑科 | 日本亮耳菌 | *Lampteromyces japonicus* (Kawam.) Sing. | 子实体 |
| 白蘑科 | 肉色香蘑 | *Lepista irina* (Fr.) Bigelow | 子实体 |
| 白蘑科 | 角孢离褶伞 | *Lyophyllum transforme* (Britz) Sing. | 子实体 |
| 白蘑科 | 安络小皮伞 | *Marasmius androsaceus* (L. ex Fr.) Fr. | 菌索 |
| 白蘑科 | 硬柄小皮伞 | *Marasmius oreades* (Bolt.) Fr. | 子实体 |
| 白蘑科 | 白粘蜜环菌 | *Oudemansiella mucida* (Schrad. ex Fr.) V. Hoehn. | 子实体 |
| 白蘑科 | 长根粘蜜环菌 | *Oudemansiella radicata* (Relh. ex Fr.) Sing. | 子实体 |
| 白蘑科 | 止血扇菇 | *Panellus stypticus* (Bull. ex Fr.) Karst. | 子实体 |
| 白蘑科 | 大白桩菇 | *Leucopaxillus giganteus* (Sow. ex Fr.) Sing. | 子实体 |
| 白蘑科 | 盔小菇 | *Mycena galericulata* (Scop.) Gray | 子实体 |
| 白蘑科 | 酸涩口蘑 | *Tricholoma acerbum* (Bull. ex Fr.) Quél. | 子实体 |
| 白蘑科 | 白口蘑 | *Tricholoma album* (Pers. ex Fr.) Quél. | 子实体 |
| 白蘑科 | 黄褐口蘑 | *Tricholoma fulvum* (DC. ex Fr.) Rea | 子实体 |
| 白蘑科 | 香杏口蘑 | *Tricholoma gambosum* (Fr.) Gill. | 子实体 |
| 白蘑科 | 褐黄口蘑 | *Tricholoma vaccinum* (Pers. ex Fr.) Quél. | 子实体 |
| 白蘑科 | 条纹口蘑 | *Tricholoma virgatum* (Fr.) Gill. | 子实体 |
| 白蘑科 | 钟形干脐菇 | *Xeromphalina campanella* (Batsch Fr.) Kühn. et Maire | 子实体 |
| 丝膜菌科 | 黄棕丝膜菌 | *Cortinarius cinnamomeus* Fr. | 子实体 |
| 丝膜菌科 | 粘柄丝膜菌 | *Cortinarius collinitus* (Fr.) S. F. Gray | 子实体 |
| 丝膜菌科 | 较高丝膜菌 | *Cortinarius elatior* Fr. | 子实体 |
| 丝膜菌科 | 侧丝膜菌 | *Cortinarius latus* (Pers.) Fr. | 子实体 |
| 丝膜菌科 | 粘丝膜菌 | *Cortinarius mucifluus* (Fr.) Fr. | 子实体 |
| 丝膜菌科 | 鳞丝膜菌 | *Cortinarius pholideus* Fr. | 子实体 |
| 丝膜菌科 | 蓝紫丝膜菌 | *Cortinarius salor* Fr. | 子实体 |

续表

| 科名 | 中文学名 | 拉丁学名 | 药用部位 |
| --- | --- | --- | --- |
| 丝膜菌科 | 红丝膜菌 | *Cortinarius sanguineus* (Wulf.) Fr. | 子实体 |
| 丝膜菌科 | 苔丝膜菌 | *Cortinarius vibratilis* (Fr.) Fr. | 子实体 |
| 丝膜菌科 | 紫绒丝膜菌 | *Cortinarius violaceus* (Fr.) S. F. Gray | 子实体 |
| 丝膜菌科 | 黄丝盖伞 | *Inocybe fastigiata* (Schaeff. ex Fr.) Quél. | 子实体 |
| 丝膜菌科 | 皱褶罗鳞伞 | *Rozites caperata* (Pers.) Karst. | 子实体 |
| 球盖菇科 | 光帽鳞伞 | *Pholiota nameke* (T. Ito) S. Ito et Imai | 子实体 |
| 球盖菇科 | 白鳞环锈伞 | *Pholiota destruens* (Brond.) Gill. | 子实体 |
| 球盖菇科 | 黄鳞伞 | *Pholiota flammans* (Batsch Fr.) Quél. | 子实体 |
| 粪锈伞科 | 平田头菇 | *Agrocybe pediades* (Fr.) Fayod | 子实体 |
| 粪锈伞科 | 田头菇 | *Agrocybe praecox* (Pers. ex Fr.) Fayod | 子实体 |
| 蘑菇科 | 野蘑菇 | *Agaricus arvensis* Schaeff. ex Fr. | 子实体 |
| 蘑菇科 | 蘑菇 | *Agaricus campestris* L. ex Fr. | 子实体 |
| 蘑菇科 | 赭鳞蘑菇 | *Agaricus subrufescens* Peck | 子实体 |
| 鬼伞科 | 疣孢鬼伞 | *Coprinus insignis* Pk. | 子实体 |
| 鬼伞科 | 白绒鬼伞 | *Coprinus lagopus* Fr. | 子实体 |
| 鬼伞科 | 长根鬼伞 | *Coprinus macrorhizus* (Pers.) Rea | 子实体 |
| 鬼伞科 | 褶纹鬼伞 | *Coprinus plicatilis* (Curt.) Fr. | 子实体 |
| 鬼伞科 | 粪鬼伞 | *Coprinus sterquilinus* Fr. | 子实体 |
| 赤褶菌科 | 盾形赤褶菇 | *Rhodophyllus clypeatus* (L.) Quél. | 子实体 |
| 桩菇科 | 卷边桩菇 | *Paxillus involutus* (Batsch) Fr. | 子实体 |
| 牛肝菌科 | 小美牛肝菌 | *Boletus speciosus* Forst. | 子实体 |
| 牛肝菌科 | 褐圆孢牛肝菌 | *Gyroporus castaneus* (Bull. Fr.) Quél. | 子实体 |
| 牛肝菌科 | 褐环乳牛肝菌 | *Suillus luteus* (L. ex Fr.) Gray | 子实体 |
| 乳菇科 | 浓香乳菇 | *Lactarius camphoratus* (Bull.) Fr. | 子实体 |
| 乳菇科 | 红汁乳菇 | *Lactarius hatsudake* Tanaka | 子实体 |
| 乳菇科 | 环纹乳菇 | *Lactarius insulsus* Fr. | 子实体 |
| 乳菇科 | 辣乳菇 | *Lactarius piperatus* (L. ex Fr.) Gray. | 子实体 |
| 乳菇科 | 绒白乳菇 | *Lactarius vellereus* Fr. | 子实体 |
| 红菇科 | 烟色红菇 | *Russula adusta* (Pers.) Fr. | 子实体 |
| 红菇科 | 壳状红菇 | *Russula crustosa* Perk. | 子实体 |
| 红菇科 | 蓝黄红菇 | *Russula cyanoxantha* (Schaeff.) Fr. | 子实体 |
| 红菇科 | 美味红菇 | *Russula delica* Fr. | 子实体 |
| 红菇科 | 密褶红菇 | *Russula densifolia* (Secr.) Gill. | 子实体 |
| 红菇科 | 全缘红菇 | *Russula integra* (L.) Fr. | 子实体 |
| 红菇科 | 黑红菇 | *Russula nigricans* (Bull.) Fr. | 子实体 |
| 红菇科 | 假美味红菇 | *Russula pseudodelica* Lange | 子实体 |
| 红菇科 | 变黑红菇 | *Russula rubescens* Beardslee | 子实体 |
| 红菇科 | 大红菇 | *Russula rubra* (Krombh.) Bres. | 子实体 |
| 红菇科 | 菱红菇 | *Russula vesca* Fr. | 子实体及孢子体 |
| 红菇科 | 变绿红菇 | *Russula vierscens* (Schacff.) Fr. | 子实体 |
| 鬼笔菌科 | 红鬼笔 | *Phallus rubicundus* (Rose) Fr. | 子实体 |
| 鬼笔菌科 | 细皱红鬼笔 | *Phallus rugulosus* (Fish.) Kutze | 子实体 |

续表

| 科名 | 中文学名 | 拉丁学名 | 药用部位 |
|---|---|---|---|
| 马勃科 | 长根静灰球 | *Bovistella radicata* (Dur. et Mont.) Pat. | 子实体 |
| 马勃科 | 中国静灰球 | *Bovistella sinensis* Lloyd | 子实体 |
| 马勃科 | 白秃马勃 | *Calvatia candida* (Rostk. ) Hollós | 子实体 |
| 马勃科 | 头状马勃 | *Calvatia craniformis* (Schw.) Fr. | 子实体 |
| 马勃科 | 紫色秃马勃 | *Calvatia lilacina* (Berk.) P. Henn. | 子实体 |
| 马勃科 | 袋形马勃 | *Calvatia saccata* (Vahl. et Fr.) Morg. | 子实体 |
| 马勃科 | 脱皮马勃 | *Lasiosphaera fenzlii* Reich. | 子实体 |
| 马勃科 | 粗皮马勃 | *Lycoperdon asperum* (Lev.) de Toni | 子实体 |
| 马勃科 | 赭色马勃 | *Lycoperdon umbrinum* Pers. | 子实体 |
| 马勃科 | 龟裂马勃 | *Calvatia caelata* (Bull. et DC.) Morgan | 子实体 |
| 硬皮地星科 | 硬皮地星 | *Astraeus hygrometricus* (Pers.) Morgan | 孢子体 |
| 硬皮马勃科 | 大孢硬皮马勃 | *Scleroderma bovista* Fr. | 孢子体 |
| 硬皮马勃科 | 多根硬皮马勃 | *Scleroderma polyrhizum* Pers. | 子实体 |
| 鸟巢菌科 | 粪生黑蛋巢菌 | *Cyathus stercoreus* (Schw.) de Toni | 子实体 |
| 鸟巢菌科 | 隆纹黑蛋巢菌 | *Cyathus striatus* Willd. ex Pers. | 子实体 |
| 从梗孢科 | 蚕白僵菌 | *Beauveria bassiana* (Bals.) Vuill. | 感染白僵菌的蚕幼虫 |
| 丝孢科 | 米曲霉 | *Aspergillus oryzae* (Ahlburg) Cohn. | 子实体 |
| 丝孢科 | 产黄青霉 | *Penicillium chrysogenum* Thom. | 子实体 |
| 皮果衣科 | 皮果衣 | *Dermatocarpon mininatum* (L.) W. Mann. | 地衣体 |
| 肺衣科 | 南肺衣 | *Lobaria meridionalis* Vain. var. *subplana* (Asah.) Yoshim. | 地衣体 |
| 肺衣科 | 肺衣 | *Lobaria pulmonaria* (L.) Hoffm. | 地衣体 |
| 珊瑚枝科 | 东方珊瑚枝 | *Stereocaulon paschale* (L.) Hoffm. | 地衣体 |
| 石蕊科 | 黑穗石蕊 | *Cladonia amaurocraea* (Flörke) Schaer. | 地衣体 |
| 石蕊科 | 粉杆石蕊 | *Cladonia bacillaris*(Ach.) Nyl. | 地衣体 |
| 石蕊科 | 红头石蕊 | *Cladonia floerkeana* (Fr.) Flörke | 地衣体 |
| 石蕊科 | 匙石蕊 | *Cladonia gracilis* (L.) Willd. | 地衣体 |
| 石蕊科 | 瘦柄石蕊 | *Cladonia macilenta* Hoffm. | 地衣体 |
| 石蕊科 | 喇叭石蕊 | *Cladonia pyxidata* (L.) Hoffm. | 地衣体 |
| 石蕊科 | 粉杯红石蕊 | *Cladonia pleurota* (Flörke) Schaer. | 地衣体 |
| 石蕊科 | 雀石蕊 | *Cladonia stellaris* (Opiz.) Pouzar et Vezda | 地衣体 |
| 石蕊科 | 聚筛蕊 | *Cladia aggregata* (Sw.) Nyl. | 地衣体 |
| 梅衣科 | 岛衣 | *Cetraria islandica* (L. ) Ach. | 地衣体 |
| 梅衣科 | 白边岛衣 | *Cetraria laevigata* Rass. | 地衣体 |
| 梅衣科 | 皱梅衣 | *Parmelia caperata* (L.) Ach. | 地衣体 |
| 梅衣科 | 粉缘梅衣 | *Parmelia cetraioides* Del. | 地衣体 |
| 梅衣科 | 漂红梅衣 | *Parmelia olivetorum* Nyl. | 地衣体 |
| 梅衣科 | 梅衣 | *Parmelia saxatilis* (L.) Ach. | 地衣体 |
| 梅衣科 | 卷叶梅衣 | *Parmelia ulophyllodes* (Vain.) Savicz. | 地衣体 |
| 松萝科 | 扁枝衣 | *Evernia mesomorpha* Nyl. | 地衣体 |
| 松萝科 | 长松萝 | *Usnea longissima* Ach. | 地衣体 |
| 松萝科 | 粗皮松萝 | *Usnea montis-fuji* Mot. | 地衣体 |
| 树花科 | 肉刺树花 | *Ramalina roesleri* (Hochst.) Hue | 地衣体 |

续表

| 科名 | 中文学名 | 拉丁学名 | 药用部位 |
|---|---|---|---|
| 树花科 | 中国树花 | *Ramalina sinensis* Jatta | 地衣体 |
| 蛇苔科 | 小蛇苔 | *Conocephalum japonicum* (Thunb.) Grelle | 植物体 |
| 石地钱科 | 石地钱 | *Reboulia hemisphaerica* (L.) Raddi | 植物体 |
| 地钱科 | 粗裂地钱 | *Marchantia paleacea* Bertol. | 植物体 |
| 泥炭藓科 | 白齿泥炭藓 | *Sphagnum girgensohnii* Russ. | 植物体 |
| 泥炭藓科 | 中位泥炭藓 | *Sphagnum magellanicum* Brid. | 植物体 |
| 泥炭藓科 | 大泥炭藓 | *Sphagnum palustre* L. | 植物体 |
| 泥炭藓科 | 细叶泥炭藓 | *Sphagnum teres* (Schimp.) Aongsti. | 植物体 |
| 丛藓科 | 小石藓 | *Weisia controversa* Hedw. | 植物体 |
| 紫萼藓科 | 卵叶紫萼藓 | *Grimmia ovalis* (Hedw.) Lindb. | 植物体 |
| 壶藓科 | 并齿藓 | *Tetraplodon mnioides* (Hedw.) B.S.G. | 植物体 |
| 真藓科 | 银叶真藓 | *Bryum argenteum* Hedw. | 植物体 |
| 真藓科 | 红大叶藓 | *Rhodobryum roseum* (Hedw.) Limpr. | 植物体 |
| 珠藓科 | 泽藓 | *Philonotis fontana* (Hedw.) Brid. | 植物体 |
| 羽藓科 | 小羽藓 | *Haplocladium capillatum* (Mitt.) Reim. | 植物体 |
| 羽藓科 | 细叶小羽藓 | *Haplocladium microphyllum* (Hedw.) Broth. | 植物体 |
| 柳叶藓科 | 牛角藓 | *Cratoneuron filicinum* (Hedw.) Spruc. | 植物体 |
| 柳叶藓科 | 薄网藓 | *Leptodictyum riparium* (L. ex Hedw.) Warnst. | 植物体 |
| 绢藓科 | 密叶绢藓 | *Entodon compressus* (Hedw.) C. Müell. | 植物体 |
| 灰藓科 | 鳞叶藓 | *Taxiphyllum taxirameum* (Mitt.) Fleisch. | 植物体 |
| 金发藓科 | 桧叶金发藓 | *Polytrichum juniperinum* Hedw. | 鳞茎 |
| 石杉科 | 亮叶石杉 | *Huperzia lucida* (Michx.) Trev. | 全草 |
| 石松科 | 新锐叶石松 | *Lycopodium neopungens* H. S. Kung et L. B. Zhang | 全草 |
| 卷柏科 | 西伯利亚卷柏 | *Selaginella sibirica* (Milde) Hieron. | 全草 |
| 木贼科 | 斑纹木贼 | *Equisetum variegatum* Schleich. ex F. Weber et D. Mohr | 全草 |
| 阴地蕨科 | 扇羽阴地蕨 | *Botrychium lunaria* (L.) Sw. | 全草 |
| 阴地蕨科 | 长白山阴地蕨 | *Botrychium manshuricum* Ching | 全草 |
| 阴地蕨科 | 多裂阴地蕨 | *Botrychium multifidum* (Gmel.) Rupr. | 全草 |
| 阴地蕨科 | 蕨萁 | *Botrychium virginianum* (L.) Sw. | 全草 |
| 瓶尔小草科 | 瓶尔小草 | *Ophioglossum vulgatum* L. | 全草 |
| 姬蕨科 | 细毛碗蕨 | *Dennstaedtia pilosella* (Hook.) Ching | 全草 |
| 中国蕨科 | 华北粉背蕨 | *Aleuritopteris kuhnii* (Milde) Ching | 全草 |
| 裸子蕨科 | 无毛凤丫蕨 | *Coniogramme intermedia* Hieron. var. *glabra* Ching | 根茎 |
| 蹄盖蕨科 | 麦秆蹄盖蕨 | *Athyrium fallaciosum* Milde | 根茎 |
| 蹄盖蕨科 | 狭基蹄盖蕨 | *Athyrium mehrae* Bir | 根茎 |
| 金星蕨科 | 金星蕨 | *Parathelypteris glanduligera* (Kze.) Ching | 叶 |
| 金星蕨科 | 光脚金星蕨 | *Parathelypteris japonica* (Bak.) Ching | 全草 |
| 铁角蕨科 | 西北铁角蕨 | *Asplenium nesii* Christ | 全草 |
| 铁角蕨科 | 钝齿铁角蕨 | *Asplenium chengkouense* Ching ex X. X. Kong | 全草 |
| 岩蕨科 | 光岩蕨 | *Woodsia glabella* R. Br. ex Richards. | 全草 |
| 岩蕨科 | 东亚岩蕨 | *Woodsia intermedia* Tagawa | 全草 |
| 鳞毛蕨科 | 华北鳞毛蕨 | *Dryopteris goeringiana* (Kunze) Koidz. | 根茎 |

续表

| 科名 | 中文学名 | 拉丁学名 | 药用部位 |
| --- | --- | --- | --- |
| 鳞毛蕨科 | 虎耳鳞毛蕨 | *Dryopteris saxifraga* H. Ito | 根茎 |
| 苹科 | 苹 | *Marsilea quadrifolia* L. | 孢子 |
| 松科 | 欧洲云杉 | *Picea abies* (L.) Karst. | 叶 |
| 松科 | 鱼鳞云杉 | *Picea jezoensis* Carr. var. *microsperma* (Lindl.) Cheng et L. K. Fu | 树皮、枝叶 |
| 松科 | 新疆云杉 | *Picea obovata* Ledeb. | 针叶 |
| 松科 | 刚松 | *Pinus rigida* Mill. | 叶 |
| 松科 | 欧洲赤松 | *Pinus sylvestris* L. | 叶 |
| 麻黄科 | 单子麻黄 | *Ephedra monosperma* Gmel. ex Mey. | 地上部分 |
| 杨柳科 | 青杨 | *Populus cathayana* Rehd. | 根皮、树皮、枝叶 |
| 杨柳科 | 东北杨 | *Populus girinensis* Skv. | 叶 |
| 杨柳科 | 兴安杨 | *Populus hsinganica* C. Wang et Skv. | 叶 |
| 杨柳科 | 辽杨 | *Populus maximowiczii* Henry | 皮 |
| 杨柳科 | 黑杨 | *Populus nigra* L. | 树皮 |
| 杨柳科 | 小青杨 | *Populus pseudo-simonii* Kitagawa | 树皮、叶 |
| 杨柳科 | 小叶杨 | *Populus simonii* Carr. | 树皮 |
| 杨柳科 | 杞柳 | *Salix integra* Thunb. | 叶 |
| 杨柳科 | 大白柳 | *Salix maximowiczii* Kom. | 树皮 |
| 杨柳科 | 白皮柳 | *Salix pierotii* Miq. | 树皮、叶 |
| 杨柳科 | 龙江柳 | *Salix sachalinensis* Fr. Schm | 枝叶 |
| 杨柳科 | 白河柳 | *Salix yanbianica* C. F. Fang et Ch. Y. Yang | 枝条 |
| 杨柳科 | 毛枝柳 | *Salix dasyclados* Wimm. | 枝皮 |
| 杨柳科 | 细柱柳 | *Salix gracilistyla* Miq. | 枝叶 |
| 杨柳科 | 筐柳 | *Salix linearistipularis* (Franch.) Hao | 树皮、树枝 |
| 杨柳科 | 小穗柳 | *Salix microstachya* Turcz. | 根皮 |
| 杨柳科 | 小红柳 | *Salix microstachya* Turcz. var. *bordensis* (Nakai) C. F. Fang | 树皮、叶 |
| 杨柳科 | 多腺柳 | *Salix polyadenia* Hand.-Mazz. | 叶 |
| 杨柳科 | 细叶沼柳 | *Salix rosmarinifolia* L. | 枝叶 |
| 杨柳科 | 圆叶柳 | *Salix rotundifolia* Trautv. | 叶 |
| 杨柳科 | 紫柳 | *Salix wilsonii* Seemen | 根皮 |
| 杨柳科 | 朝鲜垂柳 | *Salix pseudo-lasiogyne* Lévl. | 树皮、叶 |
| 杨柳科 | 红皮柳 | *Salix sinopurpurea* C. Wang et Ch. Y. Yang | 树干内皮、枝叶、根 |
| 桦木科 | 砂生桦 | *Betula gmelinii* Bge. | 栓皮 |
| 桦木科 | 糙皮桦 | *Betula utilis* D. Don | 树皮 |
| 榆科 | 黑榆 | *Ulmus davidiana* Planch. | 枝叶 |
| 荨麻科 | 悬铃叶苎麻 | *Boehmeria tricuspis* (Hance) Makino | 根、叶 |
| 荨麻科 | 乌苏里荨麻 | *Urtica laetevirens* Maxim. subsp. *cyanescens* (Kom.) C. J. Chen | 全草 |
| 檀香科 | 长叶百蕊草 | *Thesium longifolium* Turcz. | 全草 |
| 蓼科 | 苦荞麦 | *Fagopyrum tataricum* (L.) Gaertn. | 块根及根茎 |
| 蓼科 | 狐尾蓼 | *Polygonum alopecuroides* Turcz. ex Besser | 根茎 |
| 蓼科 | 椭圆叶蓼 | *Polygonum ellipticum* Willd. ex Spreng. | 根茎 |

续表

| 科名 | 中文学名 | 拉丁学名 | 药用部位 |
| --- | --- | --- | --- |
| 蓼科 | 太平洋蓼 | *Polygonum pacificum* V. Petr. ex Kom. | 根茎 |
| 蓼科 | 糙毛蓼 | *Polygonum strigosum* R. Br. | 根茎 |
| 蓼科 | 谷地蓼 | *Polygonum limosum* Kom. | 全草 |
| 蓼科 | 白山蓼 | *Polygonum ocreatum* L. | 根茎 |
| 蓼科 | 粘蓼 | *Polygonum viscoferum* Mak. | 根茎 |
| 蓼科 | 羊蹄 | *Rumex japonicus* Houtt. | 根、果实、叶 |
| 蓼科 | 单瘤酸模 | *Rumex marschallianus* Reichb. | 全草 |
| 蓼科 | 长叶酸模 | *Rumex longifolius* DC. | 全草 |
| 蓼科 | 狭叶酸模 | *Rumex stenophyllus* Ledeb. | 全草 |
| 石竹科 | 毛叶老牛筋 | *Arenaria capillaris* Poir. | 根 |
| 石竹科 | 钻叶石竹 | *Dianthus chinensis* L. var. *subulifolius* (Kitagawa) Y. C. Ma | 根 |
| 石竹科 | 兴安石竹 | *Dianthus chinensis* L. var. *versicolor* (Fisch. ex Link) Y. C. Ma | 根 |
| 石竹科 | 石生孩儿参 | *Pseudostellaria rupestris* (Turcz.) Pax | 根 |
| 石竹科 | 无毛漆姑草 | *Sagina saginoides* (L.) Karsten | 全草 |
| 石竹科 | 头序蝇子草 | *Silene capitata* Kom. | 全草 |
| 石竹科 | 朝鲜蝇子草 | *Silene koreana* Kom. | 全草 |
| 石竹科 | 准噶尔蝇子草 | *Silene songarica* (Fisch., Mey. et Ave-Lall.) Bocquet | 全草 |
| 石竹科 | 长叶繁缕 | *Stellaria longifolia* Muehl. ex Willd. | 全草 |
| 藜科 | 野滨藜 | *Atriplex fera* (L.) Bunge | 全草 |
| 藜科 | 绳虫实 | *Corispermum declinatum* Steph. ex Stev. | 全草 |
| 藜科 | 大果虫实 | *Corispermum macrocarpum* Bunge | 全草 |
| 藜科 | 宽翅虫实 | *Corispermum platypterum* Kitag. | 全草 |
| 藜科 | 木地肤 | *Kochia prostrata* (L.) Schrad. | 全草 |
| 藜科 | 无翅猪毛菜 | *Salsola komarovii* Iljin | 全草 |
| 藜科 | 角果碱蓬 | *Suaeda corniculata* (C. A. Mey.) Bunge | 全草 |
| 毛茛科 | 细叶黄乌头 | *Aconitum barbatum* Pers. | 全草或块根 |
| 毛茛科 | 西伯利亚乌头 | *Aconitum barbatum* Pers. var. *hispidum* DC. | 块根 |
| 毛茛科 | 牛扁 | *Aconitum barbatum* Pers. var. *puberulum* Ledeb. | 块根 |
| 毛茛科 | 抚松乌头 | *Aconitum fusungense* S. H. Li et Y. H. Huang | 块根 |
| 毛茛科 | 光梗鸭绿乌头 | *Aconitum jaluense* Kom. var. *glabrescens* Nakai | 块根 |
| 毛茛科 | 大苞乌头 | *Aconitum raddeanum* Regel | 块根 |
| 毛茛科 | 白毛乌头 | *Aconitum villosum* Reichb. | 块根、叶 |
| 毛茛科 | 褐毛铁线莲 | *Clematis fusca* Turcz. | 全草 |
| 毛茛科 | 黄花铁线莲 | *Clematis intricata* Bunge | 全草 |
| 毛茛科 | 毛果芍药 | *Paeonia lactiflora* Pall. var. *trichocarpa* (Bge.) Stern | 根、根皮 |
| 毛茛科 | 蒙古白头翁 | *Pulsatilla ambigua* Turcz. ex Pritz. | 根 |
| 毛茛科 | 美丽毛茛 | *Ranunculus pulchellus* C. A. Mey. | 全草或种子 |
| 毛茛科 | 长嘴毛茛 | *Ranunculus tachiroei* Franch. et Sav. | 根 |
| 毛茛科 | 细叶白头翁 | *Pulsatilla turczaninovii* Kryl. et Serg. | 全草或根 |
| 毛茛科 | 花唐松草 | *Thalictrum filamentosum* Maxim. | 根 |
| 毛茛科 | 盾叶唐松草 | *Thalictrum ichangense* Lecoy. ex Oliv. | 全草 |
| 毛茛科 | 短梗箭头唐松草 | *Thalictrum simplex* L. var. *brevipes* Hara | 根及根茎 |

续表

| 科名 | 中文学名 | 拉丁学名 | 药用部位 |
| --- | --- | --- | --- |
| 小檗科 | 西伯利亚小檗 | *Berberis sibirica* Pall. | 根及根皮 |
| 金鱼藻科 | 金鱼藻 | *Ceratophyllum demersum* L. | 全草 |
| 罂粟科 | 三裂延胡索 | *Corydalis ternata* (Nakai) Nakai | 根 |
| 罂粟科 | 延胡索 | *Corydalis yanhusuo* W. T. Wang ex Z. Y. Su et C. Y. Wu | 块茎 |
| 十字花科 | 芥菜 | *Brassica juncea* (L.) Czern. et Coss. | 种子 |
| 十字花科 | 芜青 | *Brassica rapa* L. | 根、叶、花、种子 |
| 十字花科 | 芸苔 | *Brassica campestris* Linn. | 茎叶 |
| 十字花科 | 擘蓝 | *Brassica caulorapa* Pasq. | 球茎、叶、种子 |
| 十字花科 | 油芥菜 | *Brassica juncea* (L.) Czern. et Coss. var. *gracilis* Tsen et Lee | 全草 |
| 十字花科 | 雪里蕻 | *Brassica juncea* (L.) Czern. et Coss. var. *multiceps* Tsen et Lee | 全草 |
| 十字花科 | 甘蓝 | *Brassica oleracea* L. | 全草 |
| 十字花科 | 小花花旗杆 | *Dontostemon micranthus* C. A. Mey. | 全草 |
| 十字花科 | 小花糖芥 | *Erysimum cheiranthoides* L. | 全草 |
| 十字花科 | 燥原荠 | *Ptilotricum canescens* (DC.) C. A. Mey. | 全草 |
| 十字花科 | 旗杆芥 | *Turritis glabra* L. | 全草 |
| 景天科 | 紫八宝 | *Hylotelephium purpureum* (L.) Holub | 全草 |
| 景天科 | 红景天 | *Rhodiola rosea* L. | 全草 |
| 景天科 | 宽叶费菜 | *Sedum aizoon* L. var. *latifolium* Maxim. | 全草 |
| 虎耳草科 | 五台金腰 | *Chrysosplenium serreanum* Hand.-Mazz. | 全草 |
| 虎耳草科 | 太平花 | *Philadelphus pekinensis* Rupr. | 根、果实 |
| 虎耳草科 | 双刺茶藨子 | *Ribes diacanthum* Pall. | 果实 |
| 虎耳草科 | 华蔓茶藨子 | *Ribes fasciculatum* Sieb. et Zucc. var. *chinense* Maxim. | 根 |
| 虎耳草科 | 水葡萄茶藨子 | *Ribes procumbens* Pall. | 果实 |
| 虎耳草科 | 美丽茶藨子 | *Ribes pulchellum* Turcz. | 果实 |
| 虎耳草科 | 矮茶藨子 | *Ribes triste* Pall. | 果实 |
| 虎耳草科 | 零余虎耳草 | *Saxifraga cernua* L. | 全草 |
| 虎耳草科 | 腺毛虎耳草 | *Saxifraga manshuriensis* (Engl.) Kom. | 全草 |
| 蔷薇科 | 欧洲甜樱桃 | *Cerasus avium* (L.) Moench. | 果实 |
| 蔷薇科 | 樱桃 | *Cerasus pseudocerasus* (Lindl.) G. Don | 果实 |
| 蔷薇科 | 辽宁山楂 | *Crataegus sanguinea* Pall. | 果实 |
| 蔷薇科 | 翻白蚊子草 | *Filipendula intermedia* (Glehn) Juzep. | 全草 |
| 蔷薇科 | 垂丝海棠 | *Malus halliana* Koehne | 花 |
| 蔷薇科 | 毛山荆子 | *Malus manshurica* (Maxim.) Kom. | 叶、花蕾 |
| 蔷薇科 | 多裂委陵菜 | *Potentilla multifida* L. | 全草 |
| 蔷薇科 | 李 | *Prunus salicina* Lindl. | 根皮 |
| 蔷薇科 | 白梨 | *Pyrus bretschneideri* Rehd. | 果实熬成的膏 |
| 蔷薇科 | 光叶山刺玫 | *Rosa davurica* Pall. var. *glabra* Liou | 花 |
| 蔷薇科 | 峨眉蔷薇 | *Rosa omeiensis* Rolfe | 果实 |
| 蔷薇科 | 多刺山刺玫 | *Rosa davurica* Pall. var. *setacea* Liou | 花 |
| 蔷薇科 | 星毛珍珠梅 | *Sorbaria sorbifolia* var. *stellipila* Maxim. | 茎皮、枝条、果穗 |
| 蔷薇科 | 绢毛绣线菊 | *Spiraea sericea* Turcz. | 叶 |
| 蔷薇科 | 三裂绣线菊 | *Spiraea trilobata* L. | 叶、果实 |

续表

| 科名 | 中文学名 | 拉丁学名 | 药用部位 |
|---|---|---|---|
| 豆科 | 细弱黄耆 | *Astragalus miniatus* Bunge | 根 |
| 豆科 | 东北锦鸡儿 | *Caragana manshurica* Kom. | 果实、花 |
| 豆科 | 狭叶锦鸡儿 | *Caragana stenophylla* Pojark. | 花 |
| 豆科 | 尖叶长柄山蚂蝗 | *Desmodium fallax* Schindl. var. *mandshuricum* (Maxim.) Nakai | 全草 |
| 豆科 | 野皂荚 | *Gleditsia microphylla* Gordon ex Y. T. Lee | 果实、刺 |
| 豆科 | 少花米口袋 | *Gueldenstaedtia verna* (Georgi) Boriss. | 全草、带根全草 |
| 豆科 | 香豌豆 | *Lathyrus odoratus* Linn. | 全草 |
| 豆科 | 牧地山黧豆 | *Lathyrus pratensis* Linn. | 全草 |
| 豆科 | 野决明 | *Thermopsis lupinoides* (L.) Link | 全草 |
| 豆科 | 延边车轴草 | *Trifolium gordejevi* (Kom.) Z. Wei | 全草 |
| 豆科 | 赤豆 | *Vigna angularis* (Willd.) Ohwi et Ohashi | 种子 |
| 豆科 | 阴山胡枝子 | *Lespedeza inschanica* (Maxim.) Schindl. | 全草或根、叶 |
| 豆科 | 黑龙江野豌豆 | *Vicia amurensis* Oett. | 全草 |
| 豆科 | 长豇豆 | *Vigna unguiculata* (Linn.) Walp. subsp. *sesquipedalis* (Linn.) Verdc. | 果实 |
| 酢浆草科 | 红花酢浆草 | *Oxalis corymbosa* DC. | 全草 |
| 牻牛儿苗科 | 兴安老鹳草 | *Geranium maximowiczii* Regel et Maack | 全草 |
| 蒺藜科 | 白刺 | *Nitraria tangutorum* Bobr. | 果实 |
| 亚麻科 | 黑水亚麻 | *Linum amurense* Alef. | 全草 |
| 卫矛科 | 毛脉卫矛 | *Euonymus alatus* (Thunb.) Sieb. var. *pubescens* Maxim. | 根 |
| 鼠李科 | 朝鲜鼠李 | *Rhamnus koraiensis* Schneid. | 果实、根皮 |
| 葡萄科 | 掌裂草葡萄 | *Ampelopsis aconitifolia* Bge. var. *palmiloba* (Carr.) Rehd. | 块茎 |
| 锦葵科 | 大麻槿 | *Hibiscus cannabinus* Linn. | 叶、种子 |
| 葫芦科 | 菜瓜 | *Cucumis melo* L. var. *conomon* (Thunb.) Makino | 果实 |
| 菱科 | 越南菱 | *Trapa bicornis* Osbeck var. *cochinchinensis* (Lour.) H. Gluck ex Steenis | 果肉 |
| 菱科 | 丘角菱 | *Trapa japonica* Flerow | 果肉 |
| 菱科 | 冠菱 | *Trapa litwinowii* V. Vassil | 果肉 |
| 菱科 | 细果野菱 | *Trapa maximowiezii* Korsh. | 果实 |
| 柳叶菜科 | 深山露珠草 | *Circaea alpina* L. subsp. *caulescens* (Komarov) Tatewaki | 全草 |
| 柳叶菜科 | 黄花月见草 | *Oenothera glazioviana* Mich. | 种子 |
| 山茱萸科 | 朝鲜梾木 | *Swida coreana* (Wanger.) Sojak | 枝叶 |
| 伞形科 | 线叶柴胡 | *Bupleurum angustissimum* (Franch.) Kitagawa | 全草 |
| 伞形科 | 丝叶葛缕子 | *Carum buriaticum* Turcz. f. *angustissimum* (Kitagawa) Shan et Pu | 全草 |
| 伞形科 | 葛缕子 | *Carum carvi* L. | 果实 |
| 伞形科 | 芫荽 | *Coriandrum sativum* L. | 全草或果实 |
| 伞形科 | 兴安前胡 | *Peucedanum baicalense* (Redow.) Koch | 根 |
| 伞形科 | 具萼茴芹 | *Pimpinella calycina* Maxim. | 全草 |
| 伞形科 | 窃衣 | *Torilis scabra* (Thunb.) DC. | 全草 |
| 鹿蹄草科 | 球果假水晶兰 | *Cheilotheca humilis* (D. Don) H. Keng | 全草 |
| 鹿蹄草科 | 独丽花 | *Moneses uniflora* (Linn.) A. Gray | 全草 |

续表

| 科名 | 中文学名 | 拉丁学名 | 药用部位 |
|---|---|---|---|
| 鹿蹄草科 | 长萼鹿蹄草 | *Pyrola macrocalyx* Ohwi | 全草 |
| 鹿蹄草科 | 短柱鹿蹄草 | *Pyrola minor* Linn. | 全草 |
| 岩高兰科 | 东北岩高兰 | *Empetrum nigrum* L. var. *japonicum* K. Koch | 枝叶、果实 |
| 报春花科 | 旱生点地梅 | *Androsace lehmanniana* Spreng. | 全草 |
| 报春花科 | 胭脂花 | *Primula maximowiczii* Regel | 全草 |
| 木犀科 | 雪柳 | *Fontanesia fortunei* Carr. | 枝叶、根 |
| 木犀科 | 白蜡树 | *Fraxinus chinensis* Roxb. | 枝皮、干皮 |
| 木犀科 | 欧丁香 | *Syringa vulgaris* L. | 叶 |
| 龙胆科 | 达乌里秦艽 | *Gentiana dahurica* Fisch. | 根 |
| 龙胆科 | 秦艽 | *Gentiana macrophylla* Pall. | 根 |
| 龙胆科 | 丛生龙胆 | *Gentiana thunbergii* (G. Don) Griseb. | 全草 |
| 龙胆科 | 扁蕾 | *Gentianopsis barbata* (Froel.) Ma | 全草 |
| 萝藦科 | 紫花杯冠藤 | *Cynanchum purpureum* (Pall.) K. Schum. | 全草 |
| 茜草科 | 四叶葎 | *Galium bungei* Steud. | 全草 |
| 茜草科 | 车轴草 | *Galium odoratum* (L.) Scop. | 全草 |
| 茜草科 | 山猪殃殃 | *Galium pseudoasprellum* Makino | 全草 |
| 茜草科 | 沼猪殃殃 | *Galium uliginosum* L. | 全草 |
| 旋花科 | 南方菟丝子 | *Cuscuta australis* R. Br. | 种子 |
| 旋花科 | 欧洲菟丝子 | *Cuscuta europaea* L. | 种子 |
| 旋花科 | 蕹菜 | *Ipomoea aquatica* Forsk. | 全草 |
| 紫草科 | 狭苞斑种草 | *Bothriospermum kusnezowii* Bge. | 全草 |
| 紫草科 | 鹤虱 | *Lappula myosotis* V. Wolf | 果实 |
| 唇形科 | 青兰 | *Dracocephalum ruyschiana* L. | 全草 |
| 唇形科 | 兴安薄荷 | *Mentha dahurica* Fisch. ex Benth. | 全草 |
| 唇形科 | 野生紫苏 | *Perilla frutescens* (L.) Britt. var. *acuta* (Thunb.) Kudo | 茎、叶、果实、根及近根的老茎、宿萼 |
| 唇形科 | 毛水苏－小刚毛变种 | *Stachys baicalensis* Fisch. ex Benth. var. *hispidula* (Regel) Nakai | 根 |
| 唇形科 | 黑龙江黄芩 | *Scutellaria pekinensis* Maxim. var. *ussuriensis* (Regel) Hand.-Mazz. | 根 |
| 唇形科 | 长齿百里香 | *Thymus disjunctus* Klok. | 全草 |
| 茄科 | 小天仙子 | *Hyoscyamus bohemicus* F. W. Schmidt | 种子 |
| 茄科 | 花烟草 | *Nicotiana alata* Link et Otto | 叶 |
| 茄科 | 黄花烟草 | *Nicotiana rustica* L. | 叶 |
| 茄科 | 红果龙葵 | *Solanum alatum* Moench | 全草 |
| 玄参科 | 长腺小米草 | *Euphrasia hirtella* Jord. ex Reuter | 全草 |
| 玄参科 | 红色马先蒿 | *Pedicularis rubens* Steph. | 全草 |
| 玄参科 | 玄参 | *Scrophularia ningpoensis* Hemsl. | 根 |
| 玄参科 | 白婆婆纳 | *Veronica incana* L. | 全草 |
| 玄参科 | 水苦荬 | *Veronica undulata* Wall. | 带虫瘿果的全草、果实 |
| 玄参科 | 管花腹水草 | *Veronicastrum tubiflorum* (Fisch. et Mey.) Hara | 全草 |
| 忍冬科 | 西伯利亚接骨木 | *Sambucus sibirica* Nakai | 根皮、嫩枝 |

续表

| 科名 | 中文学名 | 拉丁学名 | 药用部位 |
| --- | --- | --- | --- |
| 败酱科 | 斑叶败酱 | *Patrinia villosa* (Thunb.) Juss. subsp. *punctifolia* H. J. Wang | 全草 |
| 桔梗科 | 长柱沙参 | *Adenophora stenanthina* (Ledeb.) Kitagawa | 根 |
| 菊科 | 碱蒿 | *Artemisia anethifolia* Web. ex Stechm | 幼苗 |
| 菊科 | 蒙古蒿 | *Artemisia mongolica* (Fisch. ex Bess.) Nakai | 茎叶 |
| 菊科 | 光沙蒿 | *Artemisia oxycephala* Kitag. | 全草 |
| 菊科 | 柔毛蒿 | *Artemisia pubescens* Ledeb. | 全草 |
| 菊科 | 高山紫菀 | *Aster alpinus* L. | 全草 |
| 菊科 | 茼蒿 | *Chrysanthemum coronarium* L. | 茎叶 |
| 菊科 | 甘菊－甘野菊变种 | *Dendranthema lavandulifolium* (Fisch. ex Trautv.) Ling et Shih var. *seticuspe* (Maxim.) Shih | 花 |
| 菊科 | 贝加尔鼠麴草 | *Gnaphalium baicalense* Kirp. | 全草 |
| 菊科 | 蓼子朴 | *Inula salsoloides* (Turcz.) Ostenf. | 全草 |
| 菊科 | 光滑小苦荬 | *Ixeridium strigosum* (Lévl. et Vaniot) Tzvel. | 全草 |
| 菊科 | 莴苣 | *Lactuca sativa* L. | 种子 |
| 菊科 | 毛连菜 | *Picris hieracioides* L. | 头状花序 |
| 菊科 | 多裂翅果菊 | *Pterocypsela laciniata* (Houtt.) Shih | 全草 |
| 菊科 | 除虫菊 | *Pyrethrum cinerariifolium* Trev. | 全草 |
| 菊科 | 北风毛菊 | *Saussurea discolor* (Willd.) DC. | 全草 |
| 菊科 | 倒羽叶风毛菊 | *Saussurea runcinata* DC. | 全草 |
| 菊科 | 吉林风毛菊 | *Saussurea subtriangulata* Kom. | 全草 |
| 菊科 | 蒙古鸦葱 | *Scorzonera mongolica* Maxim. | 根 |
| 菊科 | 豨莶 | *Siegesbeckia orientalis* L. | 地上部分 |
| 菊科 | 毛果一枝黄花－寡毛变种 | *Solidago virgaurea* L. var. *dahurica* Kitag. | 全草 |
| 菊科 | 芥叶蒲公英 | *Taraxacum brassicaefolium* Kitag. | 全草 |
| 菊科 | 异苞蒲公英 | *Taraxacum heterolepis* Nakai et Koidz. ex Kitag. | 全草 |
| 菊科 | 光苞蒲公英 | *Taraxacum lamprolepis* Kitag. | 全草 |
| 菊科 | 白花蒲公英 | *Taraxacum leucanthum* (Ledeb.) Ledeb. | 全草 |
| 菊科 | 蒙古苍耳 | *Xanthium mongolicum* Kitag. | 全草 |
| 泽泻科 | 泽泻 | *Alisma plantago-aquatica* Linn. | 球茎、叶、果实、根及根茎 |
| 泽泻科 | 浮叶慈姑 | *Sagittaria natans* Pall. | 全草 |
| 水鳖科 | 龙舌草 | *Ottelia alismoides* (Linn.) Pers. | 全草 |
| 水鳖科 | 苦草 | *Vallisneria natans* (Lour.) Hara | 全草 |
| 眼子菜科 | 异叶眼子菜 | *Potamogeton heterophyllus* Schreb. | 全草 |
| 眼子菜科 | 穿叶眼子菜 | *Potamogeton perfoliatus* L. | 全草 |
| 眼子菜科 | 海韭菜 | *Triglochin maritimum* Linn. | 全草 |
| 茨藻科 | 小茨藻 | *Najas minor* All. | 全草 |
| 百合科 | 阿尔泰葱 | *Allium altaicum* Pall. | 鳞茎 |
| 百合科 | 矮韭 | *Allium anisopodium* Ledeb. | 鳞茎 |
| 百合科 | 糙葶韭 | *Allium anisopodium* Ledeb. var. *zimmermannianum* (Gilg) Wang et Tang | 鳞茎 |

续表

| 科名 | 中文学名 | 拉丁学名 | 药用部位 |
| --- | --- | --- | --- |
| 百合科 | 辉韭 | *Allium strictum* Schrader | 全草 |
| 百合科 | 细叶韭 | *Allium tenuissimum* L. | 全草 |
| 百合科 | 黄花菜 | *Hemerocallis citrina* Baroni | 根 |
| 百合科 | 小萱草 | *Hemerocallis dumortieri* Morr. | 根及根茎 |
| 百合科 | 百合 | *Lilium brownii* F. E. Brown ex Miellez var. *viridulum* Baker | 肉质鳞茎 |
| 百合科 | 竹叶百合 | *Lilium hansonii* Leichtlin ex D. T. Moore | 全草 |
| 百合科 | 华东菝葜 | *Smilax sieboldii* Miq. | 根及根茎 |
| 石蒜科 | 垂笑君子兰 | *Clivia nobilis* Lindl. | 根 |
| 鸢尾科 | 矮紫苞鸢尾 | *Iris ruthenica* Ker-Gawl. var. *nana* Maxim. | 全草或根茎、种子、花 |
| 鸢尾科 | 细叶鸢尾 | *Iris tenuifolia* Pall. | 根、种子 |
| 灯心草科 | 洮南灯心草 | *Juncus taonanensis* Satake et Kitag. | 鳞茎 |
| 灯心草科 | 尖被灯心草 | *Juncus turczaninowii* (Buchen.) V. Krecz. | 全草 |
| 灯心草科 | 针灯心草 | *Juncus wallichianus* Laharpe | 全草 |
| 灯心草科 | 地杨梅 | *Luzula campestris* (L.) DC. | 全草或果实 |
| 灯心草科 | 华北地杨梅 | *Luzula oligantha* G. Sam. | 全草 |
| 灯心草科 | 云间地杨梅 | *Luzula wahlenbergii* Rupr. | 全草 |
| 谷精草科 | 长苞谷精草 | *Eriocaulon decemflorum* Maxim. | 全草 |
| 禾本科 | 毛颖芨芨草 | *Achnatherum pubicalyx* (Ohwi) Keng ex P. C. Kuo | 全草 |
| 禾本科 | 羽茅 | *Achnatherum sibiricum* (L.) Keng | 根 |
| 禾本科 | 獐毛 | *Aeluropus sinensis* (Debeaux) Tzvel. | 全草 |
| 禾本科 | 东北看麦娘 | *Alopecurus mandshuricus* Litw. | 全草 |
| 禾本科 | 莜麦 | *Avena chinensis* (Fisch. ex Roem. et Schult.) Metzg. | 种仁 |
| 禾本科 | 耐酸草 | *Bromus pumpellianus* Scribn. | 全草 |
| 禾本科 | 中华隐子草 | *Cleistogenes chinensis* (Maxim.) Keng | 全草 |
| 禾本科 | 糙隐子草 | *Cleistogenes squarrosa* (Trin.) Keng | 全草 |
| 禾本科 | 薏苡 | *Coix lacryma-jobi* L. | 种仁 |
| 禾本科 | 芸香草 | *Cymbopogon distans* (Nees) Wats. | 全草 |
| 禾本科 | 止血马唐 | *Digitaria ischaemum* (Schreb.) Schreb. ex Muhl. | 全草 |
| 禾本科 | 湖南稗子 | *Echinochloa frumentacea* (Roxb. ) Link | 全草 |
| 禾本科 | 披碱草 | *Elymus dahuricus* Turcz. | 全草 |
| 禾本科 | 大画眉草 | *Eragrostis cilianensis* (All.) Link. ex Vignolo-Lutati | 全草 |
| 禾本科 | 画眉草 | *Eragrostis pilosa* (L.) Beauv. | 全草或花序 |
| 禾本科 | 茅香 | *Hierochloe odorata* (L.) Beauv. | 根茎 |
| 禾本科 | 淡竹叶 | *Lophatherum gracile* Brongn. | 茎叶 |
| 禾本科 | 淡竹 | *Phyllostachys glauca* McClure | 茎竿除去外皮的中间层、鲜竿经加热后沥出的液体 |
| 禾本科 | 早熟禾 | *Poa annua* L. | 全草 |
| 禾本科 | 草地早熟禾 | *Poa pratensis* L. | 全草 |
| 禾本科 | 西伯利亚早熟禾 | *Poa sibirica* Trin. | 全草 |
| 禾本科 | 硬质早熟禾 | *Poa sphondylodes* Trin. | 全草 |

续表

| 科名 | 中文学名 | 拉丁学名 | 药用部位 |
| --- | --- | --- | --- |
| 禾本科 | 乌苏里早熟禾 | *Poa urssulensis* Trin. | 全草 |
| 禾本科 | 绿早熟禾 | *Poa viridula* Palib. | 全草 |
| 禾本科 | 毛叶鹅观草 | *Roegneria amurensis* (Drob.) Nevski | 全草 |
| 禾本科 | 多秆鹅观草 | *Roegneria multiculmis* Kitag. | 全草 |
| 禾本科 | 缘毛鹅观草 | *Roegneria pendulina* Nevski | 全草 |
| 禾本科 | 黑麦 | *Secale cereale* L. | 全草 |
| 禾本科 | 针茅 | *Stipa capillata* L. | 全草 |
| 禾本科 | 结缕草 | *Zoysia japonica* Steud. | 全草 |
| 天南星科 | 虎掌 | *Pinellia pedatisecta* Schott | 块茎 |
| 黑三棱科 | 线叶黑三棱 | *Sparganium angustifolium* Michx. | 全草 |
| 黑三棱科 | 狭叶黑三棱 | *Sparganium stenophyllum* Maxim. ex Meinsh. | 块茎 |
| 香蒲科 | 达香蒲 | *Typha davidiana* (Kronf.) Hand.-Mazz. | 花粉 |
| 莎草科 | 叉齿薹草 | *Carex gotoi* Ohwi | 全草 |
| 莎草科 | 异鳞薹草 | *Carex heterolepis* Bge. | 全草 |
| 莎草科 | 宽鳞薹草 | *Carex latisquamea* Kom. | 根 |
| 莎草科 | 条穗薹草 | *Carex nemostachys* Steud. | 全草 |
| 莎草科 | 扁秆薹草 | *Carex planiculmis* Kom. | 全草 |
| 莎草科 | 粗脉薹草 | *Carex rugulosa* Kukenth. | 全草 |
| 莎草科 | 砂地薹草 | *Carex satsumensis* Franch. et Sav. | 全草 |
| 莎草科 | 细穗薹草 | *Carex tenuispicula* T. Tang ex S. Y. Liang | 全草 |
| 莎草科 | 稗薹草 | *Carex xiphium* Kom. | 全草 |
| 莎草科 | 油莎草 | *Cyperus esculentus* var. *sativus* Boeckeler L. | 全草 |
| 莎草科 | 碎米莎草 | *Cyperus iria* L. | 全草 |
| 莎草科 | 细秆羊胡子草 | *Eriophorum gracile* Koch | 全草 |
| 莎草科 | 卵穗荸荠 | *Heleocharis soloniensis* (Dubois) Hara | 根茎 |
| 莎草科 | 短叶水蜈蚣 | *Kyllinga brevifolia* Rottb. | 全草 |
| 莎草科 | 球穗扁莎 | *Pycreus globosus* (All.) Reichb. | 全草 |
| 莎草科 | 萤蔺 | *Scirpus juncoides* Roxb. | 全草 |
| 兰科 | 布袋兰 | *Calypso bulbosa* (L.) Oakes | 全草 |
| 兰科 | 珊瑚兰 | *Corallorhiza trifida* Chat. | 全草 |
| 兰科 | 黄铃杓兰 | *Cypripedium yatabeanum* Makino | 全草 |
| 兰科 | 羊耳蒜 | *Liparis japonica* (Miq.) Maxim. | 全草 |
| 兰科 | 尖唇鸟巢兰 | *Neottia acuminata* Schltr. | 全草 |
| 草履虫科 | 大草履虫 | *Paramecium caudatum* Ehrenberg | 全体 |
| 蛔科 | 似蚓蛔线虫 | *Ascaris lumbricoides* L. | 全体 |
| 链胃蚓科 | 天锡杜拉蚓 | *Drawida gisti* Michaelsen | 全体 |
| 链胃蚓科 | 日本杜拉蚓 | *Drawida japonica* Michaelsen | 全体 |
| 链胃蚓科 | 热河杜拉蚓 | *Drawida jeholensis* Kobayashi | 全体 |
| 链胃蚓科 | 高丽杜拉蚓 | *Drawida koreana* Kobayashi | 全体 |
| 链胃蚓科 | 丛林杜拉蚓 | *Drawida nemora* Kobayashi | 全体 |
| 链胃蚓科 | 支撑杜拉蚓 | *Drawida propatula* Gates | 全体 |
| 巨蚓科 | 田埂环毛蚓 | *Pheretima aggera* Kobayashi | 全体 |

续表

| 科名 | 中文学名 | 拉丁学名 | 药用部位 |
|---|---|---|---|
| 巨蚓科 | 异毛环毛蚓 | *Pheretima diffringens* Baird | 全体 |
| 巨蚓科 | 湖北环毛蚓 | *Pheretima hupeiensis* Michaelsen | 全体 |
| 巨蚓科 | 壮伟环毛蚓 | *Pheretima robusta* Perrier | 全体 |
| 巨蚓科 | 直隶环毛蚓 | *Pheretima tschiliensis* Michaelsen | 全体 |
| 正蚓科 | 培大双胸蚓 | *Bimastus beddardi* Michaelsen | 全体 |
| 正蚓科 | 微小双胸蚓 | *Bimastus parvus* Eisen | 全体 |
| 正蚓科 | 细微双胸蚓 | *Bimastus tenuis* Eisen | 全体 |
| 正蚓科 | 赤子爱胜蚓 | *Eisenia foetida* Savigny | 全体 |
| 正蚓科 | 诺登爱胜蚓 | *Eisenia nordenskioldi* Eisen | 全体 |
| 正蚓科 | 红色爱胜蚓 | *Eisenia rosea* Savigny | 全体 |
| 正蚓科 | 威尼斯爱胜蚓 | *Eisenia wineta* Dug | 全体 |
| 舌蛭科 | 蚌蛙蛭 | *Batracobdella kasmiana* Oka | 全体 |
| 舌蛭科 | 裸蛙蛭 | *Batracobdella nuda* Moore | 全体 |
| 舌蛭科 | 宽身舌蛭 | *Glossiphonia lata* Oka | 全体 |
| 舌蛭科 | 缘拟扁蛭 | *Hemiclepsis marginata* O. F. Müller | 全体 |
| 黄蛭科 | 光润金线蛭 | *Whitmania laevis* Baird | 全体 |
| 山蛭科 | 日本山蛭 | *Haemadipsa japonica* Whitman | 全体 |
| 石蛭科 | 被衣石蛭 | *Erpobdella testacea* Savigny | 全体 |
| 田螺科 | 铜锈环棱螺 | *Bellamya aeruginosa* Reeve | 全体 |
| 田螺科 | 梨形环棱螺 | *Bellamya purificata* Heude | 全体 |
| 田螺科 | 方形环棱螺 | *Bellamya quadrata* Benson | 全体 |
| 田螺科 | 中华圆田螺 | *Cipangopaludina cathayensis* Heude | 全体 |
| 田螺科 | 中国圆田螺 | *Cipangopaludina chinensis* Gray | 全体 |
| 田螺科 | 锤斑圆田螺 | *Cipangopaludina malleatus* Reeve | 全体 |
| 田螺科 | 乌苏里圆田螺 | *Cipangopaludina ussuriensis* Grestfeldt | 全体 |
| 田螺科 | 东北田螺 | *Viviparus chui* Yen | 全体 |
| 椎实螺科 | 小土蜗 | *Galba pervia* Martens | 全体 |
| 椎实螺科 | 截口土蜗 | *Galba truncatula* Müller | 全体 |
| 椎实螺科 | 静水椎实螺 | *Lymnaea stagnalis* L. | 全体 |
| 椎实螺科 | 耳萝卜螺 | *Radix auricularia* L. | 全体 |
| 椎实螺科 | 日本萝卜螺 | *Radix japonica* Jay | 全体 |
| 椎实螺科 | 狭萝卜螺 | *Radix lagotis* Schrank | 全体 |
| 椎实螺科 | 梯旋萝卜螺 | *Radix latispira* Yen | 全体 |
| 椎实螺科 | 卵萝卜螺 | *Radix ovata* Draparnaud | 全体 |
| 椎实螺科 | 长萝卜螺 | *Radix pereger* Müller | 全体 |
| 椎实螺科 | 折叠萝卜螺 | *Radix plicatula* Benson | 全体 |
| 椎实螺科 | 椭圆萝卜螺 | *Radix swinhoei* H. Adams | 全体 |
| 巴蜗牛科 | 江西巴蜗牛 | *Bradybaena kingsiensis* Martena | 全体 |
| 巴蜗牛科 | 马氏巴蜗牛 | *Bradybaena maacki* Gerstfeldt | 全体 |
| 巴蜗牛科 | 灰巴蜗牛 | *Bradybaena ravida* Benson | 全体 |
| 巴蜗牛科 | 同型巴蜗牛 | *Bradybaena similaris* Ferussac | 全体 |
| 巴蜗牛科 | 条华蜗牛 | *Cathaica fasciola* Draparnaud | 全体 |

续表

| 科名 | 中文学名 | 拉丁学名 | 药用部位 |
| --- | --- | --- | --- |
| 蛞蝓科 | 野蛞蝓 | *Agriolimax agrestis* L. | 全体 |
| 蛞蝓科 | 半透明野蛞蝓 | *Agriolimax pellucidus* Chen et Gao | 全体 |
| 蛞蝓科 | 黄蛞蝓 | *Limax flavus* L. | 全体 |
| 嗜黏液蛞蝓科 | 双线嗜黏液蛞蝓 | *Philomycus bilineatus* Benson | 全体 |
| 珍珠蚌科 | 珠母珍珠蚌 | *Margaritiana dahurica* Middendorff | 所产珍珠 |
| 蚌科 | 蚶形无齿蚌 | *Anodonta arcaeformis* Heude | 贝壳 |
| 蚌科 | 舟形无齿蚌 | *Anodonta euscaphys* Heude | 贝壳 |
| 蚌科 | 吉亚无齿蚌 | *Anodonta kijaensis* Moskvicheve | 贝壳 |
| 蚌科 | 小无齿蚌 | *Anodonta parva* Moskvicheve | 贝壳 |
| 蚌科 | 背角无齿蚌 | *Anodonta woodiana* Lea | 所产珍珠 |
| 蚌科 | 褶纹冠蚌 | *Cristaria plicata* Leach | 所产珍珠 |
| 蚌科 | 三角帆蚌 | *Hyriopsis cumingii* Lea | 所产珍珠 |
| 蚌科 | 椭圆丽蚌 | *Lamprotula gottschei* Von Martens | 所产珍珠 |
| 蚌科 | 短褶矛蚌 | *Lanceolaria grayana* Lea | 贝壳 |
| 蚌科 | 东亚珠蚌 | *Unio continentalis* Haas | 贝壳 |
| 蚌科 | 圆顶珠蚌 | *Unio douglasiae* Gray | 贝壳 |
| 蚬科 | 河蚬 | *Corbicula fluminea* Müller | 肉 |
| 蚬科 | 闪蚬 | *Corbicula nitens* Philippi | 肉 |
| 长臂虾科 | 秀丽白虾 | *Exopalaemon modestus* Heller | 全体 |
| 长臂虾科 | 日本沼虾 | *Macrobrachium nipponensis* De Haan | 全体 |
| 长臂虾科 | 中华小长臂虾 | *Palaemonetes sinensis* Sollaud | 全体 |
| 河虾科 | 东北蝲蛄 | *Cambaroides dauricus* Pallas | 胃内磨石 |
| 河虾科 | 朝鲜蝲蛄 | *Cambaroides similis* Koelbel | 胃内磨石 |
| 园蛛科 | 隆肩园蛛 | *Araneus abscissus* Karsch | 全体 |
| 园蛛科 | 角圆蛛 | *Araneus cornutus* Clerck | 全体 |
| 园蛛科 | 六斑园蛛 | *Araneus displicatus* Hentz | 全体 |
| 园蛛科 | 荆园蛛 | *Araneus dumetorcum* Fourcroy | 全体 |
| 园蛛科 | 花岗园蛛 | *Araneus marmoreus* Clerck | 全体 |
| 园蛛科 | 五纹园蛛 | *Araneus pentagrammicus* Karsch | 全体 |
| 园蛛科 | 肥胖园蛛 | *Araneus pinguis* Karsch | 全体 |
| 园蛛科 | 杂黑斑园蛛 | *Araneus variegatus* Yaginuma | 全体 |
| 园蛛科 | 大腹圆蛛 | *Araneus ventricosus* L. Koch | 全体 |
| 园蛛科 | 东方胜利园蛛 | *Araneus victoria orientalis* Kulczynski | 全体 |
| 园蛛科 | 横纹金蛛 | *Argiope bruennichii* Scopoli | 全体 |
| 壁钱科 | 北国壁钱 | *Uroctea lesserti* Schenkel | 全体 |
| 漏斗网蛛科 | 机敏漏斗蛛 | *Agelena difficilis* Fox | 全体 |
| 漏斗网蛛科 | 迷路草蛛 | *Agelena labyrinhica* Clerck | 全体 |
| 漏斗网蛛科 | 华丽漏斗蛛 | *Agelena opulenta* L. Koch | 全体 |
| 漏斗网蛛科 | 刺辨隙蛛 | *Coelotes spinivulva* Simon | 全体 |
| 漏斗网蛛科 | 家隅蛛 | *Tegenaria domestica* Clerck | 全体 |
| 跳蛛科 | 浊斑扁蝇虎 | *Menemerus confusus* Boesenberg et Strand | 全体 |
| 跳蛛科 | 云南扁蝇虎 | *Menemerus yunnanensis* Schenkel | 全体 |

续表

| 科名 | 中文学名 | 拉丁学名 | 药用部位 |
|---|---|---|---|
| 山蛩科 | 约安山蛩 | *Spirobolus joannisi* Brolemann | 全体 |
| 衣鱼科 | 多毛栉衣鱼 | *Ctenolepisma villosa* Fabricius | 全体 |
| 衣鱼科 | 糖衣鱼 | *Lepisma saccharinum* L. | 全体 |
| 蜓科 | 琉璃黑蜓 | *Aeschna juncea* L. | 全体 |
| 蜓科 | 斑蜻蜓 | *Aeschna mixta* Latreille | 全体 |
| 蜓科 | 尼钩蜓 | *Aeschna nigroflava* Martin | 全体 |
| 蜓科 | 碧伟蜓 | *Anax parthenope julius* Brauer | 全体 |
| 蜓科 | 蓝面蜓 | *Polycanthagyna melanictera* Selys | 全体 |
| 蜻科 | 红蜻 | *Crocothemis servilia* Drury | 全体 |
| 蜻科 | 异色多纹蜻 | *Deielia phaon* Selys | 全体 |
| 蜻科 | 纹蓝小蜻 | *Diplacodes trivialis* Rambur | 全体 |
| 蜻科 | 松原小蜻 | *Leucorrhinia dubia orientalis* Selys | 全体 |
| 蜻科 | 小斑蜻 | *Libellula quadrimaculata* L. | 全体 |
| 蜻科 | 闪绿宽腹蜻 | *Lyriothemis pachygastra* Selys | 全体 |
| 蜻科 | 白尾灰蜻 | *Orthetrum albistylum* Selys | 全体 |
| 蜻科 | 黄蜻 | *Pantala flavescens* Fabricius | 全体 |
| 蜻科 | 大赤蜻 | *Sympetrum baccha* Selys | 全体 |
| 蜻科 | 半黄赤蜻 | *Sympetrum croceolum* Selys | 全体 |
| 蜻科 | 斑赤蜻 | *Sympetrum danae* Sulzer | 全体 |
| 蜻科 | 夏赤蜻 | *Sympetrum darwinianum* Selys | 全体 |
| 蜻科 | 低赤蜻 | *Sympetrum depressiusculum* Selys | 全体 |
| 蜻科 | 竖眉赤蜻 | *Sympetrum eroticum ardens* McLachlan | 全体 |
| 蜻科 | 月眉赤蜻 | *Sympetrum eroticum eroticum* Selys | 全体 |
| 蜻科 | 长白赤蜻 | *Sympetrum flaveolum* L. | 全体 |
| 蜻科 | 黄腿赤蜻 | *Sympetrum imitens* Selys | 全体 |
| 蜻科 | 褐顶赤蜻 | *Sympetrum infuscatum* Selys | 全体 |
| 蜻科 | 小黄赤蜻 | *Sympetrum kunckeli* Selys | 全体 |
| 蜻科 | 褐带赤蜻 | *Sympetrum pedemontanum* Allioni | 全体 |
| 蜻科 | 拟黑纹赤蜻 | *Sympetrum striolatum imitoides* Bartenef | 全体 |
| 蜻科 | 大黄赤蜻 | *Sympetrum uniforme* Selys | 全体 |
| 蜚蠊科 | 东方蜚蠊 | *Blatta orientalis* L. | 全体 |
| 蜚蠊科 | 美洲大蠊 | *Periplaneta americana* L. | 全体 |
| 蜚蠊科 | 黑胸大蠊 | *Periplaneta fuliginosa* Serville | 全体 |
| 姬蠊科 | 德国小蠊 | *Blattella germanica* L. | 全体 |
| 螳螂科 | 广斧螳 | *Hierodula patellifera* Serville | 卵鞘 |
| 螳螂科 | 薄翅螳 | *Mantis religiosa* L. | 卵鞘 |
| 螳螂科 | 华北螳螂 | *Paratenodera augustipennis* Saussure | 卵鞘 |
| 螳螂科 | 绿污斑螳 | *Statilia nemoralis* Saussure | 卵鞘 |
| 螳螂科 | 窄大刀螂 | *Tenodera aridfolia angustipennis* Saussure | 卵鞘 |
| 螳螂科 | 南大刀螳螂 | *Tenodera aridifolia aridifolia* Stoll | 卵鞘 |
| 螳螂科 | 中华螳螂 | *Tenodera aridifolia sinensis* Saussure | 卵鞘 |
| 蝗科 | 疣蝗 | *Trilophidia annulata* Thunb. | 全体 |

续表

| 科名 | 中文学名 | 拉丁学名 | 药用部位 |
| --- | --- | --- | --- |
| 蝗科 | 中华剑角蝗 | *Acrida cinerea* Thunberg | 全体 |
| 蝗科 | 鼓翅皱膝蝗 | *Angaracris barabensis* Pallas | 全体 |
| 蝗科 | 隆额网翅蝗 | *Arcyptera coreana* Shir. | 全体 |
| 蝗科 | 白膝网翅蝗 | *Arcyptera fusca albogeniculata* Ikonnikal | 全体 |
| 蝗科 | 异翅负蝗 | *Atractomorpha hetercoptera* B.-Bienko | 全体 |
| 蝗科 | 长额负蝗 | *Atractomorpha lata* Motsh | 全体 |
| 蝗科 | 短额负蝗 | *Atractomorpha sinensis* I. Bol. | 全体 |
| 蝗科 | 黄胫痂蝗 | *Bryodema holdereri holderi* Krauss | 全体 |
| 蝗科 | 白边痂蝗 | *Bryodema luctuosum luctuosum* Stoll | 全体 |
| 蝗科 | 轮纹异痂蝗 | *Bryodemella tuberculatum dilutum* Stoll | 全体 |
| 蝗科 | 短星翅蝗 | *Calliptamus abbreviatus* Ikonn. | 全体 |
| 蝗科 | 云斑车蝗 | *Castrimargus marmoratus* Thunb. | 全体 |
| 蝗科 | 黑翅雏蝗 | *Chorthippus aethalinus* Zub. | 全体 |
| 蝗科 | 中宽雏蝗 | *Chorthippus apricarius* L. | 全体 |
| 蝗科 | 异色雏蝗 | *Chorthippus biguttulus* L. | 全体 |
| 蝗科 | 条雏蝗 | *Chorthippus bilineatus* Zhang | 全体 |
| 蝗科 | 褐色雏蝗 | *Chorthippus brunneus* Thunb. | 全体 |
| 蝗科 | 长白山雏蝗 | *Chorthippus changbaishanensis* Liu | 全体 |
| 蝗科 | 狭翅雏蝗 | *Chorthippus dubius* Zubovsky | 全体 |
| 蝗科 | 北方雏蝗 | *Chorthippus hammarstoemi* Miram | 全体 |
| 蝗科 | 东方雏蝗 | *Chorthippus intermedius* B.-Bienko | 全体 |
| 蝗科 | 山林雏蝗 | *Chorthippus montanus* Charpentier | 全体 |
| 蝗科 | 长白山金色蝗 | *Chrysacris changbaishanensis* Ren et Zhang | 全体 |
| 蝗科 | 粗壮金色蝗 | *Chrysacris robusta* Lian et Zheng | 全体 |
| 蝗科 | 大绿洲蝗 | *Chrysochraon dispar major* Uv. | 全体 |
| 蝗科 | 毛足棒角蝗 | *Dasyhippus barbipes* F.-W. | 全体 |
| 蝗科 | 北京棒角蝗 | *Dasyhippus peipingensis* Chang | 全体 |
| 蝗科 | 长翅燕蝗 | *Eirenephilus longipennis* Shir. | 全体 |
| 蝗科 | 大垫尖翅蝗 | *Epacromius coerulipes* Ivan. | 全体 |
| 蝗科 | 邱氏异爪蝗 | *Euchorthippus cheui* Hsia | 全体 |
| 蝗科 | 黑膝异爪蝗 | *Euchorthippus fusigeniculatus* Jin et Zhang | 全体 |
| 蝗科 | 草原异爪蝗 | *Euchorthippus pulvinatus* F.-W. | 全体 |
| 蝗科 | 素色异爪蝗 | *Euchorthippus unicolor* Ikonn. | 全体 |
| 蝗科 | 条纹异爪蝗 | *Euchorthippus vittatus* Zheng | 全体 |
| 蝗科 | 左家异爪蝗 | *Euchorthippus zuojianus* Zheng et Ren | 全体 |
| 蝗科 | 直瓣蝗 | *Euthystria brachyptera brachyptera* Ocsk | 全体 |
| 蝗科 | 黄股直背蝗 | *Euthystria lueifemora* Zhang, Zheng et Ren | 全体 |
| 蝗科 | 赤翅蝗 | *Geles skalozubovi* Adel. | 全体 |
| 蝗科 | 大赤翅蝗 | *Geles skalozubovi akitanus* Shiraki | 全体 |
| 蝗科 | 西伯利亚蝗 | *Gomphocerus sibiricus sibiricus* L. | 全体 |
| 蝗科 | 笨蝗 | *Haplotropis brunneriana* Saussure | 全体 |
| 蝗科 | 东亚飞蝗 | *Locusta migratoria manilensis* Meyen | 全体 |

续表

| 科名 | 中文学名 | 拉丁学名 | 药用部位 |
|---|---|---|---|
| 蝗科 | 日本沼泽蝗 | *Mecostethus magister* Rehn | 全体 |
| 蝗科 | 长白山玛蝗 | *Miramella changbaishanensis* Cong, Zheng et Lian | 全体 |
| 蝗科 | 中华玛蝗 | *Miramella sinensis* Chang | 全体 |
| 蝗科 | 玛蝗 | *Miramella solitaria* Ikonn. | 全体 |
| 蝗科 | 长翅蚁蝗 | *Myrmeleotettix longipennis* Zhang | 全体 |
| 蝗科 | 宽须蚁蝗 | *Myrmeleotettix palpalis* Zub. | 全体 |
| 蝗科 | 红腹牧草蝗 | *Omocestus haemorrhoidalis* Charp. | 全体 |
| 蝗科 | 曲线牧草蝗 | *Omocestus petraeus* Bris. | 全体 |
| 蝗科 | 红胫牧草蝗 | *Omocestus ventralis* Zeller | 全体 |
| 蝗科 | 绿牧草蝗 | *Omocestus viridulus* L. | 全体 |
| 蝗科 | 无齿稻蝗 | *Oxya adentata* Willemse | 全体 |
| 蝗科 | 中华稻蝗 | *Oxya chinensis* Thunberg | 全体 |
| 蝗科 | 短翅稻蝗 | *Oxya japonica* Will. | 全体 |
| 蝗科 | 小稻蝗 | *Oxya intricata* Stal | 全体 |
| 蝗科 | 长翅稻蝗 | *Oxya velox* Fabricius | 全体 |
| 蝗科 | 草绿蝗 | *Parapleurus alliaceus* Germ. | 全体 |
| 蝗科 | 凹须翘尾蝗 | *Primnoa cavicerca* Zhang | 全体 |
| 蝗科 | 白纹翘尾蝗 | *Primnoa mandshurica* Rme. | 全体 |
| 蝗科 | 翘尾蝗 | *Primnoa primnoa* F.-W. | 全体 |
| 蝗科 | 长翅素木蝗 | *Shirakiacris shirakii* I. Bol. | 全体 |
| 蝗科 | 蒙古束颈蝗 | *Sphingonotus mongolicus* Sauss. | 全体 |
| 蝗科 | 黄股秃蝗 | *Podisma aberrans* Ikonn | 全体 |
| 蝗科 | 红股秃蝗 | *Podisma pedestris pedestris* (L.) | 全体 |
| 螽蟖科 | 土褐螽蟖 | *Atlanticus jeholensis* Mari | 全体 |
| 螽蟖科 | 优雅蝈螽 | *Gampsocleis gratiosa* Brunnervon Wattenwyl | 全体 |
| 螽蟖科 | 绿螽 | *Holochlora nawae* Matsumura et Shiraki | 全体 |
| 螽蟖科 | 小翅螽 | *Metrioptera hime* Furrkawa | 全体 |
| 螽蟖科 | 欧亚树螽 | *Phaneroptera falcata* Poda | 全体 |
| 蟋蟀科 | 中华蟋蟀 | *Gryllus chinensis* Weber | 全体 |
| 蟋蟀科 | 长尾树蟋 | *Oecanthus longicauda* Matsumura | 全体 |
| 蟋蟀科 | 北京油葫芦 | *Teleogryllus mitratus* Burmeister | 全体 |
| 蝼蛄科 | 东方蝼蛄 | *Gryllotalpa orientalis* Burmeister | 全体 |
| 蝉科 | 小黑蝉 | *Cicadetra raditor* Uhler | 蜕皮 |
| 蝉科 | 黑蚱蝉 | *Cryptotympana pustulata* Fabricius | 蜕皮 |
| 蝉科 | 雷鸣蝉 | *Oncotympana maculaticollis* Motschulsky | 蜕皮 |
| 蝉科 | 绿寒蝻蝉 | *Melampsalta pellosama* Uhler | 蜕皮 |
| 蝉科 | 雨春蝉 | *Terpnosia vacua* Olivier | 蜕皮 |
| 蜡蝉科 | 斑衣蜡蝉 | *Lycorma delicatula* White | 全体 |
| 蝽科 | 稻绿蝽 | *Nezara viridula smaragdula* Fabricius | 全体 |
| 兜蝽科 | 小皱蝽 | *Cyclopelta parva* Distant | 全体 |
| 凤蝶科 | 碧翠凤蝶 | *Papilio bianor* Cramer | 幼虫 |
| 凤蝶科 | 浓眉碧凤蝶 | *Papilio bianor mandchurica* Matsumura | 幼虫 |

续表

| 科名 | 中文学名 | 拉丁学名 | 药用部位 |
| --- | --- | --- | --- |
| 凤蝶科 | 高山黑凤蝶 | *Papilio maackii* Ménétriès | 幼虫 |
| 凤蝶科 | 金凤蝶 | *Papilio machaon* L. | 幼虫 |
| 凤蝶科 | 乌凤蝶 | *Papilio protenor demetrius* Cremer | 幼虫 |
| 凤蝶科 | 柑橘凤蝶 | *Papilio xuthus* L. | 幼虫 |
| 粉蝶科 | 斑缘豆粉蝶 | *Colias erate* Esper | 全体 |
| 粉蝶科 | 橙黄豆粉蝶 | *Colias fieldii* Ménétriès | 全体 |
| 粉蝶科 | 黎明豆粉蝶 | *Colias heos* Herbst | 全体 |
| 粉蝶科 | 豆粉蝶 | *Colias hyale* L. | 全体 |
| 粉蝶科 | 黑缘豆粉蝶 | *Colias palaeno* L. | 全体 |
| 粉蝶科 | 尖钩粉蝶 | *Gonepteryx mahaguru* Gistel | 全体 |
| 粉蝶科 | 钩粉蝶 | *Gonepteryx rhamni* L. | 全体 |
| 粉蝶科 | 黑脉粉蝶 | *Pieris melete* Ménétriès | 全体 |
| 粉蝶科 | 云莱粉蝶 | *Pontia daplidice* L. | 全体 |
| 刺蛾科 | 黄刺蛾 | *Cnidocampa flavescens* Walker | 全体 |
| 刺蛾科 | 褐刺蛾 | *Iragoides conjuncta* Walker | 全体 |
| 刺蛾科 | 褐边绿刺蛾 | *Latoia consocia* Walker | 全体 |
| 刺蛾科 | 双齿绿刺蛾 | *Latoia hilarata* Staudinger | 全体 |
| 刺蛾科 | 迹斑绿刺蛾 | *Latoia pastoralis* Butler | 全体 |
| 刺蛾科 | 中国绿刺蛾 | *Latoia sinica* Moore | 全体 |
| 刺蛾科 | 迷刺蛾 | *Miresina banghaasi* Hering et Hopp | 全体 |
| 刺蛾科 | 梨娜刺蛾 | *Narosoideus flavidorsalis* Staudinger | 全体 |
| 刺蛾科 | 绒刺蛾 | *Phocoderma velutina* Kollar | 全体 |
| 刺蛾科 | 茶锈刺蛾 | *Phrixolepia sericea* Butler | 全体 |
| 刺蛾科 | 扁刺蛾 | *Thosea sinensis* Walker | 全体 |
| 螟蛾科 | 粟灰螟 | *Chilo infuscatellus* Snellen | 全体 |
| 螟蛾科 | 芦禾草螟 | *Chilo luteellus* Motschulsky | 全体 |
| 螟蛾科 | 二化螟 | *Chilo suppressalis* Walker | 全体 |
| 野螟科 | 玉米螟 | *Ostrinia nubilalis* Hübner | 全体 |
| 野螟科 | 高粱条螟 | *Proceras venosatus* Walker | 全体 |
| 木蠹蛾科 | 柳乌蠹蛾 | *Holcocerus vicarius* Walker | 幼虫 |
| 灯蛾科 | 豹灯蛾 | *Arctia caja* L. | 幼虫 |
| 步甲科 | 屁步甲 | *Pterostichus jessoensis* Morawitz | 全体 |
| 步甲科 | 大宽步甲 | *Pterostichus magnus* Bates | 全体 |
| 步甲科 | 扁通缘步甲 | *Pterostichus fortis* Morawitz | 全体 |
| 步甲科 | 通缘步甲 | *Pterostichus gebleri* Degean | 全体 |
| 步甲科 | 紫鞘黑通缘步甲 | *Pterostichus laemostemomimus* Luts | 全体 |
| 步甲科 | 小头通缘步甲 | *Pterostichus microcephalus* Motschulsky | 全体 |
| 步甲科 | 洁胸通缘步甲 | *Pterostichus nitidicollis* Motschulsky | 全体 |
| 隐翅虫科 | 多毛隐翅虫 | *Paederus densipennis* Bernhauer | 全体 |
| 隐翅虫科 | 青翅蚁形隐翅虫 | *Paederus fuscipes* Curtis | 全体 |
| 隐翅虫科 | 黄胸青腰 | *Paederus idea* Lewis | 全体 |
| 隐翅虫科 | 五点方首隐翅虫 | *Philonthus rectangulus* Sharp | 全体 |

续表

| 科名 | 中文学名 | 拉丁学名 | 药用部位 |
|---|---|---|---|
| 龙虱科 | 黄边大龙虱 | *Cybister japonicus* Sharp | 全体 |
| 龙虱科 | 截附吸盘龙虱 | *Cybister lewisianus* Sharp | 全体 |
| 龙虱科 | 三点龙虱 | *Cybister tripunctatus* Olivier | 全体 |
| 龙虱科 | 三星龙虱 | *Cybister tripunctatus orientalis* Gschwendtn | 全体 |
| 叩头虫科 | 细胸叩头虫 | *Agriotes fuscicollis* Miwa | 全体 |
| 叩头虫科 | 齿纹叩头虫 | *Agriotes longicollis* Lewis | 全体 |
| 叩头虫科 | 大褐叩头虫 | *Agriotes persimilis* Lewis | 全体 |
| 豉甲科 | 豉虫 | *Gyrinus curtus* Motsch. | 全体 |
| 萤科 | 源氏萤 | *Luciola vitticollis* Kies | 全体 |
| 天牛科 | 桑天牛 | *Apriona germari* Hope | 成虫 |
| 天牛科 | 北方小筒天牛 | *Phytoecia cylindrica* Ganglbauer | 幼虫 |
| 天牛科 | 密毛小筒天牛 | *Phytoecia densepubens* Pic | 幼虫 |
| 天牛科 | 菊小筒天牛 | *Phytoecia rufiventris* Gautier | 幼虫 |
| 天牛科 | 三条小筒天牛 | *Phytoecia sibirica* Gebler | 幼虫 |
| 天牛科 | 麻竖毛天牛 | *Thyestilla gebleri* Faldermann | 幼虫 |
| 沟胫天牛科 | 星天牛 | *Anoplophora chinensis* Forster | 成虫 |
| 沟胫天牛科 | 光肩星天牛 | *Anoplophora glabripennis* Motschulsky | 幼虫 |
| 鳃金龟科 | 东北大黑鳃金龟 | *Holotrcihia diomphalia* Bates | 幼虫 |
| 鳃金龟科 | 直脊齿爪鳃金龟 | *Holotrcihia koraiensis* Murayama | 幼虫 |
| 鳃金龟科 | 暗黑鳃金龟 | *Holotrcihia parallela* Waterhouse | 幼虫 |
| 鳃金龟科 | 华北大黑鳃金龟 | *Holotrcihia oblita* Faldermann | 幼虫 |
| 鳃金龟科 | 华南大黑鳃金龟 | *Holotrcihia sauteri* Moster | 幼虫 |
| 鳃金龟科 | 棕色鳃金龟 | *Holotrcihia titanis* Reitter | 幼虫 |
| 金龟子科 | 神农蜣螂 | *Catharsius molossus* L. | 成虫 |
| 金龟子科 | 大蜣螂 | *Scarabaeus sacer* L. | 成虫 |
| 粪金龟科 | 紫蜣螂 | *Geotrupes auratus* Motschulsky | 成虫 |
| 粪金龟科 | 滑带粪金龟 | *Geotrupes laevistriatus* Motschulsky | 成虫 |
| 犀金龟科 | 突背蔗龟 | *Alissonotum impressicolle* Arrow | 幼虫 |
| 犀金龟科 | 橡胶犀金龟 | *Dynastes gideon* L. | 成虫 |
| 丽金龟科 | 白毛绿丽金龟 | *Anomala albopilosa* Hope | 幼虫 |
| 丽金龟科 | 多色异丽蛂 | *Anomala chamaeleon* Fairmaire | 幼虫 |
| 丽金龟科 | 铜绿丽金龟 | *Anomala corpulenta* Motschulsky | 幼虫 |
| 丽金龟科 | 红脚绿丽金龟 | *Anomala cupripes* Hope | 幼虫 |
| 丽金龟科 | 黄褐丽金龟 | *Anomala exoleta* Faldermann | 幼虫 |
| 丽金龟科 | 侧斑异丽蛂 | *Anomala luculenta smaragdina* Ohaus | 幼虫 |
| 丽金龟科 | 蒙古异丽蛂 | *Anomala mongolica* Faldermann | 幼虫 |
| 丽金龟科 | 红铜异丽蛂 | *Anomala rufsocuprea* Motschulsky | 幼虫 |
| 丽金龟科 | 黄色异丽蛂 | *Anomala sulcipennis* Faldermann | 幼虫 |
| 丽金龟科 | 白星花金龟 | *Liocola brevitarsus* Lewis | 幼虫 |
| 丽金龟科 | 大条丽金龟 | *Mimela costata* Hope | 幼虫 |
| 丽金龟科 | 粗绿彩丽蛂 | *Mimela holosericea* Fabricius | 幼虫 |
| 丽金龟科 | 墨绿彩丽金龟 | *Mimela splendens* Gyllenhal | 幼虫 |

续表

| 科名 | 中文学名 | 拉丁学名 | 药用部位 |
|---|---|---|---|
| 丽金龟科 | 紫绿彩丽蛄 | *Mimela testaceipes* Motschulsky | 幼虫 |
| 吉丁甲科 | 日本脊吉丁虫 | *Chalcophora japonica* Gory | 全体 |
| 蜾蠃科 | 北方蜾蠃 | *Eumenes coarctatus* L. | 全体 |
| 蜾蠃科 | 镶黄蜾蠃 | *Eumenes decoratus* Smith | 全体 |
| 蜾蠃科 | 中华唇蜾蠃 | *Eumenes ladiatus sinicus* Giordani Soika | 全体 |
| 蜾蠃科 | 陆蜾蠃 | *Eumenes mediterraneus mediterraneus* Kriechbaumer | 全体 |
| 蜾蠃科 | 茎蜾蠃 | *Eumenes pedunculatus pedunculatus* Panzer | 全体 |
| 蜾蠃科 | 点蜾蠃 | *Eumenes pomifomris* Fab. | 全体 |
| 蜾蠃科 | 孔蜾蠃 | *Eumenes punctatus* Saussure | 全体 |
| 蜾蠃科 | 孪蜾蠃 | *Eumenes fraterculus* Dalla Tarre | 全体 |
| 叶蜂科 | 回叶蜂 | *Tenthredo hilaris* Sm. | 全体 |
| 准蜂科 | 黄胸木蜂 | *Xylocopa appendiculata* Smith | 全体 |
| 准蜂科 | 中华木蜂 | *Xylocopa sinensis* Smith | 全体 |
| 树蜂科 | 冷杉大树蜂 | *Sirex giaga* L. | 全体 |
| 树蜂科 | 日本树蜂 | *Sirex japonicus* Sm. | 全体 |
| 树蜂科 | 黑顶树蜂 | *Tgremex apicalis* Matsumura | 全体 |
| 树蜂科 | 烟扁角树蜂 | *Tgremex fuscicornis* Fabricius | 全体 |
| 土蜂科 | 四点土蜂 | *Scolia 4-pustulata* Fabricius | 成虫 |
| 土蜂科 | 大斑土蜂 | *Scolia clypeata* Sickman | 成虫 |
| 土蜂科 | 黑体花斑土蜂 | *Scolia histrionica* Fabricius | 成虫 |
| 土蜂科 | 日本土蜂 | *Scolia japonica* Smith | 成虫 |
| 土蜂科 | 眼斑土蜂 | *Scolia oculata* Matsumura | 成虫 |
| 土蜂科 | 红足花斑土蜂 | *Scolia potanini* Morawitz | 成虫 |
| 土蜂科 | 中华土蜂 | *Scolia sinensis* Saussure | 成虫 |
| 土蜂科 | 赤纹土蜂 | *Seolia vittifrons* Sau. | 成虫 |
| 胡蜂科 | 中长黄胡蜂 | *Dolichovespula media* Rrtzius | 巢 |
| 胡蜂科 | 挪威长黄胡蜂 | *Dolichovespula norvegica* Fabricius | 巢 |
| 胡蜂科 | 太平洋长黄胡蜂 | *Dolichovespula pacifica birula* Pacifica | 巢 |
| 胡蜂科 | 凹纹胡蜂 | *Vespa velutina auraria* Smith | 巢 |
| 胡蜂科 | 三齿胡蜂 | *Vespa analis parallela* Andre | 巢 |
| 胡蜂科 | 黄边胡蜂 | *Vespa crabro crabro* L. | 巢 |
| 胡蜂科 | 纹胡蜂 | *Vespa crabroniformis* Smith | 巢 |
| 胡蜂科 | 黑尾胡蜂 | *Vespa tropica ducalis* Smith | 巢 |
| 胡蜂科 | 易黄胡蜂 | *Vespa flaviceps lewisii* Cameron | 巢 |
| 胡蜂科 | 大胡蜂 | *Vespa magnifica* Smith | 巢 |
| 胡蜂科 | 金环胡蜂 | *Vespa mandarinia* Smith | 巢 |
| 胡蜂科 | 斑纹胡蜂 | *Vespa mongolica* Andre | 巢 |
| 胡蜂科 | 近胡蜂 | *Vespa simillima* Smith | 巢 |
| 胡蜂科 | 细黄胡蜂 | *Vespula flaviceps flaviceps* Smith | 巢 |
| 胡蜂科 | 德国黄胡蜂 | *Vespula germanica* Fabricius | 巢 |
| 胡蜂科 | 朝鲜黄胡蜂 | *Vespula koreensis koreensis* Radoszkowski | 巢 |
| 胡蜂科 | 东北黄胡蜂 | *Vespula rufa intermedia* Byrsson | 巢 |

续表

| 科名 | 中文学名 | 拉丁学名 | 药用部位 |
|---|---|---|---|
| 胡蜂科 | 带黄胡蜂 | *Vespula shidai* Ishikiwa | 巢 |
| 胡蜂科 | 常见黄胡蜂 | *Vespula vulgaris* L. | 巢 |
| 马蜂科 | 角马蜂 | *Polistes antennalis* Perez | 巢 |
| 马蜂科 | 中华马蜂 | *Polistes chinensis* Saussure | 巢 |
| 马蜂科 | 家马蜂 | *Polistes fadwigae* Dalla Torre | 巢 |
| 马蜂科 | 柞蚕马蜂 | *Polistes gallicus gallicus* L. | 巢 |
| 马蜂科 | 日本马蜂 | *Polistes japonicus* Saussure | 巢 |
| 马蜂科 | 陆马蜂 | *Polistes rothneyi grahami* Van der Vecht | 巢 |
| 马蜂科 | 斯马蜂 | *Polistes snelleni* Saussure | 巢 |
| 蚁科 | 北方蚁 | *Formica aquilonia* Yarrow | 全体 |
| 蚁科 | 狭头山蚁 | *Formica exsecia* Nylander | 全体 |
| 蚁科 | 血红蚁 | *Formica sanguinea fusciceps* Emery | 全体 |
| 蚁科 | 血红林蚁 | *Formica sanguinea* Latreille | 全体 |
| 蚁科 | 高加索黑蚁 | *Formica transkaucasica* Nasonov | 全体 |
| 蚁科 | 少毛红蚁 | *Formica wongi* Wu | 全体 |
| 蚁科 | 石狩红蚁 | *Formica yessensis* Forel | 全体 |
| 丽蝇科 | 大头金蝇 | *Chrysomyia megacephala* Fabricius | 幼虫 |
| 丽蝇科 | 崂山壶绿蝇 | *Lucilia ampullacea laoshanensis* Quo | 幼虫 |
| 丽蝇科 | 沈阳绿蝇 | *Lucilia bazini shenyangensis* Fan | 幼虫 |
| 丽蝇科 | 叉叶绿蝇 | *Lucilia caesar* L. | 幼虫 |
| 丽蝇科 | 秦氏绿蝇 | *Lucilia chini* Fan | 幼虫 |
| 丽蝇科 | 亮绿蝇 | *Lucilia illustris* Meigen | 幼虫 |
| 丽蝇科 | 丝光绿蝇 | *Lucilia sericata* Meigen | 幼虫 |
| 丽蝇科 | 山西绿蝇 | *Lucilia shansiensis* Fan | 幼虫 |
| 蝇科 | 舍蝇 | *Musca domestica vicina* Macquart | 幼虫 |
| 蝇科 | 狭额腐蝇 | *Muscina angustifrons* Loew | 幼虫 |
| 蝇科 | 肖腐蝇 | *Muscina assimilis* Fallen | 幼虫 |
| 蝇科 | 胖腐蝇 | *Muscina pabulorum* Fallen | 幼虫 |
| 蝇科 | 牧场腐蝇 | *Muscina pascuorum* Fallen | 幼虫 |
| 蝇科 | 厩腐蝇 | *Muscina stabulans* Fallen | 幼虫 |
| 蝇科 | 欧妙蝇 | *Myiospila meditabunda meditabunda* Fabricius | 幼虫 |
| 狗虱蝇科 | 长茎狗虱蝇 | *Hippobosca longipennis* Fabricius | 幼虫 |
| 食蚜蝇科 | 长尾管蚜蝇 | *Eristalis tenax* L. | 幼虫 |
| 虻科 | 憎黄虻 | *Atylotus miser* Szilady | 雌虫 |
| 虻科 | 村黄虻 | *Atylotus rusticus* L. | 雌虫 |
| 虻科 | 土灰虻 | *Tabanus amaenus* Walker | 雌虫 |
| 虻科 | 布虻 | *Tabanus budda* Portschinsky | 雌虫 |
| 虻科 | 双虻 | *Tabanus geminus* Szilady | 雌虫 |
| 虻科 | 黄色虻 | *Tabanus horvathi* Szilady | 雌虫 |
| 虻科 | 华虻 | *Tabanus mandarinus* Schiner | 雌虫 |
| 虻科 | 陋黄虻 | *Tabanus miser* Szilady | 雌虫 |
| 虻科 | 灰黑黄虻 | *Tabanus plebejus* Fallen | 雌虫 |

续表

| 科名 | 中文学名 | 拉丁学名 | 药用部位 |
|---|---|---|---|
| 虻科 | 雁虻 | *Tabanus pleskei* Kröber | 雌虫 |
| 虻科 | 丽黄虻 | *Tabanus pulchellus karybenthinus* Szilady | 雌虫 |
| 虻科 | 微赤虻 | *Tabanus rusticus* L. | 雌虫 |
| 虻科 | 拟白斑黄虻 | *Tabanus takasagoensis* Shiraki | 雌虫 |
| 虻科 | 三角虻 | *Tabanus trigonus* Coquilet | 雌虫 |
| 芫菁科 | 中华豆芫菁 | *Epicauta chinensis* Laporte | 全体 |
| 芫菁科 | 疑豆芫菁 | *Epicauta dubia* Fabricius | 全体 |
| 芫菁科 | 锯角豆芫菁 | *Epicauta gorhami* Marseul | 全体 |
| 芫菁科 | 大头豆芫菁 | *Epicauta megalocephala* Gebler | 全体 |
| 芫菁科 | 暗头豆芫菁 | *Epicauta obscurocephala* Reitter | 全体 |
| 芫菁科 | 西伯利亚豆芫菁 | *Epicauta sibirica* Pallas | 全体 |
| 芫菁科 | 黑豆芫菁 | *Epicauta taishuensis dubia* Fabricius | 全体 |
| 芫菁科 | 绿芫菁 | *Lytta caragane* Pallas | 全体 |
| 芫菁科 | 绿边芫菁 | *Lytta suturella* Motschulsky | 全体 |
| 芫菁科 | 短翅地胆 | *Meloe coarctatus* Motschulsky | 全体 |
| 芫菁科 | 圆胸地胆 | *Meloe corvinus* Marseul | 全体 |
| 芫菁科 | 曲角短翅地胆 | *Meloe proscarabaeus* L. | 全体 |
| 芫菁科 | 长地胆 | *Meloe violaceus* L. | 全体 |
| 芫菁科 | 苹斑芫菁 | *Mylabris calida* Pallas | 全体 |
| 芫菁科 | 大斑芫菁 | *Mylabris phalerata* Pallas | 全体 |
| 芫菁科 | 小斑芫菁 | *Mylabris splendidula* Pallas | 全体 |
| 七鳃鳗科 | 日本七鳃鳗 | *Lampetra japonica* Martens | 全体 |
| 七鳃鳗科 | 东北七鳃鳗 | *Lampetra morii* Berg | 全体 |
| 七鳃鳗科 | 雷氏七鳃鳗 | *Lampetra reissneri* Dyboeski | 全体 |
| 鲟科 | 史氏鲟 | *Acipenser schrencki* Brandt | 鳔、精巢 |
| 鲟科 | 鳇 | *Huso dauricus* Georgi | 鳔、精巢 |
| 鲑科 | 驼背大麻哈鱼 | *Oncorhynchus gorbuscha* Walbaum | 肉、头 |
| 鲑科 | 大麻哈鱼 | *Oncorhynchus keta* Walbaum | 肉、头 |
| 鲑科 | 马苏大麻哈鱼 | *Oncorhynchus masou* Brevoort | 肉、头 |
| 银鱼科 | 前颌间银鱼 | *Hemisalanx prognathus* Regan | 全体 |
| 鳗鲡科 | 日本鳗鲡 | *Anguilla japonica* Temminck et Schlegel | 肉 |
| 鲤科 | 鳙 | *Aristichthys nobilis* Richardson | 肉、头、胆 |
| 鲤科 | 鲫 | *Carassius auratus* L. | 全体、鳞、胆、卵、胆 |
| 鲤科 | 草鱼 | *Ctenopharyngodon idellus* Cuvier et Valenciennes | 肉、胆、肠 |
| 鲤科 | 翘嘴鲌 | *Culter alburnus* Basilewsky | 全体、胆 |
| 鲤科 | 红鳍原鲌 | *Culterichthys erythropterus* Basilewsky | 全体、胆 |
| 鲤科 | 鲤 | *Cyprinus carpio* L. | 肉、胆、眼球 |
| 鲤科 | 唇䱻 | *Hemibarbus labeo* Pallas | 全体 |
| 鲤科 | 䱗 | *Hemiculter leucisculus* Basilewsky | 全体 |
| 鲤科 | 鲢 | *Hypophthalmichthys molitrix* Cuvier et Valenciennes | 全体、胆、眼球 |
| 鲤科 | 团头鲂 | *Megalobrama amblycephala* Yih | 肉 |
| 鲤科 | 三角鲂 | *Megalobrama terminalis* Richardson | 肉 |

续表

| 科名 | 中文学名 | 拉丁学名 | 药用部位 |
|---|---|---|---|
| 鲤科 | 青鱼 | *Mylopharyngodon piceus* Richardson | 肉、胆、枕骨 |
| 鲤科 | 赤眼鳟 | *Squaliobarbus curriculus* Richardson | 肉、胆 |
| 鲤科 | 宽鳍鱲 | *Zacco platypus* Temminck et Schlegel | 肉 |
| 鳅科 | 泥鳅 | *Misgurnus anguillicaudatus* Cantor | 全体、黏液 |
| 鮨科 | 鳜 | *Siniperca chuatsi* Basilewsky | 全体 |
| 月鳢科 | 乌鳢 | *Channa argus* Cantor | 全体 |
| 杜父鱼科 | 松江鲈鱼 | *Trachidermus fasciatus* Heckle | 全体 |
| 小鲵科 | 东北小鲵 | *Hynobius leechii* Boulenger | 全体 |
| 小鲵科 | 爪鲵 | *Onychodactylus fischeri* Boulenger | 全体 |
| 小鲵科 | 极北鲵 | *Salamandrella keyserlingii* Dybowsky | 全体 |
| 铃蟾科 | 东方铃蟾 | *Bombina orientalis* Boulenger | 口中分泌物、全体 |
| 蟾蜍科 | 花背蟾蜍 | *Bufo raddei* Strauch | 全体、胆囊、耳后腺分泌的白色浆汁、头、舌、肝 |
| 雨蛙科 | 无斑雨蛙 | *Hyla immaculata* Boettger | 全体 |
| 雨蛙科 | 东北雨蛙 | *Hyla japonica* Guenther | 全体 |
| 蛙科 | 黑斑侧褶蛙 | *Pelophylax nigromaculatus* Hallowell | 除去内脏的全体、蝌蚪、胆 |
| 蛙科 | 桓仁林蛙 | *Rana huanrenensis* Liu, Zhang et Liu | 全体、输卵管 |
| 蛙科 | 东北粗皮蛙 | *Rugosa emeljanovi* Nikolsky | 全体、胆汁 |
| 壁虎科 | 无蹼壁虎 | *Gekko swinhonis* Günther | 全体 |
| 蜥蜴科 | 丽斑麻蜥 | *Eremias argus* Peters | 全体 |
| 蜥蜴科 | 密点麻蜥 | *Eremias multiocellata* Günther | 全体 |
| 蜥蜴科 | 黑龙江草蜥 | *Takydromus amurensis* Peters | 全体 |
| 蜥蜴科 | 北草蜥 | *Takydromus septentrionalis* Günther | 全体 |
| 蜥蜴科 | 白缘草蜥 | *Takydromus wolteri* Fisther | 全体 |
| 游蛇科 | 灰链游蛇 | *Amphiesma vibakari* Boie | 蜕皮 |
| 游蛇科 | 黄脊游蛇 | *Coluber spinalis* Peters | 全体、蜕皮 |
| 游蛇科 | 赤链蛇 | *Dinodon rufozoatum* Cantor | 全体、蜕皮 |
| 游蛇科 | 双斑锦蛇 | *Elaphe bimaculata* Schmidt | 蜕皮 |
| 游蛇科 | 团花锦蛇 | *Elaphe davidi* Sauvage | 蜕皮 |
| 游蛇科 | 白条锦蛇 | *Elaphe dione* Pallas | 全体、蜕皮 |
| 游蛇科 | 红点锦蛇 | *Elaphe rufodorsata* Cantor | 全体、蜕皮 |
| 游蛇科 | 棕黑锦蛇 | *Elaphe schrenckii* Strauch | 全体、蜕皮 |
| 游蛇科 | 虎斑颈槽蛇 | *Rhabdophis tigrinus* Bore | 全体、蜕皮 |
| 蝰科 | 短尾蝮 | *Gloydius brevicaudus* Stejneger | 全体、胆、皮、蜕皮、骨、脂肪、毒素 |
| 蝰科 | 岩栖蝮 | *Gloydius saxatilis* Emelianov | 全体、胆、皮、蜕皮、骨、脂肪、毒素 |
| 蝰科 | 乌苏里蝮 | *Gloydius ussuriensis* Emelianov | 全体、胆、皮、蜕皮、骨、脂肪、毒素 |
| 蝰科 | 竹叶青蛇 | *Trimeresurus stejnegeri* Schmidt | 蜕皮 |
| 蝰科 | 极北蝰 | *Vipera berus* L. | 毒素 |

续表

| 科名 | 中文学名 | 拉丁学名 | 药用部位 |
| --- | --- | --- | --- |
| 鸊鷉科 | 凤头鸊鷉 | *Podiceps cristatus* L. | 全体 |
| 鸊鷉科 | 赤颈鸊鷉 | *Podiceps grisegena* Boddaert | 全体 |
| 鸊鷉科 | 小鸊鷉 | *Podiceps ruficollis* Pallas | 全体 |
| 鹭科 | 苍鹭 | *Ardea cinerea* L. | 肉 |
| 鹭科 | 草鹭 | *Ardea purpurea manilensis* Meyen | 肉 |
| 鹭科 | 大麻鳽 | *Botaurus stellaris* Linseus | 肉 |
| 鹭科 | 绿鹭 | *Butorides striatus* L. | 肉 |
| 鹭科 | 大白鹭 | *Egretta alba* L. | 肉 |
| 鹭科 | 紫背苇鳽 | *Ixobrychus eurhythmus* Swinhoe | 肉 |
| 鹭科 | 黄斑苇鳽 | *Ixobrychus sinensis* Gmelin | 肉 |
| 鹭科 | 白瑟鹭 | *Platalea leucorodia* L. | 肉 |
| 鹭科 | 黑脸琵鹭 | *Platalea minor* Temminck et Schlegel | 肉 |
| 鹳科 | 白鹳 | *Ciconia ciconia* L. | 肉、骨 |
| 鹳科 | 黑鹳 | *Ciconia nigra* L. | 肉、骨 |
| 鸭科 | 鸳鸯 | *Aix galericulata* L. | 全体 |
| 鸭科 | 瑟嘴鸭 | *Anas clypeata* L. | 全体 |
| 鸭科 | 绿翅鸭 | *Anas crecca* L. | 全体 |
| 鸭科 | 罗纹鸭 | *Anas falcate* Georgi | 全体 |
| 鸭科 | 家鸭 | *Anas platyrhynchos domestica* L. | 血、肉、头、涎液、胆、卵、砂囊内壁 |
| 鸭科 | 绿头鸭 | *Anas platyrhynchos* L. | 全体 |
| 鸭科 | 斑嘴鸭 | *Anas poecilorhyncha* Forster | 全体 |
| 鸭科 | 白额雁 | *Anser albifrons* Scopoli | 肉 |
| 鸭科 | 灰雁 | *Anser anser* L. | 肉 |
| 鸭科 | 家鹅 | *Anser cygnoides domestica* Brisson | 肉、砂囊内壁、血、胆、涎液、脂肪、蛋壳、腿骨 |
| 鸭科 | 鸿雁 | *Anser cygnoides* L. | 肉 |
| 鸭科 | 小白额雁 | *Anser erythropus* L. | 肉 |
| 鸭科 | 豆雁 | *Anser fabalis* Latham | 肉 |
| 鸭科 | 斑头雁 | *Anser indicus* Latham | 肉 |
| 鸭科 | 青头潜鸭 | *Aythya baeri* Radde | 全体 |
| 鸭科 | 红头潜鸭 | *Aythya ferina* L. | 全体 |
| 鸭科 | 凤头潜鸭 | *Aythya fuligula* L. | 全体 |
| 鸭科 | 斑背潜鸭 | *Aythya marila* L. | 全体 |
| 鸭科 | 小天鹅 | *Cygnus columbianus* Yarrell | 绒毛、胆、脂肪、肉 |
| 鸭科 | 大天鹅 | *Cygnus cygnus* L. | 绒毛、胆、脂肪、肉 |
| 鸭科 | 疣鼻天鹅 | *Cygnus olor* Gmelin | 绒毛、胆、脂肪、肉 |
| 鸭科 | 斑头秋沙鸭 | *Mergus albellus* L. | 肉、骨 |
| 鸭科 | 普通秋沙鸭 | *Mergus merganser* L. | 肉、骨 |
| 鸭科 | 红胸秋沙鸭 | *Mergus serrator* L. | 肉、骨 |
| 鸭科 | 中华秋沙鸭 | *Mergus squamatus* Gould | 肉、骨 |
| 鸭科 | 翘鼻麻鸭 | *Tadorna tadorna* L. | 肉 |

续表

| 科名 | 中文学名 | 拉丁学名 | 药用部位 |
| --- | --- | --- | --- |
| 鸭科 | 赤麻鸭 | *Tadorna ferruginea* Pallas | 肉 |
| 鹰科 | 苍鹰 | *Accipiter gentilis* L. | 骨 |
| 鹰科 | 雀鹰 | *Accipiter nisus* L. | 骨 |
| 鹰科 | 秃鹫 | *Aegypius monachus* L. | 肉、骨 |
| 鹰科 | 金雕 | *Aquila chrysaetos* L. | 肉、骨 |
| 鹰科 | 乌雕 | *Aquila clanga* Pallas | 肉、骨 |
| 鹰科 | 普通鵟 | *Buteo buteo* L. | 骨 |
| 鹰科 | 大鵟 | *Buteo hemilasius* Temminck et Schlegel | 肉、羽毛 |
| 鹰科 | 白尾鹞 | *Circus cyaneus* L. | 肉 |
| 鹰科 | 鹊鹞 | *Circus melanoleucos* Pennant | 肉 |
| 鹰科 | 白尾海雕 | *Haliaeetus albicilla* L. | 肉 |
| 鹰科 | 玉带海雕 | *Haliaeetus leucoryphus* Pallas | 肉 |
| 鹰科 | 鸢 | *Milvus migrans* Gmelin | 爪、骨、胆 |
| 鹗科 | 鹗 | *Pandion haliaetus* L. | 骨 |
| 隼科 | 猎隼 | *Falco cherrug* Gray | 肉、骨 |
| 隼科 | 游隼 | *Falco peregrinus* Tunstall | 肉、骨 |
| 隼科 | 红隼 | *Falco tinnunculus* L. | 肉、骨 |
| 隼科 | 红脚隼 | *Falco vespertinus* L. | 肉、骨 |
| 松鸡科 | 黑琴鸡 | *Lyrurus tetrix* L. | 肉 |
| 松鸡科 | 细嘴松鸡 | *Tetrao parvirostris* Bonaparte | 肉 |
| 松鸡科 | 花尾榛鸡 | *Tetrastes bonasia* L. | 肉 |
| 雉科 | 石鸡 | *Alectoris graeca* Meisner | 肉 |
| 雉科 | 鹌鹑 | *Coturnix coturnix* L. | 肉、卵 |
| 雉科 | 蓝马鸡 | *Crossoptilon auritum* Pallas | 肉 |
| 雉科 | 绿孔雀 | *Pavo muticus* L. | 肉 |
| 雉科 | 斑翅山鹑 | *Perdix dauuricae* Pallas | 肉 |
| 雉科 | 雉鸡 | *Phasianus colchicus* L. | 肉 |
| 雉科 | 白冠长尾雉 | *Syrmaticus reevesii* J. E. Gray | 肉 |
| 三趾鹑科 | 黄脚三趾鹑 | *Turnix tanki* Blyth | 肉 |
| 鹤科 | 蓑羽鹤 | *Anthropoides virgo* L. | 骨、脂肪 |
| 鹤科 | 丹顶鹤 | *Grus japonensis* P. L. S. Müller | 肉、骨、脑 |
| 秧鸡科 | 白骨顶 | *Fulica atra* L. | 全体 |
| 秧鸡科 | 黑水鸡 | *Gallinula chloropus* L. | 全体 |
| 秧鸡科 | 红胸田鸡 | *Porzana fusca* L. | 全体 |
| 秧鸡科 | 小田鸡 | *Porzana pusilla* Pallas | 全体 |
| 秧鸡科 | 普通秧鸡 | *Rallus aquaticus* L. | 全体 |
| 鸨科 | 大鸨 | *Otis tarda* L. | 肉、脂肪 |
| 鹬科 | 大沙锥 | *Capella megala* Swinhoe | 肉 |
| 鹬科 | 针尾沙锥 | *Capella stenura* Bonaparte | 肉 |
| 鹬科 | 白腰杓鹬 | *Numenius arquata* L. | 肉 |
| 鹬科 | 红腰杓鹬 | *Numenius madagascariensis* L. | 肉 |
| 鹬科 | 中杓鹬 | *Numenius phaeopus* L. | 肉 |

续表

| 科名 | 中文学名 | 拉丁学名 | 药用部位 |
|---|---|---|---|
| 鹬科 | 丘鹬 | *Scolopax rusticola* L. | 肉 |
| 鹬科 | 矶鹬 | *Tringa hypoleucos* L. | 肉 |
| 鹬科 | 青脚鹬 | *Tringa nebularia* Gunnerus | 肉 |
| 鹬科 | 红脚鹬 | *Tringa tetanus* L. | 肉 |
| 鸻科 | 金眶鸻 | *Charadrius dubius* Scopoli | 全体 |
| 鸻科 | 剑鸻 | *Charadrius hiaticula* L. | 全体 |
| 鸻科 | 灰头麦鸡 | *Vanellus cinereus* Blyth | 肉 |
| 鸻科 | 凤头麦鸡 | *Vanellus vanellus* L. | 肉 |
| 蛎鹬科 | 蛎鹬 | *Haematopus ostralegus* L. | 肉 |
| 反嘴鹬科 | 反嘴鹬 | *Recurvirostra avosetta* L. | 肉 |
| 鸥科 | 须浮欧 | *Chlidonias hybrida* Pallas | 肉 |
| 鸥科 | 白翅浮鸥 | *Chlidonias leucoptera* Temminck | 肉 |
| 鸥科 | 红嘴鸥 | *Larus ridibundus* L. | 肉 |
| 鸥科 | 白额燕鸥 | *Sterna albifrons* Pallas | 肉 |
| 鸥科 | 普通燕鸥 | *Sterna hirundo* L. | 肉 |
| 沙鸡科 | 毛腿沙鸡 | *Syrrhaptes paradoxus* Pallas | 全体 |
| 鸠鸽科 | 家鸽 | *Columba livia domestica* L. | 肉、血、卵、粪便 |
| 鸠鸽科 | 原鸽 | *Columba livia* Gmelin | 全体 |
| 鸠鸽科 | 岩鸽 | *Columba rupestris* Pallas | 肉 |
| 鸠鸽科 | 灰斑鸠 | *Streptopelia decaocto* Frivaldszky | 肉 |
| 鸠鸽科 | 山斑鸠 | *Streptopelia orientalis* Latham | 肉 |
| 杜鹃科 | 大杜鹃 | *Cuculus canorus* L. | 肉 |
| 杜鹃科 | 棕腹杜鹃 | *Cuculus fugax* Horsfield | 肉 |
| 杜鹃科 | 四声杜鹃 | *Cuculus micropterus* Gould | 肉 |
| 杜鹃科 | 小杜鹃 | *Cuculus poliocephalus* Latham | 肉 |
| 杜鹃科 | 中杜鹃 | *Cuculus saturatus* Blyth | 肉 |
| 鸱鸮科 | 短耳鸮 | *Asio flammeus* Pontoppidan | 肉 |
| 鸱鸮科 | 长耳鸮 | *Asio otus* L. | 肉 |
| 鸱鸮科 | 雕鸮 | *Bubo bubo* L. | 肉 |
| 鸱鸮科 | 领角鸮 | *Otus bakkamoena* Pennant | 肉 |
| 鸱鸮科 | 红角鸮 | *Otus scops* L. | 肉 |
| 鸱鸮科 | 灰林鸮 | *Strix aluco* L. | 肉 |
| 鸱鸮科 | 乌林鸮 | *Strix nebulosa* Forster | 肉 |
| 鸱鸮科 | 长尾林鸮 | *Strix uralensis* Pallas | 肉 |
| 夜鹰科 | 普通夜鹰 | *Caprimulgus indicus* Latham | 全体 |
| 雨燕科 | 楼燕 | *Apus apus* Linné | 肉 |
| 雨燕科 | 白腰雨燕 | *Apus pacificus* Latham | 唾液 |
| 雨燕科 | 针尾雨燕 | *Hirundapus caudacutus* Latham | 唾液 |
| 翠鸟科 | 普通翠鸟 | *Alcedo atthis* L. | 肉 |
| 翠鸟科 | 赤翡翠 | *Halcyon coromanda major* Temm. et Schl. | 肉 |
| 翠鸟科 | 蓝翡翠 | *Halcyon pileata* Boddaert | 肉 |
| 佛法僧科 | 三宝鸟 | *Eurystomus orientalis* Linné | 肉 |

续表

| 科名 | 中文学名 | 拉丁学名 | 药用部位 |
| --- | --- | --- | --- |
| 戴胜科 | 戴胜 | *Upupa epops* L. | 肉 |
| 啄木鸟科 | 棕腹啄木鸟 | *Dendrocopos hyperythrus* Vigors | 肉 |
| 啄木鸟科 | 白背啄木鸟 | *Dendrocopos leucotos* Bechstein | 肉 |
| 啄木鸟科 | 斑啄木鸟 | *Dendrocopos major* L. | 肉 |
| 啄木鸟科 | 小斑啄木鸟 | *Dendrocopos minor* L. | 肉 |
| 啄木鸟科 | 黑啄木鸟 | *Dryocopus martius* L. | 肉 |
| 啄木鸟科 | 蚁裂 | *Jynx torquilla* L. | 肉 |
| 啄木鸟科 | 星头啄木鸟 | *Picoides canicapillus* Blyth | 肉 |
| 啄木鸟科 | 三趾啄木鸟 | *Picoides tridactylus tridactylus* L. | 肉 |
| 啄木鸟科 | 灰头啄木鸟 | *Picus canus* Gmelin | 肉 |
| 百灵科 | 云雀 | *Alauda arvensis* L. | 肉 |
| 百灵科 | 角百灵 | *Eremophila alpestris* L. | 肉 |
| 百灵科 | 凤头百灵 | *Galerida cristata* L. | 肉 |
| 百灵科 | 蒙古百灵 | *Melanocorypha mongolica mongolica* Pallas | 肉 |
| 燕科 | 毛脚燕 | *Delichon urbica* L. | 唾液、巢、卵 |
| 燕科 | 金腰燕 | *Hirundo daurica* L. | 唾液、巢 |
| 燕科 | 家燕 | *Hirundo rustica* L. | 唾液、巢 |
| 燕科 | 灰沙燕 | *Riparia riparia* L. | 肉 |
| 鹡鸰科 | 田鹨 | *Anthus novaeseelandiae* Gmelin | 肉 |
| 鹡鸰科 | 山鹡鸰 | *Dendronanthus indicus* Gmelin | 肉 |
| 鹡鸰科 | 白鹡鸰 | *Motacilla alba* L. | 肉 |
| 鹡鸰科 | 灰鹡鸰 | *Motacilla cinerea* Tunstall | 肉 |
| 鹡鸰科 | 黄鹡鸰 | *Motacilla flava* L. | 肉 |
| 山椒鸟科 | 灰山椒鸟 | *Pericrocotus divaricatus* Raffles | 肉 |
| 山椒鸟科 | 长尾山椒鸟 | *Pericrocotus ethologus* Bans et Phillips | 肉 |
| 太平鸟科 | 太平鸟 | *Bombycilla garrulus* L. | 肉 |
| 太平鸟科 | 小太平鸟 | *Bombycilla japonica* Siebold | 肉 |
| 伯劳科 | 牛头伯劳 | *Lanius bucephalus* Temminck et Schlegel | 肉 |
| 伯劳科 | 红尾伯劳 | *Lanius cristatus* L. | 肉 |
| 伯劳科 | 长尾灰伯劳 | *Lanius sphenocercus* Cabanis | 肉 |
| 伯劳科 | 虎纹伯劳 | *Lanius tigrinus* Drapiez | 肉 |
| 黄鹂科 | 黑枕黄鹂 | *Oriolus chinensis* L. | 肉 |
| 卷尾科 | 黑卷尾 | *Dicrurus macrocercus* Vieillot | 肉 |
| 椋鸟科 | 灰椋鸟 | *Sturnus cineraceus* Temminck | 肉 |
| 椋鸟科 | 北椋鸟 | *Sturnus sturninus* Pallas | 肉 |
| 鸦科 | 小嘴乌鸦 | *Corvus corone* L. | 肉 |
| 鸦科 | 秃鼻乌鸦 | *Corvus frugilegus* L. | 肉 |
| 鸦科 | 大嘴乌鸦 | *Corvus macrorhynchus* Vagler | 肉 |
| 鸦科 | 寒鸦 | *Corvus monedula* L. | 肉 |
| 鸦科 | 白颈鸦 | *Corvus torquatus* Lesson | 肉 |
| 鸦科 | 灰喜鹊 | *Cyanopica cyana* Pallas | 肉 |
| 鸦科 | 松鸦 | *Garrulus glandarius* L. | 肉 |

续表

| 科名 | 中文学名 | 拉丁学名 | 药用部位 |
|---|---|---|---|
| 鸦科 | 星鸦 | *Nucifraga caryocatactes* L. | 肉 |
| 鸦科 | 喜鹊 | *Pica pica* L. | 肉 |
| 鸦科 | 红嘴山鸦 | *Pyrrhocorax pyrrhocorax* L. | 肉 |
| 河乌科 | 河乌 | *Cinclus cinclus* L. | 肉 |
| 鹪鹩科 | 鹪鹩 | *Troglodytes troglodytes* L. | 肉 |
| 岩鹨科 | 领岩鹨 | *Prunella collaris* Scopoli | 肉 |
| 岩鹨科 | 棕眉山岩鹨 | *Prunella montanella* Pallas | 肉 |
| 鹟科 | 虎斑地鸫 | *Zoothera dauma* Latham | 肉 |
| 鹟科 | 大苇莺 | *Acrocephalus arundinaceus* L. | 肉 |
| 鹟科 | 黑眉苇莺 | *Acrocephalus bistrigiceps* Swinhoe | 肉 |
| 鹟科 | 稻田苇莺 | *Acrocephalus agricola* Jerdon | 肉 |
| 鹟科 | 短翅树莺 | *Cettia diphone* Kittlitz | 肉 |
| 鹟科 | 白腹蓝姬鹟 | *Ficedula cyanomelana* Temminck | 肉 |
| 鹟科 | 画眉 | *Garrulax canorus* Linné | 肉 |
| 鹟科 | 红点颏 | *Luscinia calliope* Pallas | 肉 |
| 鹟科 | 蓝歌鸲 | *Luscinia cyane* Pallas | 肉 |
| 鹟科 | 红尾歌鸲 | *Luscinia sibilans* Swinhoe | 肉 |
| 鹟科 | 蓝点颏 | *Luscinia svecica* L. | 肉 |
| 鹟科 | 白喉矶鸫 | *Monticola cinclorhynchus* Vigors | 肉 |
| 鹟科 | 北灰鹟 | *Muscicapa davurica* Pallas | 肉 |
| 鹟科 | 乌鹟 | *Muscicapa sibirica* Gmelin | 肉 |
| 鹟科 | 沙鹏 | *Oenanthe isabellina* Temmiarck | 肉 |
| 鹟科 | 棕头鸦雀 | *Paradoxornis webbianus* G. R. Gray | 肉 |
| 鹟科 | 北红尾鸲 | *Phoenicurus auroreus* Pallas | 肉 |
| 鹟科 | 芦莺 | *Phragamaticola aedon rufescens* Stegmann | 肉 |
| 鹟科 | 褐柳莺 | *Phylloscopus fuscatus* Blyth | 肉 |
| 鹟科 | 极北柳莺 | *Phylloscopus borealis* Blasius | 肉 |
| 鹟科 | 灰脚柳莺 | *Phylloscopus tenellipes* Swinhoe | 肉 |
| 鹟科 | 黄眉柳莺 | *Phylloscopus inornatus* Blyth | 肉 |
| 鹟科 | 黄腰柳莺 | *Phylloscopus proregulus* Pallas | 肉 |
| 鹟科 | 冕柳莺 | *Phylloscopus coronatus* Temm. et Schl. | 肉 |
| 鹟科 | 暗绿柳莺 | *Phylloscopus trochiloides Sundevall* | 肉 |
| 鹟科 | 巨嘴柳莺 | *Phylloscopus schwarzi* Radde | 肉 |
| 鹟科 | 戴菊 | *Regulus regulus* L. | 肉 |
| 鹟科 | 山鹛 | *Rhopophilus* coronatus Temm. et Schl. | 肉 |
| 鹟科 | 黑喉石鹏 | *Saxicola torquata* L. | 肉 |
| 鹟科 | 红胁蓝尾鸲 | *Tarsiger cyanurus* Pallas | 肉 |
| 鹟科 | 寿带鸟 | *Terpsiphone paradisi* L. | 肉 |
| 鹟科 | 灰背鸫 | *Turdus hortulorum* Sclater | 肉 |
| 鹟科 | 斑鸫 | *Turdus naumanni* Temminck | 肉 |
| 山雀科 | 银喉长尾山雀 | *Aegithalos caudatus* L. | 全体 |
| 山雀科 | 煤山雀 | *Parus ater* L. | 全体 |

续表

| 科名 | 中文学名 | 拉丁学名 | 药用部位 |
| --- | --- | --- | --- |
| 山雀科 | 大山雀 | *Parus major* L. | 全体 |
| 山雀科 | 褐头山雀 | *Parus montanus* Baldenstein | 全体 |
| 山雀科 | 沼泽山雀 | *Parus palustris* L. | 全体 |
| 䴓科 | 普通䴓 | *Sitta europaea* L. | 肉 |
| 䴓科 | 黑头䴓 | *Sitta villosa villosa* Verreaux | 肉 |
| 旋木雀科 | 旋木雀 | *Certhia familiaris* L. | 肉 |
| 攀雀科 | 攀雀 | *Remiz pendulinus* L. | 肉、巢 |
| 绣眼鸟科 | 红胁绣眼鸟 | *Zosterops erythropleura* Swinhoe | 肉 |
| 雀科 | 铁爪鹀 | *Calcarius lapponicus* L. | 肉 |
| 雀科 | 金翅雀 | *Carduelis sinica* L. | 肉 |
| 雀科 | 黄雀 | *Carduelis spinus* L. | 肉 |
| 雀科 | 普通朱雀 | *Carpodacus erythrinus* Pallas | 肉 |
| 雀科 | 北朱雀 | *Carpodacus roseus* Pallas | 肉 |
| 雀科 | 锡嘴雀 | *Coccothraustes coccothraustes* L. | 肉 |
| 雀科 | 黄胸鹀 | *Emberiza aureola* Pallas | 全体 |
| 雀科 | 黄喉鹀 | *Emberiza elegans* Temminck | 肉 |
| 雀科 | 苇鹀 | *Emberiza pallasi polaris* Middendroff | 肉 |
| 雀科 | 田鹀 | *Emberiza rustica* Pallas | 肉 |
| 雀科 | 小鹀 | *Emberiza pusilla* Pallas | 肉 |
| 雀科 | 灰头鹀 | *Emberiza spodocephala* Pallas | 全体 |
| 雀科 | 芦鹀 | *Emberiza schoeniclus* L. | 肉 |
| 雀科 | 红颈苇鹀 | *Emberiza yessoensis* Swinhoe | 肉 |
| 雀科 | 三道眉草鹀 | *Emberiza cioidea* Brandt | 肉 |
| 雀科 | 黑尾蜡嘴雀 | *Eophona migratoria* Hartert | 肉 |
| 雀科 | 黑头蜡嘴雀 | *Eophona personata* Temminck et Schlegel | 肉 |
| 雀科 | 燕雀 | *Fringilla montifringilla* L. | 肉 |
| 雀科 | 红交嘴雀 | *Loxia curvirostra* L. | 肉 |
| 雀科 | 白翅交嘴雀 | *Loxia leucoptera bifasciata* Brehm | 肉 |
| 雀科 | 灰腹灰雀 | *Pyrrhula griseiventris* Lafresnare | 肉 |
| 雀科 | 长尾雀 | *Uragus sibiricus* Pallas | 肉 |
| 猬科 | 达乌尔猬 | *Hemiechinus dauuricus* Sundevall | 皮、肉、脂肪、心、肝、胆 |
| 鼩鼱科 | 大麝鼩 | *Crocidura lasiura lasiura* Dobson | 全体 |
| 鼩鼱科 | 东北小麝鼩 | *Crocidura suaveolens* Pallas | 全体 |
| 鼩鼱科 | 普通鼩鼱 | *Sorex araneus* L. | 全体 |
| 鼩鼱科 | 中鼩鼱 | *Sorex caecutiens* Laxmann | 全体 |
| 鼩鼱科 | 栗齿鼩鼱 | *Sorex daphaenodon* Thomas | 全体 |
| 鼩鼱科 | 小鼩鼱 | *Sorex minutus hyojironis* Kuroda | 全体 |
| 鼩鼱科 | 巨鼩鼱 | *Sorex mirabilis* Ognev | 全体 |
| 鼹鼠科 | 大缺齿鼹 | *Mogera robusta* Nehring | 全体 |
| 菊头蝠科 | 大菊头蝠 | *Rhinolophus ferrumequinum* Schreber | 粪便 |
| 蝙蝠科 | 大棕蝠 | *Eptesicus serotinus* Schreber | 粪便、全体 |

续表

| 科名 | 中文学名 | 拉丁学名 | 药用部位 |
| --- | --- | --- | --- |
| 蝙蝠科 | 白腹管鼻蝠 | *Murina leucogaster* Milne-Edwards | 粪便、全体 |
| 蝙蝠科 | 水鼠耳蝠 | *Myotis daubentoni* Kuhl | 粪便、全体 |
| 蝙蝠科 | 伊氏鼠耳蝠 | *Myotis ikonnikovi* Ognev | 粪便、全体 |
| 蝙蝠科 | 纳氏鼠耳蝠 | *Myotis nattereri* Kühl | 粪便、全体 |
| 蝙蝠科 | 东方蝙蝠 | *Vespertilio sinensis Peters* | 粪便、全体 |
| 兔科 | 草兔 | *Lepus capensis* L. | 粪便、肉、皮毛、骨、血、脑、肝、胎、胆汁 |
| 兔科 | 东北兔 | *Lepus mandshuricus* Radde | 粪便、肉、皮毛、骨、血、脑、肝、胎、胆汁 |
| 鼠兔科 | 达乌尔鼠兔 | *Ochotona dauurica* Pallas | 粪便 |
| 鼠兔科 | 高山鼠兔 | *Ochotona alpina* Pallas | 粪便 |
| 松鼠科 | 草原黄鼠 | *Citellus citellus* L. | 肉 |
| 松鼠科 | 花鼠 | *Eutamias sibiricus* Laxmann | 脑 |
| 松鼠科 | 草原旱獭 | *Marmota bobak* Müller | 肉、骨、脂肪 |
| 松鼠科 | 松鼠 | *Sciurus vulgaris* L. | 全体 |
| 鼯鼠科 | 小飞鼠 | *Pteromys volans* L. | 粪便 |
| 鼹形鼠科 | 草原鼢鼠 | *Myospalax aspalax* Pallas | 全体 |
| 鼹形鼠科 | 东北鼢鼠 | *Myospalax psilurus* Milne-Edwards | 全体 |
| 仓鼠科 | 麝鼠 | *Ondatra zibethicus* L. | 香囊分泌物 |
| 鼠科 | 褐家鼠 | *Rattus norvegicus* Berkenhout | 幼鼠、皮、血、脂肪、肾、肝 |
| 犬科 | 狼 | *Canis lupus* L. | 肉、脂肪、甲状腺 |
| 犬科 | 豺 | *Cuon alpinus* Pallas | 肉、皮 |
| 犬科 | 貉 | *Nyctereutes procyonoides* Gray | 肉 |
| 犬科 | 赤狐 | *Vulpes vulpes* L. | 肉、头、肺、心、肠、肝、胆、四肢 |
| 熊科 | 棕熊 | *Ursus arctos* L. | 胆、脂肪、脚掌、脑、筋 |
| 熊科 | 黑熊 | *Ursus thibetanus* Cuvier | 胆、脂肪、脚掌、脑、筋 |
| 引鼬科 | 水獭 | *Lutra lutra* L. | 肝、骨、四肢 |
| 引鼬科 | 黄喉貂 | *Martes flavigula* Boddaert | 尾 |
| 引鼬科 | 紫貂 | *Martes zibellina* L. | 尾 |
| 引鼬科 | 香鼬 | *Mustela altaica* Palls | 肉 |
| 引鼬科 | 艾鼬 | *Mustela eversmanii* Lesson | 肉、脑 |
| 引鼬科 | 黄鼬 | *Mustela sibirica* Pallas | 肉、心、肝 |
| 猫科 | 豹猫 | *Prionailurus bengalensis* Kerr | 骨、肉、阴茎 |
| 猫科 | 家猫 | *Felis silvestris domestica* Brisson | 肉、皮毛、脂肪、骨、肝 |
| 猫科 | 猞猁 | *Lynx lynx* L. | 肉、肠 |
| 猫科 | 豹 | *Panthera pardus* L. | 骨、肉、脂肪 |
| 猫科 | 虎 | *Panthera tigris* L. | 骨、阴茎及睾丸、爪、胃、肾、胆、筋、眼、脂肪 |

续表

| 科名 | 中文学名 | 拉丁学名 | 药用部位 |
| --- | --- | --- | --- |
| 海豹科 | 海豹 | *Phoca vitulina* L. | 阴茎及睾丸、脂肪 |
| 马科 | 骡 | *Equus asinus* L. × *Equus caballus orientalis* Noack | 胃内结石 |
| 猪科 | 野猪 | *Sus scrofa* L. | 胆、肉、皮、脂肪、头骨、骨髓、齿、胆结石、睾丸、蹄 |
| 骆驼科 | 双峰驼 | *Camelus bactrianus* L. | 脂肪、血、毛、肉、胆结石、乳汁 |
| 鹿科 | 欧亚驼鹿 | *Alces alces* L. | 角 |
| 鹿科 | 狍 | *Capreolus capreolus* L. | 幼角 |
| 鹿科 | 驯鹿 | *Rangifer tarandus* L. | 幼角、角、脑 |
| 牛科 | 喜马拉雅斑羚 | *Naemorhedus goral* Hardwicke | 角 |
| 牛科 | 黄羊 | *Procapra gutturosa* Pallas | 角、肉、脂肪、喉 |

# 附录II 吉林省矿物药资源名录

本名录中所列矿物药资源在《中国中药资源大典·吉林卷》正文中未收载

| 类别 | 中文学名 | 拉丁学名 |
|---|---|---|
| 氟化物类 | 萤石 | Fluoritum |
| 硅酸盐类 | 角闪石石棉 | Asbestos hornblendum |
| 硅酸盐类 | 多水高岭石 | Halloysitum |
| 硅酸盐类 | 高岭石 | Kaolinitum |
| 硅酸盐类 | 云母片岩 | Mica-schist |
| 硅酸盐类 | 白云母 | Muscovitum |
| 硅酸盐类 | 软玉 | Nephritum |
| 硅酸盐类 | 浮石 | Pumex |
| 硅酸盐类 | 滑石 | Talum |
| 硅酸盐类 | 透闪石 | Tremolitum |
| 硅酸盐类 | 火山岩 | Volcanic rock |
| 硫化物类 | 辰砂 | Cinnabaris |
| 硫化物类 | 方铅矿 | Galenitum |
| 硫化物类 | 黄铁矿 | Pyritum |
| 硫酸盐类 | 硬石膏 | Anhydritum |
| 硫酸盐类 | 石膏 | Gypsum |
| 硫酸盐类 | 纤维石膏 | Gypsum fibrosum |
| 硫酸盐类 | 芒硝 | Mirabilitum |
| 卤化物类 | 石盐 | Halitum |
| 硼酸盐类 | 硼砂 | Borax |
| 树脂类 | 琥珀 | Succinum |
| 碳酸盐类 | 蓝铜矿 | Azuritum |
| 碳酸盐类 | 黄土结核 | Calcareous loess nodule |
| 碳酸盐类 | 方解石 | Calcitum |
| 碳酸盐类 | 碳酸钙 | Calcium carbonate |
| 碳酸盐类 | 绿泥石片岩 | Chlorite-schist |
| 碳酸盐类 | 白垩 | Creta |
| 碳酸盐类 | 牙齿化石 | Dens draconis |
| 碳酸盐类 | 蛇纹大理岩 | Ophicalcitum |
| 碳酸盐类 | 骨骼化石 | Os draconis |
| 碳酸盐类 | 菱锌矿 | Smithsonitum |
| 碳酸盐类 | 鹅管钟乳石 | Stalactitum |
| 氧化物类 | 锡石 | Cassiteritum |
| 氧化物类 | 赤铁矿 | Hematitum |
| 氧化物类 | 褐铁矿 | Limonitum |
| 氧化物类 | 磁铁矿 | Magnetitum |
| 氧化物类 | 石英 | Quartz |

续表

| 类别 | 中文学名 | 拉丁学名 |
| --- | --- | --- |
| 自然元素类 | 自然银 | Argentum |
| 自然元素类 | 自然金 | Aurum |
| 自然元素类 | 汞 | Hydrargyrum |
| 自然元素类 | 自然硫 | Sulphur |